Fenêtre ouverte
GRAMMAIRE

Fenêtre ouverte

GRAMMAIRE

Odette Cadart-Ricard

Oregon State University

MACMILLAN PUBLISHING COMPANY

New York

Macmillan Publishing Company
866 Third Avenue, New York, New York 10022

Collier Macmillan Canada, Inc.

Library of Congress Cataloging-in-Publication Data

Cadart-Ricard, Odette.
  Fenêtre ouverte : Grammaire / Odette Cadart-Ricard.
    p.   cm.
  Includes index.
  ISBN 0-02-319311-5
  1. French language—Textbooks for foreign speakers—English.
2. French language—Grammar—1950–I. Title.
PC2129.E5C336   1990
448.2′421—dc19
                                          89-2674
                                            CIP

ISBN 0-02-319311-5

Printing: 3 4 5 6 7   Year: 1 2 3 4 5 6

Editor: Karen Davy
Production Supervisor: Lisa G.M. Chuck
Production Manager: Nick Sklitsis
Text and Cover Designer: Pat Smythe
Cover photograph: Raoul Duffy, *Open Window, Nice,* 1928. Oil on canvas, 65.1 x 53.7 cm. The Joseph
Winterbotham Collection. © 1989 The Art Institute of Chicago. All rights reserved.
Photo Researcher: Sybille Millard
Illustrations: Thomas Sperling

PHOTO CREDITS: Page 1: Daniel H.
Ehrlich; **Page 29:** Stuart Cohen/Comstock; **Pages
31 and 39:** Hugh Rogers/Monkmeyer; **Page
43:** Leonard Freed/Magnum; **Page 57:** Richard
Freeman/Photo Researchers; **Pages 68 and
83:** Ulrike Welsch/Photo Researchers; **Page
87:** Alain Keler/Sygma; **Page 92:** Daniel Czap/
Photo Researchers; **Page 104:** Ulrike Welsch/Photo
Researchers; **Page 119:** Hugh Rogers/Monkmeyer;
Page 136: Besnier-Bouvet/Gamma-Liaison;
Page 143: Stuart Cohen/Comstock; **Page 151:**
Pierre Blouzard/Photo Researchers; **Page 160:**
Porterfield-Chickering/Photo Researchers;
Page 172: Paolo Koch/Photo Researchers;
Page 183: Daniel H. Ehrlich; **Page 184:**
Tony Frank/Sygma; **Page 204:** Monique Manceau/
Photo Researchers; **Page 213:** Erika Stone/
Photo Researchers; **Page 225:** Stuart Cohen/
Comstock; **Page 228:** Ulrike Welsch/
Photo Researchers; **Page 241:** Giraudon/Art
Resource; **Pages 243 and 252:** Ulrike Welsch/Photo
Researchers; **Page 268:** Beryl Goldberg; **Page 271:**
Vauthey/Sygma; **Page 277:** Ch. Simonpietri/Sygma;
Page 295: Glik Erkul/Gamma-Liaison;
Page 299: Michel Clément/AFP Photo;
Page 301: Robine/AFP Photo; **Page 306:**
Giansant/Sygma; **Page 319:** Henri Cartier-Bresson/
Magnum; **Page 329:** William Karel/Sygma;
Page 333: *top* Giraudon/Art Resource,
bottom Bildarchiv Foto Marburg/Art Resource;
Pages 334 and 335: *top* and *bottom* Giraudon/
Art Resource; **Page 336:** *top* Art Resource, *bottom*
Giraudon/Art Resource; **Page 338:** French National
Tourist Office; **Page 339:** Lauros-Giraudon/
Art Resource; **Page 344:** *left* Bildarchiv Foto
Marburg/Art Resource, *right* Giraudon/Art
Resource; **Page 356:** Stuart Cohen/Comstock; **Page
365:** Daniel H. Ehrlich; **Pages 371 and 387:** Owen
Franken.

**REALIA CREDITS: Pages 23, 36, 56, 74, 82, 89,
109, 142, 149, 157, 181, 187, 211, 218, 247, 269, 279,
305, 309, 328, 346, 354, 363, 379, 395:** Daniel H.
Ehrlich; **Page 26:** *L'Express,* Dec. 2, 1988; **Page
118:** Minitel/Teletel; **Page 264:** *Le Figaro,* April
1989; **Page 298:** L'Express, March 1988.

Préface

Fenêtre ouverte is a complete and integrated program of study of French at the intermediate level. It consists of a volume of language studies and activities *(Grammaire)*, a reader *(Lectures littéraires et culturelles)*, a program of laboratory recordings, a workbook/laboratory manual *(Cahier de travaux pratiques)*, a software program, and an instructor's manual.

The *Grammaire* has a preliminary chapter *(Chapitre préliminaire: Mise au point)* followed by twelve grammar chapters. The *Chapitre préliminaire* is meant to help students rapidly review basic elements of French grammar previously encountered in earlier courses of language study. It provides definitions, examples, and application exercises. After outlining the French verb system, it systematically reviews the regular verbs and twenty major irregular verbs, using tables to summarize.

Each of the twelve succeeding chapters revolves around a cultural and lexical *thème* of current interest.

1. An opening section—*Vocabulaire spécial*—provides the lexical elements needed to develop the cultural theme. *Trouvez le mot juste !*, a sequence of practical exercises culminating in a free-expression activity, is an occasion for the immediate application of the words listed. The vocabulary presented is subsequently used in examples and exercises throughout the chapter.

2. Grammatical topics are presented in English, clearly and concisely. Diagrams, tables, and time lines visually enhance the explanations of complex concepts and the verb tenses. Extensive examples illustrate each point. Idiomatic expressions and special constructions are well covered. The coverage of grammar is thorough, while remaining at the level of the second year.

3. Exercises—*À votre tour !*—provide an immediate reinforcement of each grammatical segment. They should be practiced orally to reinforce and fully develop oral proficiency in French. Almost all are contextualized and the majority are also situational, projecting a "slice of life"—an authentic, everyday environment—as currently found in France. The exercises are meant to be lively, with a touch of humor or pathos, to sustain student interest and speed learning.

v

4. Sections reviewing vocabulary clarify the meaning and usage of words and expressions posing particular difficulties for English speakers.

5. The *Vue d'ensemble* is a many-sided recapitulation. In *À vous la parole*, students have many opportunities to express personal feelings and ideas *(Parlez de vous-même!)* and to communicate effectively *(Obtenez des renseignements!)*. The section, *En scène!*, encourages students to act out their own dialogs and scenes based on the simple scenarios suggested. The last section, *Soyez créateurs!*, provides for group work leading to reaction by the entire class. Students are called upon by the *Vue d'ensemble* to interact in increasingly involved situations that parallel real life. Each section is independent of the others, allowing the instructor and students to decide how much time they wish to devote to each.

6. Appendix A surveys the literary tenses. The *passé simple* in particular is presented with the help of special tables that should facilitate learning the forms of the irregular verbs. Appendix B includes verb tables showing the conjugations of regular and irregular verbs in the other tenses.

Fenêtre ouverte : Grammaire concludes with a French-English vocabulary and grammar index. Photographs keyed to the cultural theme of each chapter illustrate some of the situational exercises. Reproductions of Impressionist and Post-Impressionist paintings are the basis for several classroom activities in Chapter 11. Famous people and events from contemporary France; the Francophone world; and French history, literature, and the arts are featured in several chapters. Drawings, maps, and realia are interspersed throughout.

Fenêtre ouverte : Lectures littéraires et culturelles correlates chapter by chapter with *Grammaire*. A section of vocabulary review and expansion is followed by cultural and literary readings and conversational activities that feature simulations, play acting, *débats, explications de texte,* and personal opinion forums. The *rédactions* provide an opportunity for written expression.

The *Cahier de travaux pratiques* includes writing activities and materials to support the laboratory recordings. It, too, correlates chapter by chapter with *Grammaire*. A typical chapter is arranged as follows:

1. *Exercices oraux* provide oral reinforcement of grammar structures and their integration in conversations. The activities are of several types—aural comprehension, oral expression, transformation—and require active participation by the students. A *dictée* recaps the chapter as a whole.

2. *Exercices écrits* ask the students to apply grammatical concepts and rules in written French. Completion, transformation, and rejoinder exercises are followed by open-ended activities: sentences to construct, a *thème d'application,* subjects for *rédactions* (compositions or short essays), and a special section titled *Votre vie, votre style,* in which students are free to express their own ideas; be as creative, serious, or humorous as they wish; and really become

the subject of their compositions. Drawings, maps, and realia facilitate the completion of some of the exercises.

The *laboratory recordings,* available on cassettes, may be borrowed and copied free by schools using the text materials in their classes. Schools are also permitted to make additional copies of the recordings for student use at home.

The *Instructor's Manual* includes answers to exercises in the *Grammaire* and *Cahier,* which have predictable answers.

A *Software* program, free to adopters, includes cloze testing in which the student can designate deletions (particular parts of speech, or random words at intervals the student can select); drill and practice material in various formats with error analysis and on-line hints; and speed drills intended to help the student develop instant recognition or particular forms and modes. Schools using the print materials are given a site license which permits them to make disk copies of the software for use outside school facilities by students with their own computers.

ACKNOWLEDGMENTS

The author wishes to thank the reviewers for their evaluation of the manuscript and their constructive criticisms and suggestions, particularly Professors Edmund J. Campion, University of Tennessee; Irène Daly, Cornell University; Michael Danahy, Hollins College; Rae Beth Gordon, University of Connecticut; Kathryn A. Hoffmann, University of Wisconsin—Madison; Jane Tucker Mitchell, University of North Carolina at Greensboro; David O'Connell, University of Illinois at Chicago; and Marian Zwerling Sugano, University of Washington.

The author also thanks the members of the production and editorial staff of the College Division of Macmillan Publishing Company, the photo researcher, and the other editors, who all contributed their support and suggestions. In addition, thanks are due to Thomas Sperling, whose excellent drawings enhance the textbooks.

The author is equally grateful to her daughter, Michèle Ricard-Spalding, for her unique artistic contribution.

Finally, the author wishes to express her appreciation to Daniel Henry Ehrlich, instructor of Geography and Photography at Linn-Benton Community College, for his moral support, his invaluable suggestions on editing the manuscripts, his contribution to the photographic art, and his typing of the manuscripts.

Table des matières

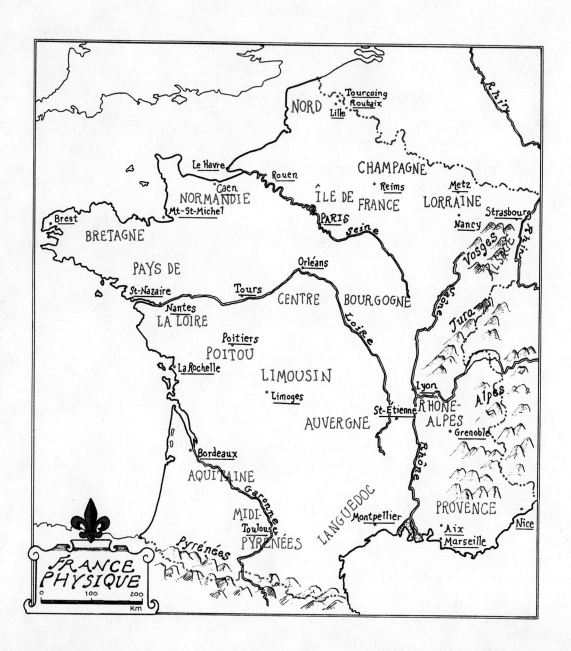

NORD

Tourcoing
Roubaix
Lille

Le Havre · Rouen · CHAMPAGNE

· Reims

Metz

Caen

ÎLE DE FRANCE

LORRAINE

NORMANDIE

Strasbourg

Mt-St-Michel

PARIS

Nancy

Brest ·

Seine

Vosges

ALSACE

BRETAGNE

PAYS DE

Orléans

Rhin

St-Nazaire

Tours

CENTRE

BOURGOGNE

Saône

Jura

Nantes

LA LOIRE

Loire

Poitiers

POITOU

Alpes

La Rochelle

LIMOUSIN

Lyon

· Limoges

RHÔNE-

St-Étienne

ALPES

AUVERGNE

· Grenoble

Bordeaux

Rhône

AQUITAINE

Garonne

LANGUEDOC

Montpellier

PROVENCE

MIDI-

Toulouse

Nice

PYRÉNÉES

Aix

Pyrénées

Marseille

FRANCE PHYSIQUE

0   100   200

Km

CHAPITRE PRÉLIMINAIRE

Mise au point

La pièce de 100 Francs de 1989 commémore la Révolution française
de 1789 et en particulier, la Déclaration des Droits de l'Homme.

Introduction: Sentences, clauses, and parts of clauses

French and English sentences have a similar architecture. They are made up of clauses, which in turn are made up of phrases and individual words, each of which can be classified as a part of speech. This preliminary chapter reviews some basic grammatical terms and sketches the universe of French language functions and forms you will encounter in the chapters that follow. It begins with sentences and clauses, the highest level units of analysis, and works its way down to the level of individual words.

A *sentence* (**une phrase**) consists of one or more clauses. A *clause* (**une proposition**) is a group of words including a subject and a verb.

1. *Main clauses* (**les propositions indépendantes**) may stand alone as independent sentences.

   Jeanne sourit. Pierre pâlit.   *Jeanne smiles. Pierre turns pale.*

2. Long strings of independent clauses, one after the other, are tedious to hear or read. To improve your style, link some of the clauses together. You can join two main clauses with a coordinating conjunction (**et, ou, mais,...**) to form a compound sentence with two *coordinate clauses* (**les propositions coordonnées**).

   Jeanne sourit, **mais** Pierre pâlit.   *Jeanne smiles, but Pierre turns pale.*
              ↑   ↑
        conjonction de   coordinating
        coordination   conjunction

   These coordinate clauses are linked, but the coordinating conjunction **mais** *(but)* provides little information about the nature of the connection between them.

3. You can link clauses in a more informative way by converting one of the independent clauses into a dependent clause. *Dependent clauses* (**les propositions subordonnées**), connected to a main clause by a subordinating conjunction or by a relative pronoun, cannot stand alone.

   a. You can use a subordinate clause, introduced by a subordinating conjunction, to modify (or further explain) the main clause as a whole.

PROPOSITION PRINCIPALE	PROPOSITION SUBORDONNÉE
Jeanne sourit	**parce que** Pierre pâlit.
Jeanne sourit	**parce que** Pierre est en retard.

                                       ↑
                                    conjonction de
                                    subordination

MAIN CLAUSE	SUBORDINATE CLAUSE
Jeanne smiles	*because Pierre turns pale.*
Jeanne smiles	*because Pierre is late.*

                                       ↑
                                    subordinating
                                    conjunction

quand lorsque } *when* si	*if*	**que** **dès que** **avant que**	*that* *as soon as* *before*	**bien que** **quoique** } **parce que**	*though, although* *because*

b. The above are important subordinating conjunctions.

c. You can use a relative clause, introduced by a relative pronoun, to modify a particular noun or pronoun in the main clause.

PROPOSITION PRINCIPALE
Jeanne sourit à Pierre

PROPOSITION RELATIVE
qui pâlit.
↑
pronom relatif

MAIN CLAUSE
Jeanne smiles at Pierre

SUBORDINATE CLAUSE
who turns pale.
↑
relative pronoun

d. Relative pronouns are discussed more fully under the Pronouns heading, further on in this chapter.

The subject in many simple clauses is a *noun group*. The verb is often a *verb group*. Many clauses also include another noun group used as the verb's (direct and indirect) object or as its complement introduced by prepositions.

Pr. 1 Noun group
(le groupe du nom)

Nouns used in clauses are often modified by an article and sometimes by an adjective. You may replace any noun group by a pronoun.

Le petit Pierre pâlit.   *Little Pierre turns pale.*
   Il   pâlit.   *He   turns pale.*

There are several types of words that may form part of a noun group.

A. Noun (le nom)

1. A noun is the name of a person, place, object, or concept.

2. *Gender.* Every French noun has a gender, either masculine or feminine.

le **peintre**, le **village**, l'**amour** (all masculine)
la **chanteuse**, l'**auto**, la **république** (all feminine)

You need to know the gender of every noun you use. The endings of some nouns signal their gender (see Chapitre 2, Section 2.1.A.2). The gender of other nouns is not made evident by their ending and must simply be memorized.

3. *Number.* To use any noun, you have to decide whether to use it in the singular or in the plural. Most nouns have a different ending in the plural.

   a. Most add **-s**: village, **villages**; pain, **pains**.

   b. Singular nouns ending in **-s**, **-x**, or **-z** remain unchanged in the plural: **corps, corps; choix, choix; nez, nez.**

   c. Nouns ending in **-au** or **-eu** add **-x** in the plural: **chapeau, chapeaux; neveu, neveux.**

   d. Most nouns ending in **-al** change to **-aux** in the plural: **journal, journaux; capital, capitaux.**

B. Articles (les articles)

1. *Definite articles* (**les articles définis**)

SINGULAR	PLURAL	
le la l'	les	*the*

le jour	*the day*	**la** nuit	*the night*	**l'**hôtel	*the hotel*
les jours	*the days*	**les** nuits	*the nights*	**les** hôtels	*the hotels*

Contractions: only the forms **le** and **les** contract with **à** and **de**.

à + le → au   à + les → aux
de + le → du   de + les → des
au tableau *at the board*   **aux** enfants *to the children*
du cahier *from the workbook*   **des** amis *of the friends*

2. *Indefinite articles* (**les articles indéfinis**)

SINGULAR	PLURAL
un une	**des**
a/an	*some*

un pied *a foot*   **une** main *a hand*
des pieds *feet*   **des** mains *hands*

3. *Partitive articles* (**les articles partitifs**)

Partitive articles indicate that some, not all, is meant (see Chapitre 2, Section 2.2.C).

SINGULAR	PLURAL	
du de la de l'	**des**	*some/any*

du vin *(some) wine*   **de la** viande *(some) meat*   **de l'**eau *(some) water*
              des carottes *(some) carrots*

Negative sentences: the partitive article is **de (d')**.

Tu **n'as pas de** patience.	*You don't have any patience.*
Il **n'a plus d'**argent.	*He has no more money.*

Exercise 1.   Give the plural.

le roi	la carte	l'enfant	un fils	une poire
le verre	la noix	l'heure	un chien	une vision
le banc	la nation	l'hiver	un cadeau	une chatte
le repas	la joie	l'âge	un jeu	une condition
le feu	la chance	l'oiseau	un général	une armée
le château	la quantité	l'animal	un gaz	une mer

Exercise 2.   Supply the correct articles. Make the contractions and subsequent changes where required.

1. ___ vie à ___ campagne est agréable. ___ Ledoux apprécient cela.
2. Sylvie prend ___ soupe, ___ poisson, ___ eau minérale et ___ glace à ___ citron. Mais elle ne prend pas ___ pain.
3. Paul vient d'acheter ___ chemise, ___ béret et ___ chaussures.
4. Nous allons à ___ parc avec ___ amis d'Odile.
5. Prends-tu ___ train pour aller à ___ usine ?
6. ___ discours du directeur était adressé à ___ étudiants de ___ cours de biologie.

C. Other noun determiners (les déterminants du nom)

Besides the articles, various types of adjectives may serve as noun determiners. All adjectives must agree in gender and number with the nouns they modify.

1. *Interrogative adjectives* (les adjectifs interrogatifs)

SINGULAR	PLURAL	
quel **quelle**	**quels** **quelles**	*what*

Quelle heure est-il ?	*What time is it?*
Quels voyages avez-vous faits ?	*What trips have you taken?*

2. *Possessive adjectives* (les adjectifs possessifs)

mon	**ma**	**mes**	*my*	**notre**	**nos**	*our*
ton	**ta**	**tes**	*your*	**votre**	**vos**	*your*
son	**sa**	**ses**	*his, her, its*	**leur**	**leurs**	*their*

Nos amis arrivent du Canada.
Sa voiture coûte cher.

Our friends are arriving from Canada.
His/Her car is expensive.

3. *Demonstrative adjectives* (**les adjectifs démonstratifs**)

SINGULAR	PLURAL
ce cet cette	**ces**
this/that	*these/those*

ce chat *this cat*   **cet** avion *that plane*   **cette** fille *this girl*
ces livres *these/those books*

Il aime **ce** chat, mais il n'aime pas
ces chiens.

He likes this cat, but he does not
like these/those dogs.

Exercise 3. Complete sentences 1 and 2 with the correct form of the interrogative adjective; sentences 3, 4, and 5 with the appropriate possessive adjectives; and sentences 6 and 7 with the appropriate demonstrative adjectives.

1. ____ villes aimerais-tu visiter l'été prochain?
2. Sur ____ écrivain a-t-il écrit une thèse?
3. Pendant ____ vacances, nous irons chez les Duparc dans ____ maison de campagne.
4. Regarde! Voilà Henri qui arrive avec ____ père, ____ mère et ____ deux frères.
5. Je vais vous donner ____ adresse et ____ numéro de téléphone. Après, vous me donnerez ____ adresse aussi.
6. Qu'est-ce que c'est, ____ animal bizarre qui passe sa vie dans les arbres?
7. Je viens d'acheter ____ deux disques mais je vais les échanger contre ____ livre sur la cathédrale de Chartres.

D. Descriptive adjectives (les adjectifs qualificatifs)

Descriptive adjectives are used to describe nouns.

1. Adjectives are usually listed in dictionaries in the masculine singular. The feminine is usually formed by adding an **-e**, but there are many irregular forms (see Chapitre 7, Section 7.1.A).

plein, pleine *full*   **petit, petite** *small*   **vrai, vraie**   *true*
—but—   —but—   —but—
actif, active *active*   **bon, bonne** *good*   **heureux, heureuse** *happy*

2. The plural of adjectives is usually formed by adding **-s,** but if the singular ends in **-s** or **-x,** no **-s** is added.

le garçon **russe,** les garçons **russes**   *the Russian boy, the Russian boys*
une robe **usée,** des robes **usées**   *a worn-out dress, worn-out dresses*
un enfant **heureux,** des enfants   *a happy child, happy children*
     heureux

3. Adjectives ending in **-al** or **-au** in the singular end in **-aux** in the plural.

le plan **social,** les plans **sociaux**   *the social plan, the social plans*
un vin **nouveau,** des vins **nouveaux**   *a new wine, new wines*

4. There are a few exceptions to some of the rules (see Chapitre 7, Section 7.1.B).

5. *Position.* In French, adjectives usually follow the noun, but a small group of short adjectives precede the noun (see Chapitre 7, Section 7.1.E).

un béret **noir**   *a black beret*   des autos **japonaises** *Japanese cars*
le **beau** tableau *the beautiful painting*   les **bonnes** amies   *the good friends*

Exercise 4. Add the adjectives given in parentheses. Make sure the adjectives agree.

1. J'aime mieux la blouse ——. (bleu)
2. Il ne lit que les histoires ——. (vécu)
3. On va aller voir les films ——. (français)
4. Jean-Luc s'intéresse aux problèmes ——. (social)
5. Les jeunes filles sont ——. (sérieux)
6. Donnez-lui seulement des pommes ——. (vert)

Exercise 5. Add the adjectives given in parentheses where they belong and make all the necessary changes.

1. Avez-vous des amis ? (sportif)
2. Il y a beaucoup de châteaux en France. (beau)
3. Nous avons rencontré deux Français au musée. (charmant)
4. Les chats s'amusent bien ensemble. (petit)

Pr. 2 Pronouns (les pronoms)

Pronouns replace nouns. There are several types.

A. Personal pronouns (les pronoms personnels)

Personal pronouns have different forms to indicate their function in the sentence.

1. Subject pronouns (**les pronoms sujets**)

je	*I*	**nous**	*we*
tu	*you*	**vous**	*you*
il	*he, it*	**ils**	*they*
elle	*she, it*	**elles**	

2. Direct and indirect object pronouns (**les pronoms objets directs et indirects**)

direct objects		indirect objects
	me *me*	
	te *you*	
le, la	*him, her, it*	**les**
	nous *us*	
	vous *you*	
les	*them*	**leur**

Direct and indirect object forms are the same except as shown. They are placed before the verb except in the case of an affirmative command (see Chapitre 3, Section 3.2.B.2).

OD OD Je **te** vois au café et tu **me** vois.	DO DO *I see you at the café and you see me.*
OI OI Je **te** parle et tu **me** parles.	IO IO *I speak to you and you speak to me.*
OD OD Nos copains **nous** voient et nous **les** voyons aussi.	DO DO *Our pals see us and we see them, too.*
OI OI Nous **leur** parlons et ils **nous** parlent.	IO IO *We speak to them and they speak to us.*
OD OD Elle **vous** aime, alors aimez-**la** !	DO DO *She loves you, therefore love her!*
OD OI Je **les lui** apporterai plus tard.	DO IO *I'll bring them to him/her later.*
OD OI —Oui, apportez-**les**-**lui.**	DO IO *Yes, bring them to him/her.*

3. *Disjunctive pronouns* (**les pronoms toniques**)

Disjunctive pronouns are used after a preposition.

moi	*me*	**nous**	*us*
toi	*you*	**vous**	*you*
lui	*him, it*	**eux**	*them*
elle	*her, it*	**elles**	

Il sort **avec elle.**	*He goes out with her.*
Nous devons voter **pour eux.**	*We must vote for them.*
Sans toi, je ne peux pas vivre !	*Without you, I can't live!*

The disjunctive pronouns are used in other ways also, such as to reinforce another noun or pronoun (see Chapitre 3, Section 3.2.E.2).

Les Planchon, **eux,** ont une voiture américaine.	*The Planchons (as for them) have an American car.*
Moi, je conduis une petite Renault.	*I drive a small Renault.*

4. **y** *and* **en**

Both words may be used as pronouns or adverbs to refer to things, ideas, or places.

a. As pronouns, **y** replaces a noun introduced by **à,** while **en** replaces a noun introduced by **de** (see Chapitre 3, Section 3.2.C).

Je pense **à votre match.** J'**y** pense.	*I think about your match. I'm thinking about it.*
Je parle **de votre match.** J'**en** parle.	*I talk about your match. I'm talking about it.*
Ils ont assez **d'argent.** Ils **en** ont assez.	*They have enough money. They have enough of it.*
Ont-ils **de la patience ?** Ils n'**en** ont pas.	*Do they have any patience? They don't have any.*

b. As adverbs, **y** replaces a place name introduced by **à, en, dans, chez** and corresponds to *there,* while **en** replaces a place name introduced by **de** and corresponds to *from there.*

Nos amis sont **à Paris.** Ils **y** sont.	*Our friends are in Paris. They are there.*
Ils sont arrivés **de Grèce.** Ils **en** sont arrivés.	*They arrived from Greece. They arrived from there.*

Exercise 6. Supply the missing personal pronouns. Pay attention to their function in the sentence.

1. Tiens! Voilà mes copains. Tu _____ connais?
2. Ce livre là-bas, je _____ ai payé soixante francs.
3. Luc, je ne connais pas ces gens. _____ semblent très sympathiques. Veux-tu me présenter à _____?
4. Jacqueline, je ne peux pas aller au ciné avec _____. J'ai fait une promesse à mes parents. Je _____ ai dit que j'allais réussir à l'examen.
5. Voici une tasse de café. Donne-_____ à ton père.

Exercise 7. Replace the nouns in italics with the appropriate pronouns.

1. Nous avons vu *Michel* au café. Il parlait avec *deux copines.*
2. Donnez *cette belle rose à votre mère.*
3. *Le vendeur* m'a recommandé *ce roman.*
4. *Martin* envoie *les lettres à ses amies.*

Exercise 8. Replace the words in italics with **y** or **en.**

1. Leur oncle habite *à Lausanne.*
2. Qu'est-ce que vous pensez *de mon chapeau?*
3. Mes parents boivent *de l'eau minérale* aux repas.
4. Denise s'intéresse *à la philosophie.*
5. Nous avons beaucoup *de travail.*
6. Joseph est revenu *de France* hier.

B. Relative pronouns (les pronoms relatifs)

Relative pronouns introduce dependent relative clauses that modify a particular noun or pronoun (called the *antecedent* of the relative clause) in the main clause. The form to use depends on the pronoun's function within the relative clause.

FORM		FUNCTION WITHIN RELATIVE CLAUSE
qui	*who, which, that*	subject
que	*whom, which, that*	direct object
dont	*whose*	replaces a **de** construction

J'achète le livre **qui** m'intéresse.   *I buy the book that interests me.*

↓

J'achète **le livre. Ce livre** m'intéresse.

Il critique le poète **que j'aime**.   *He criticizes the poet whom I like.*

↓

Il critique **le poète**. J'aime **ce poète**.

Parle au chien **dont tu as peur**!   *Speak to the dog that you're afraid of!*

↓

Parle au **chien**! Tu as peur **du chien**.

Exercise 9. Combine the two sentences into one, adding the appropriate relative pronoun and making all necessary changes.

1. Allons voir les pandas. Ces pandas viennent d'arriver au zoo.
2. Explique-nous le voyage. Tu vas faire ce voyage.
3. Voici la chanteuse. Marc a parlé de cette chanteuse.

Exercise 10. Supply the missing relative pronouns.

1. Ce sont les plantes _____ je vais mettre dans le jardin.
2. Paul m'a donné des roses _____ sentent bon.
3. Regarde la voiture _____ Jean-Luc a envie.
4. Nous ne devons pas manger les aliments _____ nous rendent malades.

C. Interrogative pronouns (les pronoms interrogatifs)

1. Interrogative pronouns are used to introduce a question. They have forms that indicate whether the question is about a person or thing (see Chapitre 6, Section 6.4.A).

PERSONS (in all cases)	qui

Qui vient?	*Who's coming?*
Qui as-tu vu?	*Whom did you see?*
Avec qui sors-tu?	*With whom do you go out? (Whom do you go out with?)*

THINGS	subject	qu'est-ce qui
	direct object	que
	after a preposition	quoi

Qu'est-ce qui ne va pas ?	*What's not working?*
Que dis-tu ?	*What are you saying?*
Avec quoi écris-tu ?	*What are you writing with?*

2. Interrogative pronouns have short and long forms. For example, the short form **qui**, used as a subject, alternates with its long form, **qui est-ce qui.**

Qui vient ?	*Who's coming?*
Qui est-ce qui vient ?	*Who (is it that)'s coming?*

3. For other short and long forms, see Chapitre 6, Section 6.4.B.

Exercise 11. Supply the missing interrogative pronouns.

1. ___ commandez-vous au garçon de café ?
2. ___ joue le rôle de Manon dans le film ? (two ways)
3. ___ fait ce bruit terrible, dans la rue ?
4. Sur ___ la touriste pose-t-elle sa valise ?
5. ___ allez-vous rencontrer à l'agence de voyage ?
6. À ___ écrivez-vous cette longue lettre ?

D. Possessive pronouns (les pronoms possessifs)

French has possessive pronouns such as **le mien, la mienne, les tiens, les siennes, la nôtre, les vôtres, le(s) leur(s), la leur** that are equivalent to *mine, yours, hers, ours, theirs* in English (see Chapitre 9, Section 9.4.C).

Pouvez-vous me prêter vos crayons ?	*Can you lend me your pencils?*
J'aime **les vôtres**. Et... euh...	*I like yours . . . hmm . . . I*
j'ai oublié **les miens !**	*have forgotten mine.*

E. Demonstrative pronouns (les pronoms démonstratifs)

French demonstrative pronouns **celui, celle, ceux, celles**—often combined with **-ci** and **-là**—are equivalent to *this, that, these, those, the one(s)* in English (see Chapitre 11, Section 11.1.B).

Je lirai ce roman, mais je ne lirai pas **ceux-là**.	*I'll read this novel, but I won't read those.*

Pr. 3 Prepositions (les prépositions)

1. A preposition may introduce a noun, a pronoun, or a verb usually in the infinitive. Prepositions indicate origin, location, intent, manner, and so on (see Chapitre 10, Section 10.1A and B). Here is a sample of some common prepositions:

à	at, to	pour	for	derrière	behind
de	of, from	en	in	sur	on, upon
avec	with	dans	in, into	sous	under
sans	without	devant	in front of	selon	according to

Selon lui, Cathie est en Italie. *According to him, Cathie is in Italy.*
Mets le bol **sur la table !** *Put the bowl on the table!*

2. Other prepositions are compound, made up of two or more words. Some of these are:

à côté de	next to	loin de	far from	jusqu'à	until
près de	near	le long de	along	au sujet de	on, about

Roger habite **près du parc.** *Roger lives near the park.*
J'attendrai **jusqu'à 9 heures.** *I'll wait until 9 o'clock.*

3. The preposition **de** *(from, of)* is also used to mark possession (expressed in English by *'s*).

Voici les parents **de Jean.** *Here are John's parents.*

4. The prepositions **à** and **de** are often part of the construction of a verb and introduce another verb in the infinitive (see Chapitre 10, Section 10.3.C).

Il essaie de parler lentement. *He's trying to speak slowly.*
Tu t'es mis à faire tes devoirs. *You set out to do your homework.*

Exercise 12. Supply the missing prepositions. Choose from among those given above.

1. Fabrice habite à 100 kilomètres ____ Paris, donc c'est ____ la capitale. Il y va ____ auto tous les jeudis.
2. Où est la pâtisserie Babaorum ? — Oh ! C'est ____ ici : il faut une minute ____ y aller.
3. Elle est entrée ____ le magasin et elle a demandé ____ voir les parfums qui viennent ____ France.
4. Nous ferons un voyage ____ Angleterre ____ nos amis les Durand-Dupont.
5. Jacques aime conduire la voiture ____ son père. ____ maintenant, il a réussi ____ éviter les accidents.

Pr. 4 Comparative constructions (les comparatifs)

1. Comparative constructions are used to compare two persons or two things (see Chapitre 7, Section 7.3.A).

CONSTRUCTION	EQUIVALENT TO	EXPRESSES
aussi + adj + **que**	*as* + adj + *as*	equality
plus + adj + **que**	*more* + adj + *than*	superiority
moins + adj + **que**	*less* + adj + *than*	inferiority

Pauline est **moins grande que** Sabine, mais elle est **aussi jolie qu'**elle.

Pauline is less tall than Sabine, but she's as pretty as she.

2. **Bon** has an irregular comparative form, **meilleur**.

Les trains français sont-ils **meilleurs que** les trains anglais ?

Are French trains better than English trains?

Exercise 13. Compare the two given items, using the adjective given in parentheses. Make all necessary agreements.

MODÈLE   l'avion / le train (rapide)
L'avion est plus rapide que le train.
—or—
Le train est moins rapide que l'avion.

1. l'Irlande / le Sahara   (humide)
2. l'Angleterre / la France   (grand)
3. les diamants *m* / les opales *f*   (cher)
4. Mercure *m* / la Terre *f*   (petit)
5. les éclairs / les crackers   (bon)

Pr. 5 Verb group (le groupe du verbe)

Verbs used in clauses may be modified by an adverb of negation (to make them negative) and sometimes by other types of adverbs. Let us examine the words commonly included in the verb group, starting with the verb itself.

A. Verb (le verbe)

Verbs play a major role in the sentence, expressing not only an action or state but also the time and manner of its performance or existence. Verbs characteristically have different forms to express voice, mood, tense, and person. A conjugation is a set of forms related to one particular tense.

1. A verb's *voice* **(la voix)** indicates the relation of the verb's subject to the action it expresses. In the *active voice*, the subject does the action. In the *passive voice*, the subject is the recipient of the action.

Active	Hervé **coupe** le pain.	*Hervé cuts the bread.*
Passive	Le pain **est coupé** par Hervé.	*The bread is cut by Hervé.*

In French, the auxiliary **être** *(to be)* is used to form the passive voice (see Chapitre 12, Section 12.1.A).

finir	*to finish*	être fini	*to be finished*
écrire	*to write*	être écrit	*to be written*

On postera la lettre ce soir.	*They'll mail the letter tonight.*
La lettre **sera postée** ce soir.	*The letter will be mailed tonight.*

2. A verb's *mood* **(le mode)** indicates the frame of mind of the speaker toward the action.

a. Speakers use the *indicative mood* **(l'indicatif)** when they are presenting the action or state expressed by the verb as a fact.

Je ne **fume** pas.	*I don't smoke.*
Ils **sont allés** en Europe en avril.	*They went to Europe in April.*
Il **savait** qu'elle **était** malade.	*He knew that she was ill.*
Tu **iras** au marché demain.	*You'll go to the market tomorrow.*

b. Speakers use the *imperative mood* **(l'impératif)** when they are presenting an action as one that should be done (as a command).

Ne **viens** pas demain soir!	*Don't come tomorrow evening!*
Travaillez en silence!	*Work silently!*
Allons dîner au restaurant!	*Let's go dine at the restaurant!*
Ne **faites** pas d'erreurs dans le compte.	*Don't make errors in the account.*

c. Speakers use the *conditional mood* **(le conditionnel)** to express an action that is only an eventuality or that depended upon another for its completion.

Si vous **aviez** une voiture, vous **pourriez** partir maintenant.	*If you had a car, you could leave now (possible only if you had a car).*
Nous **serions venus** plus vite si nous **avions su** cela.	*We would have come faster if we had known that (would have been possible if we had known).*

d. Speakers use the *subjunctive mood* **(le subjonctif)** in a subordinate clause when that clause is subject to various types of comments expressed in the main clause.

Nous sommes contents **qu'il soit** libre.	*We're glad that he's free* (a subjective feeling is expressed).
Je doute **que tu ailles** mieux demain.	*I doubt that you would feel better tomorrow* (uncertainty is expressed).

3. A verb's *tense* **(le temps)** indicates at what moment in time (present, past, future) the action or state expressed by the verb takes place. In the *simple* tenses or one-word tenses **(les temps simples),** the conjugated verb has various endings called inflections. In the *compound* tenses **(les temps composés),** a conjugated form of an *auxiliary* verb **(l'auxiliaire avoir ou l'auxiliaire être)** is used with the past participle of the main verb. The French verb system is so constructed that for each simple tense there is a corresponding compound tense.

MODE	TEMPS SIMPLES	TEMPS COMPOSÉS
Indicatif	présent **je parle**	passé composé **j'ai parlé**
	imparfait **je parlais**	plus-que-parfait **j'avais parlé**
	futur **je parlerai**	futur antérieur **j'aurai parlé**
Impératif	présent **parle!**	passé **aie parlé!**
Conditionnel	présent **je parlerais**	passé **j'aurais parlé**
Subjonctif	présent **que je parle**	passé **que j'aie parlé**

The indicative and subjunctive moods have other tenses not shown in the preceding chart (see details in Appendix A).

Review of regular verbs

All the regular verb conjugations are given in Appendix B. The models given are **aider, agir, vendre, entrer,** and **se laver.** Let us do a systematic review of the three main tenses of the indicative: present, future, **passé composé.** Review these tenses in the verb tables.

A. Present tense (le présent)

Speakers use the *present* tense to indicate an action, state, or condition that is expressive of present time or of the time of speaking (see Chapitre 1, Section 1.1.D).

Julie **a** mal à la tête.   *Julie has a headache.*
Tu ne **parles** pas chinois.   *You don't speak Chinese.*
Nous **détestons** les épinards.   *We detest spinach.*

Exercise 1.   Do the following substitutions in the present indicative.

1. *Je* me porte mieux depuis que je marche plus.   (mes parents, nous, tu, Philippe, vous)
2. *Ils* bâtissent une nouvelle maison.   (je, vous, tu, nous, mon amie Suzanne)
3. *Tu* attends l'autocar pour Marseille.   (les touristes, je, nous, Mme Michaud, vous)

Exercise 2.   Complete with the present of the verb given in parentheses.

1. (rendre)   Tes enfants te ⎯⎯ la vie difficile.
2. (punir)   Nous ⎯⎯ notre fils seulement quand c'est absolument nécessaire.
3. (changer)   Tu ⎯⎯ si souvent d'opinion !
4. (téléphoner / attendre / oublier)   Francis, je te ⎯⎯ parce que je t'⎯⎯ depuis une heure. Tu ⎯⎯ notre rendez-vous.

B. Future tense (le futur)

Speakers use the *future* tense to indicate an action, state, or condition that is expressive of time yet to come (see Chapitre 6, Section 6.1.A.2).

Vous **choisirez** un cadeau.   *You'll pick a gift.*
Quand il **arrivera**, on **dînera**.   *When he arrives, we'll have dinner.*
Ils **chercheront** le mot juste et   *They'll look for the right word*
    ils **répondront** à vos insultes.   *and they will respond to your insults.*

Exercise 3.   Do the following substitutions in the future.

1. *Tu* descendras du train à Rouen.   (les voyageurs, nous, je, la directrice, vous)
2. *Vous* finirez le roman lundi prochain.   (je, l'étudiante, nous, les critiques, tu)
3. *Elle* apportera un dessert pour le pique-nique.   (nous, tu, ma mère, vous, nos amis)

Exercise 4.   Complete with the future of the verb given in parentheses.

1. (réfléchir)   Isabelle et moi, nous ⎯⎯ à votre idée ce soir.
2. (écouter / défendre)   Nous ⎯⎯ avec plaisir lorsque vous ⎯⎯ votre thèse de doctorat.

3. (entrer / regarder) Quand tu ___ dans le magasin, tu ___ les vêtements de sport.
4. (étudier) Ils ___ sérieusement pour l'examen.

C. Past tense (le passé composé)

Speakers use the **passé composé** to indicate an action, state, or condition that took place and was completed in the past without reference to duration, continuance, or repetition (see Chapitre 4, Section 4.1.B).

Fernand nous **a donné** un bon disque.	*Fernand gave us a good record.*
Tu **as** bien **agi.**	*You have done well.*
Il **s'est cassé** la jambe quand il **est descendu** du train.	*He broke his leg when he stepped down from the train.*

Exercise 5. Do the following substitutions in the **passé composé.** Be sure to use the correct auxiliary (see Chapitre 4, Section 4.1.A).

1. *Elles* sont montées dans l'autobus. (vous, tu, l'étranger, nous, je)
2. *Nous* avons vite accompli le travail. (la jolie Canadienne, vous, je, mes copains, tu)
3. *Vous* avez défendu la victime. (je, nous, l'avocat, tu, les gendarmes)

Exercise 6. Answer the following questions, using the **passé composé.**

1. Où avez-vous étudié le français ?
2. Avez-vous déjà voyagé en France ?
3. Êtes-vous arrivé(e) à l'heure au cours ?
4. Avez-vous toujours bien agi avec vos parents ?
5. Vous êtes-vous couché(e) de bonne heure hier soir ?
6. Avez-vous jamais perdu la clé de votre maison/appartement/voiture ?

D. Imperative (l'impératif)

Now, review the imperative mood for all the regular verbs in the verb tables (Appendix B).

Réponds au téléphone !	*Answer the phone!*
Catherine et Paul, **rangez** vos affaires !	*Catherine and Paul, put your things away!*
Finissons notre repas !	*Let's finish our meal!*

Exercise 7. Complete the following sentences with the appropriate imperative form of the verbs in parentheses.

1. (monter) Quand vous arriverez à Paris, ___ à la Tour Eiffel.
2. (finir) Si tu y penses, ___ tes devoirs avant le week-end.

3. (acheter) Lorsque nous voyagerons en Suisse, ___ du bon chocolat!
4. (vendre) Quand vous rentrerez de vacances, ___ votre vieille voiture.

Review of irregular verbs

The conjugations of the auxiliaries **avoir** and **être** and of 34 common irregular verbs are given in Appendix B. Review the following tenses of the indicative: present, **passé composé**, future. Also review the imperative of the following irregular verbs.

avoir	**dire**	**lire**	**recevoir**
être	**dormir**[1]	**mettre**	**savoir**
aller	**écrire**	**ouvrir**[1]	**tenir**[1]
connaître[1]	**faire**	**pouvoir**	**voir**
devoir	**falloir**	**prendre**	**vouloir**

Exercise 8. Do the following substitutions.

1. *Nous* avons une tante en Corse. (je, mon ami, vous, nos voisins, tu)
2. *Ces gens-là* sont belges. (Marie-Noëlle, je, nous, tu, vous)
3. *Tu* viens du Sénégal. (nous, Aimée, vous, ces athlètes, je)
4. *Vous* allez à Tahiti. (je, les vacanciers, nous, tu, la secrétaire)
5. *Je* fais une promenade à pied. (vous, les sportifs, tu, nous, mon camarade de chambre)

Exercise 9. Complete the sentences with the present indicative of the verbs in parentheses.

1. (connaître / venir) Elles ne ___ pas encore leur nouveau petit frère que leurs parents ___ d'adopter.
2. (recevoir) Tu ___ beaucoup de lettres de ton fiancé.
3. (pouvoir / être) Mon oncle Henri ___ être satisfait de moi. Nous ___ maintenant tous les deux des champions de natation.
4. (tenir) Les socialistes ___ le pouvoir en France.

Exercise 10. Do the following substitutions. Note that 1 and 2 are in the future, and 3 and 4 are in the **passé composé.**

1. *Ma tante Céline* dira bonjour au boulanger. (tu, vous, les clients, nous, je)
2. *Nous* verrons cette dame au supermarché. (je, Didier et Yves, tu, vous, on)
3. *Les deux frères* ont écrit au directeur. (tu, vous, le chômeur, je, nous)
4. *Tu* es sorti avec des copains africains. (vous, Fabien, je, nous, les étudiants québécois)

---

[1] These verbs serve as models for other verbs conjugated in the same manner, which are listed under each entry in Appendix B.

Exercise 11. Complete with the appropriate form of the verb given in parentheses. Watch for clues to the verb tense.

1. (pouvoir) Demain, nous ―― faire des crêpes.
2. (recevoir) Tu ―― un paquet de tes amis hier.
3. (savoir) Dans une semaine, vous ―― le résultat des examens.
4. (vouloir / être) Demain Bruno ―― aller chez Catherine. Demain elle ―― chez sa tante.
5. (prendre / aller) Quelqu'un ―― mon sac avec toutes mes clés hier matin quand j'étais au magasin. Alors, je ―― à pied au bureau de police.
6. (devoir) J'―― conduire ma voiture au garage lundi dernier.

Interrogative form of the verb

Yes-no questions can be expressed in any of four ways.

raising intonation (in speaking): Tu as faim? *You're hungry?*
starting sentence with **est-ce que: Est-ce que** tu as faim? *Are you hungry?*
inverting subject-verb order: **As-tu** faim? *Are you hungry?*
ending sentence with **n'est-ce pas: Tu** as faim, **n'est-ce pas**? *You're hungry, aren't you?*

NOTE 1 **-t-** needs to be added between the verb and the inverted subject **il/elle** when there is no consonant ending the verb.

Vient-elle en auto?	*Is she coming by car?*
Entend-il clairement?	*Does he hear clearly?*
–but–	
Aime-t-elle le brie[2]?	*Does she like Brie?*
Va-t-il au laboratoire?	*Is he going to the laboratory?*

NOTE 2 In a compound tense, the subject and the auxiliary are inverted.

Nous avons visité le château.	*We have visited the castle.*
Avons-nous visité le château?	*Have we visited the castle?*

Exercise 12. Put the following sentences in the interrogative form, using the **est-ce que** construction first and the inverted form second.

MODÈLE   Tu vends des disques.
         Est-ce que tu vends des disques? Vends-tu des disques?

1. Tu as acheté une jolie robe.
2. Vous partirez à huit heures.

―――――――――

[2] **Le brie** est un fromage réputé, très crémeux.

3. Il connaît le directeur de l'école.
4. Elle parle deux langues étrangères.
5. Il a une bonne bicyclette.

Negative form of the verb

1. The most common negative is **ne...pas.** The verb is made negative by placing **ne** before it and **pas** after. In a compound tense, the negation bears only on the auxiliary (see Chapitre 5, Section 5.2.B).

Jean-Pierre fume, mais sa femme **ne fume pas.** Elle dit : «**Ne fume pas,** Jean-Pierre, ce **n'est pas** bon pour toi !» Eh bien! Voilà deux jours qu'il **n'a pas fumé !**

Jean-Pierre smokes, but his wife does not. She says: "Don't smoke, Jean-Pierre, it's not good for you!" Well! It's been two days that he has not smoked.

2. Some other adverbs of negation are:

ne... plus	**ne... jamais**	**ne... point**	**ne... rien**
no more, no longer	*never*	*not*	*nothing*

Il **n'a rien dit.**

He didn't say anything. (He said nothing)

Je **n'irai jamais** au Pôle Sud.
Tu **n'as point aimé** le film.

I'll never go to the South Pole.
You didn't like the film.

With **ne... personne, personne** is placed after the full verb in a compound tense.

Julie **n'a rencontré personne** au parc.
N'as-tu vu personne hier ?

Julie didn't meet anyone in the park.
Didn't you see anybody yesterday?

Exercise 13. Make the following sentences negative by adding the negation given in parentheses.

1. Nous prendrons l'autobus no. 5. (ne...pas)
2. Les trois femmes ont voyagé en Afrique. (ne...jamais)
3. Hugo lisait son journal dans le train. (ne...point)
4. Ils dînent au restaurant de la rue de Chartres. (ne...plus)
5. Tu es arrivé en retard en classe. (ne...pas)

Exercise 14.   Answer negatively with either **ne. . . rien** or **ne. . . personne**.

1. Qui avez-vous rencontré au café ?
2. Qu'est-ce que vous avez fait hier ?
3. Qu'est-ce que vous achetez dans ce magasin ?
4. Qui emmenez-vous au cinéma avec vous ?

B. Adverb (l'adverbe)

1. Adverbs modify verbs. They may also modify an adjective or another adverb.

tôt	*early*	**assez**	*enough*
tard	*late*	**souvent**	*often*
trop	*too much*	**hier**	*yesterday*
beaucoup	*much*	**demain**	*tomorrow*

Denise est arrivée **tôt**.   *Denise arrived early.*
Il va **souvent** la voir.   *He goes to see her often.*

2. Other adverbs are derived from adjectives. Usually the ending **-ment** is added to the masculine form of adjectives ending in a vowel and to the feminine form of adjectives ending in a consonant, but there are exceptions (see Chapitre 7, Section 7.2.A).

adjective	adverb		adjective	adverb	
calme →	**calmement**	*calmly*	grand →	**grandement**	*greatly*
vrai →	**vraiment**	*truly*	actif →	**activement**	*actively*
sage →	**sagement**	*wisely*	heureux →	**heureusement**	*happily*
	–but–			–but–	
élégant →	**élégamment**	*elegantly*	récent →	**récemment**	*recently*

Il faut agir **calmement**.   *One must act calmly.*
Nous l'écouterons **sérieusement**.   *We will listen seriously to him/her.*

3. *Position:* The adverb usually follows the verb, but the short adverbs may have other positions in the sentence. This is fully discussed in Chapitre 7, Section 7.2.B.

Ce professeur parle **rapidement**.   *This professor speaks fast.*
Hier, il a parlé **trop rapidement**.   *Yesterday he spoke too fast.*

4. *Irregular adverbs:*

bon → bien	meilleur → mieux	mauvais → mal
good *well*	*better* *better*	*bad* *badly*

Pierre parlait **mal** le russe;
maintenant il le parle **mieux.**

*Pierre spoke Russian badly; now he
speaks it better.*

Exercise 15. Transform the adjectives into adverbs.

1. joli   probable   sincère
2. général   malheureux   pensif
3. bon   mauvais   meilleur
4. exact   intelligent   méchant

BEAUJOLAIS

APPELLATION CONTROLÉE

=== 1964 ===

L. DUBAQUIE & Cᵒ Négociants 10, cours du Médoc Bordeaux (Gironde)

Answers to Mise au point exercises

Sections Pr. 1 through Pr. 4

Exercise 1

les rois	les cartes	les enfants	des fils	des poires
les verres	les noix	les heures	des chiens	des visions
les bancs	les nations	les hivers	des cadeaux	des chattes
les repas	les joies	les âges	des jeux	des conditions
les feux	les chances	les oiseaux	des généraux	des armées
les châteaux	les quantités	les animaux	des gaz	des mers

Exercise 2 1. La, la, Les   2. de la, du, de l', de la, au, de   3. une, un, des
4. au, les *or* des   5. le, l'   6. Le, aux, du

Exercise 3 1. Quelles   2. quel   3. nos, leur   4. son, sa, ses   5. mon,
mon, votre   6. cet   7. ces, ce

Exercise 4 1. bleue   2. vécues   3. français   4. sociaux   5. sérieuses
6. vertes

Exercise 5 1. Avez-vous des amis sportifs?   2. Il y a beaucoup de beaux
châteaux en France.   3. Nous avons rencontré deux Français charmants au musée.
4. Les petits chats s'amusent bien ensemble.

Exercise 6 1. les   2. l'   3. Ils, eux   4. toi *or* vous, leur   5. la

Exercise 7 1. Nous l'avons vu au café. Il parlait avec elles.   2. Donnez-la-lui.
3. Il me l'a recommandé.   4. Il les leur envoie.

Exercise 8 1. Leur oncle y habite.   2. Qu'est-ce que vous en pensez?   3. Mes
parents en boivent aux repas.   4. Denise s'y intéresse.   5. Nous en avons beaucoup.   6. Joseph en est revenu hier.

Exercise 9 1. Allons voir les pandas qui viennent d'arriver au zoo.   2. Explique-
nous le voyage que tu vas faire.   3. Voici la chanteuse dont Marc a parlé.

Exercise 10 1. que   2. qui   3. dont   4. qui

Exercise 11 1. Que   2. Qui *or* Qui est-ce qui   3. Qu'est-ce qui   4. quoi
5. Qui   6. qui

Exercise 12 1. de, loin de, en   2. près d', pour   3. dans, à, de   4. en, avec
5. de, Jusqu'à, à

Exercise 13 1. L'Irlande est plus humide que le Sahara. *or* Le Sahara est moins
humide que l'Irlande.   2. L'Angleterre est moins grande que la France. *or* La France
est plus grande que l'Angleterre.   3. Les diamants sont plus chers que les opales.
or Les opales sont moins chères que les diamants.   4. Mercure est plus petit que la
Terre. *or* La Terre est moins petite que Mercure.   5. Les éclairs sont meilleurs que
les crackers. *or* Les crackers sont moins bons que les éclairs.

Section Pr. 5

Exercise 1 1. Mes parents se portent, ils marchent; Nous nous portons, nous marchons; Tu te portes, tu marches; Philippe se porte, il marche; Vous vous portez, vous marchez 2. Je bâtis, Vous bâtissez, Tu bâtis, Nous bâtissons, Mon amie Suzanne bâtit 3. Les touristes attendent, J'attends, Nous attendons, Mme Michaud attend, Vous attendez

Exercise 2 1. rendent 2. punissons 3. changes 4. téléphone, attends, oublies

Exercise 3 1. Les voyageurs descendront, Nous descendrons, Je descendrai, La directrice descendra, Vous descendrez 2. Je finirai, L'étudiante finira, Nous finirons, Les critiques finiront, Tu finiras 3. Nous apporterons, Tu apporteras, Ma mère apportera, Vous apporterez, Nos amis apporteront

Exercise 4 1. réfléchirons 2. écouterons, défendrez 3. entreras, regarderas 4. étudieront

Exercise 5 1. Vous êtes monté(e)(s), Tu es monté(e), L'étranger est monté, Nous sommes monté(e)s, Je suis monté(e) 2. La jolie Canadienne a vite accompli, Vous avez vite accompli, J'ai vite accompli, Mes copains ont vite accompli, Tu as vite accompli 3. J'ai défendu, Nous avons défendu, L'avocat a défendu, Tu as défendu, Les gendarmes ont défendu

Exercise 6 1. J'ai étudié... 2. J'ai déjà voyagé... 3. Je suis arrivé(e)... 4. J'ai toujours/Je n'ai pas toujours bien agi... 5. Je me suis couché(e)... 6. J'ai perdu/ Je n'ai jamais perdu...

Exercise 7 1. montez 2. finis 3. achetons 4. vendez

Exercise 8 1. J'ai, Mon ami a, Vous avez, Nos voisins ont, Tu as 2. Marie-Noëlle est, Je suis, Nous sommes, Tu es, Vous êtes 3. Nous venons, Aimée vient, Vous venez, Ces athlètes viennent, Je viens 4. Je vais, Les vacanciers vont, Nous allons, Tu vas, La secrétaire va 5. Vous faites, Les sportifs font, Tu fais, Nous faisons, Mon camarade de chambre fait

Exercise 9 1. connaissent, viennent 2. reçois 3. peut, sommes 4. tiennent

Exercise 10 1. Tu diras, Vous direz, Les clients diront, Nous dirons, Je dirai 2. Je verrai, Didier et Yves verront, Tu verras, Vous verrez, On verra 3. Tu as écrit, Vous avez écrit, Le chômeur a écrit, J'ai écrit, Nous avons écrit 4. Vous êtes sorti(e)(s), Fabien est sorti, Je suis sorti(e), Nous sommes sorti(e)s, Les étudiants québécois sont sortis

Exercise 11 1. pourrons 2. as reçu 3. saurez 4. voudra, sera 5. a pris, suis allée 6. ai dû

Exercise 12 1. Est-ce que tu as acheté une jolie robe? As-tu acheté une jolie robe? 2. Est-ce que vous partirez à huit heures? Partirez-vous à huit heures?

3. Est-ce qu'il connaît le directeur de l'école? Connaît-il le directeur de l'école?
4. Est-ce qu'elle parle deux langues étrangères? Parle-t-elle deux langues étrangères?
5. Est-ce qu'il a une bonne bicyclette? A-t-il une bonne bicyclette?

Exercise 13 1. Nous ne prendrons pas... 2. Les trois femmes n'ont jamais voyagé... 3. Hugo ne lisait point son journal... 4. Ils ne dînent plus... 5. Tu n'es pas arrivé...

Exercise 14 1. Je n'ai rencontré personne au café. 2. Je n'ai rien fait hier. 3. Je n'achète rien dans ce magasin. 4. Je n'emmène personne au cinéma avec moi.

Exercise 15 1. joliment, probablement, sincèrement 2. généralement, malheureusement, pensivement 3. bien, mal, mieux 4. exactement, intelligemment, méchamment

ABBREVIATIONS AND SYMBOLS

adj	adjective	neg	negative
adv	adverb	p	**proposition** (clause)
arg	**argot** (slang)	part	participle
conj	conjunction	pl	plural
DO	direct object	pr	pronoun
f	feminine	pre	preposition
fam	familiar	qqch	**quelque chose** (something)
int	interrogative	qqn	**quelqu'un** (someone)
invar	invariable	reg	regular
IO	indirect object	sing	singular
irr	irregular	s.o.	someone
m	masculine	sth	something
n	noun	v	verb

=	stands for *means, is equal to*
≠	stands for *is the opposite of*
→	stands for *becomes*
/ /	encloses IPA symbols (phonetic transcription)

CHAPITRE 1
Le Monde des étudiants

La grande porte d'entrée de la Sorbonne.

Vocabulaire spécial

I Les études *f*

Noms

les établissements *m institutions*

d'études secondaires { le collège[1]
{ le lycée[1]

d'études supérieures { l'université *f*
{ la grande école

les bâtiments *m buildings*
la librairie *bookstore*
le laboratoire *laboratory*
la bibliothèque *library*
l'amphithéâtre *m lecture hall*
la résidence *dormitory*
le restaurant universitaire *cafeteria*

les étudiants et les enseignants *m*
le lycéen, la lycéenne *high school student*
l'étudiant(e) *university student*
l'enseignant(e) *teacher*
l'examinateur (-trice) *examiner*

les cours *m courses*
l'inscription *f registration*
l'unité *f* de valeur *credit*
l'emploi *m* du temps *schedule*
la spécialité *academic major*
la matière *subject matter*
la conférence *lecture*
les travaux pratiques *exercises, lab work*
le compte-rendu *report*
les devoirs *m homework*
la dissertation *essay*
la rédaction *composition*
la dictée *dictation*
la faute *mistake*
la bourse *scholarship*
la copie *homework/test paper*
la note *grade*
l'examen *m examination, test*
l'examen partiel *midterm exam*
l'examen de fin d'année *final exam[2]*

le diplôme *diploma*
la maîtrise *master's degree*
le baccalauréat (le bachot/le bac)
    diploma at the end of the lycée
le matériel scolaire *school supplies*
le cahier *notebook*
la carrière *career*

Adjectifs

doué *talented, gifted*
sérieux (-euse) *serious*
paresseux (-euse) ≠ travailleur (-euse)
    lazy ≠ hardworking
enthousiaste *enthusiastic*
ennuyeux (-euse) *boring*
facile ≠ difficile *easy ≠ difficult*
obligatoire ≠ facultatif (-ive) *required ≠ elective*

Verbes

enseigner *to teach*
apprendre *to learn*
punir ≠ récompenser *to punish ≠ to reward*
corriger *to correct*
faire des études *to study*
suivre un cours *to take a course*
assister (à) *to attend*
se spécialiser (en) *to major (in)*
tricher *to cheat*
sécher un cours *to cut a class*
écrire *to write*
rédiger *to write in final form*
passer un examen *to take an exam*
réussir à un examen ≠ échouer à...
    to pass an exam ≠ to fail...
rater (un examen) *to flunk*
redoubler *to repeat (a year in school)*

---

[1] **Le collège** corresponds to grades 8 through 11 in American schools. **Le lycée** is equivalent to the last year of high school plus two years of a U.S. college.
[2] Exam covering an academic year's work.

II Les copains et les distractions

Noms

les copains *m*, copines *f pals, chums*
le/la camarade (de chambre/de
   classe) *roommate, classmate*
la bande *circle of friends*

les distractions *f entertainment, recreation*
le bistro(t) *pub*
la consommation *drink*
la discothèque *disco*
le cinéma *movies*
la lecture *reading*

le jeu *game*
le conseil *advice, piece of advice*
le congé *leave, legal holiday, day off*
la fête *holiday, feast, party*
les vacances *f vacation*
les grandes vacances *summer vacation*

Adjectifs

énergique *energetic*
dynamique *dynamic*
sympathique *likeable, pleasant*

Étudiants et professeurs bavardent dans la cour de la Sorbonne.

gentil(le) *nice, kind*
reposé ≠ fatigué *rested ≠ tired*
égoïste *selfish*
décontracté ≠ énervé *relaxed ≠ nervous*

Verbes

fréquenter *to hang around with, to spend time with*
s'amuser ≠ s'ennuyer *to have a good time ≠ to be bored*
bavarder *to chat*

sortir avec *to go out with*
faire connaissance *to get acquainted*
tutoyer *to address as* **tu**
jouer de (un instrument) *to play (an instrument)*
jouer à (un sport, un jeu) *to play (a sport, a game)*
faire des sports/de la bicyclette *to engage in sports/to ride a bicycle*
prendre un pot *to have a drink*
travailler { à plein temps *full-time*
to work { à temps partiel *part-time*

Trouvez le mot juste !

A. Donnez le mot/l'expression qui convient à chaque définition.

1. la matière où l'étudiant choisit de concentrer ses études
2. écrire quelque chose dans sa forme finale
3. extrêmement intelligent
4. l'action de lire
5. refaire l'année d'études déjà faite (à cause de mauvais résultats)
6. prendre des consommations avec des copains
7. un établissement d'études secondaires (deux choix)
8. ne pas réussir (à un examen)
9. les amusements
10. s'associer à un groupe pour avoir des relations amicales

B. Donnez le contraire de chacun des mots/expressions suivants et faites une phrase avec chaque réponse.

1. travailleur
2. s'ennuyer
3. difficile
4. être honnête (à un examen)
5. punir
6. énervé
7. intéressant
8. aller à un cours
9. fatigué
10. obligatoire

C. Complétez les phrases suivantes par des mots ou expressions du vocabulaire spécial.

1. Les étudiants prennent leurs repas au ——.
2. Au niveau des études supérieures, les étudiants peuvent choisir entre les universités et les ——.
3. L'enseignant qui donne un examen de fin d'année s'appelle l'——. Si c'est une femme, elle s'appelle l'——.
4. Une —— est une erreur faite dans un exercice, une dictée ou même dans la conversation.

5. Un ___ est un petit café sympathique ou populaire.
6. Une ___ est une longue rédaction qui traite en détail un sujet littéraire ou philosophique.
7. Si Henri ___ ses amis, cela veut dire qu'il emploie la forme familière *tu* en leur parlant.
8. Un ___ est un jour de la semaine où on ne travaille pas à cause d'une fête.

D. Parlez de votre emploi du temps scolaire d'une journée complète. Commencez vos phrases par : Le matin, je... / À midi,... / L'après-midi,... / Le soir,... Utilisez les mots du vocabulaire spécial (liste I) pour décrire vos activités.

E. Dites comment vous employez votre temps libre. Commencez vos phrases par : En fin d'après-midi, je... / Le soir,... / En fin de semaine,... Utilisez les mots du vocabulaire spécial (liste II) pour décrire vos activités.

Present indicative
Avoir **and** être
Imperative

I Present indicative (le présent de l'indicatif)

1.1.A Formation of regular verbs

Regular verbs are divided into three groups according to the infinitive ending: **-er, -ir,** and **-re.**

1. Group 1: **-er** verbs

travailler *to work*

je	travaille	nous	travaillons
tu	travailles	vous	travaillez
il, elle	travaille	ils, elles	travaillent

The **-er** verb endings are **-e, -es, -e, -ons, -ez, -ent.** The endings **-e, -es, -e, -ent** are mute (unpronounced); only the preceding consonant is sounded. Most French verbs belong to this first group.

Stem-changing **-er** *verbs.* Some **-er** verbs have spelling changes in the stem of certain forms to facilitate or preserve the pronunciation. See the list of the most frequently used verbs of this type in the Appendix, pages 405–437.

a. Verbs ending in **-cer** and **-ger**: in the *nous* form, **c** changes to **ç** and **g** to **ge** before the **-ons** ending.

placer: je place, *but* nous pla**ç**ons
manger: vous mangez, *but* nous mang**e**ons

b. Verbs ending in **-eler** and **-eter:** most of these double the last consonant (**l** or **t**) of the stem before a final mute syllable (**-e, -es, -ent**).

appeler: nous appelons, vous appelez, *but* j'appelle[1], tu appelles, il/elle appelle, ils/elles appellent

jeter: nous jetons, vous jetez, *but* je jette, tu jettes, il/elle jette, ils/elles jettent

There are some exceptions such as **acheter, geler, modeler, peler,** where the final consonant of the stem is not doubled, but the **e** preceding it changes to **è.**

acheter: nous achetons, vous achetez, *but* j'achète, tu achètes, il/elle achète, ils/elles achètent

c. Verbs ending in **-e** + consonant + **er:** the **e** changes to **è** before a final mute syllable (**-e, -es, -ent**).

mener: nous menons, vous menez, *but* je mène, tu mènes, il/elle mène, ils/elles mènent

d. Verbs ending in **-é** + consonant + **er:** the **é** changes to **è** before a final mute syllable (**-e, -es, -ent**).

espérer: nous espérons, vous espérez, *but* j'espère, tu espères, il/elle espère, ils/elles espèrent

e. Verbs ending in **-ayer, -oyer, -uyer:** **y** changes to **i** in front of a final mute syllable (**-e, -es, -ent**). This change is required for **-oyer** and **-uyer** verbs and optional for **-ayer** verbs.

envoyer: nous envoyons, vous envoyez, *but* j'envoie, tu envoies, il/elle envoie, ils/elles envoient.

With **payer,** for example, the forms **je paie/je paye, tu paies/tu payes,** and so on, are both used.

À *votre tour!*

A. Remplacez le sujet par les mots donnés entre parenthèses. Faites tous les changements nécessaires.

1. *Je* récompense les lycéens studieux. (vous, le professeur Leblond, nous, tu, les jeunes enseignants)
2. *Nous* espérons avoir une bourse pour l'année prochaine. (vous, ma camarade de chambre, tu, les étudiants africains, je)
3. *Tu* commences les exercices de laboratoire. (les étudiants studieux, nous, la copine de Marcel, vous, je)

---

[1] **Je** is elided to **j'** before a verb that begins with a vowel or a mute **h.**

B. Complétez chaque mini-conversation avec le verbe approprié choisi dans la liste suivante.

acheter	emmener	jeter	payer	rédiger
commencer	ennuyer	parler	préférer	remplacer

1. ANNE   Je vais dire à Jean-Louis que nous ____ les exercices sans lui.
   LUC   Mais il ____ avec le professeur Martin.
2. SYLVIE   Les copains d'André t'____ souvent au café après les cours, n'est-ce pas ?
   GINETTE   Oui, mais je ____ les consommations !
3. ROBERT   J'____ mon matériel scolaire à la librairie Gibert.
   LOUIS   Mes copains et moi, nous ____ aller à la Librairie du Centre.
4. JACQUELINE   Nous ____ un rapport pour le cours d'histoire. Et vous ?
   PIERRE ET LOUIS   Nous ____ le rapport par une présentation orale.
5. PAULETTE   Oh ! Regarde Andrée ! Elle ____ le livre de son copain Marc sur la table.
   LILI   Oui, mais regarde Marc ! Cela ne l'____ pas ! Il sait qu'elle est fatiguée en ce moment.

2. Group 2: -ir verbs

punir *to punish*

je	pun**is**	nous	pun**issons**
tu	pun**is**	vous	pun**issez**
il, elle	pun**it**	ils, elles	pun**issent**

The endings are **-is, -is, -it, -issons, -issez, -issent.** Note that with **nous, vous, ils, elles, -iss-** is added.

À votre tour !

A. Remplacez le sujet par les mots donnés entre parenthèses. Faites tous les changements nécessaires.

1. *Je* choisis une résidence calme.   (nous, la nouvelle étudiante, tu, mes amis japonais, vous)
2. *Raymond* finit une rédaction amusante.   (je, vous, tes camarades, nous, tu)

B. Gilbert n'aime pas le cours de biologie. Quand le professeur parle, Gilbert pense à d'autres choses. Pour connaître ces choses, combinez les mots donnés pour faire des phrases correctes. Donnez la forme appropriée des verbes.

MODÈLE   Denise / choisir / un bon copain
         Denise choisit un bon copain.

1. Je / choisir / souvent / des cours ennuyeux
2. Je / réfléchir / peu / à mes études

3. Les étudiants sérieux / réussir / à leurs examens
4. Mais moi / je / réussir / rarement / dans ce cours
5. Heureusement / nous / finir / l'année scolaire / en juin
6. Mes parents / bâtir / une petite maison / à la plage
7. Je / choisir / Chantal / pour aller / au cinéma
8. Mon intérêt / pour Chantal / grandir / beaucoup

3. Group 3: **-re** verbs

entendre *to hear*

j'	entends	nous	entendons
tu	entends	vous	entendez
il, elle	entend	ils, elles	entendent

The endings are **-s, -s, —, -ons, -ez, -ent.** Note that nothing is added to the stem for the **il, elle** form. There are very few regular verbs in this group. The most important are **attendre, battre**[2], **correspondre, défendre, descendre, entendre, perdre, prétendre, rendre, répondre, rompre (interrompre)**[3], **tendre (se détendre), vendre.**

À votre tour !

A. Remplacez le sujet par les mots donnés entre parenthèses. Faites tous les changements nécessaires.

1. *Vous* attendez des amis au café. (Jean et Robert, je, nous, mon prof d'anglais, tu)
2. *Tu* corresponds avec une famille mexicaine. (les lycéens, je, vous, mon amie Fernande, nous)

B. Utilisez un mot ou un groupe de mots de chaque colonne pour former des phrases originales. Donnez la forme appropriée du verbe au présent de l'indicatif.

A	B	C
les copains	attendre	aux questions difficiles
vous	perdre	la conférence
je	répondre	les résultats de l'examen
le professeur Simon	entendre	deux livres de chimie
tu	interrompre	un copain au bistrot
nous	vendre	la copie d'un étudiant
		la lecture du poème

---

[2] The verb **battre** and its compounds have only one **t** in the singular forms: **je bats, tu combats, il/elle débat.**
[3] The verb **rompre** and its compounds add **-t** to the **il/elle** form: **elle rompt, il interrompt.**

1.1.B Negative and interrogative forms of the verb

1. *Negative form*

Usually the verb is made negative by placing **ne** in front of it and **pas** after. Words other than **pas** may also be used. They are fully discussed in Chapitre 5.

Tu **ne** parles **pas** arabe.	*You don't speak Arabic.*
Il **n'**entend **pas** l'histoire.	*He doesn't hear the story.*
Nous **ne** finissons **pas** nos devoirs.	*We don't finish our homework.*

2. *Interrogative form*

There are several ways to make the verb interrogative.

a. Est-ce que/qu' is placed before the verb without changing anything.

Il écoute → **Est-ce qu'**il écoute ?

Est-ce qu'elles vendent leurs livres à des copains ?	*Are they selling their books to some pals?*

b. *Inversion* calls for inverting the subject pronoun–verb order. A hyphen is placed between the verb and the pronoun. For the **il/elle** form, **-t-** must be added before the pronoun whenever the verb ends in **-e.** For the **je** form, **est-ce que** is used instead of the inversion.

Arrives-tu en classe avant le professeur ?	*Do you arrive in class before the professor?*
Choisissent-ils un cours facile ?	*Do they choose an easy course?*
Entend-il la question ?	*Does he hear the question?*
Aide-t-elle sa copine ?	*Does she help her pal?*
Est-ce que j'apporte mes cahiers ?	*Do I bring my notebooks?*

When the subject of the verb is a noun, it is kept before the verb, but the corresponding subject pronoun **(il/elle, ils/elles)** is added after the verb. The sentence can be diagrammed thus:

> Noun + verb-corresponding pronoun + . . . ?

Pauline cherche-**t-elle** son stylo dans son sac ?	*Does Pauline look for her pen in her handbag?*
Les garçons perdent-**ils** leurs copies ?	*Do the boys lose their papers?*

c. *Intonation* calls for raising the voice at the end of the sentence without changing anything in the word order.

Louise triche aux examens ?	*Louise cheats on the exams?*
Tu n'aimes pas le prof ?	*You don't like the prof?*

d. N'est-ce pas can be placed at the end of a declarative sentence whenever one expects an agreement with the statement made. **N'est-ce pas** is the equivalent of the English tag questions *isn't it?, aren't you?, doesn't she?, didn't they?*, and so on.

Pascal emmène trois amis au café, **n'est-ce pas** ?	*Pascal takes three friends to the café, doesn't he?*

3. *Interrogative-negative form*

Ne is added before the verb and **pas** after the pronoun of the inverted group or after the verb.

Ne récompense-**t-il pas** les bons étudiants ?	*Doesn't he reward the good students?*
Ne corrigez-**vous pas** les examens ?	*Aren't you correcting the exams?*
Est-ce que tu ne finis **pas** la lecture ?	*Don't you finish the reading?*

Note that an affirmative answer to a negative question is **si** instead of **oui**.

N'aimez-vous pas la lecture ?	*Don't you like reading?*
—**Si**, j'aime la lecture.	*Yes, I like reading.*

À votre tour !

A. Un camarade désagréable. Gérard est négatif aujourd'hui. Il répète les phrases de son copain Émile à la forme négative. Jouez le rôle de Gérard.

1. ÉMILE Le jeudi soir, je finis mes devoirs rapidement et j'emmène Marlène au café.

   GÉRARD Mais non ! Le jeudi soir, tu. . .
2. ÉMILE Nous rencontrons la bande au café et nous bavardons pendant une heure.

   GÉRARD Non, non ! Vous. . .
3. ÉMILE Nous parlons des cours et nous choisissons les profs intéressants.

   GÉRARD Non ! ce n'est pas ça. Vous. . .
4. ÉMILE Marlène aime la bande et elle attend toujours le jeudi soir avec impatience.

   GÉRARD Absolument pas ! Marlène. . .

B. Alain et Pascal bavardent avant le cours. Voici les réponses de Pascal. Donnez la question d'Alain correspondant à chaque réponse. Utilisez **est-ce que, n'est-ce pas** et l'inversion pour varier la forme des questions.

MODÈLE Oui, j'assiste aux conférences du professeur Durand.
(inversion) Assistez-vous aux conférences du professeur Durand ?

1. Oui, j'habite dans une résidence universitaire.
2. Mais non, je n'aime pas sécher les cours.

Les étudiants aiment se retrouver au café.

3. Non, nous ne répondons pas toujours correctement.
4. Si, Sylvie réussit toujours aux examens.
5. Oui, c'est sûr, vous posez beaucoup de questions.

C. Olga et son ami André sont au Café du Chat Noir après les classes. Ils discutent le cours d'histoire du professeur Mabille. André et Olga ont des opinions très différentes. Complétez la conversation avec les verbes de la liste suivante. Notez que certains verbes sont à la forme négative. Faites attention à la position de **pas**.

1. aimer
2. aimer
3. apprécier (nég)
4. trouver (nég)
5. considérer

6. détester
7. choisir
8. choisir
9. admirer (nég)
10. préférer

11. admirer
12. combattre (nég) to fight
13. penser (nég)
14. changer (nég)

ANDRÉ Tu —1— le cours de Mabille, n'est-ce pas?

OLGA Quoi? J' —2— le cours de Mabille? Ah, non! Je —3— son cours.

ANDRÉ —4— -tu le cours intéressant?

OLGA Pas exactement. Je —5— le professeur irritant. Je —6— les «grands hommes» historiques de Mabille.

ANDRÉ Mais pourquoi? Mabille —7— Napoléon comme modèle de grand homme. Et toi, qui est-ce que tu —8— ?

OLGA Pas Napoléon, ah non! Je —9— les personnes violentes et dictatoriales.

ANDRÉ Alors, qui —10— -tu?

OLGA J' —11— Pasteur, les Curie, la Mère Thérèse de l'Inde, les bienfaiteurs de l'humanité[4].

ANDRÉ Je —12— cela. Mais vraiment, —13— -tu qu'un bon général est aussi un grand homme?

OLGA Non, non! Je —14— mon opinion.

ANDRÉ Tu es une vraie mule[5]!

1.1.C Formation of common irregular verbs

The following table lists the most common irregular verbs, grouped by patterns whenever possible. The Appendix gives a more complete list, with all the tenses.

VERB	je (j')	nous	ils, elles
aller	vais	allons	vont
avoir	ai	avons	ont
être	suis	sommes[6]	sont
faire	fais	faisons[6]	font
boire	bois	buvons	boivent
devoir	dois	devons	doivent
recevoir	reçois	recevons	reçoivent
connaître	connais	connaissons	connaissent
paraître	parais	paraissons	paraissent

(to receive)

(to seem)

[4] **le bienfaiteur de l'humanité** *humanitarian*
[5] *You're a real mule!* This is a popular way to say that someone is hardheaded or opinionated.
[6] The **vous** form for **faire** is **faites**; the **vous** form for **être** is **êtes**.

VERB	je (j')	nous	ils, elles
couvrir	couvre	couvrons	couvrent
offrir	offre	offrons	offrent
ouvrir	ouvre	ouvrons	ouvrent
souffrir	souffre	souffrons	souffrent
croire	crois	croyons	croient
voir	vois	voyons	voient
dire	dis	disons[6]	disent
lire	lis	lisons	lisent
dormir	dors	dormons	dorment
mentir	mens	mentons	mentent
partir	pars	partons	partent
sentir	sens	sentons	sentent
servir	sers	servons	servent
sortir	sors	sortons	sortent
écrire	écris	écrivons	écrivent
mettre	mets	mettons	mettent
plaire	plais	plaisons	plaisent
pouvoir	peux	pouvons	peuvent
vouloir	veux	voulons	veulent
prendre	prends	prenons	prennent
savoir	sais	savons	savent
suivre	suis	suivons	suivent
vivre	vis	vivons	vivent
tenir	tiens	tenons	tiennent
venir	viens	venons	viennent
valoir	vaux	valons	valent
verbs in **-indre** **craindre**	crains	craignons	craignent
verbs in **-uire** **conduire**	conduis	conduisons	conduisent

Handwritten margin notes:
- to cover (with)
- to offer
- suffer
- to lie
- smell/feel
- to please
- to follow
- to live
- to hold
- to be worth
- to fear

[6] The **vous** form for **dire** and **redire** is **dites, redites.**

LE MONDE DES ÉTUDIANTS   **41**

Falloir and **pleuvoir** exist only in the **il** form: **il faut, il pleut.**

> **Il faut** finir la rédaction maintenant.   *It is necessary to finish the composition now.*
>
> **Il ne pleut pas** beaucoup dans notre   *It doesn't rain much in our region.*
> région.

À *votre tour!*

A. Remplacez le sujet par les mots entre parenthèses. Faites tous les changements nécessaires.

1. *Elle* croit qu'*elle* sait la réponse. (vous, tu, les jeunes lycéens, nous, je)
2. Peux-*tu* faire ces devoirs? (nous, le copain de Mimi, vous, je, nos camarades japonais)
3. *Je* dis que *je* reçois un diplôme en juin. (ma petite amie, vous, tu, les deux Canadiens, nous)
4. *Vous* ne sortez pas ce soir et *vous* n'allez pas à la discothèque. (Suzanne et Maurice, tu, nous, je, notre camarade pauvre)

B. **Pas de chance aujourd'hui!** Voici une petite scène que vous pouvez créer. Choisissez un(e) partenaire et jouez les rôles de Brigitte et de François. Mettez les verbes de la liste suivante au présent.

1. vouloir	5. croire	9. venir
2. venir	6. écrire	10. pouvoir
3. être	7. lire	11. aller
4. savoir	8. devoir	12. devoir

BRIGITTE   Ne —1— -tu pas aller au bistrot avec la bande?

FRANÇOIS   Est-ce que Valérie et Olivier —2— avec vous?

BRIGITTE   Non, ils ne —3— pas ici aujourd'hui. — 4— -tu pourquoi?

FRANÇOIS   Je —5— que Valérie —6— sa dissertation. Et puis Olivier —7— à la bibliothèque.

BRIGITTE   Eh bien! Nous —8— partir maintenant. Tu —9—, oui ou non?

FRANÇOIS   Je ne —10— pas. Je —11— rentrer à la maison. Je —12— aider mon jeune frère avec ses maths.

C. **Une bonne rencontre.** Charles rencontre Eric Laplace, un ancien camarade de lycée, dans le métro.[7] Eric parle peu, alors Charles doit poser beaucoup de questions à Eric pour obtenir des renseignements.

MODÈLE   Je ne vais pas au café.
                Et toi, vas-tu au café?

1. Je ne connais pas le prof de philosophie.
2. Je ne suis pas le cours de grammaire.

---

[7] **le métro** *subway.* **Métro** stands for **métropolitain** (having to do with the big city or metropolis).

3. Christine n'apprend pas le chinois.
4. Les étudiants paresseux ne font pas les travaux pratiques.
5. Après les cours, nous n'allons pas au restaurant universitaire.
6. Christine ne veut pas sortir avec moi.

Une entrée de métro (station Porte d'Auteuil).

7. Elle ne sort pas avec les copains.
8. Christine et Juliette ne veulent pas aller au théâtre.

D. Répondez aux questions suivantes.

1. Lisez-vous les romans de Françoise Sagan?
2. Connaissez-vous bien tous vos camarades de classe?
3. Croyez-vous à la nécessité de faire des devoirs régulièrement?
4. Suivez-vous des cours intéressants?
5. Dormez-vous tard le samedi?
6. Allez-vous régulièrement au laboratoire de langues?

1.1.D Use of the present indicative

1. The present tense expresses a fact, a situation, or a condition existing at the time the statement is made.

Nous **étudions** maintenant.

We study (do study/are studying) now.

The fact or situation can be permanent or habitual, or it can be a general, "accepted" truth.

L'Université de Paris **est** la plus vieille université française.

Les étudiants sérieux **réussissent** plus souvent que les autres.

The University of Paris is the oldest French university.

Serious students succeed more often than others.

2. It may also express an event that will take place shortly (**future immédiat**).

Le professeur Dumont? Il **sort** de son bureau dans un quart d'heure.

Serge **passe** son bachot demain matin.

Professor Dumont? He leaves his office in a quarter of an hour.

*Serge takes his **bachot** exam tomorrow morning.*

3. When used with **depuis, il y a... que, voilà... que**, and an expression of time, the present expresses an action begun in the past but still going on in the present.

Léon **prépare** une thèse d'histoire **depuis** longtemps.
        — or —
Il y a longtemps **que** Léon **prépare** une thèse d'histoire.

Leon has been preparing a history thesis for a long time.

Note also that in this type of situation English does not use a present tense but a past tense written *has/have been . . . ing.*

When asking a question, two forms can be used in French: **depuis quand... ?** *(since when)* and **depuis combien de temps... ?** *(how long).*

a. **Depuis quand. . . ?** stresses the time or moment when the action started. In the answer, only **depuis** *(since)* + time/moment can be used.

Depuis quand prépares-tu ta thèse ?	*Since when have you been preparing your thesis?*
Je la prépare **depuis** Noël (le 3 octobre/huit heures).	*I've been preparing it since Christmas (October 3rd/8 o'clock).*

b. **Depuis combien de temps. . . ?** stresses the duration of the action. In the answer, **depuis** *(for)* + time or **il y a/voilà/cela fait** (+ time) **que** *(for)* can be used.

Depuis combien de temps prépares-tu ta thèse ?	*How long have you been preparing your thesis?*
Je la prépare **depuis** trois jours/deux heures.	
– or –	*I have been preparing it for three days/two hours.*
Il y a/Voilà/Cela fait trois jours/deux heures **que** je la prépare.	

À votre tour !

A. Complétez les mini-conversations avec l'expression appropriée. Choisissez dans la liste suivante.

depuis quand ?   il y a   cela fait
depuis combien de temps ?   voilà   depuis

1. CLAIRE ⎯⎯ attends-tu le résultat de l'examen ?
   NADINE Je l'attends ⎯⎯ vendredi.
2. MARC ⎯⎯ Julie passe-t-elle ses soirées au café Jean Bart ?
   PATRICK ⎯⎯ un mois qu'elle les passe dans ce café.
3. YVONNE Je vais au restaurant universitaire ⎯⎯ cet hiver. Et vous, Mlle Lespinasse, ⎯⎯ y allez-vous ?
   MLLE LESPINASSE Moi, j'y vais ⎯⎯ novembre.
4. PHILIPPE ⎯⎯ trois jours que mon copain Henri sèche le cours de physique. Et toi, Paul, ⎯⎯ le sèches-tu ?
   PAUL Mais voyons, Philippe, tu sais bien que je ne sèche pas mes cours !

B. Thème: La vie au lycée. Traduisez en français.

1. Marcel is spending time with serious students.
2. Are you working hard at the **lycée**?
3. Annick has been playing sports for a long time.
4. In two hours, I am driving the Renault to the library.
5. The professor has been chatting with us since noon.
6. How long have they been cheating on the exams?

C. Répondez aux questions personnelles suivantes.

1. Depuis quand allez-vous à l'université ?
2. Depuis combien de temps étudiez-vous le français ?
3. Vous spécialisez-vous en français ? Depuis quand ?
4. Fréquentez-vous des jeunes gens sympathiques ? Depuis combien de temps ?
5. Écrivez-vous à un correspondant français ? Depuis quand ?

1.1.E Special verbal expressions

1. aller + *infinitive*

The verb **aller** in the present, followed by the infinitive of a second verb, is used to express an action soon to take place **(futur proche).** It corresponds to the English structure *am/is/are going to* + infinitive.

Nous **allons assister** à une conférence sur la Renaissance.	*We are going to attend a lecture on the Renaissance.*
Après cela, Pierre **va jouer** ses nouveaux disques pour nous.	*After that, Pierre is going to play his new records for us.*

2. venir de + *infinitive*

The verb **venir de** in the present, followed by the infinitive of a second verb, is used to express an action just completed **(passé récent).** It corresponds to the English *to have just.*

Vous **venez de téléphoner** à Claire, n'est-ce pas ?	*You have just phoned Claire, haven't you?*
—Oui. Elle **vient d'échouer** au bac. C'est dommage.	*Yes. She has just failed the **bac** exam. It's too bad.*

À votre tour !

A. Toujours la déveine[8] ! Stéphane n'a pas de chance ; il manque toujours les occasions de s'amuser avec ses copains. Jouez le rôle des copains et répondez aux questions de Stéphane.

MODÈLE   Voulez-vous jouer au tennis ?
        —Nous venons de jouer au tennis.

1. Alors, vous allez prendre un pot avec moi ?
2. Eh bien, voulez-vous aller au cinéma ce soir ?
3. Cécile, vas-tu déjeuner au restaurant universitaire ?
4. Thierry, peux-tu faire de la bicyclette ce soir ?
5. Alors quoi, les copains ? Voulez-vous écouter le nouveau disque de Moustaki ?
6. Ah, zut[9] ! Quelle déveine ! Voulez-vous faire des courses avec moi ?

[8] **la déveine** (familiar word) *bad luck*
[9] **zut !** (popular) *shucks!, heck!, darn!*

B. **Un professeur très sympathique.** Mme Gabin s'intéresse à ses étudiants. Elle pose des questions à Hélène concernant ses études et sa vie personnelle. Jouez le rôle d'Hélène et répondez en utilisant le futur proche ou le passé récent.

MODÈLES Vous finissez une thèse cette semaine, n'est-ce pas ? (le mois prochain)
—Non, je vais finir la thèse le mois prochain.

Rencontrez-vous l'amie de Mlle Dupont ? (il y a quelques heures)
—Oui, je viens de rencontrer l'amie de Mlle Dupont il y a quelques heures.

1. Obtenez-vous une bourse en mars ? (en octobre)
2. Écrivez-vous une dissertation de philosophie ? (il y a une heure)
3. Les étudiants d'anglais remettent-ils les rédactions au professeur ? (demain)
4. Vous et Mlle Dupont séchez-vous le cours de math ? (demain)
5. Votre copain Jean-Louis rentre-t-il de la bibliothèque ? (il y a quelques minutes)
6. Faites-vous de la bicyclette tous les jours ? (samedi prochain)
7. Chantez-vous dans la chorale avec Jean-Louis ? (dimanche dernier)

C. **Thème : Nouvelles du campus.** Traduisez en français.

1. I have just finished a boring report.
2. Our English professor has just changed the time schedule.
3. Diane, you are going to correct a French dictation.
4. My pals have just met a dynamic student from Tokyo.
5. We are going to spend the evening at the disco.

II Avoir **and** être

1.2.A **Present indicative of** avoir **and** être

avoir		être	
j'	ai	je	suis
tu	as	tu	es
il, elle	a	il, elle	est
nous	avons	nous	sommes
vous	avez	vous	êtes
ils, elles	ont	ils, elles	sont

The negative, interrogative, and interrogative-negative forms of **avoir** and **être** follow the rules discussed earlier.

Nous **n'avons pas** le temps d'aller au laboratoire.

We do not have the time to go to the laboratory.

Ils **ne** sont **pas** dans le bureau du professeur.

They are not in the professor's office.

Lise a-t-elle un cahier de chimie ?	*Does Lisa have a chemistry notebook?*
Abdoulaye, **n'es-tu pas** un étudiant du Mali ?	*Abdoulaye, aren't you a student from Mali?*

However, the inverted forms **ai-je ?** and **suis-je ?** are used as often as **est-ce que j'ai ?** and **est-ce que je suis ?**

Est-ce que j'ai une bonne note à l'examen ?	
– or –	*Do I have a good grade on the exam?*
Ai-je une bonne note à l'examen ?	
Est-ce que je suis le copain préféré d'Isabelle ?	
–or–	*Am I Isabelle's favorite pal?*
Suis-je le copain préféré d'Isabelle ?	

1.2.B Use of avoir and être

Avoir and **être** are used as auxiliary verbs to conjugate all the other verbs in the compound tenses. They also have a usage as regular verbs with an extensive lexical, or vocabulary-building, function. They are found in many important idiomatic expressions.

1. *Idiomatic expressions with* **avoir**

a. **avoir** + noun + **de** (+ infinitive or noun phrase)

avoir l'air de	*to seem, to look like*
avoir besoin de	*to need*
avoir envie de	*to crave, to feel like, to long for*
avoir l'habitude de	*to be used to*
avoir l'intention de	*to intend to*
avoir honte de	*to be ashamed to/of*
avoir l'occasion de	*to have the opportunity to*
avoir peur de	*to be afraid to/of*
avoir raison de	*to be right to*
avoir le temps de	*to have time to*
avoir tort de	*to be wrong to*

Situation: Le président de l'université parle avec le professeur Lejeune.

—Professeur Lejeune, ces étudiants **ont l'air de** ne pas comprendre.	*Professor Lejeune, these students do not seem to understand.*
—C'est vrai; ils **ont l'habitude de** ne pas aller au laboratoire.	*That's true; they're in the habit of not going to the laboratory.*
—Et maintenant, leurs parents **ont honte de** leurs résultats.	*And now their parents are ashamed of the results.*
—Ces étudiants **ont besoin de** bons conseils.	*These students need some good advice.*

—Professeur, **avez-vous l'intention de**
leur suggérer une solution ?

—Mais certainement, Monsieur le
Président.

*Professor, do you intend to suggest a
solution to them?*

Certainly, Mr. President.

b. **avoir** + noun

avoir... ans	*to be ... years old*
avoir chaud	*to be warm*
avoir faim	*to be hungry*
avoir froid	*to be cold*
avoir mal (à)	*to hurt, to have ... ache*
avoir soif	*to be thirsty*
avoir sommeil	*to be sleepy*

Situation: Les étudiants du professeur de biologie n'ont pas envie de travailler.
Alors ils trouvent des excuses.

Professeur, nous **avons** trop
chaud dans cette salle.

—Tiens, moi j'**ai** plutôt **froid**.

—Et puis, nous **avons mal à**
la tête. Nous ne pouvons pas
terminer la leçon.

*Professor, we're too warm in this
room.*

Say, I'm cold instead.

*And then, we have a headache. We
can't finish the lesson.*

c. **il y a**

The expression **il y a** means *there is, there are* in the sense that something or
someone exists or is in a particular location. It must not be confused with **voilà**,
which points to or designates something or somebody.

Il y a deux cours qui me donnent
beaucoup de satisfaction.

*There are two courses that give
me a lot of satisfaction.*

– but –

Voilà mon professeur devant la
statue de Balzac.

*There's my professor in front
of Balzac's statue.*

Negative and interrogative forms:

Madame, **y a-t-il** des fautes
dans ma dictée ?

—Robert, **il n'y a pas** de
fautes. Bravo !

*Ma'am, are there any mistakes
in my dictation?*

*Robert, there are no mistakes.
Bravo!*

À votre tour !

A. Remplacez le sujet par les mots donnés entre parenthèses. Faites tous les changements nécessaires.

Vous n'avez pas l'emploi du temps.   (je, l'étudiant congolais, tu, mon ami et moi,
les lycéennes)

B. Parlez des personnes représentées dans les dessins. Utilisez des expressions idiomatiques avec **avoir**.

C. Vous et vos camarades de classe essayez de trouver la meilleure excuse à donner au professeur. Créez ces excuses (amusantes, outrageantes, sérieuses) en utilisant les expressions idiomatiques avec **avoir**.

MODÈLE   Je ne peux pas apprendre les verbes irréguliers quand j'ai froid aux mains.

D. Thème: Encore des nouvelles du campus. Traduisez en français.

1. How many credits are there for this course? Combien de l'unité de valeur y-a-t-il pour ce cours
2. The Canadian students need to have a major.
3. I can't stay here. I have an earache. Je ne reste pas ci, j'ai mal aux oreille
4. My lazy brother does not feel like studying. Mon frère paresseux n'a pas envie d'étudié
5. We are relaxed, but we are not sleepy. avoir envie de dormir
6. Hubert is twenty-four years old, but he looks like an adolescent. il a l'air de l'adolescent

2. *Idiomatic expressions with* **être**

a. être à + noun or pronoun

This expression is usually the equivalent of **appartenir à** *(to belong to).* But it also means *to be somebody's turn (to do something)* in the expression **c'est à... de.**

—Luc, attention ! Cette boisson **est à** Isabelle, pas **à** toi.

Careful, Luc! This drink belongs to Isabelle, not to you.

—Ah, d'accord ! Mais je sais que **c'est à** Isabelle **de** payer les consommations.

Oh, agreed! But I know that it's Isabelle's turn to pay for the drinks.

b. être + temporal expression + infinitive

être en train de	*to be in the process (midst) of*
être prêt à	*to be ready to*
être sur le point de	*to be about to*

—Janine, **es-tu en train d'**écrire un poème ?

Janine, are you (in the process of) writing a poem?

—Mais oui, et toi ?

Yes, and (what about) you?

—Moi, **je suis sur le point d'**aller en classe, mais **je ne suis pas prête à** passer l'examen.

I am about to go to class, but I'm not ready to take the exam.

À votre tour !

A. Remplacez le sujet par les mots donnés entre parenthèses. Faites tous les changements nécessaires.

1. *Je* suis au laboratoire depuis midi. (Émile, les frères Legrand, nous, les lycéennes, tu, ton cousin et toi)
2. Êtes-*vous* en train de bavarder avec des copains ? (tu, je, la jeune Anglaise, nous, les deux Canadiens)

B. Irène est prête à sortir quand son amie Nadine lui téléphone. Jouez le rôle de Nadine et répondez à Irène en utilisant **être sur le point de** ou **être en train de.**

MODÈLES   Je sors dans quelques minutes.
　　　　　—Oh, tu es sur le point de sortir.
　　　　　Nous mangeons en ce moment.
　　　　　—Ah bon, vous êtes en train de manger.

1. Nous allons au concert de rock dans quinze minutes.
2. Je fais des devoirs en ce moment.
3. Christiane arrive dans quelques minutes.
4. Claude cherche les billets maintenant.
5. Maria ne peut pas aller au concert. Elle rédige un compte-rendu sur Voltaire en ce moment.

6. Nous prenons un café avant de partir.
7. Je raccroche[1] dans quelques instants.
8. Ah! Christiane sonne à la porte[2]. Au revoir.

C. Thème : Encore d'autres nouvelles. Traduisez en français.

1. Jacqueline, are you ready to cut the biology class?
2. I am now writing a final examination.
3. The examiner is about to call on the gifted student.
4. Three Chinese girls are ready to receive scholarships.

III Imperative (l'impératif)

1.3.A Formation and use of the imperative

In French, the imperative, or command form, has three forms corresponding to **tu,**
vous, and **nous** of the present indicative.

GROUPS	PRESENT INDICATIVE		IMPERATIVE	
-er	tu	travaille**s**	travaille	*work*
	vous	travaill**ez**	travaill**ez**	*work*
	nous	travaill**ons**	travaill**ons**	*let's work*
-ir	tu	pun**is**	pun**is**	*punish*
	vous	pun**issez**	pun**issez**	*punish*
	nous	pun**issons**	pun**issons**	*let's punish*
-re	tu	entend**s**	entend**s**	*hear*
	vous	entend**ez**	entend**ez**	*hear*
	nous	entend**ons**	entend**ons**	*let's hear*
irregular verbs	tu	dis	dis	*say*
	vous	dites	dites	*say*
	nous	disons	disons	*let's say*

Note that no subject pronouns are used with the imperative. Note also that the **tu** form
of the **-er** verbs (and of the **-ir** verbs conjugated like **-er** verbs, such as **couvrir, offrir,**
ouvrir, souffrir) drops the **s** ending except when immediately followed by **y** or **en.**[1]

Paul, **finis** tes devoirs!	*Paul, finish your homework!*
Après, **parlons** à ton professeur!	*Afterwards, let's speak to your professor!*

[1] **raccrocher** *to hang up*
[2] **sonner à la porte** *to ring the doorbell*
[1] The pronouns **y** and **en** are fully discussed in Chapitre 3, Section 3.2.C.

Ensuite, **va** au laboratoire ! **Vas-y** après le cours.	*Next, go to the laboratory. Go there after class.*
Cherche des livres à la bibliothèque ! **Cherches-en** trois.	*Look for some books in the library! Look for three.*

The negative form of the imperative uses **ne** before the verb and **pas** after it.

Ne perdez **pas** votre temps au café !	*Don't waste your time at the café!*
Et **ne** dépensez **pas** trop !	*And don't spend too much!*
Bon ! Bon ! **Ne** perdons **pas** notre temps et **ne** dépensons **pas** trop !	*Okay! Okay! Let's not waste our time and let's not spend too much!*

The imperative is used to give commands, to forbid something, or to make requests or suggestions.

Répondez clairement, Mlle Legrand, et **ne parlez pas** toujours avec votre ami !	*Answer clearly, Miss Legrand, and don't always speak with your friend!*
Et maintenant, **corrigeons** la dictée, s'il vous plaît.	*And now, let's correct the dictation, please.*

1.3.B Formation and use of the irregular imperatives

There are only four irregular imperatives: **avoir, être, savoir, vouloir.**

avoir	être	savoir	vouloir
ai**e**	so**is**	sache	veuille
ay**ez**	soy**ez**	sach**ez**	veuill**ez**
ay**ons**	soy**ons**	sach**ons**	veuill**ons**

Note that **vouloir** also has regular forms **(veux, voulez, voulons)** mostly used in the expression **en vouloir à** *(to hold a grudge against)*. The irregular forms are seldom used except the form **veuillez**, which appears in most polite expressions closing a letter or which is used as a polite command.

> *Situation:* Roger et André, des jumeaux[2], sont à l'université, pour la première fois séparés de leur mère. Roger lit une lettre de leur mère.

Maman dit : «**Ayez** votre chambre en ordre ! **Soyez** à l'heure pour vos cours ! **Sachez** bien vos verbes ! Et **veuillez** répondre vite à ma lettre.»	*Mom says: "Have your room in order! Be on time for your classes! Know your verbs well! And please do answer my letter quickly."*
—Oh ! Nous sommes ses petits garçons !	*Oh! We are her little boys!*
N'en voulons pas à Maman !	*Let's not hold a grudge against Mom!*

---

[2] **le jumeau, la jumelle** *twin*

À votre tour!

A. Vous et vos copains manquez d'énergie depuis quelques jours. Suggérez des choses à faire par tous pour retrouver votre dynamisme.

MODÈLE On[3] ne va pas à la discothèque.
—Et pourquoi pas? Allons à la discothèque!

1. On ne rencontre pas les copines au café.
2. On ne va pas danser le soir.
3. On ne téléphone pas aux copains de Bordeaux.
4. On ne sort pas demain.
5. On n'écoute pas les disques de Suzanne.
6. On ne chante pas les chansons amusantes.

B. Alain, le jeune frère de René, refuse de faire les choses que René lui demande. Jouez le rôle de René et dites à Alain de respecter votre expérience et de faire ces choses.

MODÈLE Je ne veux pas écrire cette rédaction.
—Mais si, écris cette rédaction!

1. Je n'aime pas corriger les dictées.
2. Je ne veux pas faire les recherches pour le rapport.
3. Je ne vais pas aller au lycée demain.
4. Je ne veux pas apprendre les dates importantes.
5. Je ne vais pas arriver à l'heure.
6. Je ne peux pas comprendre pourquoi tu es irritable avant un examen.

C. Monique, la camarade de chambre de Jeanne, irrite beaucoup Jeanne par ses actions. Jouez le rôle de Jeanne et dites à Monique de ne pas faire ces choses, si elle veut rester votre amie.

MODÈLE J'aime mettre les pieds sur la table.
—Oh non! Ne mets pas les pieds sur la table!

1. Je vais ouvrir les fenêtres.
2. Je veux être toujours la première dans la salle de bains.
3. J'aime chanter très tôt le matin.
4. J'adore lire tard le soir.
5. Je vais avoir une surprise-partie ici.
6. J'aime être un peu égoïste.

D. Thème: Allons! Au travail! Traduisez en français.

1. Don't write (fam) in the books!
2. Buy the school supplies at the campus bookstore!
3. Let's be enthusiastic!

---

[3] **on** (indefinite pronoun) *one, someone, we, they, the group, people.* **On**, being indefinite, does not refer to a specific subject. It is always singular.

4. Know the dates of the Revolution! *Sache les (know by heart)*
5. Let's not read that boring book! *Ne lisons pas ce livre ennuyeux*
6. Go (fam) to the lecture hall with Pierre! Go there! *Va à l'amphithéâtre. Vas y*
7. Kindly repeat the question! (use polite imperative of **vouloir**)

Vue d'ensemble

I À vous la parole !

A. Parlez de vous-même ! Francine est reporter pour le journal de l'université. Elle veut composer votre «portrait» pour le journal et elle vous pose des questions. Répondez à ses questions.

1. Depuis quand êtes-vous à l'université ?
2. Où habitez-vous et avec qui ?
3. Avez-vous une spécialité ? Aimez-vous cette branche d'études ?
4. Quels cours préférez-vous ?
5. Quel diplôme voulez-vous obtenir ?
6. Depuis combien de temps étudiez-vous le français ?
7. Êtes-vous un(e) bon(ne) étudiant(e) ?
8. Faites-vous toujours vos devoirs ? Pourquoi ?
9. Séchez-vous des cours ? Pourquoi ?
10. Avez-vous de bons camarades et amis ? Que font-ils ?
11. Avez-vous envie de trouver de nouveaux amis ?
12. Sortez-vous beaucoup ? Avec qui ?

B. Obtenez des renseignements ! Un étudiant canadien du Québec fait des études à votre université. Vous êtes avec lui dans un petit café et vous voulez faire sa connaissance. Vous et un camarade de classe allez jouer ces rôles. Demandez-lui s'il...

1. aime les cours et les professeurs.
2. va choisir une spécialité.
3. est satisfait du programme qu'il a.
4. habite dans une résidence universitaire.
5. est sur le point d'obtenir un diplôme.
6. est prêt à aller à la bibliothèque.
7. a l'intention d'aller en France.
8. veut aller au cinéma ce soir avec vous.
9. vient de faire des projets pour les vacances de Noël.
10. va souvent au café avec des copains.

II En scène[1] !

Un(e) étudiant(e) français(e) vient d'arriver à votre université pour faire des études. Vous êtes très intéressé(e) de faire sa connaissance. Composez un dialogue entre vous deux selon les grandes lignes suivantes.

[1] **En scène !** *On stage!*

1. D'abord, vous donnez vos noms respectifs.
2. Ensuite, il/elle vous pose des questions (et vous y répondez) pour comprendre l'organisation des cours, la fréquence des examens, la division des matières en «écoles», les jours de congé, les notes.
3. Enfin, vous lui expliquez les distractions, les sports, les concerts, qui sont offerts par l'université. Et vous suggérez un petit café où vous pouvez aller tous les deux pour faire connaissance de vos copains.

Puis, apprenez le dialogue et jouez-le en classe avec un(e) partenaire.

III Soyez créateurs !

Travail en groupe. Organisez des groupes de trois ou quatre étudiants. Créez le formulaire[2] pour une demande d'inscription[3] aux cours de français pour étrangers[4] donnés à Paris par l'Alliance française ou la Sorbonne. Imaginez que vous allez vous inscrire aux cours d'été pour une durée de six semaines. Alors, remplissez[5] le formulaire que vous venez de composer.

[2] **le formulaire**   *form, questionnaire*
[3] **la demande d'inscription**   *application*
[4] **l'étranger** m   *foreigner*
[5] **remplir**   *to fill out*

CHAPITRE 2

Le Monde des parents et des enfants

Trois générations vivent à la campagne dans la vieille maison de famille.

Vocabulaire spécial

I Les membres *m* du cercle de famille *f*

Noms

les parents *m* = le père et la mère
le/la parent(e) *relative*
le fils *son*
la fille *daughter, girl*
le neveu *nephew*
la nièce *niece*
le veuf *widower*
la veuve *widow*
la naissance *birth*
le/la gosse *kid*
le jumeau, la jumelle *twin*
le papa gâteau = père trop indulgent

Adjectifs

aîné *eldest, oldest child*
cadet (te) *younger, youngest child*
nombreux (-euse) *numerous, large*
né ≠ mort, décédé *born* ≠ *dead, deceased*
enceinte *pregnant*

Verbes

attendre un enfant *to expect a baby*
vivre *to live*
naître *to be born*
mourir *to die*
grandir *to grow*

II Les sentiments et les émotions *f*

Noms

le sentiment *feeling*
l'amour *m* ≠ la haine *love* ≠ *hatred*
le bonheur *happiness*
la tendresse *tenderness*
la jalousie *jealousy*
la confiance ≠ la méfiance *trust* ≠
  mistrust
la compréhension *empathy,*
  understanding
le caractère *character, temper*
la conduite = le comportement *behavior*
la qualité *quality*
les colères *f tantrums*

Adjectifs

bon(ne) ≠ méchant(e) *good* ≠ *bad, mean*
confiant ≠ méfiant *trustful* ≠ *mistrustful*
affectueux (-euse) *affectionate*
coléreux (-euse) *short-tempered*
jaloux (-ouse) *jealous*

Verbes

avoir confiance (en) *to trust*
ressentir *to feel*
embrasser *to kiss*
exprimer *to express*

III Les obligations et les soins

Noms

l'obligation *f* = le devoir *duty*
le soin *care*
le ménage *household, housework*
la politesse *politeness*
l'entraide *f* = aide mutuelle
la négligence *neglect*
le laisser-aller *casualness*
le fossé *generation gap*

Adjectifs

respectueux (-euse) *respectful*
discipliné ≠ indiscipliné
obéissant ≠ désobéissant *obedient* ≠
  disobedient
négligent = inattentif
bien/mal élevé *well/badly brought up*
insupportable *unbearable*
poli ≠ impoli *polite* ≠ *impolite*
bête ≠ intelligent

Verbes

élever (un enfant) *to raise (a child)*
gâter *to spoil*
négliger *to neglect*
s'occuper (de) *to care (for),*
  to take care (of)

prendre soin (de) *to take care (of)*
obéir (à) ≠ désobéir (à) *to obey ≠ to*
  disobey
conseiller *to advise, to counsel*

Trouvez le mot juste !

A. Donnez le mot/l'expression qui convient à chaque définition.

1. l'enfant le plus âgé d'une famille *aîné*
2. un adjectif qui veut dire «qui attend un enfant» *enceinte*
3. une femme qui a perdu son mari *veuve*
4. la fille de votre frère *la nièce*
5. la distance entre les générations
6. un adjectif qui veut dire «qui a de l'affection» *affectueux*
7. s'occuper de quelqu'un *prendre soin de*
8. la faculté de comprendre les sentiments de quelqu'un
9. le comportement d'un enfant *la conduite*
10. donner trop (de choses, de liberté) à un enfant *gâter*

B. Donnez le contraire de chacun des mots/expressions suivants et faites une phrase avec chaque réponse.

1. bon
2. mourir
3. se méfier
4. obéir (à)
5. bien élevé
6. intelligent
7. cadet
8. amour
9. fille
10. né

C. Complétez les phrases suivantes par des mots ou expressions du vocabulaire spécial.

1. L'aide mutuelle s'appelle *l'entraide*
2. Pierre et Pauline sont nés le même jour de la même mère. Ce sont des *jumeaux*
3. Un ____ est un père trop indulgent. *papa gâteau*
4. Les enfants polis sont des enfants *respectueux*
5. Un mot familier pour un jeune enfant est un *gosse*
6. Quand un père parle de son ____ familial, il parle de ses obligations envers sa famille.
7. Les parents affectueux ____ souvent leur petit enfant pour lui montrer leur amour. *embrassent*
8. La ____ est un sentiment négatif qui existe souvent entre enfants. *jalousie*

D. Parlez de vos frères et sœurs. Commencez vos phrases par : Moi, je (ne) suis (pas). . . / Moi, j'ai. . . Voici un exemple.

Moi, je ne suis pas fille unique. J'ai un frère et une sœur. Je suis l'aînée.

E. Avez-vous des oncles, des tantes, des cousins ou des cousines ? Décrivez cela. Voici un exemple.

> J'ai un oncle et une tante. Elle attend un enfant. Alors, je vais avoir un cousin ou une cousine. C'est magnifique !

Nouns
Articles

I Nouns (les noms)

2.1.A Gender of nouns

In French, all nouns naming persons, places, things, or ideas have a gender: masculine or feminine. Usually, the gender is indicated by the article that precedes the noun.

1. *Names of persons and animals*

   Logically, sex is the determining factor in most cases: nouns referring to male persons or animals are masculine, and those that designate females are feminine.

le père	la mère	un bœuf	une vache
le fils	la fille	un chat	une chatte
le Français	la Française	un pigeon	une pigeonne

   a. Many nouns form the feminine by adding **-e** to the masculine singular. When the **-e** is added to a silent consonant ending, the consonant is sounded in the feminine.

un ami	une amie
le parent	la parente
un Normand	une Normande

   Note that some common masculine nouns end in **-e**: **un architecte, un frère, un gendarme, un guide, un homme, un juge, un maître, un ministre, un oncle, un peintre, un père, un poète, un prêtre, un sage.**

Suzanne Valadon, **un peintre** bien connu, est la mère de Maurice Utrillo, lui-même **un grand peintre**.	*Suzanne Valadon, a well-known painter, is the mother of Maurice Utrillo, himself a great painter.*

   b. Some nouns are the same in the masculine and the feminine: **un/une artiste, un/une biologiste, un/une camarade, un/une dentiste, un/une élève, un/une enfant, un/une géologue[1], un/une gosse, un/une journaliste, un/une pianiste, un/une secrétaire, un/une touriste.**

---

[1] Most names of professions ending in **-ogue** or **-iste** belong to this group.

Le journaliste parle à **une gosse** dans la rue.	*The journalist speaks to a kid in the street.*
La pianiste est **une artiste distinguée**.	*The pianist is a distinguished artist.*

c. Some nouns are only masculine. If they refer to a woman, the word **femme(s)** is often added to clarify: **l'architecte, l'auteur, le chef, le chirurgien, le diplomate, l'écrivain, l'ingénieur, le juge, le médecin, le ministre, le peintre, le professeur, le reporter, le sculpteur.**

Le peintre Monet représente l'école impressionniste.	*The painter Monet represents the Impressionist school.*
Marguerite Yourcenar est **un écrivain connu**.	*Marguerite Yourcenar is a well-known writer.*
Il y deux **femmes ingénieurs** dans cette famille.	*There are two women engineers in this family.*

For many animals, only one name applies to the species in question. Sex is indicated by the addition of **mâle** or **femelle**.

un serpent femelle   **une girafe mâle**

d. A few nouns are only feminine: **une étoile, une personne, une vedette, une victime**

Alain Souchon est **une vedette** de la chanson.	*Alain Souchon is a pop singing star.*
Ce garçon est **la victime** des violences d'un père malade.	*This boy is the victim of a sick father's violence.*

e. Some nouns have irregular feminine endings.

MASCULINE	FEMININE	
-eau/-el	**-elle**	jumeau, jumelle / colonel, colonelle
-en	**-enne**	lycéen, lycéenne / chien, chienne
-er	**-ère**	fermier, fermière
-et	**-ette**	poulet, poulette
-eur[2]	**-euse**	serveur, serveuse / chanteur, chanteuse
-f/-p	**-ve**	veuf, veuve / loup, louve
-on	**-onne**	patron, patronne
-teur[3]	**-trice**	directeur, directrice
-x	**-se**	époux, épouse

[2] Nouns derived from verbs (**chantant → chanteur**) are in this group, except for a few (**inspecteur, inspectrice / inventeur, inventrice**).

[3] The **-teur** nouns not derived from verbs are in this group, except for **docteur, doctoresse**.

f. Some nouns ending in **-e** have a feminine in **-esse**. Most often used are the following: **un comte (une comtesse), un hôte (une hôtesse), un maître (une maîtresse), un poète (une poétesse), un prince (une princesse), un Suisse (une Suissesse).**

Julien aime une **Suissesse**.   *Julien loves a Swiss girl.*

g. Some nouns have a feminine form quite different from the masculine.

un bœuf	une vache	un homme	une femme
un compagnon	une compagne	un mâle	une femelle
un coq	une poule	un mari	une femme
un dieu	une déesse	un neveu	une nièce
un empereur	une impératrice	un oncle	une tante
un fils	une fille	un papa	une maman
un fou	une folle	un père	une mère
un frère	une sœur	un roi	une reine
un garçon	une fille		

À votre tour!

A. Quel est le genre des noms suivants?

enfant	ministre	athlète	chef	parente	écrivain
sociologue	journaliste	victime	fils	gosse	marchande
vendeuse	maîtresse	Italien	star	guide	impératrice
ingénieur	boulangère	épouse	reine	Juif	intellectuel

B. Mlle Bertrand est un reporter pour le magazine féminin *Elle*. Elle parle avec son amie Claire d'un reportage qu'elle va faire. Elle va interviewer différents types de personnes. Jouez le rôle de Mlle Bertrand et répondez aux questions de Claire.

MODÈLE   Un Chinois?
   —Non, non, une Chinoise.

1. Un vendeur?	9. Un mari?	17. Un juge?
2. Un employé?	10. Un voisin?	18. Un médecin?
3. Un jumeau?	11. Un baron?	19. Un Canadien?
4. Un touriste?	12. Un cadet?	20. Un chimiste?
5. Un fou?	13. Un oncle?	21. Un acteur?
6. Un docteur?	14. Un veuf?	22. Un pâtissier?
7. Un neveu?	15. Un roi?	23. Un Espagnol?
8. Un hôte?	16. Un duc?	24. Un moniteur?

2. *Names of things/ideas*

The gender of many French nouns is determined by the ending. There are, however, many exceptions.

a. Most nouns ending in a consonant are masculine, with the exception of those ending in **-sion/-tion.**

une confusion, une incompréhension, une permission, une célébration, une punition, une solution   BUT un bastion

b. Certain endings indicate gender.

	MASCULINE		FEMININE
-age	**garage, mirage**	**-ade**	**escapade, promenade**
	–but–		–but–
	une cage, une image, une nage,		**un jade**
	une page, une plage, une rage	**-esse**	**paresse, tendresse**
-eau	**cadeau, manteau**	**-ette**	**assiette, serviette**
	–but–	**-ie**	**jalousie, sociologie**
	une eau, une peau		–but–
-isme	**romantisme, socialisme**		**un incendie, un génie, un parapluie**
		-ique	**botanique, logique**
			–but–
			un graphique
		-té	**bonté, stupidité**
			–but–
			un été
		-tude	**attitude, habitude**
		-ure	**coiffure, voiture**

c. Certain categories, such as days, months, seasons, colors, languages, metals, and trees, are masculine.

un lundi, un janvier, un automne, un été, le français, le latin, le russe, le jaune, un mauve, le cuivre, le fer, un or, le chêne, le pommier

d. Names of countries, provinces, and states ending in **-e** or **-es** are feminine except for **le Mexique, le Mozambique, le Zaïre, le Cambodge.** Most names of rivers ending in **-e** and **-a** are feminine. (Some exceptions: **le Danube, le Gange, le Rhône.**)

Les Américains aiment **la Corse.**	*Americans like Corsica.*
La Martinique se trouve dans **les Indes occidentales.**	*Martinique is located in the West Indies.*
Le Zaïre est un pays africain.	*Zaire is an African country.*
Paris est situé sur **la Seine.**	*Paris is located on the Seine.*

All other names of countries, provinces, states, and rivers are masculine. All names of lakes and oceans are masculine.

Tu visites **le Danemark** et **le Portugal**. *You are visiting Denmark and Portugal.*
Connaissez-vous **le Nil** ? *Do you know the Nile?*

e. Some nouns can be either masculine or feminine, and the meaning changes depending on the gender. Here are some pairs.

le critique	*critic*	**la critique**	*criticism*
le livre	*book*	**la livre**	*pound*
le manche	*handle*	**la manche**	*sleeve*
le mode	*method, mood*	**la mode**	*fashion*
le page	*page (person)*	**la page**	*page (of a book)*
le physique	*physique*	**la physique**	*physics*
le poste	*position, job*	**la poste**	*post office*
le rose	*rose (color)*	**la rose**	*rose (flower)*
le somme	*nap*	**la somme**	*sum*
le tour	*turn, trick*	**la tour**	*tower*
le vase	*vase*	**la vase**	*mud, slime*

À votre tour !

A. Quel est le genre des noms suivants ?

noir	dimension	nourriture	anglais	linguistique
nuage	parapluie	chapeau	place	gentillesse
eau	cigarette	biologie	avril	philosophie
fer	inquiétude	addition	samedi	structuralisme

B. Caroline est en train de lire un roman fascinant. Pour connaître des détails intéressants donnés par Caroline, créez des phrases avec les mots suggérés. Donnez le présent indicatif des verbes. Ajoutez les articles appropriés devant les noms : **un/le** pour le masculin, **une/la** pour le féminin.

MODÈLE   Je / être en train de / lire / (un/une) livre / sur / l'Afrique
Je suis en train de lire un livre sur l'Afrique.

1. L'auteur / être / (un/une) génie
2. C'est / (un/une) Française / bien connue
3. (Le/la) personnage principal / avoir / (un/une) poste / dans / (le/la) gouvernement
4. Il y a aussi / (un/une) architecte / qui / étudier / (le/la) physique et / (le/la) géologie
5. L'architecte / acheter / (un/une) rose / tous les jours
6. Il / mettre / (le/la) fleur / dans / (un/une) vase / sur / (le/la) bureau
7. C'est / (un/une) été / particulièrement chaud
8. Oh non ! Il y a / (un/une) page / qui / manquer / dans / (le/la) livre
9. Mon frère / venir de / jouer / (un/une) tour
10. Je / avoir / sommeil. / Je / aller / faire / (un/une) somme

2.1.B Plural of nouns

Almost all nouns have a singular and a plural form.

1. Most nouns form the plural by adding **-s** to the singular. If the singular noun ends in **-s**, **-x**, or **-z**, it does not change in the plural. Remember that the **s** of the plural is not pronounced unless a linking, or **liaison**, is made with the following word.

le père, les pères	**le fils, les fils**
le choix, les choix	**un nez, des nez**

Voici **deux enfants** abandonnés.	*Here are two abandoned children.*
Leurs fils ont **des voix** plaisantes.	*Their sons have pleasant voices.*
Aimez-vous **leurs** petits **nez**?	*Do you like their small noses?*

Note that family names do not add **-s** when used in the plural.

Les Leblanc viennent d'avoir des jumeaux le mois dernier.	*The Leblancs have just had twins last month.*

2. Some nouns have irregular plural endings.

SINGULAR	PLURAL	
-al	-aux	journal, journaux BUT bal, bals / carnaval, carnavals / festival, festivals / récital, récitals
-ail[4]	-aux	corail, coraux / travail, travaux / vitrail, vitraux (*stained-glass window*)
-au, -eau	-aux, -eaux	tuyau, tuyaux (*pipe*) / manteau, manteaux
-eu	-eux	neveu, neveux BUT bleu, bleus / pneu, pneus (*tire*)
-ou[4]	-oux	bijou, bijoux (*jewel*) / chou, choux (*cabbage*) / genou, genoux (*knee*)

Nos enfants ne lisent pas **les journaux**. Ils préfèrent **les jeux**.	*Our children do not read the newspapers. They prefer games.*
Mais leur mère est trop occupée par **ses travaux**.	*But their mother is too busy with her work.*
Elle vient de recevoir **des bijoux** de sa vieille tante.	*She has just gotten some jewels from her old aunt.*

3. There are some French nouns that follow no apparent pattern in the formation of the plural.

le ciel (*sky*)	**les cieux**
l'œil (*eye*)	**les yeux**
madame	**mesdames**

---

[4] French has nine **-ail** nouns and seven **-ou** nouns with irregular plural endings. Only the most important of these nouns are given.

mademoiselle	mesdemoiselles
monsieur	messieurs

Martine a des **yeux** bleus comme les **cieux**.	*Martine has eyes as blue as the sky.*

4. *Plural of compound nouns*

Compound nouns are made up of two or more hyphenated words. In the plural, they follow rules that are usually logical grammatically, but there are exceptions. If a compound noun is composed of

a. noun + noun, both are in the plural:

un oiseau-mouche *(hummingbird)*, **des oiseaux-mouches; un chou-fleur** *(cauliflower)*, **des choux-fleurs**

b. noun + adjective or adjective + noun, both terms are in the plural:

la grand-mère, les grands-mères; le beau-frère *(brother-in-law)*, **les beaux-frères** BUT **le demi-frère** *(half-brother)*, **les demi-frères**

c. noun + preposition + noun, only the first noun is in the plural:

le chef-d'œuvre *(masterpiece)*, **les chefs-d'œuvre** (= the best pieces of the work); **le timbre-poste** *(postage stamp)*, **les timbres-poste** (= les timbres de la poste)

d. verb + noun, only the noun is in the plural:

un essuie-glace *(windshield wiper)*, **des essuie-glaces; un pique-nique, des pique-niques**

e. invariable[5] word + noun, only the noun is in the plural:

un avant-garde, des avant-gardes; le vice-président, les vice-présidents; un Anglo-Saxon, des Anglo-Saxons

f. sometimes neither word is in the plural:

un gratte-ciel *(skyscraper* = **gratte le ciel)**, **des gratte-ciel; un après-midi** (= **après l'heure de midi)**, **des après-midi**

g. Some compound nouns have an **-s** even in the singular when the second term refers to more than one:

un essuie-mains *(hand-towel* = it dries the hands), **des essuie-mains; un porte-clefs** (a key holder holds several keys), **des porte-clefs**

---

[5] An invariable word does not change its form and spelling at any time. For instance, prepositions (e.g., **avant, dans, devant, sur**) are invariable.

À votre tour!

A. Créez des phrases originales en utilisant le pluriel de chaque mot ou groupe de mots dans les colonnes A et C. Donnez les verbes au présent indicatif. Formez différentes combinaisons avec les mots.

A	B	C
le monsieur	manger	l'œil
la belle-sœur	demander	le cadeau
le général	acheter	la grand-mère
le grand-oncle	aimer	l'ouvre-boîtes
le fils	observer	le chou-fleur
le grand chapeau	protéger	le pneu
le chien-loup	vouloir	le timbre-poste
		le travail

B. Martin résume pour sa tante Adélie les nouvelles (*news*) du journal. Jouez le rôle de Tante Adélie qui met chaque phrase au pluriel (mettez au pluriel seulement les mots soulignés). Faites attention aux pluriels irréguliers!

MODÈLE   Le bal commence à neuf heures.
            Les bals commencent à neuf heures.

1. Le criminel vient de voler le bijou du musée.
2. Le médecin de la clinique surveille le fou.
3. Le jeu est trop violent.
4. Le jaloux attaque l'Anglo-Saxon.
5. Le petit-fils de Mme Lefranc cherche le chapeau.
6. Le cheval de M. Lecomte gagne le prix.
7. Le gaz qui sort par le tuyau est dangereux pour la ville.
8. Le récital de piano est pour ce soir.

2.1.C Vocabulary review: expressing "people"

1. *People* in the general meaning of *persons* or *individuals* in indeterminate number is translated by **les gens** *m* (always used in the plural) or **les personnes** *f*.

Les Duval connaissent beaucoup de **gens** intéressants (de **personnes** intéressantes).	*The Duvals know a lot of interesting people.*

2. *All the people*, meaning *everyone* or *everybody*, is translated by **tout le monde** (always followed by the **il/elle** form of the verb). **Le monde** refers to an indefinite number of persons viewed as a single group, either large as in **beaucoup de monde** or small as in **peu de monde**.

Il y a **beaucoup de monde** à cette partie.	*There are a lot of people at this party.*

3. *People*, referring collectively to the whole population of a country, the masses, or the populace, is translated by **le peuple.**

Le peuple français respecte la famille.	*French people respect the family.*
Le peuple de Paris a été violent pendant la Révolution.	*The people of Paris were violent during the Revolution.*

4. In the sense of *persons* or *individuals* when a definite number of them is referred to, *people* is translated by **les personnes.**

Combien de **personnes** y a-t-il dans la boutique ?	*How many people are there in the shop?*
—Huit ou neuf **personnes,** Madame.	*Eight or nine persons, Ma'am.*

5. In its most general sense of *they, we, you,* or *one, people* is translated by the indefinite pronoun **on**. Note that **on** is always followed by the **il/elle** form of the verb.

On ne doit pas trop gâter les jeunes enfants.	*People must not spoil young children too much.*

À la campagne, les repas de noces, d'anniversaires ou d'autres occasions ont souvent lieu au dehors. On fait un grand pique-nique ou même un repas de fête avec beaucoup de plats.

À votre tour !

La campagne et la ville. Est-ce que les jeunes de la campagne sont vraiment différents des jeunes de la ville ? Complétez la description suivante avec le mot approprié pour «people».

1. Il y aura beaucoup de ___ *gens* pour l'anniversaire des Duraton.
2. La famille Duraton est composée de quatre ___ *personnes* qui habitent à la campagne.
3. Il y a souvent un fossé entre les ___ *gens* âgés et leurs enfants.
4. ___ *Le peuple* pense aussi que la famille n'est plus unie maintenant.
5. Mais les ___ *peuples* du petit village de Marboué savent que les Duraton sont différents de la plupart[6] des ___ *peuples* des grandes villes.
6. Marie Duraton est une simple fille du ___ *peuple*, mais elle est bien élevée.
7. À la partie, il y aura beaucoup de ___ *gens* et tous seront des ___ de la campagne.
8. ___ *tout le monde* va certainement bien s'amuser !

II Articles (les articles)

The article is a word placed before the noun to indicate the noun's number and gender and to specify the extent of its application. There are definite, indefinite, and partitive articles in French.

2.2.A Definite article (l'article défini)

The definite article designates a particular person or thing, or it refers to persons or things in a general way. It corresponds to *the* in English.

1. Forms

SINGULAR		PLURAL
Masculine	Feminine	Masculine + Feminine
le, l'	**la, l'**	**les**

   a. Before a noun beginning with a vowel or a mute **h, le** and **la** take the elided form **l'**.

l'épouse, l'ordre   **l'homme, l'harmonie**
– but–
le Hollandais[1]   **la haine**[1]

---

[6] **la plupart (de)** *most of, the majority of*
[1] A number of French nouns begin with an "aspirate **h**" (indicated by * in most French dictionaries). Though the **h** is not pronounced, it is considered a true letter and this prevents elision. Thus, *le* **héros,** *la* **hauteur,** *la* **honte,** *le* **haricot** are the correct forms of the article to use.

b. When the prepositions **à** or **de** precede the article, there is a contraction of **le** and **les** with the preposition.

à + le ⟶ au   **au** frère, **au** bonheur
de + le ⟶ du   **du** père, **du** ménage
à + les ⟶ aux   **aux** oncles, **aux** conseils
de + les ⟶ des   **des** parents, **des** sentiments
          – but –
à la, à l', de la, de l' do not contract.

Je donne des conseils **à l'enfant.**	*I give advice to the child.*
Mais vous, vous prenez soin **de l'aide financière** à ses parents.	*But you, you are taking care of his parents' financial aid.*

2. *Use of the definite article*

The use of the definite article in French differs somewhat from the use of *the* in English. **Le**, **la**, **l'** and **les** are used

a. before a noun (or each noun in a series) that refers to a particular person, place, or thing:

À Tours, nous visitons **la vieille cathédrale.**	*In Tours, we visit the old cathedral.*
L'oncle et **la tante** ne partent pas en voiture.	*The uncle and aunt are not leaving by car.*

b. before nouns used in a general sense:

L'éducation des enfants est difficile.	*The education of children is difficult.*
Ma grand-mère aime **les jeunes.**	*My grandmother likes young people.*

c. with proper names when they are preceded by a title or an adjective:[2]

Le président Jussieu récompense son fils.	*President Jussieu rewards his son.*
Le petit Marc va aller chez sa tante.	*Little Marc is going to go to his aunt's.*

d. with dates:

La fille de nos amis est née **le 15 juin.**	*Our friends' daughter was born on June 15.*

e. with time expressions when reference is made to a habitual action:[2]

Le soir, la famille regarde la télévision.	*In the evening, the family watches television.*
Maman fait ses courses **le samedi.**	*Mom does her shopping on Saturdays.*

---

[2] Further details are given under omission of the definite article on page 73.

f. with parts of the body, and sometimes with articles of clothing, when it is clear to whom they belong (see possessive adjectives, Chapitre 9):

Claude a **les mains** dans **les poches.**	*Claude has his hands in his pockets.*
Il a toujours son béret sur **la tête.**	*He always has his beret on his head.*

g. with rates, prices, weights, and measurements:

Les haricots coûtent cinq francs **la livre** et les œufs neuf francs **la douzaine.**	*Green beans cost five francs a pound and eggs nine francs a dozen.*

Note the special expressions:

de l'heure	cost/salary per hour
à l'heure / à la minute / à la seconde	speed per unit of time

Henri gagne soixante francs **de l'heure.**	*Henri earns 60 francs an hour.*
Gérard conduit vite : il fait cent kilomètres **à l'heure.**	*Gerard drives fast: he does 100 kilometers an hour.*

h. with names of languages or fields of study:[3]

Les cousins de René étudient **le russe** et **la médecine.**	*René's cousins study Russian and medicine.*

i. with names of continents, countries, provinces, regions, oceans, rivers, and mountains:[4]

Rouen, sur **la Seine**, est la capitale de **la Normandie.**	*Rouen, on the Seine River, is the capital of Normandy.*
L'océan Atlantique sépare **l'Europe** de **l'Amérique.**	*The Atlantic Ocean separates Europe from America.*
Le mont Blanc est situé dans **les Alpes.**	*Mont Blanc is located in the Alps.*

À votre tour !

A. Remplacez les mots en italique par les mots donnés entre parenthèses. Utilisez l'article défini approprié pour chacun et faites tous les changements nécessaires (verbes, contractions).

1. *Les gosses* sont dans le jardin.   (parents, oncle, grand-père, homme, fille, amis)
2. Tu parles à *la petite Michèle*.   (jolie Madame Leroux, président Gribault, enfants, amiral Duplanty, vieux père Gaston, petites filles)

---

[3] Further details are given under omission of the definite article on page 73.
[4] Further details are given under geographical names in Chapitre 5.

3. Nous allons voir *la France* cet été.   (Italie, lac Michigan, Pacifique, Chine, Japon, Mexique, Loire, Andes)
4. Madame, cela va vous coûter quinze francs *le mètre*.   (livre, douzaine, kilo, paire, gramme, heure)

B. Roland Leroy, un annonceur à Radio-France, va interviewer le sociologue Pierre Mangrin sur la condition de la famille française. Jouez cette petite scène avec un(e) partenaire, en complétant les phrases avec les articles **le, la, l', les.**

LEROY   Où en est[5] ⎯⎯ famille en France ?

MANGRIN   Eh bien ! Elle montre ⎯⎯ conciliation de ⎯⎯ tradition et de ⎯⎯ nouveauté.

LEROY   Expliquez cela, je vous prie, pour ⎯⎯ auditeurs[6] de Radio-France.

MANGRIN   On note ⎯⎯ persistance de certains caractères traditionnels. ⎯⎯ père, c'est ⎯⎯ chef de famille. Il garde ⎯⎯ autorité d'un chef, mais un peu moins que pendant ⎯⎯ années d'avant-guerre.

---

[5] **en être**, as in **"où en est...?"**   *to stand*
[6] **l'auditeur** *m   listener*

LEROY Et ___ mère? Est-ce que ___ travail de ___ mère au dehors[7] a changé ___ rôle de ___ mère?

MANGRIN Même quand elle travaille au dehors, ___ mère reste ___ centre de ___ famille, ___ âme, si vous préférez ___ mot! Et cela, surtout si ___ enfants sont jeunes.

LEROY Ah! ___ enfants! Quelle est ___ place des enfants?

MANGRIN Eh bien, voyez-vous, ce sont ___ enfants qui sont devenus très importants. ___ Français ont moins d'enfants mais ils élèvent mieux ___ enfants qu'avant.

LEROY Donnez-nous ___ conclusion, Monsieur ___ professeur.

MANGRIN ___ Français ont redécouvert ___ importance de ___ famille. Elle est vraiment ___ base de ___ société française.

3. *Omission of the definite article*

Le, **la**, **l'**, and **les** are omitted

a. with proper names when the person is addressed directly or if the name is not preceded by an adjective:

Petit Pierre, va dire bonjour à **Papa!**   *Little Peter, go say hello to Daddy!*
Colonel Pasquier, allez-vous visiter   *Colonel Pasquier, are you going to*
  Montpellier?   *visit Montpellier?*

b. with a time expression when it refers to a specific, nonhabitual occurrence (for instance, something happening on one particular day):

Mes sœurs vont aller au cinéma   *My sisters are going to go to the movies*
samedi soir.   *Saturday night.*

c. with addresses, before **rue, boulevard, avenue, place,** and so on:

Mon frère a une boutique 22, **place**   *My brother has a shop at 22 Republic*
  de la République.   *Square.*

d. with names of languages when the noun comes directly after the verb **parler** (even if **parler** is in the negative):

Ces enfants **parlent français et italien,**   *These children speak French and*
  mais ils **ne parlent pas anglais.**   *Italian, but they don't speak English.*

e. after the preposition **en:**

en classe en ville, en vacances
en voiture, en avion, en autobus
en janvier, en mai, en hiver, en été, en automne
en coton, en nylon, en métal
en français, en arabe, en espagnol

---

[7] **au dehors** *outside (the home)*

f. before the second noun in double-noun constructions:

le chef **de famille**	*the head of the family*
un avion **de transport**	*a transport plane*
les verres **à vin**	*the wineglasses*
le professeur **de chimie**	*the chemistry professor*

À votre tour!

A. Complétez les mini-conversations à l'aide des mots suivants:

le	l'	au	à l'	du	de l'
la	les	à la	aux	de la	des

Devant certains mots, il n'est pas nécessaire d'ajouter quelque chose.

1. MME PIAU ⸺ Moreau fêtent ⸺ anniversaire de leur mariage ⸺ 18 août. Ils vont dîner ⸺ restaurant normand, ⸺ avenue ⸺ Opéra.

    MME BLIN Oui, je sais. Et ⸺ gentille Madame Moreau attend un bébé. Elle va l'annoncer ⸺ parents de son mari ⸺ lundi prochain.

2. M. FIGEAC Excusez-moi, ⸺ capitaine Fariboule, on vous demande ⸺ téléphone. C'est ⸺ colonel Chabert. ⸺ téléphone est dans ⸺ bureau.

    LE CAPITAINE FARIBOULE Mais je ne lui parle jamais ⸺ jeudi. Euh... Ah oui! C'est aujourd'hui ⸺ mercredi. Où ai-je ⸺ tête?

3. SYLVESTRE Zut! J'ai perdu mon livre de japonais et j'ai quatre phrases à écrire en ⸺ japonais. Aide-moi, Yoko, tu parles ⸺ japonais.

    YOKO Je vais te prêter mon livre de ⸺ grammaire. Fais ⸺ devoir! Moi, je vais en ⸺ ville en ⸺ voiture, avec ⸺ copains! Ciao!

B. Jouez une petite scène avec un(e) partenaire qui représente un(e) marchand(e) de légumes et de fruits. Vous êtes une mère/un père de famille et vous demandez le prix de chaque article dessiné. Votre partenaire répond en donnant le prix du kilo + de la livre (1 kilo = 2 livres).

> MODÈLE Combien coûtent les poires?
> —Elles coûtent sept francs le kilo. Et trois francs cinquante la livre.

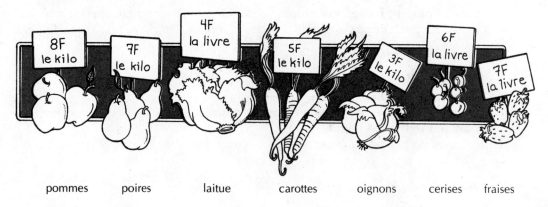

pommes	poires	laitue	carottes	oignons	cerises	fraises

2.2.B Indefinite article (l'article indéfini)

The indefinite article designates an indeterminate person, idea, or thing.

1. *Forms*

	SINGULAR		PLURAL
	Masculine	Feminine	Masculine + Feminine
	un	**une**	**des**

Un, une are translated in English by *a* or *an*. Since there is no plural form of the indefinite article in English, **des** can be translated by *some* or left untranslated.

| C'est **un gosse insupportable.** | *He's an unbearable kid.* |
| Les Martin ont **des amis sympathiques.** | *The Martins have (some) pleasant friends.* |

2. *Use of the indefinite article*

Un, une, des are used

a. before an undetermined noun (or each undetermined noun in a series):

| Jacob a **une femme, un fils, une fille et des chats siamois.** | *Jacob has a wife, a son, a daughter, and Siamese cats.* |

b. before nouns of profession, nationality, religion, or social status when they are introduced by **c'est / ce sont** (or **ce** + any tense of **être**):

| **C'est une chanteuse; c'est** aussi **une Chinoise. C'est une chanteuse chinoise**[8]. | *She is a singer; she's Chinese. She is a Chinese singer.* |
| **Ce sont des protestants sincères**[9]. | *They are sincere Protestants.* |

c. before a noun of profession introduced by the verbs **être, devenir, rester,** when it is modified by an adjective or a relative clause:

| Ma sœur **est une pharmacienne dévouée.** | *My sister is a devoted pharmacist.* |
| Nos cousins **sont devenus des médecins que nous admirons.** | *Our cousins became doctors whom we admire.* |

If the noun is unmodified, however, no article is used:

Ma sœur **est pharmacienne.**	*My sister is a pharmacist.*
Restez-vous professeur au lycée?	*Are you staying on as an instructor at the lycee?*
Il **est devenu médecin** le mois dernier.	*He became a doctor last month.*

[8] Nouns of nationality are capitalized, but adjectives are not: C'est **un Russe,** *but* Vladimir est **russe.**
[9] Nouns and adjectives of religion are not capitalized: J'ai **une nièce catholique.** C'est **une catholique.**

Note the contrast in the following construction using **être:**

il(s), elle(s) + **être** + noun or adjective
       ce + **être** + indefinite article + noun

Il est marchand.   *He is a merchant.*
Il est suisse.   *He is Swiss.*
                        –but–
C'est un marchand.   *He is a merchant.*
C'est un marchand suisse.   *He is a Swiss merchant.*

Therefore, when used with **c'est / ce sont,** and so on, the noun is always preceded by a marker that can be an indefinite article, a possessive adjective, or a demonstrative adjective.[10]

3. *Omission of the indefinite article*

De is used instead of **un, une, des** in a negative sentence with any verb except **être. De** becomes **d'** before a vowel or a mute **h.**

Il y a une veuve dans votre famille.   *There is a widow in your family.*
                        –but–
Il n'y a pas de veuve dans votre   *There is no widow in your family.*
  famille.
Ma nièce **veut des enfants.**   *My niece wants children.*
Ma sœur **ne veut pas d'enfants.**   *My sister does not want children.*

Note that with **être** used negatively, **un, une,** or **des** is retained.

N'est-ce pas un bon père ?   *Isn't he a good father?*
—Si, c'est un bon père.   *Yes, he's a good father.*

À votre tour!

A. Faites les substitutions indiquées entre parenthèses. Faites les autres changements si cela est nécessaire.

   1. Les parents élèvent *un gosse*. (fille, jumeaux, adolescent, jeune fils, quintuplés)
   2. Ils sont *peintres*. (professeurs, ministres, juge, médecin, reporters)

B. Dans l'autobus, Monsieur Delille entend plusieurs conversations. Complétez ces mini-conversations. Ensuite, essayez de dire qui sont les personnes qui parlent.

   1. A Sais-tu qu'Albert Schweitzer était ___ musicien?
      B Mais oui, c'était ___ organiste réputé. Mais il a préféré devenir
         ___ médecin. Il est resté ___ médecin en Afrique toute sa vie.

10 See possessive adjectives, Chapitre 9, and demonstrative adjectives, Chapitre 11.

2. A Ce sont ____ amis de mes parents. Jean-Paul est ____ architecte et Andrée est ____ professeur très respecté.

   B Est-ce que ce sont ____ amis à toi aussi ?

   A Ce ne sont pas ____ amis à moi : nos âges sont trop différents.

3. A Qui sont ces jeunes devant nous ? Ce ne sont pas ____ ouvriers et ce ne sont pas ____ Français.

   B Mme Michu, regardez les étiquettes[11] sur leurs valises. Ils sont ____ étudiants. Mais oui ! Ce sont ____ étudiants américains. Ces jeunes sont ____ étudiants en Californie.

   A Tiens[12] ! Quelle coïncidence ! J'ai ____ cousin à Los Angeles !

4. A J'ai un élève qui a ____ caractère difficile. Il a ____ problèmes en classe. Il fait ____ colères et il a ____ mauvaise conduite.

   B Oui, oui. Je le connais. Il a ____ grands-parents indulgents et ____ parents très sévères. Il n'a pas ____ frère mais il a ____ sœur très jalouse.

   A Ah, je comprends ! C'est ____ famille spéciale qui sans doute n'a pas ____ amis.

2.2.C Partitive article (l'article partitif)

The partitive article refers to a part of a whole, not the totality. It is found mostly with names of things that cannot be counted (sometimes called mass nouns) to indicate an indefinite quantity. The partitive article may be translated into English by *some* or *any*, or it may be left untranslated.

1. *Forms*

SINGULAR		PLURAL
Masculine	Feminine	Masculine + Feminine
du	**de la**	**des**
de l'	**de l'**	**des**

La mère ressent **de la tendresse** pour son bébé.

The mother feels (some) tenderness toward her baby.

Louise mange **des légumes** et **du pain.**

Louise eats vegetables and bread.

Before a noun beginning with a vowel or mute **h**, **de l'** is used instead of **du** or **de la.**

Les adultes montrent parfois **de l'incompréhension** pour les jeunes.

Adults sometimes show incomprehension for the young.

---

[11] **l'étiquette** *f* *sticker, tag*
[12] **Tiens !** *Say!*

2. *Use of the partitive article*

Du, de la, de l' are used

a. before an abstract noun (or each noun in a series) to express an indefinite quantity:

On doit avoir **de la patience et de l'amour** avec les enfants.	*One must have patience and love with children.*
Avez-vous **du désordre** dans votre bureau ?	*Do you have (any) disorder in your desk?*

b. before a concrete noun referring to a quantity that cannot be counted or to a part of a whole:

Ton père achète **du coton** en Égypte.	*Your father buys cotton in Egypt.*
Je commande **de la viande.**	*I'm ordering (some) meat.*

Des is used with concrete nouns to refer to a part of a whole.

Nous achetons **des épinards.**	*We're buying spinach.*

In the plural, the partitive **des** is the same as the plural of the indefinite article. It is often difficult to distinguish one from the other. Restating the sentence with the noun in the singular is helpful. **Des**, indefinite article, corresponds to the singular **un/une**:

Nous avons **des amis.**	*Singular: Nous avons* **un ami.**

The sentence **Nous achetons des épinards** cannot be restated as **Nous achetons un épinard** because **épinards** is always used in the plural. Here, **des** is a partitive article.

3. *Special uses of* **de**

The rules that govern replacing the indefinite article with **de** also apply to the partitive article.

a. In a negative sentence, **un, une, des, du, de la,** or **de l'** is replaced by **de** or **d'.**

Ma tante **n'a pas d'amies orientales.**	*My aunt does not have any Oriental friends.*
Léon **n'a pas de patience.**	*Leon does not have any patience.*
Je **ne mets plus de lait** dans mon café.	*I no longer put any milk in my coffee.*

However, this rule does not apply when the verb is **être.**

Ce **ne sont pas des parents** de ma femme.	*They are not relatives of my wife.*
Ces légumes **ne sont pas des asperges.**	*These vegetables are not asparagus.*
Ce que tu manges **n'est pas du beurre.**	*What you're eating is not butter.*

b. With an adjective preceding a plural noun, **de** used to be required instead of **des**. However, today it is acceptable to use either **de** or **des**.[13] When an adjective and a noun form a unit (such as **les jeunes filles, les jeunes gens, les petits pains** [*rolls*], **les petits pois, les grands magasins**), **des** must be used.

Nous travaillons avec **de(s) bons maîtres**.	*We work with good masters.*
Raymond écrit **de(s) belles phrases**.	*Raymond writes beautiful sentences.*
Ce sont **des jeunes filles** bien élevées.	*They are well-bred teenage girls.*

c. **De** (instead of **du, de la, de l', des**) is used with many expressions of quantity.

assez de	*enough*	peu de	*little, few*
autant de	*as much,*	plus de	*more*
	as many	tant de	*so much,*
beaucoup de	*much, many*		*so many*
combien de	*how much,*	trop de	*too much,*
	how many		*too many*
moins de	*less*	un peu de	*a little*
une boîte de	*a box of*	un litre de	*a liter of*
un bol de	*a bowl of*	une livre de	*a pound of*
une bouteille de	*a bottle of*	un morceau de	*a piece of*
une cuillère de	*a spoonful of*	une tasse de	*a cup of*
une douzaine de	*a dozen of*	une tranche de	*a slice of*
un kilo de	*a kilo of*	un verre de	*a glass of*

Mon père montre **beaucoup d'intérêt** dans mon travail.	*My father shows much interest in my work.*
Maman met **deux bouteilles de vin** sur la table.	*Mom puts two bottles of wine on the table.*
Combien de tantes ce garçon a-t-il ?	*How many aunts does this boy have?*

Other quantity expressions, however, are followed by **de** + definite article: **bien de. . .** (*many a*), **la plupart des**[14] **. . .** (*most, most of*), **la plus grande partie de. . .** (*most of*), **la moitié/le quart/le tiers/le dixième de. . .** (*half/one-fourth/one-third/one-tenth of*).

La plus grande partie de la famille habite la région de Lille.	*Most of the family lives in the Lille region.*
Georges a **bien des conversations** avec son père.	*George has many a conversation with his father.*
La plupart des problèmes familiaux concernent l'éducation des enfants.	*Most family problems concern the education of the children.*

[13] One expression with **de** remains obligatory: **d'autres.** Voici **d'autres gosses** qui arrivent à l'école. Julie ressent **d'autres émotions**.

[14] **La plupart du temps** (*most of the time*) is the only expression in the singular. All other cases use **la plus grande partie de** + definite article.

d. Certain verbs, verbal expressions, and adjectives are constructed with **de** + indefinite noun. The most commonly used verbs are

avoir besoin de	*to have need of, to need*
avoir envie de	*to crave, to desire, to long for*
changer de	*to change*
manquer de	*to lack*
charger de	*to load with*
couvrir de	*to cover with*
décorer de, orner de	*to decorate with*
entourer de	*to surround with*
remplir de	*to fill with*

Gabriel **a besoin de calme et de repos.**	*Gabriel needs calm and rest.*
Les succès de Maurice nous **remplissent de joie.**	*Maurice's successes fill us with joy.*

The most commonly used adjectives are those derived from the last six verbs in the above list (**chargé, couvert, décoré, orné, entouré, rempli**) and also **plein de** *(full of).*

Le lit est **couvert de vêtements et de livres.**	*The bed is covered with clothes and books.*
Votre tête est **pleine d'idées extravagantes!**	*Your head is full of extravagant ideas!*

4. *Omission of the indefinite and partitive articles*

Un, une, des, du, de la, and **de l'** are omitted

a. after **sans:**

Il est **sans amis et sans argent.** Quel désastre!	*He is without friends and money. What a disaster!*
Prends-tu ton café **sans sucre?**	*Do you take your coffee without sugar?*

b. after **avec** if it is followed by an abstract noun:

Le couple adopte le bébé **avec joie.**	*The couple adopts the baby with joy.*
—but—	
Je prends mon thé **avec du sucre.**	*I take my tea with (some) sugar.*

c. often after **par, pour, comme:**

Vous avez seulement des garçons **comme/pour enfants.**	*You only have boys for children.*

d. before unmodified predicate nouns of professions and social status following **être, devenir, rester:**

Alexis **est ingénieur.**	*Alexis is an engineer.*
Elles **ne sont plus étudiantes.**	*They are no longer students.*

e. after **ni. . . ni. . .** (*neither . . . nor*) when the noun is indeterminate (indefinite):

Le pauvre enfant n'a **ni bonheur ni calme** depuis le divorce de ses parents.	*The poor child has neither happiness nor calm since his parents' divorce.*

5. *Case of qualified (modified) nouns*

Note that for the cases discussed above under sections 3c, 3d, 4a, 4b, the noun always refers to an indeterminate or indefinite person, thing, or group. But if that noun is qualified or modified so that it is no longer indefinite or imprecise, then the definite article must be used before the noun.

Paul mange un morceau **de tarte.**	*Paul eats a piece of pie.*
–but–	
Paul mange un morceau **de la tarte faite par sa sœur.**	*Paul eats a piece of the pie made by his sister.*
L'enfant malade a besoin **de soins.**	*The sick child needs care.*
–but–	
L'enfant malade a besoin **des soins de sa mère.**	*The sick child needs the care of his/her mother.*
Mon cœur est **plein d'amour.**	*My heart is filled with love.*
–but–	
Mon cœur est **plein de l'amour que j'ai pour toi.**	*My heart is filled with the love I have for you.*

À votre tour !

A. Créez des phrases avec des mots/groupes de mots de chaque colonne. Donnez la forme appropriée de l'article partitif et du verbe.

A	B	C	D
Mme Lefranc	vendre	du	émotions violentes
Vous	ressentir	de la	indifférence
Isabelle	avoir	de l'	tendresse
Nous	montrer	des	jalousie
Les Marceau	prendre		colères terribles
L'enfant rebelle	manger		poisson frais
Les grands-parents	acheter		fruits délicieux
			fromage savoureux[15]
			croissants chauds
			glace au café

B. Mme Versois cherche un programme intéressant à la télé. Elle passe d'une station à une autre et elle n'entend qu'un fragment de chaque programme. Complétez

---

[15] **savoureux (-euse)** *tasty*

les segments de ces programmes. Ensuite dites de quel genre de programme ils viennent.

1. LA SPEAKERINE[16]   Votre famille mange beaucoup ___ viande ?

   LA DAME   Nous mangeons un peu ___ bœuf mais nous ne mangeons pas ___ porc.

   LA SPEAKERINE   On dit que les Français boivent trop ___ vin. Est-ce le cas dans votre famille ?

   LA DAME   Nous ne prenons pas ___ vin au déjeuner. Nous prenons ___ eau minérale ou ___ limonade. Au dîner, mon mari et moi buvons deux ou trois verres ___ vin.

2. LE PROFESSEUR   Monsieur Mercier, votre fille Monique a ___ grandes qualités. Elle a ici pour ___ amis ___ jeunes gens sympathiques. A-t-elle ___ autres amis ?

   M. MERCIER   Nous avons ___ nouveaux voisins[17]. Leurs enfants manquent ___ discipline. Ce ne sont pas ___ amis.

   LE PROFESSEUR   La plupart ___ temps, Monique n'a pas ___ problèmes ici, mais hier elle a eu une journée pleine ___ difficultés.

   M. MERCIER   Euh... Je vois. J'espère que vous montrez ___ patience et ___ compréhension mais vous ne devez tolérer ni ___ colères ni ___ impolitesse.

3. FEMME EN ROSE   Il y a plus ___ deux ans que les Albin ont besoin ___ argent pour une maison.

   FEMME EN BLANC   Ah, c'est triste ! Veux-tu ___ tasse ___ thé avec ___ morceau ___ gâteau que je viens de faire ?

   FEMME EN ROSE   Mais oui, je prendrai ___ thé mais pas ___ gâteau pour moi.

   FEMME EN BLANC   Tu préfères ___ croissants ? Tu sais, j'achète ___ petits pains et ___ bons croissants au Rallye.

   FEMME EN ROSE   Le Rallye ? C'est ___ boulangerie ?

   FEMME EN BLANC   Mais non, grande bête ! C'est ___ supermarché. Bien ___ femmes vont au supermarché maintenant.

C. Norbert et Nadine sont frère et sœur, mais ils ne sont jamais d'accord. Leur nom commence avec un *N*, comme *non, nyet, no* ! Voici quelques exemples de leurs conversations. Jouez le rôle de Nadine qui met toutes les phrases de Norbert à la forme négative.

MODÈLE   J'ai des bonnes notes en classe.
          Non ! Tu n'as **pas** de bonnes notes !

1. Au dîner, Maman nous donne des œufs.
2. Ensuite, elle nous donne de la salade de chou.
3. Demain, nous allons avoir des invités[18].

[16] **le speaker, la speakerine**   *radio or TV announcer/commentator*
[17] **le/la voisin(e)**   *neighbor*
[18] **l'invité(e)**   *guest*

Le repas est un moment spécial où la famille se regroupe autour d'une table bien garnie.

4. Notre oncle Albert cultive des roses, de la lavande et du thym.
5. Les camarades de Vincent ont une bonne influence sur lui.
6. C'est une quiche que Maman va faire pour les invités.

2.2.D Partitive/indefinite article and definite article contrasted

Differences

The following two sentences refer to the same object, cherries, but in different ways.

(1) Babette aime **les** cerises.	*Babette loves cherries.*
(2) Babette mange **des** cerises.	*Babette eats cherries.*

Sentence (1) refers to cherries in general and the definite article must be used before the noun to express generality; hence *les* **cerises.** Sentence (2) refers to only a part of all existing or available cherries, and the partitive article must be used before the noun to express a part of the whole; hence *des* **cerises.**

Verbs such as **adorer, aimer, détester, préférer** most often are followed by a noun object used in a general sense: this noun is preceded by the definite article.

Les étudiants **détestent les devoirs.**   *Students detest homework.*

Verbs such as **acheter, avoir, boire, commander, manger, prendre** most often are followed by a noun object expressing a part of a whole: this noun is preceded by a partitive article.

Tes parents **boivent du vin** au dîner.   *Your parents drink wine at dinner.*

À votre tour !

Durant un cours, une pédiatre est en train de faire une présentation sur une nourriture saine[19] à donner aux enfants. Complétez les phrases en ajoutant des articles définis ou des articles partitifs.

1. ____ papas gâteaux et ____ mamans indulgentes ne sont pas souvent ____ bons parents.
2. Et pourquoi ? Parce qu'ils donnent ____ gâteaux, ____ chocolat et ____ boissons gazeuses[20] à leurs enfants.
3. Ce ne sont pas ____ produits sains s'ils sont pris à l'excès.
4. ____ fruits, ____ légumes, ____ lait sont nécessaires à ____ santé.
5. ____ boissons gazeuses sont très mauvaises pour ____ dents.
6. ____ mères qui donnent ____ oranges ou ____ pommes à leurs enfants leur donnent ____ bonnes habitudes[21] alimentaires.
7. ____ repas doivent toujours inclure ____ produits laitiers, ____ pain complet[22], ____ légumes frais, ____ poisson ou ____ viande.
8. Mamans, papas, ____ nourriture de vos enfants est une chose très importante !

Vue d'ensemble

I À vous la parole !

A. **Parlez de vous-même** ! Jeanne M., reporter pour un magazine féminin, va interviewer des étudiants de plusieurs universités pour préparer un article sur «Les jeunes, leur famille et leur style de vie». Répondez aux questions que Jeanne vous pose.

1. Quelle est la nationalité de vos parents ? Sont-ils originaires des États-Unis ou d'un autre pays ?
2. Avez-vous des grands-parents ? Sont-ils âgés, gentils, affectueux ?
3. Avez-vous des frères et des sœurs ? Quel âge ont-ils ?
4. Quelle est la profession de votre père ? De votre mère ?
5. Avez-vous des oncles et des tantes ? Quelle est leur nationalité ? Leur profession ?
6. Avez-vous des cousins et cousines ? Sont-ils étudiants ou ont-ils une profession ?

---

[19] **sain**   *healthy*
[20] **la boisson gazeuse**   *soda pop*
[21] **l'habitude** f   *habit*
[22] **le pain complet**   *whole grain bread*

7. Quels sont vos animaux familiers[1] préférés ? Avez-vous un petit animal chez vous ?
8. Quel est votre choix pour une profession ?
9. Pensez-vous que l'attitude permissive est bonne pour élever les enfants ? Pourquoi ?
10. Quels fruits aimez-vous ? Et quels desserts ?
11. Préférez-vous des pâtisseries ou du fromage avec des fruits et du vin pour finir les repas ?
12. Quelles boissons buvez-vous d'habitude ?

B. **Obtenez des renseignements !** Établissez un profil de votre voisin(e) de classe. Demandez-lui s'il/si elle. . .

1. a des parents sévères.
2. adore les éclairs, le gâteau au chocolat ou la tarte aux pommes.
3. fume des cigarettes.
4. fait des sports.
5. fait du camping en été.
6. aime les films français.
7. déteste la pluie / la neige / la tempête.
8. a des parents qui ne sont pas américains.
9. aime les voyages à l'étranger[2].
10. aime la cuisine française / chinoise / italienne.

II En scène !

Vous rencontrez pour la première fois à une réunion de famille un(e) cousin(e) que vous ne connaissiez pas. Composez un dialogue entre vous deux selon les grandes lignes suivantes :

1. D'abord vous échangez des renseignements sur vos pères et mères, vos frères et sœurs.
2. Ensuite vous parlez de la ville où chacun(e) de vous habite, puis de vos projets de carrière.
3. Enfin, vous faites des plans pour qu'il/elle vienne passer un week-end avec vous (donnez la date, dites ce que vous allez faire).

Puis, apprenez le dialogue et jouez-le en classe avec un(e) partenaire.

III Soyez créateurs !

Travail en groupe. Organisez des groupes de cinq étudiants et discutez des caractéristiques de la famille idéale. Chaque groupe doit composer un portrait de la famille idéale et le présenter à toute la classe. On peut conclure en choisissant le portrait qui satisfait la majorité.

[1] **l'animal** *m* **familier** *pet*
[2] **a l'étranger** *abroad*

CHAPITRE 3
Le Monde du travail

Travail à la chaîne dans les usines Peugeot.

Vocabulaire spécial

I Le travail

Noms

le travail = le boulot *work, job*
le métier *craft, trade*
l'usine *f factory*
la ferme *farm*
l'atelier *m workshop*
le bureau *office, desk*
le/la patron(ne) *boss*
l'ingénieur *m*[1] *engineer*
le patronat = ensemble des patrons
la loi *law*
le/la contremaître (-esse)
    foreman/forewoman
l'agriculteur *m*[1] *farmer*
l'apprenti(e) *apprentice*
l'ouvrier (-ère) *worker*
le/la travailleur (-euse) *worker*
le/la chômeur (-euse) *unemployed*
l'équipe *f team*
la grève *strike*
le/la gréviste *striker*
le renvoi *firing, dismissal*
le syndicat *union*
l'outil *m tool*
la cantine *cafeteria*
le salaire *salary*
la pause *break*
la pause-café *coffee break*
le manque *lack*

Adjectifs

fatigant *tiring*
pénible *hard, arduous*
agricole *agricultural*
bruyant *noisy*
habile *able, skillful*
immigré *immigrant*
syndiqué *unionized*
temporaire ≠ permanent *temporary ≠*
    permanent
bas ≠ élevé *low ≠ high*

Verbes

chômer *to be out of work*
se mettre au travail *to begin work*
se mettre en grève *to initiate a strike*
reprendre le travail *to resume work*
embaucher ≠ renvoyer *to hire ≠ to fire*
gagner *to earn*
se fatiguer ≠ se reposer *to get tired ≠ to*
    rest
s'inscrire (à) *to join, to enroll (in)*
faire de son mieux *to do one's best*
augmenter ≠ diminuer *to increase ≠ to*
    decrease
baisser *to lower, to go down (prices)*
travailler à la chaîne *to work on the*
    assembly line
se débrouiller *to manage, to make do*

II Le logement et la vie

Noms

le logement *lodging*
le/la locataire *renter (housing)*
le/la propriétaire *owner*
l'étage *m story, floor*
le taudis *slum*

le loyer *rent*
la tour *tower*
la sécurité/l'assistance *f* sociale *social*
    welfare
la manifestation *demonstration*

---

[1] These nouns exist only in the masculine.

Adjectifs

propre ≠ sale *clean ≠ dirty*
bon marché *inexpensive, cheap*
satisfaisant *satisfactory*
salubre ≠ insalubre *healthy ≠ unhealthy*

Verbes

louer *to rent*
entasser *to cram, to pack, to heap*
se quereller *to quarrel*
se battre *to fight*

se plaindre (de) *to complain (about)*
s'habituer (à) *to get used (to)*
s'inquiéter (de) *to worry (about)*
se faire du mal *to get hurt*
voler *to steal*
casser = briser *to break*
se renseigner *to get information*
se retrouver = se rencontrer *to meet*
salir *to dirty, to soil*

Trouvez le mot juste !

A. Donnez le mot/l'expression qui convient à chaque définition.

1. un bâtiment très élevé
2. briser quelque chose
3. un adjectif pour dire «qui fait du bruit»
4. le travail (langue populaire)
5. un ouvrier qui refuse de travailler
6. retourner au travail après un arrêt
7. manquer de travail
8. un adjectif pour dire «capable»
9. prendre une chose sans la payer
10. une personne qui loue un logement

B. Donnez le contraire de chacun des mots/expressions suivants et faites une phrase avec chaque réponse.

1. propre
2. embaucher
3. se fatiguer
4. permanent
5. salubre
6. bas
7. augmenter
8. cher

C. Complétez les phrases suivantes par des mots/expressions du vocabulaire spécial.

1. Les grévistes et les travailleurs ne s'entendent pas : ils ＿＿ souvent.
2. Un ensemble de bâtiments très sales et insalubres constitue un ＿＿ .
3. Les chômeurs reçoivent l'aide de l'＿＿ .
4. Un bâtiment très élevé a beaucoup d'＿＿ .
5. La ＿＿ est un petit restaurant dans une usine.
6. Ce sont les ouvriers ＿＿ qui organisent les grèves.
7. Les ouvriers ne peuvent pas toujours ＿＿ au bruit.
8. Un travail dans lequel on se spécialise s'appelle un ＿＿ .

D. Il y a beaucoup de problèmes dans une tour d'une cité ouvrière[2]. Un inspecteur est allé se renseigner et à son retour, il prépare un rapport sur les conditions sérieuses qui existent. Aidez-le à écrire son rapport. Utilisez des mots de chaque colonne pour faire au moins six phrases en variant les combinaisons. Imitez le modèle.

MODÈLE   La situation est sérieuse parce que les locataires ne payent pas les loyers trop chers.

locataires	casser	appartements insalubres
gosses	se plaindre	taudis
familles immigrées	voler	loyers trop chers
chômeurs	payer	meubles[3]
grévistes	faire	lits de l'appartement
	emporter	bruit tard le soir
		fenêtres

Pronominal verbs
Personal pronouns

I Pronominal verbs (les verbes pronominaux)

A pronominal verb describes an action directed back on the subject. To do this, the pronominal verb requires a second pronoun besides the subject pronoun. The second pronoun is called the reflexive pronoun. The reflexive pronoun refers back to the subject and functions as a direct or indirect object pronoun. The reflexive pronoun agrees in person and number with the subject of the verb.

SUBJECT PRONOUN	REFLEXIVE PRONOUN	SUBJECT PRONOUN	REFLEXIVE PRONOUN
je	me	nous	nous
tu	te	vous	vous
il, elle	se	ils, elles	se

Most verbs can become pronominal simply by the addition of a reflexive pronoun.

Le patron **appelle** sa secrétaire.	*The boss calls his secretary.*
Le patron **s'appelle** Guy Roche. (pronominal)	*The boss is called Guy Roche.*
Tu coupes le papier.	*You are cutting the paper.*
Tu te coupes avec un couteau. (pronominal)	*You cut yourself with a knife.*

[2] Many French industrial towns feature low-cost housing developments that are like a city within a city; hence the name **cité ouvrière** (*workers' community*).
[3] **les meubles** *m   furniture*

Ils téléphonent à l'employé.
Ils se téléphonent souvent.
(pronominal)

They are phoning the employee.
They phone each other often.

The addition of the reflexive pronoun may change in some way the meaning of the verb, and care must be exercised in translating. The following sets are a good example.

servir   *to serve*   –but–   **se servir**   *to help oneself,*
                                                            to serve oneself

servir de   *to serve as*   –but–   **se servir de**   *to use, to make use of*

Je sers les enfants en premier.
Sers-toi la première !
Notre secrétaire **sert** aussi **de** réceptionniste.

I serve the children first.
Help/Serve yourself first !
Our secretary also serves as a receptionist.

–but–

Les apprentis **se servent** mal **des** outils.

The apprentices use the tools poorly (make poor use of the tools).

Some verbs are strictly pronominal because they are used only with reflexive pronouns.

L'apprenti **s'évanouit** dans l'atelier.
«Attention à la machine !» **s'écrie** l'ouvrier.

The apprentice faints in the workshop.
"Look out for the machine !" the worker cries out.

Pronominal verbs are classified in three groups: reflexive verbs, reciprocal verbs, and strictly pronominal verbs.

3.1.A Reflexive verbs (les verbes pronominaux réfléchis)

The action expressed by the reflexive verb is reflected back upon the subject. The reflexive pronoun functions as a direct or indirect object.

1. *Forms*

se reposer   *to rest*–present indicative

je **me** repose	nous **nous** reposons
tu **te** reposes	vous **vous** reposez
il, elle **se** repose	ils, elles **se** reposent

Nous nous mettons au travail à sept heures.

We begin work at 7 o'clock.

Me, te, se become **m', t', s'** before a vowel or a mute **h**.

L'ouvrier **s'inscrit** à la sécurité sociale.

The worker enrolls in (registers for) social security.

2. *Position*

a. The reflexive pronoun is placed before the verb in the affirmative, negative, and interrogative forms. The only exception is in the affirmative imperative. Note that the reflexive pronoun immediately follows the **ne** part of the negation.

Un équipement mécanisé améliore la production agricole. Ici, une batteuse est au travail dans une ferme de Beauce, région grande productrice de blé.

Nous nous **spécialisons** dans la culture des légumes.	*We specialize in growing vegetables.*
Je ne me trompe pas : le patron est malade.	*I'm not mistaken: the boss is ill.*
Te lèves-tu très tôt pendant la semaine ?	*Do you get up very early during the week?*
Vous appelez-vous Lucien Lejeune ?	*Are you called Lucien Lejeune?*
Ne nous lavons pas à la fontaine !	*Let's not wash at the fountain!*

POUR MÉMOIRE (*REMINDER*)

Note that in the first example above, the first **nous** is the subject and the second **nous** is the reflexive pronoun used as a direct object. In the fourth example, the first **vous** is the reflexive pronoun used as a direct object, whereas the second **vous** is the subject in an inverted position to indicate an interrogative form.

b. In an affirmative imperative, the reflexive pronoun is placed after the verb and is connected to it by a hyphen. **Te** changes to **toi,** whereas **nous** and **vous** remain the same.

Repose-toi !   **Arrêtons-nous !**   **Couchez-vous !**

Habille-toi vite, tu es en retard.   *Get dressed quickly, you're late.*
Arrêtons-nous un moment !   *Let's stop for a moment!*

c. When the reflexive verb is used as an infinitive after another conjugated verb (in a double-verb construction), the reflexive pronoun must agree with the subject of the conjugated verb.

Les employés **vont se mettre** en grève   *The employees are going to strike*
   lundi.   *Monday.*
Je **ne veux pas m'inscrire** au syndicat   *I don't want to register in the*
   communiste.   *Communist union.*
N'allons-nous pas nous renseigner   *Aren't we going to get information at*
   au bureau ?   *the office?*

À votre tour !

A. Dans les phrases suivantes, faites les substitutions indiquées.

1. *Tu* te demandes si le patron est satisfait. (le nouvel employé, les ouvriers immigrés, on, je, vous, mon copain et moi)
2. *Les apprentis* ne doivent pas s'isoler. (tu, le contremaître, vous, je, on, nous)
3. *Je* ne m'intéresse pas à la grève. (vous, mes camarades et moi, tu, les ouvriers agricoles, l'assistante sociale)
4. Vous habituez-*vous* au travail en usine? (mon frère, je, nous, les apprentis, tu)

B. Gérard parle avec son amie Yvonne des gens qui travaillent dans son bureau. Jouez le rôle d'Yvonne et faites des commentaires selon les indications données.

MODÈLES   Je ne me lève pas tôt.   Je me couche tard. (tu ne
              (tu dois)   dois pas)
              —Mais tu dois te lever tôt.   —Mais tu ne dois pas te coucher tard.

1. Pierre ne s'inscrit pas au syndicat. (il veut)
2. Nous nous ennuyons dans ce métier. (vous ne devez pas)
3. Les secrétaires ne s'arrêtent pas à cinq heures. (elles peuvent)
4. On ne se met pas au travail à l'heure. (on doit)
5. Le chef de bureau se renseigne sur tout. (il n'a pas le temps de)
6. Patrick se trompe souvent. (il ne doit pas)
7. Je ne m'habitue pas à ce travail ennuyeux. (tu peux)
8. Le vieil employé ne se plaint pas du bruit. (il désire)

C. Questions personnelles. Répondez en faisant une phrase complète.

1. Vous inquiétez-vous de votre avenir[1] ?
2. Vous intéressez-vous à un métier ou à une profession libérale ?
3. Allez-vous vous préparer pour une carrière technologique ? Scientifique ? Littéraire ?
4. Désirez-vous vous familiariser avec les lois sociales ?
5. Vous rappelez-vous le nom de votre premier employeur ?
6. À quelle heure vous levez-vous ? Et vous couchez-vous tôt ou tard ?
7. Pouvez-vous vous reposer quand il y a du bruit autour de vous ?
8. Savez-vous vous mettre au travail rapidement ?

3.1.B Reciprocal verbs (les verbes pronominaux réciproques)

A reciprocal verb indicates that two or more subjects act on one another. The verb is in the plural unless the subject is the indefinite pronoun **on,** meaning *we, you, they.* All the rules given for the reflexive verbs apply to the reciprocals.

Les locataires du 3ᵉ étage **ne se parlent plus.**	*The renters on the 4th floor don't speak to each other anymore.*
Nous nous querellons, mais **nous nous réconcilions** vite.	*We quarrel, but we make up quickly.*
Les patrons pensent **se rencontrer** en mai.	*The bosses are thinking about meeting in May.*
Félicitez-vous, camarades ! La grève est finie.	*Congratulate each other, comrades! The strike is over.*
Les fermiers aiment-ils **se voir** au marché ?	*Do the farmers like to see one another at the market?*

Some reflexive verbs can also be reciprocal. The context usually helps to clarify the meaning, but often the words **l'un(e) l'autre** (*each other*) or **les un(e)s les autres** (*one another*) are used.

Les jumelles **se voient** dans le miroir.	*The twins see themselves in the mirror.*
Les jumelles **se voient l'une l'autre.**	*The twins see each other.*

If the verb is constructed with a preposition such as **à, de, avec, sans,** the preposition is placed after **l'un(e)** or **les un(e)s.**

Les deux frères **se téléphonent** souvent **l'un à l'autre.**	*The two brothers often phone each other.*
Pourquoi **vous querellez-vous les uns avec les autres** ?	*Why are you quarreling with one another?*

---

[1] l'avenir *m* = le futur

À votre tour!

A. Remplacez le sujet par les mots donnés entre parenthèses. Faites tous les changements nécessaires.

Vous vous revoyez pendant la pause. (les jeunes apprenties, l'ingénieur et moi, l'ouvrier agricole et toi, le patron et son assistant)

B. Complétez l'histoire avec les verbes pronominaux réciproques donnés entre parenthèses. Puis, racontez l'histoire en remplaçant **Albert et moi** par **Albert et toi.** Faites tous les changements nécessaires.

Albert et moi, nous (se rencontrer) à la cantine tous les jours à midi. Quelquefois, nous (se voir) pendant une pause. Albert et moi, nous (s'estimer) parce que nous (se comprendre) et nous (se respecter). Nous (se parler) de nos familles et de nos projets pour l'avenir. Nous ne (se quereller) pas souvent mais quand nous ne pouvons pas (se réconcilier) au déjeuner, nous (se retrouver) après le travail.

C. Mais que se passe-t-il? Georges Laplace, le chef du personnel de l'usine Douxlit, donne un rapport à son patron. Jouez le rôle du patron et demandez pourquoi certaines choses ne vont pas bien dans l'usine.

MODÈLE   Les ingénieurs et les contremaîtres ne se comprennent pas.
—Pourquoi ne se comprennent-ils pas?

1. Les employés se parlent trop pendant le travail.
2. Nous ne nous aidons pas les uns les autres.
3. Les nouveaux apprentis et le contremaître ne se rencontrent pas au café.
4. Les secrétaires se retrouvent après le travail.
5. Les ouvriers syndiqués et les employés de bureau se querellent souvent.
6. Deux ouvriers de l'atelier B s'insultent quand ils se voient à la cantine.

D. À la ferme, les choses tournent au vinaigre[2]. Pierre Gardon élève des moutons dans sa ferme du Limousin. Cette année, il a beaucoup de difficultés. Il parle avec son assistant, Émile. Complétez le dialogue en ajoutant les expressions nécessaires pour indiquer la réciprocité des actions.

PIERRE G.   Vous me dites que plusieurs ouvriers agricoles s'accusent ___ de voler du matériel de la ferme.

ÉMILE   Mais oui, patron. Ce sont des mauvais ouvriers. Quand ils boivent trop, ils s'insultent ___, puis ils se querellent ___. Deux de ces hommes viennent de se battre ___.

PIERRE G.   Émile, vous et moi, nous ne nous communiquons pas assez souvent

---

[2] **tourner au vinaigre**   *to go sour* (literally, *to turn to vinegar*)

les nouvelles ___. Vous devez me dire immédiatement quand les choses tournent au vinaigre. Je ne garde jamais des ouvriers qui ne s'entendent pas bien ___.

3.1.C Strictly pronominal verbs (les verbes essentiellement pronominaux)

Some verbs exist only in the pronominal form. They are conjugated in the same manner as the reflexive and the reciprocal verbs.

s'absenter (de)	*to stay away (from)*	se fier (à)	*to trust*
s'écrier	*to cry out/shout*	se méfier (de)	*to distrust, to be wary (of)*
s'efforcer (de)	*to strive*		
s'enfuir (de)	*to flee (from)*	se moquer (de)	*to make fun (of)*
s'entraider	*to help each other*	se réfugier	*to take refuge*
s'envoler	*to fly off*	se repentir	*to repent (about)*
s'évanouir	*to faint*	se soucier (de)	*to be concerned (about)*
s'exclamer	*to exclaim*		
		se souvenir (de)	*to remember*
		se suicider	*to commit suicide*

Le contremaître **ne se méfie pas** des décisions du syndicat.	*The foreman is not wary about the union's decision.*
Pourquoi Andrée veut-elle **se moquer de** la jeune ouvrière ?	*Why does Andrea want to make fun of the young worker?*
L'apprenti vient de **s'évanouir** à la cantine.	*The apprentice has just fainted in the cafeteria.*
Voici un bon conseil : **entraidez-vous !**	*Here's some good advice: help each other!*

Se souvenir and **se rappeler** both mean *to remember*, but **se rappeler** has a direct object whereas **se souvenir** is constructed with **de** + indirect object.

Tu te rappelles la grève de mai 1968.
      –but–
Tu te souviens de la grève de mai 1968.
    } *You remember the strike of May, 1968.*

À votre tour !

A. Faites les substitutions indiquées et faites les autres changements si cela est nécessaire.

1. *Tu* te fies au bon sens du patron. (la secrétaire, nous, je, mes camarades d'atelier, vous)
2. *On* ne doit pas se moquer des autres. (je, les ouvriers spécialisés, vous, mon frère et moi, tu, l'ingénieur)
3. *Je* m'efforce de finir le travail. (tu, les bonnes secrétaires, vous, l'ouvrier immigré, nous)
4. *Le chef d'atelier* s'absente-t-il trop ? (vous, tu, les vieux employés, je, nous)

B. Mme Ledoux habite dans une tour de la cité ouvrière. Il y a des problèmes et elle note cela dans son journal personnel. Pour savoir quels sont ces problèmes, combinez les mots donnés pour faire des phrases. Donnez les verbes au présent; ajoutez les articles nécessaires et n'oubliez pas de faire les contractions si cela est nécessaire.

1. gosses mal élevés / se moquer de / personnes âgées
2. concierge[3] / s'absenter de / bâtiment / trop souvent
3. locataires / ne pas s'entraider / dans / situations déplaisantes
4. petite Nanouche / venir de / s'évanouir / dans / escalier
5. parents alcooliques / ne pas se soucier de / Nanouche
6. locataires / troisième étage / se méfier de / les uns les autres

C. Le patron de l'usine Douxlit a une réunion avec le chef du personnel, Georges Laplace, et le représentant du syndicat, Edgar Poisson. Créez des phrases avec des mots et expressions de chaque colonne pour jouer le rôle d'Edgar et de Georges. Ces phrases peuvent être affirmatives ou négatives.

A	B	C
le chef d'atelier	se plaindre	dans l'atelier/l'usine
le patron	se quereller	les conditions de travail
les apprentis	s'efforcer	au bistrot
les ouvrières	se soucier	le travail pénible
la secrétaire	s'habituer	le bruit
les grévistes	se rencontrer	à la cantine
l'équipe	se reposer	faire de son mieux
	se décider	faire la grève
	s'évanouir	reprendre le travail

D. Jeanne vient d'être embauchée à l'usine Douxlit. Elle raconte à sa mère les conditions de travail dans l'atelier. Complétez les phrases de Jeanne avec **servir**, **se servir**, **servir de**, **se servir de**.

1. Dans l'atelier, ce sont des planches[4] qui ___ tables de travail.
2. Je ___ un outil spécial pour faire des trous[5] dans le métal.
3. Pour la pause de 10 heures, une copine nous ___ une tasse de café au lait.
4. Moi, je suis polie, je ne ___ pas la première.
5. Mais la jeune secrétaire du contremaître ___ téléphone toute la journée et elle ne fait pas son travail.
6. Maman, est-ce que je peux ___ ton grand sac pour emporter un sandwich à l'usine ? J'ai toujours faim !

---

[3] **le/la concierge** a combination of doorkeeper and building janitor
[4] **la planche** *plank*
[5] **le trou** *hole*

E. **Thème : Un tract communiste.** Les syndiqués communistes distribuent un tract aux travailleurs de l'usine Douxlit. Pour connaître leur propagande politique, traduisez le tract en français.

> ### Travailleurs de l'usine Douxlit !
> ### Attention, camarades !
>
> 1. Are you getting concerned about the noise in the workshop?
> 2. The female workers are not getting accustomed to the arduous work.
> 3. Do not quarrel, but complain about the management!
> 4. Remember the last strike! Make use of the know-how **(le savoir-faire)** of the union.
> 5. Join the union! Join the Communist Party!
> 6. We strive to help the workers.

II Personal pronouns (les pronoms personnels)

A personal pronoun is used to replace a noun. Therefore, it has the same gender and number as the noun it represents.

3.2.A Subject pronouns

1. *Forms*

SINGULAR		PLURAL	
je	*I*	**nous**	*we*
tu	*you* (familiar)	**vous**	*you*
vous	*you* (formal)		
il	*he, it*	**ils**	*they*
elle	*she, it*	**elles**	

Nous travaillons chez Renault.   *We work at Renault.*
Ils vendent des outils.   *They are selling tools.*

2. *Use*

A subject pronoun is used as the subject of the verb. Note that the subject pronoun always precedes the verb except

    a. in the interrogative, when it follows the verb in a simple tense:

Travaillons-**nous** chez Renault?   *Do we work at Renault?*

    b. in the interrogative, when it follows the auxiliary verb in a compound tense (see Chapitre 4):

Ont-ils vendu des outils?   *Did they sell tools?*

    c. in the special construction of a verb following a direct quote, when it follows the verb:

«Je cherche du travail», **dit-il.**   *"I'm looking for work," says he.*

3.2.B Object pronouns

A direct object pronoun stands for a direct object noun (a noun that functions as the direct recipient of the action of the verb). Similarly, an indirect object pronoun replaces an indirect object noun (a noun that represents the person or thing receiving in an indirect manner the action expressed by the verb). The indirect object noun is always introduced by the preposition **à.**

1. Forms

SUBJECT		DIRECT OBJECT (DO)		INDIRECT OBJECT (IO)	
je	*I*	**me**	*me, myself*	**me**	*to me, to myself*
tu	*you*	**te**	*you, yourself*	**te**	*to you, to yourself*
il	*he, it*	**le**	*him, it*	**lui**	*to him*
		se	*himself, itself*	**se**	*to himself*
elle	*she, it*	**la**	*her, it*	**lui**	*to her*
		se	*herself, itself*	**se**	*to herself*
nous	*we*	**nous**	*us, ourselves*	**nous**	*to us, to ourselves*
vous	*you*	**vous**	*you, yourselves*	**vous**	*to you, to yourselves*
ils, elles	*they*	**les**	*them*	**leur**	*to them*
		se	*themselves*	**se**	*to themselves*

(DO)
Éric **la** rencontre souvent au café.

Eric meets her often at the café.

(IO)
Il **lui** parle de son travail au bureau,

He speaks to her of his work at the

(IO)
mais il **se** demande si cela

office, but he wonders (asks himself)

(DO)
l'intéresse.

whether that interests her.

a. **me, te, le, la, se** become **m', t', l', s'** (elided forms) before a verb beginning with a vowel or a mute **h.**

Je **t'**envoie une lettre pour confirmer notre accord.

I'm sending you a letter to confirm our agreement.

Il faut **l'**habituer au bruit.

It's necessary to get him used to noise.

Elle **s'**informe du coût des loyers.

She informs herself about the cost of the rents.

b. Only **il/elle, ils/elles** have forms that differ according to function. **Le, la, l', les** are the direct object forms, whereas **lui, leur** are the indirect object forms. Compare the following examples.

voir + DO
↓

parler à + IO
↓

Le patron **la** voit

et il **lui** parle.

Le patron **les** voit

et il **leur** parle.

–but–

Le patron **me** voit

et il **me** parle.

c. The reflexive pronouns **me, te, se, nous, vous, se** can be used as direct and indirect objects.

(DO)
Je **m'h**abille tôt et ma sœur

I dress (myself) early and my

(DO)
  s'habille plus tard.

sister dresses (herself) later.

(IO)
Les deux ouvriers **se** parlent
pendant la pause.

*The two workers speak to each
other during the break.*

d. The direct object pronouns **le, la, les** refer to persons or things, but the indirect object pronouns **lui, leur** refer to persons only. For things, the pronouns **y** and **en** are used (see pages 105–106).

J'admire **l'ordinateur.** Je l'admire
car il est si puissant. J'**y** pense
souvent.

*I admire the computer. I admire it
because it is so powerful. I think of
it often.*

e. A few verbs constructed with **à** do not use the indirect object pronouns listed above. Instead, they retain the preposition **à** followed by a disjunctive pronoun (see Section 3.2.E.2.e). Pg 112

Je **pense aux chômeurs.** Je **pense à
eux.**

*I think about the unemployed. I think
about them.*

2. *Position*

$$(\text{ne}) \left\{ \begin{array}{l} \text{me} \\ \text{te} \\ \text{se} \\ \text{nous} \\ \text{vous} \end{array} \right. \left\{ \begin{array}{l} \text{le} \\ \text{la} \\ \text{les} \end{array} \right. \left\{ \begin{array}{l} \text{lui} \\ \text{leur} \end{array} \right. \{ \ \text{Verb} \ \{ \ (\textbf{pas}) $$

a. Direct and indirect object pronouns are placed before the verb except in an affirmative imperative. In a negative sentence, object pronouns come after **ne.**

Direct object pronouns:

Voici mon patron. **Le voici.** Et sa
  secrétaire, **la voilà.**
Il ne voit pas les ouvrières. Il **ne les
  voit pas.**

*Here's my boss. Here he is. And his
  secretary, there she is.*
*He does not see the workers. He does
  not see them.*

Some French verbs take a direct object, whereas their English counterparts require a preposition + indirect object: **attendre** *(to wait for)*, **chercher** *(to look for)*, **demander** *(to ask for)*, **écouter** *(to listen to)*, **payer** *(to pay for)*, **regarder** *(to look at).*

Luc demande une promotion, et il
  la demande aujourd'hui.
Monsieur Luc, **ne la demandez pas**
  maintenant !

*Luc asks for a promotion, and he asks
  for it today.*
Mr. Luc, don't ask for it now!

Indirect object pronouns:

L'ingénieur **parle à l'apprenti.** Il **lui parle** de son travail.	*The engineer speaks to the apprentice. He speaks to him of his work.*

Some French verbs take an indirect object (introduced by **à**), whereas their English counterparts take a direct object: **obéir à** *(to obey),* **pardonner à** *(to forgive),* **plaire à** *(to please),* **répondre à** *(to answer),* **ressembler à** *(to resemble),* **téléphoner à** *(to phone).*

Allez-vous **téléphoner au directeur?**	*Are you going to call the director?*
—Je **ne lui téléphone pas** aujourd'hui.	*I'm not calling him today.*

Double object pronouns:

Qui **te donne les contrats?**	*Who gives you the contracts?*
—Marcel **me les donne.**	*Marcel gives them to me.*
Montrez-vous **la machine aux ouvriers?**	*Are you showing the machine to the workers?*
—Non, je ne **la leur montre** pas.	*No, I'm not showing it to them.*
Je **vous envoie notre récent modèle.**	*I'm sending you our recent model.*
—Non, **ne nous l'envoyez pas!**	*No, don't send it to us!*
Ne les apportez pas à André.	*Don't bring them to André.*
Ne les lui apportez pas!	*Don't bring them to him!*

Note that in the case of a verb + infinitive construction, the pronouns precede the infinitive, not the conjugated verb.

Pouvez-vous **me payer le loyer** tout de suite?	*Can you pay me the rent right away?*
—Non, je ne peux pas **vous le payer** maintenant.	*No, I can't pay it to you now.*
Le contremaître vient de **l'expliquer à l'ingénieur.**	*The foreman has just explained it to the engineer.*
—Mais oui, il vient de **le lui expliquer.**	*Yes, he has just explained it to him.*

b. In an affirmative imperative, the pronouns are placed after the verb and are connected to it by hyphens.

> Verb–direct object pronoun–indirect object pronoun

Prête **le tracteur au fermier.**	*Lend the tractor to the farmer.*
Prête-le-lui!	*Lend it to him!*
Dites-**nous votre nom. Dites-le-nous!**	*Tell us your name. Tell it to us!*

Me and **te** change to **moi** and **toi.**

Montrez-moi le travail de Jeanne. **Montrez-le-moi.**	*Show me Jeanne's work. Show it to me.*
Calme-toi, Jeanne. Le contremaître trouve ton travail satisfaisant.	*Calm yourself, Jeanne. The foreman finds your work satisfactory.*

À votre tour!

A. Remplacez les mots en italique par les mots donnés entre parenthèses. Notez que vous remplacez les noms par les pronoms objets.

1. L'agriculteur nous demande-t-il *l'outil*? —Oui, il nous *le* demande. (les plantes, le tracteur, la machine, le produit, les fruits, le lait)
2. Paul les donne-t-il *aux ouvriers*? —Non, il ne les *leur* donne pas. (à la secrétaire, à Roger et à moi, aux ingénieurs, au patron, à Louise et à toi, à moi).
3. Montrez-moi *le bâtiment*. Montrez-*le*-moi demain. (les taudis, la tour, l'atelier, la ferme, les bureaux, le logement).

B. Il y a une grève à l'usine Renault. Gabriel, reporter pour le journal *Paris-Soir*, téléphone les nouvelles à son chef. Le chef fait des commentaires. Jouez le rôle du chef.

MODÈLE Les grévistes viennent d'expliquer les problèmes au patron.
—Vraiment? Ils viennent de les lui expliquer?

1. Les secrétaires apportent les boissons aux grévistes.
2. Les machinistes viennent de me montrer les contrats.
3. Les grévistes expliquent leurs demandes au patron.
4. Le patron vient de présenter les nouveaux salaires aux ouvriers spécialisés.
5. Les machinistes apportent les sandwiches aux travailleurs à la chaîne.
6. Le patron ne peut pas envoyer les produits aux acheteurs.
7. Les sténos vont demander une augmentation de salaire.
8. Je veux vous répéter les conditions des grévistes.

C. Les Delamare travaillent dur pour garder leur ferme, mais ils ont des problèmes: pas assez d'eau pour l'irrigation. Une compagnie importante, la Cérès, veut acheter la ferme. Avec un partenaire, jouez les rôles de Jules Delamare et du représentant de la compagnie Cérès.

MODÈLE JULES D. Vendre la ferme au patron de la Cérès?
Non, je ne la lui vends pas.
REPRÉSENTANT Pourquoi ne la lui vendez-vous pas?

1. Vous rendre les contrats?
2. Vendre les animaux aux autres agriculteurs?

Les employés de bureau apprécient les appareils modernes qui facilitent le travail.

3. Donner les outils au patron ?
4. Vous expliquer la loi ?
5. Dire le prix à la compagnie ?
6. Abandonner notre travail aux propriétaires de la Cérès ?

D. **Thème : Les problèmes des chômeurs.** Deux ouvrières sans travail louent un appartement. Pour savoir comment elles se débrouillent, traduisez les phrases en français.

1. Pierre Duval is going to rent it (*m*) to the workers.
2. He rents it to them for five hundred francs.

3. The workers do not give him the money.
4. Pierre says: "Give it to me before Monday."
5. How are the workers going to pay him the rent?
6. Some friends at the factory have just given them the money for two months.

3.2.C Y and en as pronouns and adverbs

1. *Use of* **y**

a. **Y** as indirect object pronoun

Y is used to replace **à** + object noun construction when the noun refers to a thing or idea. **Y** is always expressed in French.

assister à	*to attend*	**jouer à**	*to play*
consentir à	*to consent to*	**obéir à**	*to obey*
croire à	*to believe in*	**penser à**	*to think of/about*
faire attention à	*to pay attention to*	**se préparer à**	*to prepare for*
se fier à	*to trust*	**renoncer à**	*to renounce*
s'habituer à	*to get used to*	**répondre à**	*to reply, to answer*
s'intéresser à	*to be interested in*	**réussir à**	*to pass, to succeed*
telephoner a		**songer à**	*to think/dream*
dire à		faire attention à	*about*
ecrire a			

Ne répondez pas **à la question**, n'y répondez pas!	*Don't answer the question, don't answer it!*
–but–	
Ne répondez pas **au patron**, ne lui répondez pas.	*Don't answer the boss, don't answer him.*
Pensez-vous **à la grève**?	*Are you thinking of the strike?*
—Mais oui, **j'y pense.**	*Oh yes, I'm thinking of it.*
Faut-il obéir **aux lois**?	*Must we obey the laws?*
—Moi, **j'y obéis!**	*I obey them!*

b. **Y** as adverbial pronoun

Y is also used to replace an object noun referring to a place, preceded by a single preposition of place (such as **à, dans, en, sous, sur**). It corresponds to the English *there*. **Y** must always be expressed.

Je vais **en Suède**. J'y vais en été.	*I'm going to Sweden. I go there in the summer.*
Albert travaille **à l'usine**. Il **y travaille**.	*Albert works at the factory. He works there.*
Les travailleurs algériens sont **dans l'appartement D**. Ils **y sont** depuis lundi.	*The Algerian workers are in apartment D. They've been there since Monday.*

2. Use of en

a. En as indirect object pronoun

En is used to replace **de** + object noun construction when the noun refers to a thing or idea. **En** is always expressed in French.

s'amuser de	to make fun of	être fâché de	to be mad about
avoir besoin de	to need	s'inquiéter de	to worry about
changer de	to change	se méfier de	to be wary of
douter de	to doubt	se moquer de	to make fun of
être content/	to be happy about	s'occuper de	to take care of
heureux de		parler de	to speak of/about
être désolé/	to be sorry about	se servir de	to use
triste de		se soucier de	to worry about
être étonné/	to be surprised	se souvenir de	to remember
surpris de	about		

Je suis désolé **de ton renvoi.**	*I'm sorry about your dismissal.*
J'**en suis** très désolé.	*I'm very sorry about it.*
Vas-tu changer **de logement**?	*Are you going to change residence?*
—Non, je ne vais pas **en changer**!	*No, I'm not going to change!*

b. En as a partitive pronoun

En is used to replace **du, de la, de l', des, de** + noun, or an expression of quantity + **de** + noun or a number + noun. The noun may refer to persons, things, or ideas. **En** can be translated by *of it, of them, some, any*. **En** must always be expressed.

La chômeuse n'a pas **d'argent**.	*The unemployed woman has no money.*
Elle **n'en a pas** du tout.	*She doesn't have any at all.*
Ce patron a **peu d'employés**.	*This boss has few employees.*
Il **en a** très **peu**.	*He has very few (of them).*
Tu embauches **trois machinistes**. Tu **en embauches trois**.	*You hire three machinists. You hire three of them.*
Fabriquez-vous **des bons produits**?	*Do you manufacture good products?*
—Nous **en fabriquons** qui dépassent la concurrence.	*We make some that surpass the competition.*
As-tu **un ami australien**?	*Do you have an Australian friend?*
—Non, je **n'en ai pas**.	*No, I don't have any.*

c. En as an adverbial pronoun

En is also used to replace **de** + object noun referring to a place. It can be translated as *from/out of there*. **En** must always be expressed.

Marilou sort **de la boutique Dior**.	*Marilou comes out of the Dior boutique.*
Elle **en sort** avec son amie Lina.	*She comes out of there with her friend Lina.*

Lina vient d'arriver **de Saint-Tropez.**	*Lina has just arrived from Saint-Tropez. She has just arrived from*
Elle vient **d'en arriver** hier.	*there yesterday.*

If an adjective (or an expression of quantity or a number) modifies the object noun, the adjective, expression of quantity, or number may be retained after **en** for emphasis or clarity.

Je cherche **un bon appartement.**	*I'm looking for a good apartment.*
—Nous **en avons un bon** près du parc.	*We have a good one near the park.*
Prends-tu **un morceau de sucre ?**	*Do you take one lump of sugar?*
—Non, j'**en prends deux** (morceaux).	*No, I take two (lumps).*

3. *Position of* **y** *and* **en**

a. Except in an affirmative imperative, **y** and **en** are placed before the verb. When part of a double-pronoun construction, **y** or **en** stands closest to the verb.

Penses-tu **à ton travail ?**	*Are you thinking about your work?*
—Bien sûr, **j'y pense.**	*For sure, I'm thinking about it.*
Ne renoncez pas **à votre promotion.** **N'y renoncez pas.**	*Don't give up your promotion. Don't give it up.*
Nous allons **louer une maison.** Nous allons **en louer une.**	*We're going to rent a house. We're going to rent one.*
Parlez-vous **de votre travail** à vos parents ?	*Do you talk about your work to your parents?*
—Je ne **leur en parle** pas souvent.	*I don't talk about it with them often.*

b. In an affirmative imperative, **y** or **en** is placed after the other object pronouns and connected to them by a hyphen.

Pensez **aux vacances ! Pensez-y !**	*Think about the vacation! Think about it!*
Servez-vous **de cet outil. Servez-vous-en** tout de suite !	*Use this tool. Use it right away!*
Apportez-lui **une bouteille de bière.** **Apportez-lui-en une** (bouteille).	*Bring him a bottle of beer. Bring him one (bottle).*

c. In the expression **il y a, en** immediately precedes the verb.

Des grèves ? Il **n'y en a pas** aujourd'hui.	*Strikes? There aren't any today.*
Y a-t-il **assez de machinistes** à l'usine ?	*Are there enough machinists at the factory?*
—Oui, **il y en a assez.**	*Yes, there are enough (of them).*

d. Moi and **toi** become **m'** and **t'** in front of **en** and the hyphen is omitted.

Apportez-**moi des outils ! Apportez-m'en !**	*Bring me some tools! Bring me some!*

e. An **-s** must be added to the **tu** imperative of **-er** verbs and of the **-ir** verbs conjugated like **-er** verbs (such as **couvrir, offrir, ouvrir, souffrir**), in front of **y** and **en**.

Pense **à ta promesse ! Penses-y !**	*Think of your promise! Think of it!*
Offre **des cadeaux ! Offres-en !**	*Offer some gifts! Offer some!*
Apporte **trois verres ! Apportes-en trois !**	*Bring three glasses! Bring three!*

4. *Recapitulation: Tables for position of personal object pronouns*

    a. all verb tenses and moods except affirmative imperative

$$\text{(ne)} \begin{cases} \text{me} \\ \text{te} \\ \text{se} \\ \text{nous} \\ \text{vous} \end{cases} \begin{cases} \text{le} \\ \text{la} \\ \text{les} \end{cases} \begin{cases} \text{lui} \\ \text{leur} \end{cases} \{ \text{y} \, \{ \, \text{en} \, \{ \, \text{Verb} \, \{ \, \text{(pas)} \}$$

    b. affirmative imperative

> Verb–direct object pronoun–indirect object pronoun–**y/en**

À votre tour !

A. Charles Martel, un cadre[1] à l'usine Dassault[2], veut aller loin dans sa carrière. Aussi est-il toujours d'accord avec le patron ! Jouez le rôle de Charles et renforcez ce que dit le patron, en utilisant des pronoms objets.

MODÈLES   Mlle Ballard, vous n'achetez pas assez de matériel français.
        —C'est vrai, vous n'en achetez pas assez.
        François, pense aux conditions de travail !
        —Mais oui, penses-y !

1. Monsieur Gramaud, il faut me montrer des bons produits.
2. Donnons deux contrats à la compagnie anglaise.
3. Les ingénieurs du bureau B ne s'intéressent pas assez à la production.
4. Madame Bienvenue, ne renoncez pas à vos projets.
5. Le comité d'administration va parler des nouveaux accords aux chefs du syndicat.
6. Monsieur Fabergé, il n'y a pas de grévistes ici !
7. Je dois parler des salaires aux nouvelles ouvrières.

---

[1] **le cadre** *executive*
[2] Les usines Dassault (à Toulouse) se spécialisent dans la construction aéronautique et ont contribué à la production du grand avion Caravelle.

8. Nous nous occupons des dossiers urgents!
9. Je ne crois pas à une augmentation de l'inflation.
10. Mlle Lecoin, apportez-moi une bouteille de Perrier.

B. Vous écrivez un rapport sur le mode de vie des étudiants qui reçoivent une aide financière. Vous devez donc en interviewer plusieurs: les étudiants doivent répondre en utilisant des pronoms personnels objets.

MODÈLE   Avez-vous des projets pour les vacances?
          —Oui, j'en ai deux.

1. Avez-vous besoin d'un emploi cet été?
2. Gagnez-vous assez d'argent?
3. Vous intéressez-vous aux conditions de travail en France?
4. Buvez-vous du café on du thé? Combien de tasses en buvez-vous par jour?
5. Buvez-vous des boissons gazeuses, du vin ou de la bière? Combien de verres en buvez-vous par jour?

6. Faites-vous des sports ?
7. Assistez-vous à des concerts ?
8. Pensez-vous souvent à votre carrière ?
9. Avez-vous un ami qui est chômeur ?
10. Y a-t-il des travailleurs syndiqués dans votre famille ?

C. **Thème : La concierge de la Tour Magne est gentille.** Pour savoir pourquoi Mme Michu est gentille, traduisez les phrases en français.

1. It's the noise. Denise talks about it to the concierge.
2. "Don't worry about it," says Mme Michu.
3. "I'm going to pay attention to it."
4. "Is the noise on the third floor? I'm going to go there."
5. She finds too many people there.
6. She talks about it to the boss.
7. He says to Denise: "I have a solution; I have a good one."

3.2.D Vocabulary review: le / cela

1. **Le,** direct object pronoun, means *him* or *it*. It replaces a clearly defined noun.

Tu es avec **ton ami.** Tu me **le**
  présentes. (le = ton ami)

*You are with your friend. You introduce
  him to me.*

In certain cases, **le** is used to replace an adjective used as a predicate (after **être**). It may be translated by *so* or left untranslated.

Joseph est **grand,** mais Pierre ne **l'**est
  pas. (= n'est pas grand)

Joseph is tall, but Pierre is not (so).

Ces ouvriers sont **syndiqués,** mais
  les apprentis ne **le** sont pas.

*These workers are unionized, but the
  apprentices are not.*

2. **Le,** used as a neuter pronoun, can replace a whole phrase. It may be translated by *it* or left untranslated.

Savez-vous **si les taudis vont
  diminuer ?**
—Je ne **le** sais pas.

*Do you know whether the slums are
  going to diminish?*
I don't know (it).

Here **le** replaces the phrase **si les taudis vont diminuer.** In this case, **cela** *(that)* may also be used, but **le** is preferred.

Savez-vous **si l'usine va fermer ?**

—Je ne **le** sais pas.
—or—Je ne sais pas **cela.**

*Do you know whether the factory is
  going to close?*
I don't know (it/that).

À votre tour !

Simone et Louisette se rencontrent dans l'autobus qui les conduit à Boulogne-Billancourt[3] où elles habitent. Jouez le rôle de Louisette et répondez aux questions de Simone en utilisant **le** ou **cela**.

MODÈLE   Es-tu souvent fatiguée après le travail?
          —Oui, je le suis.

1. Est-ce que le syndicat est en faveur de faire la grève?
2. Peux-tu terminer ton rapport pour demain?
3. Sais-tu si les salaires vont être augmentés?
4. Les employés qui travaillent à la chaîne sont-ils gentils?
5. Penses-tu que les repas à la cantine vont devenir plus variés?
6. Crois-tu que le vieux directeur est malade?

3.2.E Disjunctive pronouns (les pronoms toniques)

Disjunctive pronouns are also called stressed pronouns because one of their functions is to emphasize. Disjunctive pronouns refer only to persons or animals.

1. *Forms*

SUBJECT		DISJUNCTIVE PRONOUNS	
je	*I*	moi	*I, me*
tu	*you*	toi	*you*
il	*he, it*	lui	*he, him, it*
elle	*she, it*	elle	*she, her, it*
on	*one,* etc.	soi	*oneself*
nous	*we*	nous	*we, us*
vous	*you*	vous	*you*
ils	*they*	eux	*they, them*
elles	*they*	elles	*they, them*

Note that **soi** is an indefinite form that is seldom used. It is translated by *oneself.*

2. *Use*

Disjunctive pronouns are used

  a. to reinforce the subject or the object. When it reinforces the subject, the stressed pronoun is placed at the beginning or at the end of the sentence. When it reinforces the object, it is placed only at the end of the sentence[4]:

---

[3] **Boulogne-Billancourt** est une banlieue (suburb) au sud-ouest de Paris.
[4] In current usage, the stressed pronoun may also be placed at the beginning of the sentence.

Moi, je ne fais pas la grève.
            –or–
Je ne fais pas la grève, **moi.**

(As for me), I do not go on strike.

Vous, vous êtes des apprentis.
            –or–
Vous êtes des apprentis, **vous.**
            –but–

(As for you), you are apprentices.

Le patron va **les** renvoyer, **eux.**

The boss is going to fire them.

Tu **la** comprends, **elle.**

You understand her.

b. in compound subjects or objects:

Charles et moi, nous sommes sans travail.
            –or–
Charles et moi sommes sans travail.

Charles and I, (we) are without work.

Je vais **vous** présenter au chef, **Jérôme et toi.**

I'm going to introduce Jerome and you to the chief.

Note that in the third person, the pronoun subject does not have to be used.

Elle et lui vont se marier.
            –but–

She and he are going to get married.

Elle et toi, vous allez dîner ensemble.

She and you are going to dine together.

c. to give a one-word answer to a question or a very short answer without a verb:

Qui part en vacances demain ?
—**Eux** !
Qui va parler à la réunion ?
—**Pas moi** !

Who's leaving tomorrow on vacation?
Them! (They are.)
Who's going to speak at the meeting?
Not me!

d. after **c'est, ce sont** (or other tenses of these):

C'est toi.	**C'est nous.**	**C'est/Ce sont eux.**	**C'était moi.**
Est-ce lui ?	**Est-ce vous ?**	**Était-ce elle ?**	**Ce n'est pas toi.**

C'est lui qu'elle aime.

He's the one she loves.

e. After a preposition such as **de, en, avec, sans, pour, par, devant, derrière, loin de, chez:**

Ne te mets pas **devant moi.**
Elle est contente **de lui.**
Nous faisons la grève **avec eux.**

Don't place yourself in front of me.
She is pleased with him.
We are on strike with them.

We have seen that for most verbs followed by **à** + noun referring to a person or animal, **à** + noun is replaced by an indirect object pronoun (**lui, leur**). However, there is a small group of verbs where **à** + noun (of person/animal) is replaced by **à** + disjunctive pronoun:

s'adresser à	*to address*
être à	*to belong to*
faire attention à	*to pay attention to*
se fier à	*to trust*
s'habituer à	*to get accustomed to*
s'intéresser à	*to be interested in*
penser à	*to think of/about, to dream*
renoncer à	*to renounce/give up*
songer à	*to think/dream about*

Ne vous fiez pas **à cet homme !**	*Do not trust this man!*
Ne vous fiez pas **à lui !**	*Do not trust him!*
Pensez-vous **aux patrons ?**	*Do you think about the bosses?*
—Oui, nous pensons **à eux.**	*Yes, we think about them.*
Jacques Cousteau s'intéresse **aux requins.** Il s'intéresse **à eux.**	*Jacques Cousteau is interested in sharks. He is interested in them.*
—but—	
Vous parlez **aux employés.**	*You speak to the employees.*
Vous **leur** parlez.	*You speak to them.*

POUR MÉMOIRE

Note that the construction verb + **à** + disjunctive pronoun can be used only in the case of nouns referring to persons or animals. For things or ideas, the construction **y** + verb must be used.

Tu penses **à ton père.**	*You are thinking about your father.*
Tu penses **à lui.**	*You are thinking about him.*
—but—	
Tu penses **à tes vacances.**	*You are thinking about your vacation.*
Tu **y** penses.	*You are thinking about it.*

---

f. after **ne. . . ni. . . ni. . .** and **ne. . . que:**

vous ne payez **ni lui ni elles.**	*You are paying neither him nor them.*
Vous **ne** payez **que moi.**	*You are paying only me.*

g. after **que** in a comparison:

Sylvie travaille **plus vite que toi.**	*Sylvia works faster than you.*
Georges est un ouvrier **plus habile qu'eux.**	*George is a more skilled worker than they.*

h. combined with **-même(s)** to express the emphatic forms *myself, ourselves,* and so on. **Même** must agree in number with the pronoun it joins:

Nous le disons **nous-mêmes** : vous employez trop de personnel temporaire.	*We say it ourselves: you employ too many temporary personnel.*
Seul avec **toi-même, tu** deviens triste.	*Alone with yourself, you become sad.*

i. in a sentence with an indefinite subject such as **on** or **chacun,** or with an impersonal verb such as **il faut, il vaut mieux.** The indefinite form **soi** is used:

On a souvent besoin d'un plus petit que **soi**[5].	*We often need someone less important than ourselves.*
Il vaut mieux faire son travail **soi-même.**	*It's better to do your work yourself.*

À votre tour !

A. Un chef de syndicat parle avec un assistant du ministre du Travail[6]. Jouez le rôle de l'assistant et répondez aux questions du chef syndicaliste en utilisant des pronoms toniques pour remplacer les noms de personnes objets.

MODÈLE   Pensez-vous aux pauvres sans travail ?
—Certainement, je pense à eux !

1. Les assistantes sociales s'occupent-elles des ouvriers malades ?
2. Vous intéressez-vous aux travailleurs handicapés ?
3. Le ministre fait-il attention aux ouvrières syndiquées ?
4. Le ministre se fie-t-il assez aux patrons ?
5. Est-ce que c'est vous qui préparez ses rapports ?
6. Songez-vous aux mères de famille sans mari ?
7. Montrez-vous de la sympathie pour les représentants des ouvriers ?
8. Renoncez-vous à vous-même pour mieux aider la cause des travailleurs ?

B. Créez des mini-conversations en ajoutant les pronoms toniques qui sont nécessaires.

1.   ROLAND   Et qu'est-ce que tu dis, ____ ?
     ALAIN   ____, je dis que nous n'allons pas quitter ce travail.
     ROLAND   Tu as raison. Ce sont Julien et Marie qui veulent partir. Ce sont ____ qui ne veulent pas travailler.
     ALAIN   Et pourtant[7], c'est Julien qui gagne bien ! Mais oui, c'est ____ !
     ROLAND   Et Marie alors, ____, elle gagne plus que ____ .
     ALAIN   Pas possible ! Alors, ils sont fous, ____ !

[5] This is the moral in a fable by **La Fontaine,** the celebrated seventeenth-century fabulist. It was a veiled barb at the powerful in his days.
[6] **le ministre du Travail**   *Secretary of Labor*
[7] **et pourtant**   *and yet*

2. MME LEBLANC Irène, viens au magasin avec ____ . Je veux acheter une blouse de travail pour ____ .

   IRÈNE Maman, ____ , tu es si gentille. Mais tu n'aimes pas sortir le soir. ____ , je peux aller au magasin ____ -même.

   MME LEBLANC Qui t'a dit que ____ , je n'aime pas sortir le soir?

   IRÈNE ____ , Maman! C'est ____ -même qui dis toujours cela.

   MME LEBLANC Mais non, c'est ton père ou ta sœur qui le disent. Ce sont ____ !

   IRÈNE Non, non, Maman! Ce n'est ni ____ ni ____ ! Il n'y a que ____ pour dire cela! Mais c'est sans importance. Je t'aime beaucoup.

3.2.F Idiomatic expressions with y and en

In these expressions, **y** and **en** have no meaning.

1. *Expressions with* **y**:

   il y a: *there is, there are*

Il y a huit personnes qui vivent dans ce taudis.	*There are eight persons who live in this slum.*

   s'y connaître/s'y entendre: *to be knowledgeable, to be an expert*

Marlène **s'y connaît** en algèbre.	*Marlene is an expert in algebra.*

   y être: *to be ready;* **ça y est:** *that's it! you've (I've, we've, etc.) done it.*

Y es-tu?	*Are you ready?*
—Oui, **j'y suis.**	*Yes, I am.*
Ça y est! Elle a enfin du travail!	*That's it! She finally has a job!*

   s'y faire: *to get used to it*

Il fait froid dans l'atelier, et je ne peux pas **m'y faire.**	*It's cold in the workshop, and I can't get used to it.*

   s'y prendre: *to go about it*

Tu t'y prends mal pour nettoyer la machine.	*You're going about it wrong to clean the machine.*

2. *Expressions with* **en**:

   s'en aller: *to go away*

Allez-vous-en!	*Go away!*
—Mais oui, **je m'en vais.**	*Yes, I'm going away.*

   en avoir assez/marre (de): *to be fed up with*

Nous en avons assez/marre de ce travail.	*We're fed up with this work.*

en être: *to be at a point/spot*

Ils ne savent pas où **ils en sont.**   *They don't know where they are.*

s'en faire: *to worry, to fret*

Ne t'en fais pas !   *Don't fret!*

en vouloir (à): *to bear a grudge against, to hold against*

Nous **en voulons au** syndicat.   *We bear a grudge against the union.*

À votre tour !

Monsieur Plouernec, maire[8] d'un village de Bretagne[9], aime rendre visite aux travailleurs de sa commune[10]. Aidez-le à terminer les notes qu'il prend. Chaque phrase a une expression idiomatique avec **y** ou **en** qui est le contraire du verbe donné en italique.

MODÈLE   Les ouvriers industriels *sont contents* des salaires. Mais les ouvriers agricoles en ont marre des salaires bas.

1. La nouvelle secrétaire de la mairie *est ennuyée* par le bruit dans le bureau. Mais les autres employés. . .
2. Elle me dit : « Si j'aime ce travail, je *reste*. Mais si je ne l'aime pas, je. . . »
3. Joseph, le nouvel apprenti au garage Blancpain, *est incapable* de réparer les autos. Son copain Marcel. . . toujours bien pour les réparations.
4. Thérèse, à la boulangerie, *reste calme* devant la production qui diminue, mais Lucienne, elle, elle. . . : elle a peur d'une grève.
5. Le contremaître Bertrand *est tolérant et indulgent*. Mais le contremaître de l'équipe de nuit. . . aux ouvriers qui travaillent mal.
6. Je me demande si le jeune Denis *est ignorant* de son métier. Les autres comprennent les méthodes, mais lui, il ne. . . pas du tout.

Vue d'ensemble

I À vous la parole !

A. Parlez de vous-même ! Vous allez faire oralement à votre classe de français un petit compte rendu sur votre expérience dans le monde du travail. Répondez aux questions en utilisant des pronoms personnels chaque fois que c'est possible.

1. Avez-vous pendant l'année scolaire un travail à temps partiel dans un magasin ou un bureau ? Dans une usine ou une ferme ?
2. Travaillez-vous pendant l'été ? Où ? Quel emploi avez-vous ?

---

[8] **le maire**   *mayor*
[9] **la Bretagne**   province pittoresque située au nord-ouest de la France
[10] **la commune**   division territoriale administrée par un maire

3. Comment sont vos conditions de travail?
4. Êtes-vous satisfait(e) de votre emploi? Pourquoi?
5. Gagnez-vous assez d'argent? Expliquez cela.
6. Votre travail est-il fatigant? Plaisant?
7. Quel genre de travail aimez-vous faire?
8. Êtes-vous un ouvrier syndiqué? Pourquoi?
9. Connaissez quelqu'un qui est chômeur? Qui est-ce?
10. Avez-vous un gentil patron? Pouvez-vous parler avec lui?
11. À quelle heure vous levez-vous? Vous couchez-vous tôt ou tard?
12. Comment vous habillez-vous pour aller à votre travail?

B. **Obtenez des renseignements!** Imaginez que vous avez un(e) correspondant(e) français(e) qui s'intéresse aux activités extra-scolaires des étudiants américains. Pour lui fournir des renseignements bien fondés, vous interviewez vos camarades de classe. Demandez à chacun(e) s'il/si elle. . .

1. s'intéresse au choix d'une carrière.
2. s'intéresse aux personnes actives dans la ville où il/elle vit.
3. s'inquiète des problèmes des travailleurs sans emploi.
4. se renseigne sur les conditions de travail dans la ville où il/elle étudie.
5. en général, se couche tôt ou tard, se lève tôt ou tard.
6. si lui/elle et un(e) camarade dans une autre ville se téléphonent souvent.
7. si lui/elle et des copains du lycée s'écrivent pour échanger des nouvelles.
8. travaille pour pouvoir s'inscrire à l'université le trimestre/semestre prochain, et combien d'heures par semaine.
9. a/préfère un emploi dans le secteur industriel/agricole on dans un bureau.
10. pense que les loyers payés par les étudiants sont élevés ou raisonnables.

II En scène!

Un homme/une femme de loi qui écrit un livre sur ses procès (*trials*) les plus célèbres a besoin d'un(e) assistant(e) énergique pour faire des recherches dans les bibliothèques sur des cas similaires. Cela vous intéresse et vous sollicitez cet emploi. Composez un dialogue entre la personne et vous où vous devez incorporer certaines choses: il/elle vous pose des questions sur votre éducation, votre expérience au travail, votre compétence pour écrire des rapports et votre intégrité. Vous répondez à ces questions et vous donnez des détails sur vos méthodes de travail. Terminez en montrant que vous êtes la personne qu'il/elle cherche. Puis, apprenez le dialogue et jouez-le en classe avec un(e) partenaire.

III Soyez créateurs!

Travail en groupe. Imaginez que vous faites partie d'un groupe d'étudiants qui travaillent dans une petite fabrique pendant l'été. Vous n'êtes pas satisfaits des conditions de travail et des salaires. Mais vous ne voulez pas faire la grève. Alors vous décidez de présenter au patron (par un représentant du groupe) un petit projet pour améliorer les choses. Organisez des groupes de cinq ou six étudiants, préparez ensemble ce projet et choisissez votre représentant pour parler au patron. Soyez prudents, ne faites pas des demandes impossibles à réaliser. Toute la classe peut ensuite décider quel groupe a la meilleure chance de réussir.

CHAPITRE 4
Le Monde des affaires

De splendides balcons de fer forgé décorent les étages d'un grand magasin, les Galeries Lafayette.

Vocabulaire spécial

I Les grandes entreprises

Noms

l'entreprise *f* = la firme, la
 compagnie
l'usine *f* = la fabrique *factory*
les affaires *f* *business*
la recherche *research*
le commerce international *foreign trade*
la succursale *branch of a business*
la gestion *management*
la faillite *bankruptcy*
le libre-échange *free trade*
la dette *debt*
la règle *rule, regulation*

Adjectifs

étranger (-ère) *foreign*
monétaire *monetary*
financier (-ère) *financial*
public (-ique) ≠ privé *public* ≠ *private*

Verbes

faire faillite *to go bankrupt*
prêter ≠ emprunter *to loan* ≠ *to borrow*
durer *to last*
lancer = mettre en route *to start, to
 launch*
manquer (de) *to lack*
investir des capitaux *m* *to invest
 capital*

II Le personnel

Noms

l'entrepreneur (-euse) *business owner,
 contractor*
le/la commerçant(e) *shopkeeper,
 merchant*
le/la P.d.g. = président-directeur
 général, la présidente-directrice
 générale
le cadre[1] *executive*
le/la gérant(e) *manager*
le/la dactylo *typist*
le/la comptable *accountant*
le rédacteur, la rédactrice *story writer,
 editor*
le/la secrétaire général(e) *executive
 secretary*
l'augmentation *f* *raise*
le poste = l'emploi *m*
l'entretien *m* *talk*

Adjectifs

satisfait ≠ mécontent *satisfied ≠
 discontented*
plaisant ≠ déplaisant *pleasant ≠
 unpleasant*

Verbes

être satisfait (de) ≠ se plaindre (de)
 to be satisfied ≠ to complain
soupçonner = suspecter
se rendre compte (de) *to realize*
tenir une réunion *to hold a meeting*
dicter une lettre *to dictate a letter*
engager ≠ renvoyer *to hire ≠ to fire*
être au courant (de) *to be up to date (on)*

---

[1] This noun exists only in the masculine.

III Le travail et la production

Noms

les matières *f* premières *raw materials*
l'achat *m* ≠ la vente *purchase* ≠ *sale*
le profit ≠ la perte *profit* ≠ *loss*
les bénéfices *m* = les profits
la marge *margin*
la concurrence *competitors, competition*
la publicité *advertising*
le contrecoup *countershock*

Verbes

marcher = fonctionner *to work, to function*
fabriquer = produire
agrandir *to enlarge*
mettre un frein (à) ≠ pousser (à l'expansion) *to put a brake (on) ≠ to stimulate (expansion)*
subir = être victime (de) *to suffer, to undergo*

Adjectifs

défectueux (-euse) *defective*
cher (-ère) ≠ bon marché *expensive ≠ reasonably priced*
utile ≠ inutile *useful ≠ useless*

Trouvez le mot juste !

A. Donnez le mot/l'expression qui convient à chaque définition.

1. la personne qui rédige ou corrige des articles de journaux ou de magazines
2. mettre en route une entreprise
3. les employés qui ont un travail de direction
4. produire des articles pour la vente
5. un emploi de caractère administratif ou professionnel
6. une entreprise surtout industrielle
7. un(e) P.d.g.
8. un adjectif qui veut dire «content»
9. une branche d'une grande entreprise
10. un adjectif qui veut dire «de mauvaise qualité» ou «qui ne marche pas»

B. Donnez le contraire de chacun des mots/expressions suivants et faites une phrase avec chaque réponse.

1. se plaindre
2. la perte
3. engager une rédactrice
4. mettre fin à une compagnie
5. pousser à l'expansion
6. faire fortune
7. satisfait
8. la vente
9. emprunter
10. utile

C. Complétez les phrases suivantes par des mots ou expressions du vocabulaire spécial.

1. Pour lancer une entreprise, il faut mettre beaucoup d'argent dans l'affaire, donc il faut ___.
2. Pour les grandes firmes industrielles, les ___ sont les produits de base qu'elles transforment.

3. ____ du personnel, c'est faire entrer du personnel nouveau dans une entreprise.

4. Quand un patron a besoin d'argent pour développer son usine, il peut en ____ à une banque.

5. Les employés qui ne sont pas satisfaits de leurs conditions de travail ou de leur salaire peuvent ____ à leur syndicat.

6. Quand une entreprise échoue complètement pour des raisons financières, elle ____.

D. Monsieur de Bercy, P.d.g. d'une compagnie, réunit ses collaborateurs pour discuter des plans d'action qu'ils suggèrent. Formulez ces plans : utilisez un mot/une expression de chaque colonne pour former une phrase qui imite le modèle. Écrivez six phrases en variant les combinaisons.

MODÈLE   Pour augmenter les profits, nous pouvons/la compagnie peut lancer une succursale à Tokyo.

A	B	C
éviter une grève	engager	accidents du travail
réorganiser un bureau	emprunter	salaires
augmenter les profits	tenir	succursale à Tokyo
décourager la concurrence	augmenter	réunion syndicale
	lancer	succursale moderne
	être au courant	capitaux
	fabriquer	techniques nouvelles
	éviter	dactylos
		produits supérieurs

Major past tenses
Passé composé—Imparfait
Imparfait **and** passé composé **contrasted**

I Passé composé

4.1.A Formation

Like all compound tenses, the **passé composé** is formed with an auxiliary verb followed by a past participle.

Most verbs are conjugated with the auxiliary **avoir,** but there are several common verbs that require the auxiliary **être.** The past participle is derived from the conjugated verb.

travailler

j'	ai	travaillé	nous	avons	travaillé
tu	as	travaillé	vous	avez	travaillé
il, elle	a	travaillé	ils, elles	ont	travaillé

The **passé composé** is used to indicate an action or state that took place and was completed in the past without reference to duration or habitual repetition. It can be translated into English in several ways, according to the context. **J'ai travaillé** means *I worked, I did work,* or *I have worked.* Note the pattern for the negative form of compound tenses:

> subject + **ne** + auxiliary + **pas** + past participle

Le commerçant **n'a pas vendu** son magasin.	*The shopkeeper has not sold his store.*
Mais il **n'a pas donné** d'augmentation à ses employés.	*But he did not give any raise to his employees.*

In the interrogative form, inversion is used in the same manner as for the present tense. Note the pattern:

> auxiliary + subject pronoun + past participle

Avez-vous parlé aux cadres ?	*Did you speak to the executives?*
Sont-ils arrivés à une décision ?	*Did they arrive at a decision?*

Note the pattern in the interrogative-negative form:

> **ne** + auxiliary + subject pronoun + **pas** + past participle

N'es-tu pas allé remplir la demande d'emploi ?	*Didn't you go fill out the job application form?*
Ne t'ont-ils pas envoyé de réponse ?	*Haven't they sent you an answer?*

1. *Past participle* (**le participe passé**)

   The past participle is a verbal form derived from the main (or conjugated) verb. It is used in the formation of all compound tenses.

   a. Regular verbs

	-er verbs	**-ir** verbs	**-re** verbs
Infinitive	donner	finir	vendre
Past participle	donné	fini	vendu

b. Irregular verbs

Part participles have various endings, but they can be grouped according to the type of ending.

avoir	eu	dire	dit
		écrire	écrit
être	été		
		verbs ending in **-uire**	
faire	fait	conduire	conduit
couvrir	couvert	boire	bu
offrir	offert	connaître	connu
ouvrir	ouvert	courir	couru
souffrir	souffert	croire	cru
		devoir	dû
dormir	dormi	falloir	fallu
mentir	menti	lire	lu
partir	parti	paraître	paru
sentir	senti	plaire	plu
servir	servi	pleuvoir	plu
sortir	sorti	pouvoir	pu
suivre	suivi	recevoir	reçu
		savoir	su
verbs ending in **-indre**		tenir	tenu
craindre	craint	valoir	valu
peindre	peint	venir	venu
		vivre	vécu
s'asseoir	assis	voir	vu
mettre	mis	vouloir	voulu
prendre	pris		

Handwritten annotations in right margin: "to run", "to (run)" next to courir/couru; "to be necessary" next to falloir/fallu; "to seem" next to paraître/paru; "to please" next to plaire/plu; "to hold" and "to be worth" next to tenir/valoir.

Handwritten annotations in left margin: "to fear", "to paint", "sit down" next to craindre/peindre/s'asseoir.

Note that **aller,** although an irregular verb, has a regular past participle: **allé.**

2. *Auxiliary* **(l'auxiliaire)**

The auxiliary **avoir** or **être** is used in the present indicative.

a. Verbs conjugated with **avoir**

Most verbs are conjugated in the **passé composé** with **avoir.**

Il **a entendu** les protestations des employés.   *He heard the employees' protests.*

b. Verbs conjugated with **être**

(1) There are a few intransitive verbs (and their compounds)—often referred to as "the house of **être**," since they express actions centered around the house or office—that are conjugated with **être.**

sortir

je **suis** sorti(e)	nous **sommes** sorti(e)s
tu **es** sorti(e)	vous **êtes** sorti(e)(s)
il **est** sorti	ils **sont** sortis
elle **est** sortie	elles **sont** sorties

Note that **je suis sorti(e)** means *I went out, I did go out, I have gone out.*

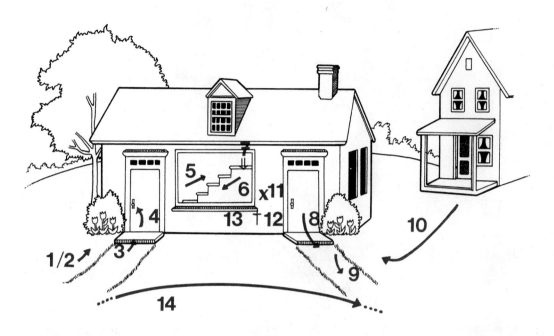

1. aller	6. descendre	11. naître
2. venir[1]	7. tomber	12. mourir
3. arriver	8. sortir	13. rester
4. entrer	9. partir	14. passer
5. monter	10. retourner	

HOUSE OF **ÊTRE**

Les chefs de bureau **sont sortis.**	*The office heads have gone out.*
Ils **ne sont pas allés** à la réunion.	*They didn't go to the meeting.*
Mais ils **sont montés** au sixième étage.	*But they went up to the 7th floor.*

---

[1] **venir** has two compounds, **devenir** (*to become*) and **revenir** (*to come back*).

Six of the fourteen verbs listed above actually have a "dual personality." When they are intransitive (that is, when they have no object), they are conjugated with **être**. But they may also be transitive (that is, constructed with a direct object). In that case, they are conjugated with **avoir** and their meanings are different.

INFINITIVE	INTRANSITIVE	TRANSITIVE
monter	*to go up(stairs)* Il **est monté** dans sa chambre. *He went upstairs to his bedroom.*	*to take up(stairs)* Il **a monté ses livres** dans sa chambre. *He took his books up to his bedroom.*
descendre	*to go down(stairs)* Tu **es descendu** de ta chambre. *You came down from your bedroom.*	*to take down(stairs)* Tu **as descendu ta valise.** *You took your suitcase downstairs.*
sortir	*to go out, to leave* Je **suis sorti** du bureau. *I left the office.*	*to take out* J'**ai sorti mes papiers** de mon sac. *I took my papers out of my bag.*
rentrer	*to come back* Tu **es rentré** à la maison. *You came back home.*	*to take back inside* Tu **as rentré les chaises.** *You took the chairs back inside.*
passer	*to go by way of* Je **suis passée** par mon bureau. *I went by way of my office.*	*to spend* J'**ai passé mes vacances** à Montréal. *I spent my vacation in Montreal.*
retourner	*to go back* Vous **êtes retourné** au travail. *You went back to work.*	*to turn over, to send back* Vous **avez retourné le livre** au magasin. *You sent the book back to the store.*

(2) The **passé composé** of all pronominal verbs is formed with **être**.

se laver

je	me	**suis**	lavé(e)	nous	nous	**sommes**	lavé(e)s
tu	t'	**es**	lavé(e)	vous	vous	**êtes**	lavé(e)(s)
il	s'	**est**	lavé	ils	se	**sont**	lavés
elle	s'	**est**	lavée	elles	se	**sont**	lavées

In the interrogative, negative, and interrogative-negative forms, the reflexive pronoun immediately precedes the auxiliary.

Se sont-ils plaints du bruit ?   *Did they complain about the noise?*
Toi, tu **ne t'es pas** plaint de cela.   *You did not complain about that.*
Mais **ne t'es-tu pas** aperçu du   *But didn't you notice the problem?*
    problème.

3. *Agreement of the past participle*

    a. Verbs conjugated with **avoir**

The form of the past participle in the **passé composé** tense does not change unless the direct object precedes the verb. The past participle agrees in gender and number *with the preceding direct object.*

J'ai vu les deux nouvelles secrétaires.   *I saw the two new secretaries.*
Je **les** ai vu**es**.   *I saw them (I have seen them).*

Common cases where a direct object precedes the verb are:

(1) personal pronouns **le/la/l', les** :

Tes disques ? Je **les** ai mont**és** dans ta   *Your records? I took them up to your*
    chambre.   *room.*

(2) relative pronoun **que** :

Ce ne sont pas les lettres **que** j'ai   *These are not the letters that I wrote.*
    écrit**es**.

(3) interrogative adjective **quel(s)/quelle(s)** followed by a noun:

Quels dossiers avez-vous prépar**és** ?   *Which dossiers have you prepared?*

(4) interrogative pronouns **lequel/lesquels/laquelle/lesquelles** :

J'ai apporté les rapports.   *I brought the reports.*
—**Lesquels** as-tu apport**és** ?   *Which ones did you bring?*

POUR MÉMOIRE

There is no agreement with **y** or **en**, although they precede the verb, because they are not direct objects.

   Les rapports économiques ? Mais oui, j'**y** ai pensé.
   Avez-vous pris de la salade ? —Non, je n'**en** ai pas pris.

---

b. Verbs conjugated with **être**

The past participle agrees in gender and number *with the subject* in the case of

(1) the intransitive verbs of "the house of **être**":

La dactylo est rentrée chez elle à six heures.	*The typist came back home at six o'clock.*

(2) all of the strictly pronominal verbs:[2]

La comptable s'est écriée : «Oh non!», puis **elle s'est évanouie.**	*The accountant cried, "Oh no!", then she fainted.*

(3) a few idiomatic pronominal verbs which are not truly reflexive:

s'apercevoir (de)[3]	*to notice*	**s'ennuyer**	*to be bored*
s'attendre (à)	*to expect*	**se plaindre (de)**	*to complain*
se douter (de)	*to have a hunch*	**se servir (de)**	*to make use of*
		se taire[3]	*to be/keep quiet*

Elles se sont tues quand le patron est entré !	*They kept quiet when the boss came in.*
Nous nous sommes servis de votre téléphone.	*We have made use of your telephone.*

The past participle agrees in number and gender *with the preceding direct object* in the case of reflexive and reciprocal verbs. The reflexive pronoun must be considered closely—it may be a direct object or an indirect object.

       DO

La secrétaire **s'est lavée.**	*The secretary washed herself.*

  IO   DO

Elle **s'est lavé les mains.** *il replaced*	*She washed her hands.*

    IO DO

Elle **se les est lavées.**	*She washed them.*

    IO

Les cadres **se sont vus.**	*The executives saw each other.*

  IO

Ils **se sont parlé.**	*They spoke to each other.*

Note that in **se rendre compte de** (*to realize*), the past participle is always invariable:

Elle s'est rendu compte de son erreur.	*She realized her error.*

---

[2] See list in Chapitre 3, page 96.
[3] Past participles are **aperçu** and **tu**, respectively.

À votre tour!

A. Faites les substitutions indiquées entre parenthèses et faites les autres changements si nécessaire.

1. *J'*ai renvoyé le gérant malhonnête. (la directrice, tu, nous, les patrons, vous)
2. As-*tu* reçu un bon salaire? (le comptable, je, nous, les employés, vous)
3. *Nous* nous sommes plaints des conditions. (je, nos employées, vous, le syndicat, tu)
4. *La dactylo* n'est pas arrivée tard. (je, le P.d.g., ma secrétaire et moi, vous, les amies de ma mère)

B. Le comptable de la compagnie Frigébon parle avec le directeur général. Le comptable fait des commentaires en utilisant le passé composé et les expressions temporelles données entre parenthèses. Jouez le rôle du comptable.

MODÈLE   La compagnie donne des dividendes élevés. (C'est vrai, le mois dernier)
—C'est vrai. Le mois dernier, la compagnie a donné des dividendes élevés.

1. Les banques nous prêtent de l'argent. (Mais oui, et l'année passée)
2. Les patrons ne se trouvent pas satisfaits de la production. (Mais le semestre dernier, ils + affirmatif)
3. Les grévistes créent des difficultés. (Maintenant oui, mais l'année dernière, ils + négatif)
4. Nous ne faisons pas de commerce avec l'Amérique latine. (C'est vrai, et le semestre passé)
5. Mlle Dupré arrive à[4] faire un travail excellent. (Bien sûr, et l'année dernière aussi)
6. Les ingénieurs s'aperçoivent d'une erreur. (Comme toujours, et le mois dernier)
7. Le vieux contremaître se moque d'un nouvel employé. (Eh oui! Et la semaine passée aussi)

C. Par groupes de deux étudiants, jouez les mini-conversations suivantes. Complétez chaque phrase en mettant le verbe donné entre parenthèses au passé composé.

1. GILBERT   Les dossiers? Mais je vous les (donner) hier.
   GASTON   Mais non! Vous les (sortir) du tiroir,[5] mais vous ne les (mettre) pas sur mon bureau.
   GILBERT   Je (être) occupé tout l'après-midi. Alors, je (oublier)
2. LE DIRECTEUR   Quelles demandes le syndicat (présenter) au chef de bureau jeudi dernier?
   L'ASSISTANT   Les représentants (prétendre) que les salaires sont trop bas.
   LE DIRECTEUR   Et qu'est-ce que le chef leur (répondre)?
   L'ASSISTANT   Il leur (dire) que nos produits (se vendre) très mal le mois dernier.

---

[4] **arriver à** + infinitive = **réussir à** + infinitive
[5] **le tiroir** *drawer*

3. JANINE Est-ce que tu (voir) la nouvelle secrétaire que le patron (engager) jeudi matin?

   CLAUDINE Pas encore! Mais je sais qu'elle (se casser) le bras samedi.

   JANINE Elle ne (avoir) pas de chance! Et lundi, elle (devoir) retourner à l'hôpital où elle (s'ennuyer) jusqu'à trois heures. Alors, nous (choisir) des fleurs pour elle et nous les lui (apporter). Alors, elle (se sentir) mieux.

4.1.B Use of the passé composé

The **passé composé** tells what happened or what someone did at some time in the past. The time may be stated or it may be implied in the context. The **passé composé** is used to indicate:

1. a single fact or action that took place at a certain time in the past and was completed within a segment of time.

   Je vous **ai vue** au bureau **hier.**   *I saw you in the office yesterday.*
   Lundi dernier, le magasin s'est ouvert   *Last Monday the store opened at 8*
   à huit heures.   *o'clock.*

   Note that there are key words that signal the use of the **passé composé.** For example: **hier, avant-hier** *(the day before yesterday),* **la semaine passée/dernière, le mois dernier, il y a...heures/jours** *(...hours/days ago),* **lundi dernier.**

2. a series of facts or actions, each one completed in the past.

   Ils **se sont rencontrés** (1) dans le   *They met on the train yesterday, then*
   train **hier,** puis ils **ont bavardé** (2)   *they chatted, and finally said*
   et enfin ils **se sont dit** (3) au revoir.   *good-bye.*

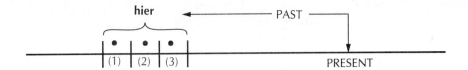

The vertical lines show that each action was ended in the past. Note that the whole event happened within a specific segment of time (yesterday, while on the train).

Note that there are key words that signal the progression of completed actions in the past: **d'abord** (*at first*), **soudain/tout à coup** (*suddenly*), **puis/ensuite** (*then, next*), **enfin/finalement** (*at last, finally*).

3. actions that took place several times in the past but were completed, all within a certain segment of time in the past.

Le mois dernier, nous **avons dîné trois fois** au restaurant.	*Last month, we dined three times at the restaurant.*

4. a future action in a clause introduced by **si** (*if*), when the verb in the main clause is in the future indicative or in the imperative.[6]

Si tu n'as pas reçu (1) ma lettre avant demain midi, **téléphone**-moi (2) !	*If you have not received my letter before tomorrow noon, phone me.*

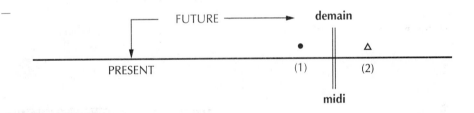

The diagram shows that action (1) indeed precedes action (2). By the time action (2) takes place, action (1) is completely finished; hence the **passé composé**.

À votre tour !

A. Après leur travail au bureau, Line et Pascale vont au café prendre un pot et échanger des potins[7]. Complétez leur conversation en ajoutant les verbes appropriés au passé composé. Choisissez dans la liste suivante et jouez les rôles avec un(e) partenaire.

---

6 For other uses of **si** in an *if* clause, see the discussion on the conditional mood in Chapitre 9.
7 **le potin** *piece of gossip* (often used in the plural: **les potins**)

aller	boire	faire	se tromper
arriver	devenir	inviter	trouver
avoir	être	parler	voir

LINE   Que penses-tu de Roland, le nouveau chef de bureau ? On dit qu'il ___ des ennuis dans son poste précédent !

PASCALE   Ah vraiment ? Hier, il m' ___ à aller au café avec lui ! Nous ___ quelque temps et nous ___ du champagne. Enfin, nous ___ danser dans une discothèque. Mois, je l' ___ charmant.

LINE   Bien sûr, il ___ charmant pour votre première sortie. Est-ce que ça va continuer ? Quand je l' ___ la semaine dernière, le jour où il ___ au bureau, il ne m'___ pas ___ bonne impression. Et tu sais bien que je ne me ___ jamais ___ dans mes prédictions. Ce n'est pas le garçon pour toi !

PASCALE   Hum ! Moi, je me demande si tu n' ___ pas ___ un peu jalouse. Roland, c'est un beau gosse[8] !

B. Thème: Un désastre financier. Traduisez en français. Faites attention aux mots qui indiquent le temps à employer.

1. The banks didn't want to lend money to the company last month, and finally it went bankrupt.
2. The manager established some objectives, and then he held a meeting with the executives.
3. The executive secretary *(f)* was absent (= absented herself) for **(pendant)** three weeks.
4. She came back last Monday and asked for explanations.
5. The employees became sad when they understood the extent **(la portée)** of the disaster.
6. Go talk to the boss if the last checks haven't arrived by **(avant)** 10 o'clock today.

II Imparfait

4.2.A Formation

The **imparfait** *(imperfect)* is a simple tense. Its stem is obtained by dropping the **-ons** ending from the **nous** form of the present indicative. This rule holds for all verbs except **être** (stem **ét-**).

The endings are the same for all verbs and are as follows:

je	parlais	nous	parlions
tu	parlais	vous	parliez
il, elle	parlait	ils, elles	parlaient

The **imparfait** can be translated in several ways in English, depending on the context. **Je parlais** may mean *I spoke, I was speaking, I used to speak,* or *I would speak.*

---

[8] **un beau gosse** (forme populaire) *a handsome guy*

Negative, interrogative, and interrogative-negative constructions are formed the same way as for the present indicative.

La firme **faisait-elle** des profits? Les cadres **ne** le **savaient pas.**	*Was the firm making profits? The executives did not know it.*
—Vraiment? **Ne savaient-ils pas** qu'il y **avait** des problèmes?	*Truly? Didn't they know there were problems?*

1. The following are examples of the formation of the imperfect for regular and irregular verbs:

	nous, present	stem	**je,** imperfect	**nous,** imperfect
	form**ons**	form-	form**ais**	form**ions**
	uniss**ons**	uniss-	uniss**ais**	uniss**ions**
	perd**ons**	perd-	perd**ais**	perd**ions**
	dis**ons**	dis-	dis**ais**	dis**ions**
	av**ons**	av-	av**ais**	av**ions**
	fais**ons**	fais-	fais**ais**	fais**ions**
BUT	**sommes**	ét-	ét**ais**	ét**ions**

2. Note the spelling changes for the **-cer** and **-ger** verbs: **-ç-** and **-ge-** are needed in front of the **-ais, -ait, -aient** endings.

j'avan**çais**		je chang**eais**	
tu avan**çais**	nous avan**cions**	tu chang**eais**	nous chang**ions**
il avan**çait**	vous avan**ciez**	il chang**eait**	vous chang**iez**
ils avan**çaient**		ils chang**eaient**	

Je changeais souvent de travail. *I would change work often.*

POUR MÉMOIRE

Note that the **-ier** verbs have two i's in the **nous** and **vous** forms.

PRESENT	stem	IMPERFECT
nous cri**ons**	cri-	nous cri**ions**, vous cri**iez**

Nous **étudiions** toujours une heure au laboratoire.

We would always study for one hour in the laboratory.

---

3. Impersonal verbs **il faut** and **il pleut** become **il fallait** and **il pleuvait** in the imperfect.

4.2.B Use of the imparfait

The **imparfait** expresses an action, a state, or a condition in the past *in the process* of taking place (*continuous action*), without indicating when it ended. Some words or phrases often serve as a clue for the **imparfait**:

auparavant/avant	*previously*	**en ce temps-là**	*at that time*
autrefois/jadis	*formerly*	**il était une fois**	*once upon a time*
dans le passé	*in the past*	**parfois**	*sometimes*
de mon temps	*in my days*	**quelquefois**	

The **imparfait** is used to indicate:

1. an action *in progress* in the past or a group of actions taking place at the same time, forming a scene or a backdrop (*description*). Some key words are:

alors que		**à l'époque où**	
pendant que	*while*	**au temps où**	*at the time when*
tandis que		**lorsque/quand**	*when*

L'usine **travaillait** bien. (single action)   *The plant was working well.*
Le patron **marchait** dans son bureau   *The boss was walking in his office*
   pendant qu'il dictait la lettre.   *while he dictated the letter.*
(simultaneous actions)

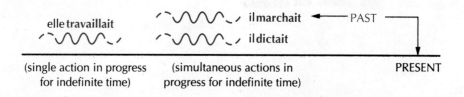

(single action in progress   (simultaneous actions in   PRESENT
  for indefinite time)   progress for indefinite time)

2. an action *in progress* in the past which was *interrupted* by the occurrence (often sudden) of another. The sudden event is expressed by the **passé composé** and is often introduced by **quand/lorsque** + **tout à coup/soudain**.

J'étais à la banque et **je parlais** à   *I was at the bank and I was talking to*
  Mlle Rosa **quand soudain** un homme   *Miss Rosa when suddenly a man came*
  est entré et **a crié**: «Votre argent!»   *in and shouted: "Your money!"*

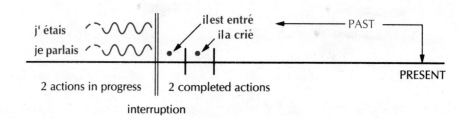

2 actions in progress   2 completed actions   PRESENT

              interruption

3. one or more actions in the past that were *repeated* or *habitual*. There are adverbs and time expressions that indicate habitual actions such as:

chaque jour[1]	*each day*	**ordinairement**	*ordinarily*
d'habitude	*usually*	**souvent**	*often*
habituellement	*habitually*	**toujours**	*always*
en général	*in general*	**tous les jours**[1]	*every day*
fréquemment	*frequently*	**tout le temps**	*all the time*

La dactylo **retrouvait** Louis au café **tous les mardis.** *The typist would meet Louis at the café every Tuesday.*

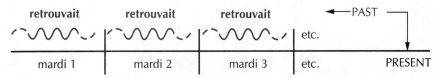

habitual actions, each in progress for indefinite time

Tu **allais deux fois par jour à** la banque quand tu étais comptable. *You used to go twice a day to the bank when you were an accountant.*

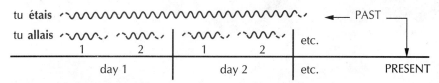

repeated actions, each in progress for indefinite time

4. a past condition, state of affairs, or state of mind *in progress*. Certain verbs are well suited for this type of *description:* **être, paraître, avoir, sembler, devenir, vouloir, pouvoir, savoir, penser, croire, préférer.**

La technicienne **voulait** envoyer un télégramme. *The technician wanted to send a telegram.*

Le travail **semblait** facile et Irène **pensait** que tout **était** là. *The work seemed easy and Irene thought that all was there.*

Mon patron **savait** que **j'étais** malade. *My boss knew that I was ill.*

---

[1] Many words can be used in these expressions: **chaque soir, chaque année, tous les matins, toutes les semaines,** and so forth.

Le grand syndicat CGT (Confédération
générale du travail) a déclaré
une grève des cheminots—les
employés des chemins de fer.

À votre tour !

A. Faites les substitutions indiquées entre parenthèses. Faites les autres changements
nécessaires.

1. *Je* conférais avec les assistants.   (le professeur, nous, tu, les rédactrices, vous)
2. *Vous* n'aviez pas confiance en lui.   (je, la dactylo, tu, les cadres, nous)
3. Étais-*tu* en grève ?   (les ouvrières, je, nous, le secrétaire, vous)
4. *Nous* ne connaissions pas la méthode de production.   (les concurrents, je, vous,
   le gérant, tu)

B. Ah ! Comme tout a changé ! Charles Dumont, qui est comptable à la fabrique
Frigébon, rencontre Marcel Grévin qui a travaillé dans la même compagnie il y

a vingt ans. Ils comparent les conditions de travail—avant et maintenant. Jouez le rôle de Marcel qui semble avoir de mauvais souvenirs.

MODÈLE   Nous travaillons *sept heures et demie* par jour. (de mon temps, neuf heures)
—Ah! De mon temps, nous travaillions neuf heures par jour. Quel boulot!

1. Nous avons *cinq* semaines de vacances par an.   (autrefois, trois)
2. Nous changeons de slogans publicitaires *trois fois* par an.   (de mon temps, une fois)
3. Nous lançons des nouveaux produits *chaque mois*.   (avant, chaque année)
4. On augmente les salaires *tous les ans*.   (de mon temps, seulement après une grève de protestation)
5. Les employés semblent toujours *satisfaits*.   (autrefois, mécontents)
6. Eh bien! Pour moi, c'est un *bon emploi*.   (il y a vingt ans, sale boulot[2])

C. Mettez à l'imparfait les verbes donnés entre parenthèses. Puis dites qui est le narrateur N. Approximativement combien d'années y a-t-il que cela s'est passé?

N.   Annie et Pierrot, écoutez bien. Parce que vous me le demandez, je vais vous raconter ma première journée de travail dans mon premier grand emploi. En ce temps-là, je (manquer) d'expérience, bien sûr. Ce (être) mon premier travail à temps plein, et, par malchance, une partie des employés des bureaux (faire) une grève de 24 heures. Moi, je ne (savoir) pas pourquoi. Il y (avoir) un homme qui (sembler) important et qui (parler) souvent avec les employés qui (travailler).

ANNIE   Alors, tu ne le (connaître) pas du tout?

PIERROT   Évidemment, il ne (pouvoir) pas le connaître, petite sotte, puisque[3] ce (être) son premier jour au bureau.

N.   Moi, je (penser) que cet homme (devoir) être le directeur du personnel ou l'assistant du P.d.g.

ANNIE   Oh! Et qu'est-ce que ce (être), un P.d.g., en ce temps-là?

PIERROT   La même chose que maintenant, tiens. Un président-directeur-général.

N.   Moi, je (vouloir) donner une bonne impression, alors je lui ai dit que je ne (comprendre) pas les gens qui (avoir) un emploi et qui (faire) la grève. Je lui ai dit que ça me (paraître) illogique. J'ai ajouté que les grévistes, selon moi, (causer) bien des problèmes à la compagnie. Alors, cet homme m'a répondu que je (avoir) beaucoup de choses à apprendre. Tous les employés du bureau (rire). J'ai compris que je (venir) de faire une bêtise[4].

ANNIE ET PIERROT   Mais qui (être) cet homme?

---

[2] **un sale boulot**   *a nasty job*
[3] **puisque**   *since*
[4] **une bêtise** = ici, **une erreur ridicule**

N.   Ce (être) le chef du syndicat qui avait décidé de faire la grève !
ANNIE ET PIERROT   Hi, hi, hi, c'est bien drôle ![5]

4.2.C Idiomatic constructions with the imperfect

1. *Imperfect* + **depuis / il y avait... que** + *a time expression*

The imperfect expresses an action, state, or condition that began in the past and (a) continued until another time in the past or (b) was still continuing at another time in the past. The equivalent in English is the form *had been* or *had been... -ing*. The time expression is introduced by *for* or *since*.

(a) **Il y avait** une semaine **que je travaillais.**	*I had been working for a week.*
(b) Les employés **étaient** en grève **depuis** huit heures du matin.	*The employees had been on strike since 8 AM.*

Note that example (a) above answers the question **depuis combien de temps** (*for how long, for how much time*). This construction stresses a length of time during which the action/condition lasted. In this case, an answer with **depuis** + time expression is also possible besides the answer using **il y avait... que.**

Depuis combien de temps travaillais-tu dans ce bureau ?	*(For) how long had you been working in that office?*
—Je **travaillais depuis** une semaine.	
– or –	*I had been working for one week.*
—**Il y avait** une semaine **que je travaillais.**	
Depuis combien d'heures étiez-vous au bureau quand vous vous êtes plainte ?	*(For) how many hours had you been in the office when you complained?*
—**J'étais** au bureau **depuis** neuf heures.	
– or –	*I had been in the office for nine hours.*
—**Il y avait** neuf heures **que j'étais** au bureau.	

Note also that example (b) answers the question **depuis quand** (*since when*). This construction stresses the point of time in the past at which the action started. In this case, only an answer with **depuis** is possible.

Depuis quand les employés **étaient-ils** en grève ?	*Since when had the employees been on strike?*
—Ils **étaient** en grève **depuis** huit heures du matin.	*They had been on strike since 8 AM.*

---

[5] **hi, hi, hi**   In French, laughter is expressed this way. **C'est bien drôle !**   *That's very funny!*

Depuis quand manquions-nous de capitaux ?	*Since when were we lacking capital?*
—**Depuis** le 1er mai.	*Since May 1st.*

Note that all of the constructions discussed in this section match entirely in their structures those encountered with the present tense.[6]

Présent: **Depuis quand lis-tu ?**	*Since when you have been reading?*
—**Je lis depuis** ce matin.	*I have been reading since this morning.*
Imparfait: **Depuis quand lisais-tu ?**	*Since when had you been reading?*
—**Je lisais depuis** le matin.	*I had been reading since the morning.*

2. venir de + *infinitive*

The imperfect indicates a past action that took place immediately before another past action, expressed or implied.

Elle **venait de lire** le projet (quand le patron l'a appelée).	*She had just read the project (when the boss called her in).*

3. si (*if, what if*) + *imperfect*

It expresses a suggestion and corresponds to the English construction *what if* (+ perfect), *suppose* (+ present), or *how about* (+ present participle). Note that in front of **il/ils, si** becomes **s'**.

Si tu lançais une succursale à Lille ?	*What if you started a branch in Lille?* *Suppose you start . . . ?* *How about starting . . . ?*

À *votre tour !*

A. Avec un(e) partenaire, jouez les deux mini-dialogues. Complétez les phrases en mettant les verbes à l'imparfait.

1. CHEF DE BUREAU   Depuis combien de temps (discuter)-vous de nos ventes avec Monsieur Lemaire ?
   ASSISTANTE DU CHEF   Eh bien ! Il y (avoir) presque deux heures que nous en (parler).
   CHEF   Avez-vous des suggestions intéressantes ?
   ASSISTANTE   Si nous (exporter) nos réfrigérateurs en Tanzanie ?
   CHEF   Très possible. Mais l'envoi par bateau prend très longtemps.
   ASSISTANTE   Alors, si nous les (expédier) par Air-Cargo ?
   CHEF   Une idée excellente, Mlle Duparc.

---

[6] See Chapitre 1, pages 44–45.

2. P.D.G.   La semaine dernière, je (venir) de prendre la direction de l'entreprise quand j'ai vu votre atelier. Depuis quand les machines (être)-elles en mauvais état ?

   CONTREMAÎTRE   Elles (être) dans cet état depuis le mois de janvier.

   P.D.G.   Pas possible ! Et personne ne (s'inquiéter) de cela ?

   CONTREMAÎTRE   Le technicien chilien (venir) d'écrire un rapport à ce sujet juste avant d'être renvoyé. Mais j'ai fait des améliorations pendant la semaine. Si vous (faire) une inspection de l'atelier, Monsieur le directeur ?

   P.D.G.   Certainement, allons-y tout de suite !

B. Thème : La banque a des problèmes ! Pour connaître ces problèmes, traduisez en français les phrases suivantes.

1. Since when had we been investing in this firm?
2. The profits had just decreased.
3. We had been undergoing the countershock of inflation for three months.
4. How long had the typists been waiting for a salary raise?
5. Suppose we close a branch of the bank?
6. What if we borrowed money from the government?

III Imparfait **and** passé composé **contrasted**

4.3.A Imparfait **and** passé composé

The **imparfait** and the **passé composé** cannot be used interchangeably; each has a specific use. The **passé composé** indicates a condition or action completed at a certain point in time in the past. The **imparfait** indicates a past action or condition in progress, or repeated, or habitual.

A simple action, writing reports, can be viewed in two different ways:

(a) **Il a écrit des rapports.**

He wrote (has written, did write) reports.

The **passé composé a écrit** indicates that the action was started, then was completed within a limited time segment (shown on the diagram by vertical lines) in the past. The question to be asked here is: "What happened?"

(b) **Il écrivait des rapports.**

He was writing (would write, used to write) reports.

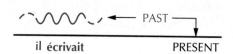

The **imparfait écrivait** indicates that the action was in progress in the past for some indefinite time (dotted line at each end of the wavy line shows uncertainty as to when it started or ended). The question to be asked here is: "What was happening?"

(c) **Il écrivait des rapports quand le patron est arrivé.**

He was writing reports when the boss arrived.

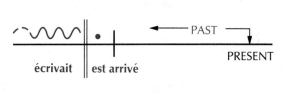

écrivait ‖ est arrivé

The **imparfait écrivait** indicates that the action was in progress in the past when it was interrupted by the second action, **est arrivé**, which is expressed in the **passé composé** (because it was fully completed in the past). **Écrivait** is a wavy line, but it is interrupted by ‖ on the diagram, showing the moment the boss arrived. Sentence (c) thus combines both tenses.

Let us look at the following narrative and the explanations given regarding the use of the past tenses for the numbered verbs.

Il y a deux ans, M. Emile Lefranc *possédait* une petite entreprise de
matériaux de construction à Bordeaux. Ses employés, le personnel
de direction et lui-même *travaillaient* dur; cependant, l'affaire
ne produisait pas beaucoup de bénéfices. Par peur d'une faillite,
il *est allé* consulter un spécialiste commercial qui lui *a conseillé*
d'agrandir son usine et surtout de la moderniser. M. Lefranc
ne savait pas s'il *devait* prendre ce risque, mais, avec le soutien[1]
de sa famille et de ses amis, il *a décidé* de tenter sa chance. Sa
banque lui *a prêté* une somme assez considérable. La question
du remboursement de cette somme *l'inquiétait;* il y *pensait*
toujours! Pendant six mois, il *conférait* tous les jours avec son
assistant et son comptable; ensemble, ils *étudiaient* les chiffres
et les statistiques d'achat et de vente. Un jour, ils *ont trouvé* que
l'usine *faisait* plus de ventes qu'avant et que la marge de profit
augmentait. Les affaires *marchaient* mieux, le moral des employés
était excellent. Il y a trois jours, M. Lefranc *a décidé* d'ouvrir une
succursale à Rouen. C'est une belle réussite, n'est-ce pas ?

[1] **le soutien**   ici, **l'aide morale**

1. **possédait**
2. **travaillaient** } verbs describe a state of affairs in the past; **imparfait** is used.
3. **produisait**

4. **est allé**
5. **a conseillé** } verbs refer to actions fully completed in the past (**passé composé**).

6. **savait**
7. **devait** } verbs describe a state of mind (**imparfait**).

8. **a décidé**
9. **a prêté** } verbs refer to fully completed action (**passé composé**).

10. **inquiétait**
11. **pensait** } verbs describe a state of mind (**imparfait**).

12. **conférait**
13. **étudiaient** } verbs describe habitual actions in the past (**imparfait**).

14. **ont trouvé**: verb refers to a completed action (**passé composé**).

15. **faisait**
16. **augmentait** } verbs describe a state of affairs (**imparfait**).
17. **marchaient**

18. **était**: verb describes a state of mind/being (**imparfait**).

19. **a décidé**: verb refers to a completed action (**passé composé**).

4.3.B Changes in meanings of some verbs

Some verbs have different meanings in the **imparfait** and the **passé composé**:

INFINITIVE	IMPARFAIT	PASSÉ COMPOSÉ
devoir	Il **devait** lui écrire. *He was supposed to write to her.* (intent, obligation)	Il **a dû** lui écrire. *He must have written to her.* (supposition)
savoir	Tu **savais** la réponse. *You knew the answer.* (knowledge)	Tu **as su** la réponse. *You discovered/learned the answer.* (discovery)
pouvoir	Je **pouvais** partir. *I could leave/I had the chance to leave.* (possibility)	J'**ai pu** mettre ma voiture en marche. *I was able to start my car.* (ability)
vouloir	Vous **vouliez** parler. *You wanted/intended to talk.* (intention)	Vous **avez voulu** parler. *You wanted/tried to speak.* (attempt)

Presque partout dans le monde, on trouve de nombreux journaux de la presse française.

À votre tour!

A. Dans les phrases suivantes, replacez les mots en italique par les mots donnés entre parenthèses. Changez le temps des verbes chaque fois que c'est nécessaire.

1. La directrice arrivait à dix heures *tous les jours*. (ce jour-là, trois fois par semaine, chaque matin, le 2 octobre, d'habitude)
2. Les syndiqués se sont-ils plaints *lundi dernier*? (le mois passé, tout le temps, hier matin, chaque semaine, de mon temps)
3. *Habituellement*, le patron ne prenait pas de vacances. (le mois dernier, en général, en 1985, au mois d'août, autrefois)

B. Par groupes de deux étudiants, jouez le mini-dialogue suivant. Mettez les verbes donnés entre parenthèses soit à l'imparfait soit au passé composé.

LA P.D.G.   Il y a huit jours, le journal *Le Monde* (publier) un article sur l'aide que le gouvernement (donner) aux chômeurs le semestre dernier.

SA SECRÉTAIRE   Mais oui, je (voir) cela. Très intéressant. Le reporter (noter) aussi que les agriculteurs (être) mécontents parce que, eux, ils (ne pas recevoir) d'aide.

LA P.D.G.   Je comprends cela. Mes parents (être) agriculteurs aussi. Après la crise financière de 1929, ils (perdre) leur ferme et tout ce qu'ils (posséder).

SA SECRÉTAIRE   Ah, je ne (savoir) pas cela! Je suis désolée de l'apprendre.

C. Maryse et Joëlle, deux étudiantes sympathiques, bavardent pendant le déjeuner. Jouez la petite scène avec un(e) camarade de classe. Vous devez compléter les phrases en ajoutant le verbe approprié au passé composé ou à l'imparfait. Choisissez les verbes dans la liste suivante (être est employé plusieurs fois dans le dialogue). Remplacez **je** par **j'**, **me** par **m'** et **ce** par **c'** si nécessaire.

acheter	choisir	être	oublier	vendre
avoir	dire	faire	trouver	venir

M. Est-ce que tu vas travailler pendant les vacances de Noël ?

J. Bien sûr ! Je ⎯⎯ un emploi dans un grand magasin.

M. Tu ⎯⎯ ça auparavant ?

J. Mais oui ! Je ⎯⎯ vendeuse au Printemps l'été dernier.

M. Et qu'est-ce que tu ⎯⎯ ?

J. Des parfums. Ce ⎯⎯ un emploi fascinant.

M. Est-ce qu'il y ⎯⎯ des clients intéressants ?

J. Oh, ça, c'est sûr ! Un jour, un homme très nerveux ⎯⎯. Il me ⎯⎯ : «Je ⎯⎯ l'anniversaire de ma femme hier. Elle ⎯⎯ furieuse».

M. Typique ! Le mari sans mémoire ! Et qu'est-ce qu'il ⎯⎯ ?

J. ⎯⎯ un parfum exotique et chaud—pour faire fondre la glace entre eux[2]. Hi ! Hi ! Hi !

D. Marie-Louise écrit dans son journal tous les potins et toutes les nouvelles de la compagnie Air-Cargo où elle travaille. Pour savoir ce qu'elle vient d'écrire aujourd'hui, construisez des phrases avec les mots donnés. Les verbes principaux sont à l'imparfait ou au passé composé. Ajoutez les articles et faites les accords quand c'est nécessaire.

MODÈLE   (une obligation) secrétaire / devoir / écrire / lettre / important / à / usine Frigébon.
　　　　　La secrétaire devait écrire une lettre importante à l'usine Frigébon.

1. (une supposition) bénéfices / devoir / être / peu élevé / mois dernier
2. (une intention) ingénieurs / vouloir / terminer / projet / pour / jeudi
3. (une découverte) Mireille / savoir / que / comptable / être / en vacances
4. (une obligation) nous / devoir / retrouver / deux dossiers / important
5. (une connaissance) est-ce que / patron / savoir / que / firme / perdre / argent / tous les mois

E. Mettez le récit suivant au passé, en faisant attention aux temps du passé que vous choisissez (imparfait ou passé composé).

Joseph, employé à la Banque nationale de France, *arrive* tous les jours à huit heures et demie au bureau. Ce matin, il *est* en retard de vingt minutes et, par malchance, il *rencontre* dans le hall d'entrée son chef de bureau qui *a* l'air furieux. Quand Joseph *entre* dans la salle où quatre autres employés *sont* déjà occupés

---

[2] **pour faire. . . eux** *to melt the ice between them*

à compter des piles de billets de banque,[3] ils lui *disent* que c'*est*
la troisième fois que son téléphone *sonne*. Vite, il *prend* le
dossier urgent que le directeur *veut* voir et il le lui *apporte*.
Heureusement, le directeur *est* un homme sympathique qui
comprend les petits accidents de la vie. Il *dit* à Joseph : «Mon
ami, calmez-vous ! Étudions ensemble le dossier de la fabrique
Belair.» Par sa générosité et sa compréhension, le directeur *établit*
une bonne ligne de communication avec son employé.

IV Vocabulary review

4.4.A Amener, emmener; apporter, emporter

These verbs all have the general meaning of *to bring/take along* or *away*. They are all
transitive: they take a direct object.

1. **amener (quelqu'un)**[1] : *to bring (someone) (along)*
   emmener (quelqu'un)[1] : *to take (someone) (along/away)*

   Note that both verbs, although used primarily with persons or animals, are also
   found with names of things in everyday use in modern French.

As-tu amené ta secrétaire à la partie du directeur ?	*Did you bring your secretary to the director's party?*
Ginette, **amène** tes disques ce soir ! (colloquial)	*Ginette, bring your records tonight!*
J'ai emmené mes parents en Espagne l'été passé.	*I took my parents to Spain this past summer.*
Tous les vendredis, la patronne **emmenait** des dossiers chez elle. (colloquial)	*Every Friday, the boss would take some dossiers home.*

2. **apporter (quelque chose)** : *to bring (something) (along)*
   emporter (quelque chose) : *to take (something) (along/away)*

Maryse, **apportez-moi** le dossier Arlequin !	*Maryse, bring me the Arlequin dossier!*
Je dois **emporter** ce rapport chez moi.	*I must take this report home.*
Caroline, **emportez** tout ce fouillis !	*Caroline, take away all this mess!*
Roger **apportait** toujours des fleurs à la comptable.	*Roger would always bring flowers to the accountant.*

[3] **le billet de banque** *bank note, paper money*
[1] The direct object may be an animal. **Elle amène son chien chez sa mère** *She brings her dog (along) to her mother's.* **Tu emmènes tes chats avec toi à la campagne** *You take your cats along with you to the country.*

Amener and **apporter** both imply that a person/thing is brought from a place "there" to the place "here." **Emmener** and **emporter** imply that a person/thing is taken from the place "here" to a place "there." The diagram shows this distinction.

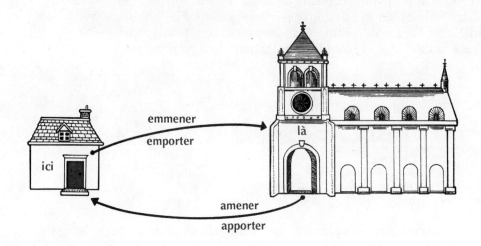

A votre tour!

Il y a des problèmes à la compagnie parisienne Air-Cargo. L'inspecteur Piedplat pose des questions au directeur, Monsieur Lesur, concernant des affaires récentes. Choisissez les verbes dans la liste suivante pour compléter le dialogue: **amener, emmener, apporter, emporter**. Jouez la scène avec un(e) partenaire.

L'INSPECTEUR Notre bureau a noté des irrégularités dans vos affaires.
J'___ ici une liste de ces choses. Pourquoi ___-vous ___ cinq cents kilos
de produits africains en France sans les déclarer?

LE DIRECTEUR Mais, monsieur, je pensais que nous les avions déclarés.

L'INSPECTEUR Absolument pas. Et pourquoi ___-vous ___ vingt-huit bicy-
clettes en Tunisie sans permis d'exportation?

LE DIRECTEUR Je crois que nous avons demandé ce permis.

L'INSPECTEUR Nous n'avons pas votre demande. Monsieur, je dois vous ___ à
notre bureau central avec votre comptable. Appelez-la!

LE DIRECTEUR Julie, venez ici et ___-moi nos livres de comptes. L'inspecteur
Piedplat nous ___ à son bureau.

L'INSPECTEUR J'___ également ___ mon assistant qui va prendre des photos
de vos livres.

LE DIRECTEUR Ah, Monsieur, je suis désolé, désolé.

4.4.B À cause de, car, comme, parce que, puisque

1. à cause de : *because of*

À cause de is always followed by a noun or a pronoun.

J'apportais toujours un sweater en hiver **à cause du froid** dans mon bureau.	*I would always bring a sweater in winter because of the cold in my office.*

2. car/comme/parce que (qu') : *because*

Note that a clause introduced by **car** cannot begin a sentence.

Nous avons dépensé beaucoup ce mois **car** la publicité était très chère.	*We spent a lot this month because the publicity was very expensive.*
Comme/Parce qu'il pleuvait, je suis restée à la maison.	*Because it was raining, I stayed home.*

3. comme/puisque (puisqu') : *since*

Comme/Puisque nos bénéfices étaient bas, nous avons mis un frein à notre expansion.	*Since our gains were low, we put a brake on our expansion.*

À votre tour!

Monsieur Lesur, qui est dans le bureau de l'inspecteur Piedplat, téléphone à sa femme.
Complétez ce qu'il dit en ajoutant **car, comme, parce que, puisque** ou **à cause de**.
Imaginez ce que Mme Lesur dit à son mari.

M. LESUR Allô, chérie! C'est moi, Paul. Je ne vais pas rentrer ce soir.
MME LESUR

M.L.   Pourquoi ? ____ je viens d'être arrêté !

MME L.   ____

M.L.   Non, non ! Ne crie pas ! Ne t'évanouis pas !

MME L.   ____

M.L.   C'est ____ des affaires de la compagnie Air-Cargo. Il y a des irrégularités, selon l'inspecteur.

MME L.   ____

M.L.   Non, non ! Je ne suis pas un criminel ! ____ nos comptes sont en bon ordre, je suis sûr que ça va s'arranger.

MME L.   ____

M.L.   Non, non ! Ne pars pas en Suisse ! Ça s'arrangera ____ j'en suis sûr.

MME L.   ____

M.L.   Chérie, ne pleure pas ! Mais apporte-moi mon pyjama et ma brosse à dents ____ je vais passer la nuit. . .

MME L.   ____

M.L.   Oui ! En prison ; c'est ____ ce permis d'exportation.

MME L.   ____

M.L.   Non, non ! N'apporte pas d'oranges ____ j'ai horreur des oranges aujourd'hui.

Vue d'ensemble

I À vous la parole !

A. **Parlez de vous-même !** Vos camarades de classe désirent savoir ce que vous avez fait le trimestre/semestre passé. Répondez aux questions concernant votre vie passée en utilisant le passé composé ou l'imparfait.

1. Étiez-vous toujours à l'heure pour vos classes ? Pourquoi ?
2. Alliez-vous souvent à la bibliothèque ? Qu'est-ce que vous y faisiez ?
3. Avez-vous écrit des rapports ? Pour quels cours ? Donnez le titre d'un rapport que vous avez écrit.
4. Avez-vous rencontré des gens intéressants ? Qui ?
5. Qu'est-ce que vous faisiez le plus souvent pendant le week-end ?
6. Avez-vous travaillé pour payer vos études ? Sinon, qui a payé vos frais[1] ?
7. Avez-vous gagné assez d'argent pour payer tous vos frais ? Seulement une partie de vos frais ? Qui a payé le reste ?
8. Où habitiez-vous ? Aviez-vous un appartement en ville ? Étiez-vous dans une résidence universitaire ? Est-ce que ça coûtait beaucoup ?
9. Aviez-vous des ami(e)s qui n'allaient pas à l'université ? Quel travail faisaient-ils/elles ? Font-ils/elles toujours ce travail maintenant ?
10. Étiez-vous satisfait(e) de vos résultats ? Pourquoi ?
11. Avez-vous des parents ou des amis dans les affaires ? Que font-ils ?
12. Allez-vous choisir une carrière dans les affaires ? Laquelle ? Pourquoi ?

[1] **les frais** m expenses

B. Obtenez des renseignements ! Pour votre cours de sociologie, vous devez présenter un rapport oral sur les habitudes et les opinions d'un groupe d'étudiants. Demandez à chaque personne de votre groupe si elle/s'il...

1. allait régulièrement aux cours.
2. faisait toujours tous les devoirs pour la classe de français.
3. apportait des sandwiches ou des fruits pour manger en classe.
4. a déjà travaillé dans un magasin/restaurant/café (et que faisait-elle/il ?).
5. a travaillé pendant les grandes vacances (et que faisait-il/elle).
6. a voyagé récemment (et où ?).
7. a déjà lu en français un roman ou une pièce de théâtre (et a-t-il/elle trouvé cela difficile ? Et quel est le titre de l'œuvre[2] ?).
8. a déjà acheté des produits français (et lesquels ?).
9. a déjà acheté un parfum français (et était-ce pour lui/elle ou pour faire un cadeau ?).

II En scène !

Imaginez que vous avez un devoir donné par votre professeur du cours d'études commerciales. Vous devez interviewer un(e) homme/femme d'affaires de votre ville qui a bien réussi dans sa carrière. Composez un dialogue entre lui/elle et vous que vous allez jouer en classe avec un(e) partenaire. Vous devez incorporer certaines choses dans ce dialogue: vous posez des questions à cette personne sur sa préparation pour sa carrière, sur ses expériences dans son travail et sur tout ce qui lui a permis d'arriver au succès (vous allez donc utiliser des verbes avec des temps du passé). Il/elle vous répond en donnant des détails. Apprenez votre dialogue par cœur pour le jouer d'une manière réaliste.

III Soyez créateurs !

Travail en groupe. Organisez des groupes de cinq ou six étudiants et dans chaque groupe, discutez des qualités et caractéristiques nécessaires à un homme ou à une femme pour réussir dans le monde des affaires. Déterminez également quelles sont les caractéristiques ou attitudes qui sont mauvaises et que l'homme ou la femme d'affaires doivent éviter. Choisissez dans chaque groupe un porte-parole[3] pour présenter les conclusions du groupe à toute la classe. Enfin, tous ensemble vous pouvez décider quel groupe a les meilleures idées.

[2] **l'œuvre** *f* work, here *literary work*
[3] **le porte-parole** *spokesman/spokeswoman.* Note that **porte-parole** is always masculine and invariable (**les porte-parole**).

CHAPITRE 5

Les Loisirs et les distractions

Les Français se passionnent pour les courses cyclistes. Ici, le peloton traverse un village.

Vocabulaire spécial

I Les voyages

Noms

les loisirs *m leisure time*
le temps libre *free time*
le/la vacancier (-ère) *vacationer*
l'agence *f* de voyage *travel agency*
le village-vacances *resort*
l'endroit *m* / le lieu *place*
le pays *country, nation*
le paysage *landscape, scenery*
la campagne *country(side)*
l'île *f island*
le rocher *rock*
le pic *peak*
la rivière *river*
l'organisateur (-trice) *tour/activities director*
la croisière *cruise*
le séjour *stay*
l'auberge *f inn*
l'aubergiste *m,f innkeeper*
les frais *m expenses*
la douane *customs*
le vol *flight*
le plaisir *pleasure*
la gentillesse *kindness*
en auto/voiture *by car*
en autobus/autocar *by bus*[1]

en avion *by plane*
en bateau *by boat*
par le train *by train*
à bicyclette *by bicycle*
à pied *on foot*
en provenance de ≠ à destination de *coming from ≠ going to*

Adjectifs

périmé *expired*
attrayant *attractive*
pittoresque *picturesque*
drôle *funny*
sauvage *wild, untamed*
téméraire *daring, rash*
stimulant *stimulating*

Verbes

conduire *to drive, to lead*
rendre visite (à) *to visit (someone)*
visiter *to visit (something, a place)*
se détendre *to relax*
se fatiguer (de) *to tire (of)*
projeter (de) *to plan*
garantir *to guarantee*

II Les sports

Noms

le/la sportif (-ive) *sportsman, sportswoman*
le/la fanatique *fanatic, fan*
le/la pêcheur (-euse) *fisherman, fisherwoman*
le/la chasseur (-euse) *hunter*
le/la nageur (-euse) *swimmer*

l'alpiniste *m,f mountain climber*
le/la cycliste *cyclist*
le/la coureur (-euse) *runner, racer*
l'entraîneur (-euse) *trainer*
l'équipe *f team*
l'entraînement *m training*
le championnat *championship*
la randonnée = l'excursion *f*
la course *race*

---

[1]**autobus** *city bus;* **autocar** *(inter-city) bus*

la voile *sailing*
le ski de fond *cross-country skiing*
la natation/nage *swimming*
la marche *walking*
le bateau (à voiles) *(sail) boat*
le terrain de camping *campground*
l'ascension *f* ≠ la descente *ascent* ≠ *descent*
le sommet *summit*
le maillot (de bain) *bathing suit*
le stade *stadium*
la fierté *pride*

Adjectifs

épuisant *exhausting*
fortifiant *invigorating*
sain ≠ malsain *healthy* ≠ *unhealthy*
bronzé *suntanned*
passionné *enthusiastic, passionate*
libre *freestyle (swimming)*

Verbes

arriver *to arrive, to happen*
faire de la nage, du golf, etc. *to engage in swimming, golf, etc.*
jouer au tennis, etc. *to play tennis, etc.*
nager/se baigner *to swim*
courir *to run*
s'entraîner (à) *to train*
prendre un bain de soleil *to sunbathe*
se blesser *to get hurt*
empêcher *to prevent*
gagner ≠ perdre *to win* ≠ *to lose*
pêcher *to fish*
chasser *to hunt*
agir *to act*
participer (à) *to compete (in)*
être en bonne forme *to be in good shape*

III Les distractions

Noms

le divertissement *amusement*
l'accueil *m* *reception, welcome*
le spectacle *entertainment, show*
la sortie *outing, going out*
la soirée *evening party*
la partie *party*
la boum *party (for teen-agers)*
le cabaret *nightclub*
le bal *dance*
le film (d'amour, d'aventure, policier) *(love, adventure, detective movie)*
le feuilleton *soap opera, serialized television show*
les nouvelles *f*/actualités *f* *news*
l'écran *m* *screen*
le petit écran = la télévision

Adjectifs

agréable ≠ désagréable *agreeable, pleasant* ≠ *disagreeable, unpleasant*
reposant *restful*
effrayant *frightening*
comique ≠ tragique *comical* ≠ *tragic*

Verbes

faire une promenade, se promener *to take a ride/walk*
flâner *to stroll*
passer (film) *to show*
jouer aux cartes, au bridge, etc. *to play cards, bridge, etc.*
jouer du violon, de la clarinette, etc. *to play the violin, the clarinet, etc.*
sortir (seul[e], en groupe) *to go out (alone, in a group)*
offrir (à quelqu'un) le dîner/spectacle *to treat (someone) to dinner/the show*

Trouvez le mot juste!

A. Donnez le mot/l'expression qui convient à chaque définition.

1. très amusant
2. le lieu, la place
3. se mettre au soleil pour devenir bronzé
4. on porte ce vêtement pour nager
5. un programme de télévision donné en série
6. la personne qui est en vacances
7. joli et agréable à voir (comme un lieu...)
8. aller voir quelqu'un
9. qui fait peur
10. le temps libre en dehors du travail

B. Donnez le contraire de chacun des mots/expressions suivants et faites une phrase avec chaque réponse.

1. la descente
2. agréable
3. civilisé
4. marcher vite
5. timide
6. rester à la maison
7. à destination de
8. perdre
9. tragique
10. le bas de la montagne

C. Complétez les phrases suivantes par des mots ou expressions du vocabulaire spécial.

1. Les jeunes du village ont eu une —— bruyante hier soir.
2. Regardes-tu les —— à la télé chaque soir? (deux réponses possibles)
3. En passant la —— à notre retour de vacances, nous avons dû payer 150 francs.
4. Prenez-vous toujours ce —— pour aller de Nice à Londres?
5. Aimerais-tu passer tes vacances dans une —— du Pacifique?
6. Pour réussir dans les sports, il faut —— régulièrement.
7. Lundi dernier, Françoise est tombée en faisant du ski et elle ——, mais pas trop sérieusement.

D. Créez des slogans (trois pour chaque catégorie) pour encourager les gens à faire les choses suivantes.

1. Pour vous amuser à Paris,...
2. Pour passer des vacances agréables,...
3. Pour rester en bonne forme,...

MODÈLE Pour rester en bonne forme, faites de la marche!

Geographical names and locations
Negation
Relative pronouns

I Geographical names and locations

5.1.A Geographical names

1. The definite article is used when referring to names of continents, countries, regions, provinces, states, seas and oceans, lakes, rivers, and so on.

L'Europe est un continent.
Europe is a continent.

La Savoie, dans **les Alpes,**
touche à **la Suisse.**
Savoy, in the Alps, borders on
Switzerland.

L'océan Pacifique est immense.
The Pacific Ocean is immense.

La Loire est plus longue que **la Seine.**
The Loire is longer than the Seine.

Geographical names have a gender. Names of continents, countries, provinces, states, and regions ending in **-e** (singular) or **-es** (plural) are feminine. There are very few exceptions to this rule: **le Cambodge, le Maine, le Mexique, le Mozambique, le New Hampshire, le Nouveau Mexique, le Tennessee, le Zaïre.** All other names are masculine.

The table gives some examples but is far from being exhaustive.

		FEMININE		MASCULINE	
continents	(all)	Afrique Asie	Amérique Europe	(none)	
countries		Algérie Angleterre Argentine Chine	Inde Italie Russie Suède	Brésil Cameroun Canada Danemark	États-Unis Japon Mexique Portugal
provinces, American states		Alsace Bourgogne Californie	Louisiane Normandie Virginie	Anjou Colorado Michigan	Périgord Poitou Texas

Note that **les États-Unis** is a plural noun.

Les États-Unis ont des beaux parcs
nationaux.
The United States has beautiful
national parks.

2. Names of cities do not require an article unless the name is modified or used in a specific manner.

Nous aimons **Paris** et **Chartres.**
We like Paris and Chartres.

Connaissez-vous **le Versailles de**
Marie-Antoinette?
Do you know the Versailles of
Marie-Antoinette?

Some cities have a definite article as part of their name: **La Rochelle, Le Havre, Le Lude.** The article contracts with **à** and **de** according to the rule.

Allez-vous **au Havre** ou **à La Rochelle?**	*Are you going to Le Havre or to La Rochelle?*
—Non, nous revenons **du Havre.**	*No, we're coming back from Le Havre.*

5.1.B Expressing location (in, at) and destination (to)

Location and destination are expressed in the same way.

IN, AT, TO	CITIES	CONTINENTS, COUNTRIES		PROVINCES, STATES (U.S.A.)	
		Feminine singular	All others	Feminine singular	All others
Basic rule	**à**	**en**	**à** + definite article	**en**	**dans** + definite article
Special cases	Contraction with **le/les** when part of name		**En** used with names starting with vowel or mute **h**		Exceptions: **au** Nouveau-Mexique **au** Texas

à Rome, **à** Rouen, **au** Havre, **à** Hawaii
en Italie, **en** France, **en** Alsace, **en** Floride, **en** Virginie
au Japon, **au** Zaïre, **aux** États-Unis *but* **en** Israël, **en** Angola
dans le Michigan, **dans le** Languedoc, **dans l'**Ontario

Trois ouvrières de chez Renault vont aller **à Casablanca, au Maroc.**	*Three workers from the Renault plant are going to go to Casablanca, (in) Morocco.*
Vous avez de la famille **à Denver, dans le Colorado.**	*You have some family in Denver, Colorado.*
Préférez-vous vivre **aux États-Unis ou en France ?**	*Do you prefer living in the United States or in France?*

Note that **dans l'état de** + noun can also be used with the names of masculine states.

Mon patron a passé deux ans **dans l'état de New York.**	*My boss spent two years in New York State.*
Demain, je vais **à Lille.** J'y vais en avion.	*Tomorrow, I'm going to Lille. I'm going there by plane.*
J'ai des amis **dans l'état de Vermont.** J'aime **y** aller en été.	*I have friends in Vermont. I like to go there in the summer.*
Mais oui ! Allez **en Alsace** ! Allez-**y** donc lundi !	*Oh, yes! Go to Alsace! Go there Monday, then!*

5.1.C Expressing origin (from)

FROM	CITIES	CONTINENTS, COUNTRIES		PROVINCES, STATES (U.S.A.)	
		Feminine singular **de**	All others **de** + definite article	Feminine singular **de**	All others **de** + definite article
Basic rule	**de**				
Special cases	Contraction with **le/les** when part of name	**d'** used with names starting with vowel or mute **h**			

de Londres, **du** Havre, **d'**Asie, **d'**Espagne
du Chili, **des** États-Unis *but* **d'**Iraq, **d'**Uruguay
de Bourgogne, **de** Nouvelle-Écosse, **de** Louisiane
du Québec, **du** Texas, **du** Languedoc

Les touristes arrivent **du Brésil.**	*The tourists arrive from Brazil.*
Notre fille revient **de Suède** et notre fils rentre **de Montréal.**	*Our daughter is coming back from Sweden and our son returns from Montreal.*

Note that **de l'état de** + noun can also be used with names of states.

Venez-vous **de l'état d'Ohio ?**	*Do you come from (the state of) Ohio?*

POUR MÉMOIRE

The adverb **en** (*from/out of there*) is used to replace a geographical name preceded by the preposition **de**. It immediately precedes the verb (or the infinitive in a double-verb construction) except in an affirmative command, where it is placed after the command form (see Chapitre 3, Sections 3.2.C.2.c and 3.2.C.3).

Papa arrive **de Tours**. Il **en** arrive par le train.	*Dad arrives from Tours. He arrives from there by train.*
Nous allons partir **du Bourget**. Nous devons **en** partir ce soir.	*We're going to leave from Le Bourget. We must leave from there tonight.*
—Mais non ! Partez-**en** demain.	*No! Leave (from there) tomorrow.*

À votre tour !

A. Votre camarade de classe est-il/elle bon(ne) en géographie? Demandez à la personne près de vous où se trouve...

1. Lyon
2. San Francisco
3. Acapulco
4. la Tour Eiffel
5. le Palais de Buckingham
6. Florence
7. Québec
8. Beijing
9. Rio de Janeiro
10. les grandes Pyramides

B. Êtes-vous bon(ne) en géographie? Vous recevez des cartes postales envoyées par des amis qui voyagent. En voyant le nom de la ville, dites de quel pays ou de quel état vient la carte (La carte vient de...)

1. Seattle
2. Léningrad
3. Genève
4. Nagasaki
5. Stratford-on-Avon
6. La Nouvelle-Orléans
7. Montréal
8. Sydney
9. Strasbourg
10. Stockholm

C. À l'aéroport. Denise regarde le tableau lumineux qui indique l'arrivée et les départs des vols. Chaque fois qu'elle lit le nom d'une ville, elle donne le nom du pays où elle est située. Jouez le rôle de Denise.

MODÈLES   Le vol en provenance de Casablanca est à l'heure.
            DENISE   Alors, l'avion arrive du Maroc.
          Le vol à destination de Londres a cinq minutes de retard.
            DENISE   Eh bien! L'avion va en Angleterre.

LE VOL EN PROVENANCE DE		LE VOL À DESTINATION DE	
Zurich	est à l'heure	Moscou	a 20 min. de retard
Kinshasa	a 25 min. de retard	Madrid	est à l'heure
La Haye	est à l'heure	Toronto	est à l'heure
Le Caire	est à l'heure	Dakar	a 10 min. de retard
Chicago	a 5 min. de retard	Tokyo	est à l'heure
Caracas	a 10 min. de retard	Alger	est à l'heure
Dublin	est à l'heure	Oslo	a 5 min. de retard

D. Alain lit le journal et il fait un commentaire sur un article concernant des scientifiques qui voyagent en Europe. Mais Pierrot l'interrompt et pose des questions sur les villes et les pays nommés par Alain. Créez un petit dialogue entre les deux frères.

MODÈLE   Les scientifiques / Mali / Lisbonne
           ALAIN   Les scientifiques qui viennent du Mali sont arrivés à Lisbonne.
           PIERROT   Où se trouvent le Mali et Lisbonne?
           ALAIN   Le Mali est en Afrique et Lisbonne est au Portugal.

1. Un groupe de biologistes américains / Boston / Madrid
2. Trois cancérologues français / Aquitaine / Oslo
3. Des médecins russes / Léningrad / Rome
4. Un chimiste arabe / Le Caire / Munich
5. Plusieurs dentistes sud-américains / Lima / Liverpool
6. Deux pathologistes orientaux / Shanghai / Amsterdam
7. Trois psychologues africains / Casablanca / Vienne

E. Le voyage de vos rêves. Nommez trois villes étrangères, chacune dans un pays différent. Dites où elles se trouvent et pourquoi vous voulez les visiter.

F. Répondez aux questions suivantes en utilisant **y** ou **en** pour remplacer les mots en italique.

MODELES   Avec qui es-tu allé à La Baule?   (avec Eric)
           —J'y suis allé avec Eric.
          Quand ton oncle arrive-t-il du Kenya?   (demain)
           —Il en arrive demain.

1. Quand l'agent de voyages est-il revenu *à Cannes?*   (lundi dernier)
2. À quelle heure allez-vous rentrer *du Havre?*   (tard le soir)

3. Avec qui voulez-vous aller *aux Îles Baléares* ?   (avec mes cousins)
4. Espéraient-ils partir *de Bordeaux* avant neuf heures ?   (Non,...)
5. Avec qui sont-ils arrivés *à Montréal* ?   (avec des touristes européens)
6. Vos parents préfèrent-ils aller *au Japon* ?   (Non,...)

G. Parce que Germaine travaille dans une agence de voyages, ses amis lui demandent des conseils pour leurs vacances. Jouez le rôle de Germaine.

MODÈLES   Dis donc, Germaine, pour faire du ski *dans les Alpes*, quand faut-il y aller ?   (après Noël)
—Vas-y après Noël.
Dis donc, Germaine, pour rentrer *d'Italie* sans grands frais, que faut-il faire ?   (par le train)
—Rentres-en par le train.

1. Pour aller voir le feu d'artifice *(fireworks)* à *Versailles* (le 14 juillet)
2. Pour aller avec des copains *à Munich* (pour l'Oktoberfest)

L'abbaye du Mont-Saint-Michel et son église, datant du XIIe siècle,
coiffent de leur masse imposante la petite île normande.

3. Pour revenir *de Londres* sans grands frais (par le ferry-boat et par le train)
4. Pour aller avec des copains *au Carnaval de Nice* (le jour du Mardi Gras)
5. Pour rentrer *du Mont-Saint-Michel* sans grands frais (en autocar)
6. Pour revenir *de Saint-Tropez* quand je n'ai plus un sou (en faisant de l'auto-stop)

II Negation (la négation)

5.2.A Forms

Negative expressions are formed with the adverb **ne** (**n'** before a vowel or a mute **h**) for the first part and with other words for the second part. These words can be adverbs, pronouns, or adjectives.

ne...pas	} *not*	ne...ni...ni	*neither...nor*
ne...point[1]		ne...personne	*not...anybody, no one, nobody*
ne...pas encore	*not yet*		
ne...jamais	*never, not ever*	ne...rien	*not...anything nothing*
ne...guère	*hardly, scarcely*		
ne...plus	*no...longer/more*	ne...aucun(e)	*no, not...any*
ne...que	*only*	ne...nul(le)	*not...a (single) one*

Julie **ne voyage pas** en Grèce.	*Julie is not traveling in Greece.*
Tu **n'as guère fait** de progrès.	*You've hardly made any progress.*
Je **ne voulais plus** y rester.	*I didn't want to stay there any more.*
Il **ne va ni** à Nice **ni** à Aix.	*He goes neither to Nice nor to Aix.*
On **ne refuse personne** dans ce parc.	*They refuse no one in that park.*
Les joueurs **n'ont rien mangé** avant le match.	*The players ate nothing before the game.*
Nous **n'avons aucune** pluie en juin.	*We don't have any rain in June.*

5.2.B Uses and position

1. Ne...pas/point, ne...pas encore, ne...plus, ne...jamais, ne...guère

a. Ne (or **n'**) precedes the verb and **pas, plus,** and so on come after the verb (or the auxiliary in a compound tense). If there are object pronouns preceding the verb, **ne** is placed before them.

L'agence de voyage **n'est jamais** ouverte le dimanche.	*The travel agency is never open on Sunday.*
Ta valise **n'est pas** ici, je **ne l'ai pas vue.** Alors, **ne m'en parle plus.**	*Your suitcase isn't here, I haven't seen it. Therefore, don't mention it to me anymore.*

---

[1]Note that **ne...point** is used mostly in formal or literary contexts. It is also old-fashioned.

In a negative question, **ne** precedes the verb and **pas, point,** and so on follow the verb group (verb – inverted subject pronoun).

Ne les accompagnez-vous pas à la gare ?	*Aren't you going with them to the station?*
—Mais si[2] !	*Why, yes!*

In popular spoken French, **ne** is often dropped.

Aimes-tu le nouvel entraîneur ?	*Do you like the new coach?*
—**Je sais pas.**	*I don't know.*
Il n'est jamais à l'heure.	*He's never on time.*
—Oh, **c'est pas** possible.	*Oh, that's not possible.*

Jamais used without **ne** has the meaning of *ever.*

As-tu jamais visité Tahiti ?	*Have you ever visited Tahiti?*

b. In a two-verb construction, when the meaning calls for negating the second verb, which is always an infinitive, both parts of the negation are placed before that infinitive. Compare these examples:

Il **ne veut pas** partir en voyage.	*He doesn't want to leave on a trip.*
– but –	
Il **vaut mieux ne pas partir** en voyage quand on est malade.	*It's better not to leave on a trip when one is ill.*

2. ne... ni... ni, ne... que

a. With **ne... ni... ni,** **ne** is placed before the verb and **ni** comes before the word it negates.

Aimes-tu le football ou le rugby ?	*Do you like football or rugby?*
—Je **n'aime ni le football ni le rugby.**	*I like neither football nor rugby.*
L'excursion était-elle agréable et intéressante ?	*Was the excursion pleasant and interesting?*
—Non, elle **n'était ni agréable ni intéressante.**	*No, it was neither pleasant nor interesting.*

The indefinite and partitive articles are dropped after **ni.**

Fait-il du tennis et du golf ?	*Does he play tennis and golf?*
—Il **ne fait ni tennis ni golf.**	*He plays neither tennis nor golf.*

When **ni** negates the subject of the verb, **ni... ni... ne** + verb is the correct order to use.

Ni vent ni pluie ni neige n'arrêtent les vrais sportifs.	*Neither wind nor rain nor snow stops the true athletes.*

---

[2] Remember that **si** is used instead of **oui** to give an affirmative answer to an interrogative-negative sentence.

b. With the restrictive expression **ne. . . que**, **que** is placed immediately before the word it modifies.

Vous **n'aviez que** deux jours
  pour visiter Dakar.

You had only two days to visit Dakar.

Mes copains **n'aiment que** le basket.

My pals like only basketball.

Note that **ne. . . que** has the same meaning as **seulement.** The last example could also be written: **Mes copains aiment seulement le basket.**

À *votre tour!*

A. Hervé et sa bande d'amis voyagent beaucoup, mais Gabrielle est moins fortunée. Hervé et Gabrielle discutent de leurs vacances passées. Jouez le rôle de Gabrielle et donnez la réplique (*reply*) à Hervé.

MODÈLE   Nous avons eu assez d'argent pour faire un grand voyage. (ne. . .guère)
           —Eh bien, moi je n'ai guère eu assez d'argent pour faire un grand voyage.

1. Nous avons choisi des hôtels très confortables. (ne. . . jamais)
2. Nous avons fait beaucoup d'excursions. (ne. . . guère)
3. Nous avons trouvé une petite île sauvage. (ne. . . pas)
4. Puis, j'ai fait une croisière en Grèce. (ne. . . pas encore)
5. J'ai visité des monuments splendides. (ne. . . pas)
6. Après le voyage, il me restait de l'argent. (ne. . . plus)

B. Babette regarde les nouvelles sportives à la télévision et elle les commente pour sa mère occupée à préparer le dîner. Jouez le rôle de Babette.

MODÈLE   COMMENTATEUR Les joueurs de football de Lille n'ont pas gagné le match contre Nice. (être triste de)
         BABETTE Tu sais, Maman, ils sont tristes de ne pas avoir gagné.

1. Jean-Louis Cloutier n'est pas accepté dans l'équipe de Montpellier. (être étonné de)
2. Marcel Normand ne fait plus de courses cyclistes cette année. (être furieux de)
3. Le coureur italien ne continue plus dans la course automobile Tanger-Dakar. (être désolé de)
4. Ce nageur français n'a jamais gagné le 1 000 mètres en nage libre. (être triste de)
5. Les Français n'ont pas encore de première place aux championnats de tennis à Wimbledon. (être fâché de)

C. Le jeune Gilbert Pelletier vient d'être nommé le meilleur athlète de sa classe. Un reporter l'interroge sur son entraînement et ses distractions. Avec un(e) camarade, recréez le dialogue entre les deux et répondez aux questions du reporter en employant **ne. . . ni. . . ni** ou **ni. . . ni. . . ne** selon le cas.

MODÈLE REPORTER Quand vous étiez au lycée, aviez-vous l'équipement et l'argent pour faire beaucoup de sports?

GILBERT Je n'avais ni l'équipement ni l'argent pour faire beaucoup de sports.

1. Vos parents et vos grands-parents vous ont-ils donné de l'argent pour commencer votre entraînement?
2. Alors, vous aviez des oncles ou des amis qui vous ont aidé?
3. À l'université, avez-vous connu des difficultés et des problèmes pour obtenir une bourse?
4. Pendant votre entraînement, avez-vous eu des accidents ou des dépressions?
5. Vos parents et votre fiancée vous reprochent-ils de les négliger pour les sports?
6. Et pour conclure, allez-vous au café ou au cinéma pour vos distractions?

D. Jean-Luc, un fan des vedettes sportives, vient de lire des nouvelles stimulantes dans *L'Equipe*. Maintenant, il note ces nouvelles dans son carnet. Refaites chaque phrase en remplaçant **seulement** par **ne. . . que**.

MODÈLE Le coureur cycliste colombien avait seulement cinq secondes de retard sur le champion français.

Le coureur cycliste colombien n'avait que cinq secondes de retard sur le champion français.

1. Le Tour de France 1985 avait seulement un Français dans les dix premiers coureurs.
2. Pour le Tour 1986, il y a seulement un coureur pour représenter les Pays de l'Est.
3. Stéphan Caron, champion d'Europe du 100 mètres nage libre, a seulement dix-neuf ans.
4. Stéphan a dit après sa victoire: «En France, il y a trente champions nationaux de natation, mais on compte seulement un champion d'Europe.»
5. Et Stéphan a ajouté: «Mon titre de champion d'Europe me donne seulement un sentiment de fierté personnelle.»
6. Pour conclure, il a dit: «La compétition pour moi, c'est seulement un grand moment de plaisir.»

E. Mme Marceau et sa voisine Annette échangent des idées sur leurs projets de vacances. Comme Annette vient de se marier, elle et son mari vont dépenser moins que les Marceau. Jouez le rôle d'Annette et répondez à Mme Marceau.

MODÈLE Nous allons visiter deux pays étrangers en juillet. (un)
—Eh bien, nous n'allons en visiter qu'un.

1. Nous projetons de voir l'Espagne et le Portugal. (l'Angleterre)
2. Nous avons déjà voyagé en Afrique. (en Belgique)
3. Nous allons passer les nuits dans de bons hôtels. (dans les terrains de camping)
4. Je veux prendre les repas dans des restaurants recommandés par le Michelin[3]. (dans des petits restaurants pas chers)

---

[3] **Les Guides Michelin,** publiés en France, sont bien connus des touristes européens. Les hôtels et les restaurants y sont évalués pour leur confort et leur qualité et reçoivent des étoiles selon leur rang.

5. Nous allons rapporter beaucoup de photos et de souvenirs. (des cartes postales)
6. Pour nous, c'est la sixième année que nous faisons un grand voyage. (la première année)

3. ne... personne, ne... rien

a. When used with a simple tense of the verb, **ne** precedes the verb and **personne** or **rien** follows it. In compound tenses, **rien** follows the auxiliary, but **personne** is placed after the past participle.

Ces films **ne rapportent rien:** **Vous n'avez rien gagné ce mois.**	*These films bring in nothing: You earned nothing this month.*
Qui as-tu vu à l'auberge?	*Whom did you see at the inn?*
—Je **n'ai vu personne.**	*I didn't see anybody.*

In a double-verb construction, **rien** precedes the infinitive, but **personne** follows it.

Nous **ne pouvons rien promettre** pour vendredi : l'hôtel est plein.	*We can't promise anything for Friday: the hotel is full.*
Je **ne veux voir personne** en vacances : j'y vais pour me reposer !	*I don't want to see anybody during vacation : I'm going there for a rest!*

b. When the verb is constructed with a preposition (such as **à, avec, de**), **personne** and **rien** are placed after the preposition.

Avec quel ami a-t-elle été à Royan ?	*With what friend did she go to Royam?*
—Elle **n'y est allée avec personne.**	*She didn't go there with anybody.*
As-tu besoin d'un nouveau maillot de bain ?	*Do you need a new bathing suit?*
—Je **n'ai besoin de rien.**	*I don't need anything.*

c. Personne and **rien** can be used alone or with only a preposition in answer to a question.

Qui est allé voir le film *La Cage aux folles* hier ?	*Who went to see the film* La Cage aux folles *yesterday?*
—**Personne.**	*Nobody.*
À quoi penses-tu ?	*What are you thinking about?*
—**À rien.**	*Nothing.*

d. Personne and **rien** can be used as subjects in a sentence, and therefore they precede the group **ne** + verb.

Personne ne peut payer ces prix exorbitants !	*Nobody can pay these exorbitant prices!*
Rien n'arrête ces alpinistes audacieux.	*Nothing stops these audacious mountain climbers.*

À votre tour!

A. Jean-Luc est rentré du bureau très fatigué. Sa femme Marielle essaie de converser avec lui, mais elle n'obtient que des «rien» et «personne» pour réponses. Jouez la petite scène avec un(e) camarade et donnez les réponses de Jean-Luc.

> MODÈLES Chéri, qu'as-tu fait d'intéressant au bureau?
> —Rien.
> Enfin, mon petit chat[4], à qui as-tu parlé?
> —À personne.

1. Chéri, que veux-tu voir à la télé ce soir? *Je ne veux rien voir*
2. Avec qui allons-nous sortir vendredi? *Nous n'allons sortir avec personne.*
3. Mon lapin, qu'est-ce qu'on va faire ce week-end?
4. Voyons, chéri, sois plus positif! Avec qui allons-nous partir aux sports d'hiver?
5. Mais si, rappelle-toi! À qui as-tu promis de faire une randonnée en ski de fond?
6. Eh bien! De quoi veux-tu parler? *Je ne veux parler de rien.* a

B. Une équipe française vient de faire l'ascension d'une montagne de l'Himalaya. On interviewe le chef de l'équipe à la télé. Imaginez que vous êtes le chef: répondez aux questions suivantes en employant **ne. . . personne/rien** ou **rien/personne. . . ne,** selon le cas.

1. Qui a déjà fait l'ascension de ce pic? *Personne ne l'a fait.*
2. Qu'est-ce que les alpinistes *ne* peuvent *rien* trouver au sommet?
3. Vos compagnons ont-ils eu peur de quelque chose? *N'ont eu peur*
4. Qui a été malade pendant l'ascension? *Personne n'a pas été*
5. Avez-vous perdu de l'équipement? *Nous n'avons rien perdu*
6. De quoi avez-vous eu besoin? *Je n'ai eu besoin de rien*
7. Qui a été blessé pendant la descente? *Personne n'a été*
8. Qu'est-ce qui a été très difficile? *Rien n'a été très difficile.*

4. ne. . . aucun, ne. . . nul

a. Ne. . . aucun(e) and **ne. . . nul(le)** both mean *no, not . . . a (single) one.* Since **aucun** and **nul** are adjectives, they immediately precede the noun they modify and agree with it in gender and number.[5]

Je **n'ai eu aucune difficulté** à trouver un bon hôtel.	*I had no difficulty finding a good hotel.*
Vous **n'avez nul désir** de retourner dans ce pays.	*You have no desire to go back to that country.*

---

[4] **mon petit chat (lapin, poulet, chou)** terms of endearment (*my little cat, rabbit, chicken, cabbage, which would correspond to* Kitty, Bunny, Honey, Sweetie).
[5] **Aucun** and **nul** almost never modify a plural noun. Exception: **aucuns frais.** Nous **n'avons payé aucuns frais** de douane: *We paid no custom duties.*

b. **Aucun(e)** and **nul(le)** can also be used as pronouns.

Tu aimes les sports, mais tu **n'en aimes aucun** plus que le golf.	*You like sports, but you don't like a single one more than golf.*

c. **Aucun(e)** and **nul(le)** can also be used as subjects, in which case they precede the group **ne** + verb.

Aucun prix n'empêche les jeunes d'acheter leurs disques préférés.	*No price (can) prevent young people from buying their favorite records.*
Nuls frais n'arrêtent les Richard quand ils voyagent.	*No expenses stop the Richards when they travel.*
Les touristes anglais sont-ils arrivés?	*Have the English tourists arrived?*
—**Aucun n'est** ici.	*None is here.*

d. **Aucun** (more often than **nul**) can be used alone as an answer to a question.

Y a-t-il des chasseurs dans votre groupe?	*Are there any hunters in your group?*
—**Aucun.**	*None.*

À votre tour!

A. La Compagnie de voyages Beausoleil fait de la publicité à la radio pour ses excursions en Méditerranée. Préparez dix slogans en employant des mots des trois colonnes et en les combinant d'une manière réaliste.

MODÈLE   Aucune île n'est plus belle que la Corse en été.

A	B	C
Capri (île)	attrayant	en été
Saint-Tropez (plage)	sauvage	au printemps
la Corse (île)	beau	au clair de lune
la Grèce (pays)	cosmopolite	au coucher de soleil
Monte Carlo (casino)	élégant	à l'aube[6]
San Remo (plage)	romantique	par une nuit calme
l'Etna (montagne)	excitant	en plein soleil
Venise (ville)	pittoresque	un matin de juillet
Cannes (ville)		
l'Adriatique (mer)		

B. Deux étudiants parlent de leurs distractions. Michel a toujours de l'argent et il est très actif, mais Simon est souvent sans le sou (*penniless*). Utilisez des formes de **aucun** et **nul** dans les répliques de Simon.

[6]**l'aube** *f* dawn

MODÈLE MICHEL Je retrouve mes copains au café et nous prenons un pot ensemble.

SIMON Eh bien, moi, je ne retrouve aucun copain au café et nous ne prenons aucun pot ensemble.

1. Je vais voir tous les nouveaux films.
2. Je pratique beaucoup de sports et je participe à tous les matches de tennis.
3. J'emmène ma petite amie à tous les bals et à toutes les soirées.
4. Mais j'ai beaucoup de frais et je dois demander de l'argent à mes parents.

5.2.C Special uses of the negative

1. **Personne/rien** + **de** + adjective: *nobody (no one)/nothing* + adjective. The adjective is used only in the masculine singular.

> **Personne/rien** + **de** + adjective + **ne** + verb + . . .
>   – or –
> . . . + **ne** + verb + **personne/rien** + **de** + adjective

Personne d'ennuyeux ne viendra à ma partie.	*Nobody boring will come to my party.*
Ce film **n'avait rien d'amusant.**	*This film had nothing funny (wasn't funny at all).*

Personne/rien + **de** + adjective in short answers without a verb:

Qu'est-ce que tu as fait pendant tes vacances ?	*What did you do during your vacation?*
—**Rien de spécial.**	*Nothing special.*

Note that in a compound tense, **rien** used as a direct object comes after the auxiliary, while **de** + adjective is placed after the past participle.

Tu **n'as rien lu de passionnant** cet été ?	*You read nothing thrilling this summer?*

2. **Pas de** + noun and **plus de** + noun are used for short answers without a verb.

Pas d'argent !	*No money!*
Plus de places !	*No more seats!*

3. **Moi/toi/lui/elle,** and so on + **non plus:** *neither do (did and so on) I/you/he/she,* and so on.

Margot n'aime pas faire du jogging le soir.	*Margot doesn't like to go jogging in the evening.*
—**Moi non plus !**	*Neither do I!*

4. **Pas du tout:** *not at all!*

Aimez-vous la nouvelle chanteuse ?	*Do you like the new singer?*
—**Pas du tout !**	*Not at all!*

5. **Pas de quoi, de rien:** *nothing to it!* This is the standard way to casually acknowledge thanks. **Pas de quoi** is often used instead of **Il n'y a pas de quoi**.

Chère amie, ta présentation sur la Normandie était formidable. Mille mercis !	*Dear friend, your presentation on Normandy was super. Many thanks!*
—Mais, **de rien/Pas de quoi !**	*Nothing to it! (Don't mention it!)*

À votre tour !

A. Mme Verdier et son mari Hubert sont en vacances : elle note dans son journal ses réactions. Pour savoir ce qu'elle écrit, faites des phrases complètes avec les mots donnés, en ajoutant les articles et prépositions nécessaires. Puis dites si Mme Verdier et son mari s'amusent bien.

   1. Hier / je / ne / voir / rien / beau / à / musée / art / moderne
   2. Hubert / adorer / artistes / abstrait / mais je / ne / rencontrer / personne / intéressant / à / exposition
   3. Semaine dernière / personne / spécial / ne / venir / à / hôtel
   4. Hubert / ne / trouver / rien / ennuyeux / dans / excursions
   5. Moi, je / ne / trouver / rien / plaisant / dans / excursion / de / 5 kilomètres / à pied
   6. Je / ne / parler à / personne / amusant / à / plage / hier

B. Les Leblond ont un ami, Serge, qui a beaucoup voyagé mais qui est assez blasé. Il répond à leurs questions par des expressions courtes, comme «pas du tout, pas encore, moi non plus, pas moi, pas de quoi, pas/plus de..., rien/personne de...» Imaginez les réponses que Serge donne aux Leblond. Vous pouvez répondre de plusieurs façons.

MODÈLE   Eh bien, Serge! Comment s'est passée ton ascension du Mont-Blanc?
—Rien de dangereux.
Mais enfin, tu as eu un peu peur quelquefois?
—Pas du tout, en vérité!

1. As-tu rencontré des gens téméraires sur la Mer de Glace?
2. As-tu eu des passages difficiles?
3. Moi, je ne voudrais pas faire d'ascension avec des amateurs. Et toi?
4. As-tu besoin d'un guide pour faire le Mont- Blanc?
5. As-tu le temps de venir parler à mon club sportif?
6. Ah, zut! C'est dommage. As-tu déjà montré tes diapos *(slides)* à un groupe de Scouts?
7. Eh bien, pourras-tu raconter ton ascension aux élèves de ma classe au lycée?

III Relative pronouns (les pronoms relatifs)

The relative pronoun introduces a subordinate clause (the relative clause) modifying a noun or pronoun used in the main clause. This noun/pronoun is called the antecedent. The relative pronoun is always expressed in French. In the relative clause, it may be used as subject or direct object of the verb or as object of a preposition. It corresponds to the English pronouns *who, whom, which, whose, that, what.*

Le Concorde qui va à New York est en   *The Concorde which goes to New York*
retard.   *is late.*

In this sentence, **qui** stands for its antecedent (**le Concorde**) and is used as the subject of the verb **va.**

Le match pour lequel tu es venu   *The match you came for will not*
n'aura pas lieu.   *take place.*

In this sentence, **lequel** stands for its antecedent (**le match**) and is used as object of the preposition **pour.**

5.3.A Forms

FUNCTION OF RELATIVE	ANTECEDENT			
	Person		**Thing**	
subject	**qui**	*who*	**qui**	*that, which*
direct object	**que**	*whom*	**que**	*that, which*
object of preposition **de**	**dont**	*of whom, whom, whose*	**dont**	*of which, that, which, whose*
object of any other preposition or of a compound preposition with **de**	**qui**	*whom*	a form of **lequel**	*which*
			quoi	*which*
			où	*where, when*

Les sports qu'elle[1] aime sont les sports de montagne.	*The sports that she likes are mountain sports.*
Les gens avec qui nous avons skié venaient de Lille.	*The people with whom we skied came from Lille.*
Voici **l'île dont** j'aime le climat.	*Here's the island whose climate I like.*
Ils aiment **le lac près duquel** ils campent.	*They love the lake near which they are camping (they're camping near).*
C'est **la maison où** Balzac a vécu.	*This is the house where (in which) Balzac lived.*

5.3.B Use of the relative pronoun

1. *Subject of the verb*

   Qui is used with persons or things as an antecedent.

Allons voir **le film qui** passe au Rex.	*Let's go to see the film that's playing at the Rex.*
C'est **Michel qui** va m'emmener à l'Opéra.	*It's Michel who's going to take me to the Opera.*

2. *Direct object of the verb*

   Que is used with persons or things as an antecedent.

L'Anglaise que nous avons vue a perdu son passeport.	*The Englishwoman (whom) we saw has lost her passport.*
Elle ne va pas faire **l'excursion que** le guide a arrangée.	*She's not going to make the excursion (which) the guide has arranged.*

   Remember that when the verb in the relative clause is in a compound tense with **avoir** as an auxiliary, the past participle must agree in gender and number with the antecedent for which **que** stands.

Voici **les photos que** nous avons **prises** au Kenya. (**prises** *agrees with* **les photos**, *feminine plural*).	*Here are the photos (that) we took in Kenya.*

À votre tour!

A. Jacqueline prend le thé avec son amie Lise et elle lui annonce qu'elle et son mari Gilbert vont partir au Cameroun. Complétez la conversation entre les deux amies en ajoutant les pronoms relatifs qui manquent.

   JACQUELINE   Gilbert va travailler pour une entreprise qui se spécialise dans la production du coton.

   LISE   A-t-il un poste qui exige beaucoup de voyages?

   JACQUELINE   Oh oui! Les nouvelles plantations dans le Nord se trouvent dans une région qu' on appelle pays des Kirdi.

[1]**Que** becomes **qu'** before a noun beginning with a vowel or a mute **h**.

LISE   Les Kirdi ? C'est un nom *que* je ne connais pas.

JACQUELINE   Ces gens habitent dans des petites maisons rondes *qui* ont des toits comme des parasols.

LISE   Oh, très pittoresque, ça. Tu vas m'envoyer les bonnes photos *que* tu vas prendre, n'est-ce pas ?

JACQUELINE   Mais bien sûr ! Et puis, tu sais, nous allons faire des excursions dans tout le pays *qui* a des sites spectaculaires. Il y a des belles girafes *qu'* on peut photographier dans la réserve de Waza.

LISE   J'envie ce séjour *que* vous allez faire. Le Cameroun est un pays *qui* m'a toujours intriguée.

B. Trois mois plus tard, Lise montre à son jeune fils Marc les photos envoyées par Jacqueline. Lise fait des commentaires et Marc paraphrase sa mère : il combine chaque paire de phrases en une seule en employant le pronom relatif **qui** ou **que.**

MODÈLE   Marc, viens ! Il y a des photos sur la table. Les photos viennent du Cameroun.

—Oh, oui ! Il y a des photos sur la table qui viennent du Cameroun.

Les maisons aux toits pointus sont groupées comme des champignons près des arbres dans ce village Kirdi, au Cameroun.

1. Regarde bien! Ces choses sont si drôles. ~~Ces choses~~ [qui] ressemblent à des gros champignons.
2. Tu vois? Ce sont les maisons d'un village. ~~Le village~~ [qui] est habité par les Kirdi.
3. Regarde, Marc! Les toits sont faits avec des grandes herbes. Les gens ont coupé les ~~grandes herbes~~ [que] dans la savane.
4. Tu vois? Devant cette maison, il y a une femme. ~~Elle~~ [qui] prépare un repas pour sa famille.
5. Regarde ici, Marc! Voici trois girafes splendides. Lise a photographié ~~les girafes~~ [que] pendant une excursion.
6. Oh, viens voir! C'est un gentil petit singe[2]. Lise a acheté ~~le petit singe~~ [que] à un marchand de Bafoussam.

3. *Object of the preposition* **de**

Dont is used with persons or things as an antecedent. There are two cases where a **de** construction is replaced by **dont** + relative clause.

   a. Verbs and verbal expressions + **de** + indirect object:

Connaissez-vous **l'hôtel dont je parlais** hier? (je parlais **de** l'hôtel hier) | *Do you know the hotel which I was speaking of yesterday?*

Achetez **les valises dont vous avez besoin.** (vous avez besoin **des** valises) | *Buy the suitcases (which) you need.*

Here are some of these verbs and verbal expressions:

s'amuser de	être heureux, fâché, surpris de	se moquer de
s'approcher de	s'inquiéter de	s'occuper de
avoir besoin de	il s'agit de	parler de
avoir envie de	jouer de	se servir de
avoir peur de	se méfier de	se soucier de
changer de		se souvenir de
douter de		

   b. Noun + **de** + noun (possessive construction):

Ce film dont la star est Isabelle Huppert s'appele «Entre Nous». (la star **du** film est...) | *This film, whose star is Isabelle Huppert, is called "Entre Nous."*

Dalida, dont vous aimez **les chansons**, est italienne. (... les chansons **de** Dalida) | *Dalida, whose songs you like, is Italian.*

When **dont** replaces a possessive construction (such as **la star du film, les chansons de Dalida**), it is translated by *whose*, which has the meaning *of whom/of which*.

---

[2] **le singe** *monkey*

Note that the word order in the relative clause is always the same in French: **dont** + subject of the verb + verb + object (which is the normal word order in a sentence). In English, the word order after *whose* varies, but when *whose* is replaced by *of whom* or *of which*, the correct French order is obtained. The following example illustrates this point:

Here is the writer $\left\{\begin{array}{l}\textit{whose novels you like.}\\ \textit{of whom you like the novels.}\end{array}\right.$

Voici l'écrivain   **dont tu aimes les romans.**

À *votre tour !*

A. Le Club Méditerranée («Le Club Med») a des villages de vacances partout dans le monde. Imaginez que vous allez faire une présentation du Club dans des agences de voyage. Le directeur de la publicité vous a laissé quelques indications pour vous guider. Vous vous entraînez à faire une présentation excellente : utilisez la classe pour un ballon d'essai.

MODÈLE   Le Club Med est un club de vacances. La réputation du Club n'est plus à faire.
Le Club Med est un club de vacances dont la réputation n'est plus à faire.

1. Le Club Med attire tous les vacanciers. Les villages du Club Med sont si plaisants et attrayants.
2. Le Club vous offre une grande variété pour les séjours. Vous avez besoin de ces séjours.
3. Le Club vous garantit des amusements multiples. Vous serez très satisfait de ces amusements.
4. Nous avons des organisateurs exceptionnels. Vous allez apprécier la gentillesse des organisateurs.
5. Nos excursions reçoivent les commentaires flatteurs de tous. Les meilleurs magazines parlent de nos excursions.
6. Vous trouverez des compagnons de vacances agréables dans nos villages. Vous allez vous souvenir de ces compagnons de vacances.

B. Thème : Un voyage plein de surprises ! Traduisez en français.

1. This is a trip we're not happy about.
2. A man whose name we don't remember showed us an old hotel.
3. We do not recommend this hotel, whose prices are too high.
4. The meals, which we became tired of, were also too expensive.

4. *Object of any preposition other than* **de**

These prepositions may be **à, par, pour, sans, avec, sur, sous,** and so on, or a compound preposition such as **près de, loin de, à côté de,** and so forth.

a. When the antecedent is a person, **qui** is used after the preposition.[3]

Ce sont **les vacanciers avec qui** nous visitons l'île.

These are the vacationers we are visiting the island with.

L'homme **près de** qui Liliane est assise est le directeur.

The man Lilian is seated next to is the director.

b. When the antecedent is a thing, a form of **lequel** is used after the preposition. This form of **lequel** must agree in gender and number with the antecedent. With the prepositions **à** and **de**, contraction takes place as follows:

[handwritten: 4 person à qui]

[handwritten: sur avec à]

MASCULINE SINGULAR	FEMININE SINGULAR	MASCULINE PLURAL	FEMININE PLURAL
(sans) lequel	(sans) laquelle	(sans) lesquels	(sans) lesquelles
auquel	à laquelle	auxquels	auxquelles
duquel	de laquelle	desquels	desquelles

Les rochers près desquels tu vois les oiseaux sont très dangereux.

The rocks near which you see the birds are very dangerous.

Nous allons visiter **deux villes auxquelles** tu n'as pas pensé.

We are going to visit two towns you did not think about.

c. When the antecedent is an indeterminate thing or idea, **quoi** is used instead of **lequel**.

Il n'y a **rien sur quoi** vous basez votre choix d'un camp de vacances.

There's nothing that you base your choice of a vacation camp on.

d. In some expressions of place or time, **où** is used instead of preposition + **lequel**.

le lieu (la maison, la forêt, le lac) où
le pays (la province, l'état, la ville) où

} **où** = *where*

le jour (le matin, le soir) où
le mois (la semaine, l'année) où
le moment (la minute, l'heure) où

} **où** = *when*

La minute où j'aurai mon billet d'avion, je partirai !

The minute (when) I get my plane ticket, I shall leave!

Nous avons aimé **la province où** nous avons passé nos vacances.

We liked the province where we spent our vacation.

---

[3]Sometimes a form of **lequel** is used (see Section 5.3.B.4.b), but it is old-fashioned.

À votre tour !

A. Conversation inachevée (*unfinished*). Marc parle au téléphone avec un copain, Lucien, mais la communication est mauvaise et il entend seulement des morceaux de ses phrases. Reconstituez les phrases de Lucien en imaginant des réponses originales. Utilisez des prépositions avec des relatifs ou utilisez le relatif **où.** Pour terminer les phrases, choisissez parmi les actions suivantes :

avoir un accident	faire du jogging	se préparer depuis longtemps
écrire des poèmes	passer les vacances	se promener souvent
envoyer des roses	perdre tout son argent	téléphoner tous les soirs

MODÈLE   Dis donc, Lucien, j'ai acheté une superbe requette de tennis.
(—Bravo ! C'est la raquette avec. . .)
—Bravo ! C'est la raquette avec laquelle tu vas gagner le match dimanche.

1. Et puis, j'ai invité Eliane à venir voir le match. (—Ah ! Eliane, c'est la jeune fille à. . .)
2. Tu sais, je t'entends très mal. Eliane, c'est ma nouvelle amie. (—Je sais ! Tu l'as rencontrée dans la ville. . .)
3. Ah ! tu te rappelles ça. Et te rappelles-tu quel jour c'était ? (—Bien entendu, c'était le jour. . .)
4. Vraiment, Lucien, je ne comprends rien à tes paroles. Mais je t'invite à venir au match. (—Ça, c'est chic. Alors, c'est le match pour. . .)
5. Écoute, Lucien ! Parle clairement ! Sais-tu où sont les courts de tennis ? (—Ce sont les courts près. . .)

B. Le jeune Sénégalais Koumba apprend le français et son frère Amadou l'aide à mieux s'exprimer. Il lui montre comment combiner des phrases en employant des pronoms relatifs. Jouez le rôle d'Amadou.

MODÈLE   Voici mon grand frère. Je joue avec mon grand frère.
—Voici mon grand frère avec qui je joue.

1. J'aime la belle rivière. Mon frère Amadou pêche dans la rivière.
2. Voici le filet (*net*). Amadou pêche avec le filet.
3. Regarde le sac. Amadou met les poissons dans le sac.
4. Ce garçon-là, c'est Golo. Amadou donne un poisson à Golo.
5. Golo n'a rien. Il ne peut pêcher avec rien.
6. Golo aime les sports. Il s'entraîne pour les sports le samedi.
7. Amadou et Golo vont à des matches sportifs. Leurs copains participent aux matches.

C. Thème: En voyage. Traduisez en français.

1. The moment (when) my parents arrived in Mexico, they phoned me.
2. The friends they're staying with (**demeurer chez**) are French.

3. The lake near which their house is located is very beautiful.
4. My parents like the tropical valley for which their friends left Chicago.

5.3.C Neutral forms of the relative pronouns: ce qui, ce que, ce dont, ce à quoi

When the antecedent of the relative pronoun is an indeterminate idea or thing expressed or implied in the main clause, a neutral relative pronoun is used. The neutral relative pronoun corresponds to the English *what* or *which*. It is used as follows:

1. *Subject:* **ce qui**

> Tu ne sais pas **ce qui** est arrivé
> à la fin du match.

You do not know what happened at the end of the match.

2. *Direct object:* **ce que**

> Le musées sont fermés le mardi,
> **ce que** j'avais oublié.

Museums are closed on Tuesday, which I had forgotten.

3. *Object of a* **de** *construction:* **ce dont**

> Un mois de vacances, voilà **ce
> dont** j'ai besoin.

A month of vacation, that's what I need.

4. *Object of a preposition (most often* **à***):* **ce à quoi, ce** + *preposition* + **quoi**

Son passeport est périmé, **ce à**
   quoi il n'avait pas pensé.

His passport is expired, (a fact)
   which he had not thought of.

Note that **tout** may be found used with **ce qui, ce que, ce dont, ce à quoi**, with the
meaning *all that, everything that.*

Tout ce à quoi Colette pense,
   c'est à gagner la course cycliste.
Racontez-nous **tout ce que** vous
   avez vu en Irlande.

*All that Colette thinks of is winning
   the bicycle race.*
*Tell us everything that you have
   seen in Ireland.*

À votre tour !

A. Comment garder un jeune garçon occupé pendant un week-end de pluie ? Voici
comment une mère a trouvé une solution qui arrange toute la famille. Jouez avec
un(e) partenaire la scène suivante. Complétez avec des relatifs neutres.

MÈRE   Je ne sais pas ____ Pierre va faire ce week-end s'il pleut.

PÈRE   Moi non plus. ____ l'intéresse comme distractions n'est pas ____ nous
   aimons.

MÈRE   Ah ! J'ai une idée.

PÈRE   Dis-moi ____ tu penses.

MÈRE   Eh bien, ____ il lit en ce moment, ce sont des romans de science-fiction.
   Si on louait la vidéo-cassette «La guerre des étoiles»[4] pour lui ?

PÈRE   D'accord, mais n'oublie pas que ____ j'ai envie, moi, c'est de voir la
   retransmission du match de football dimanche. La téléviseur est à moi tout
   l'après-midi; c'est ____ est mon habitude.

MÈRE   Je ne vois pas ____ peut causer des problèmes. Quand tu regardes ton
   match, Pierre peut faire ses devoirs et quand il regarde son film, tu peux
   réparer la machine à laver, n'est-ce pas, chéri ?

B. **Exercice d'ensemble.** Lisez le passage suivant en ajoutant les pronoms relatifs
appropriés.

Le Club Méditerranée est un organisme de tourisme international
____ tous les touristes connaissent et ____ tout le monde parle.
Son succès vient en grande partie d'une machine extraordinaire
____ est un ordinateur IBM ultra-rapide. Les Gentils Membres
(les vacanciers) ____ le nombre dépasse un million par an sont
les gens pour ____ l'ordinateur travaille jour et nuit. Il a coûté
dix millions de francs, ____ peu de personnes doutent ! Ce prix
exorbitant est la chose à ____ le P.d.g. du Club, Gilbert Trigano,
pense souvent. Selon lui, ____ compte, c'est l'emploi ____ on fait

---

[4] **la guerre** *war;* **l'étoile** *f star*

de cet appareil. Quand on administre 88 villages organisés pour
des membres ⎯⎯ les goûts varient beaucoup, il faut avoir cet
ordinateur ⎯⎯ travaille à grande vitesse. Les pays ⎯⎯ les villages
du Club sont installés offrent le soleil, la plage, la mer, choses
pour ⎯⎯ les vacanciers vont jusqu'aux Antilles ou dans l'océan
Indien. Ce sont des endroits ⎯⎯ on rêve[5], et ⎯⎯ sont maintenant
accessibles aux gens ⎯⎯ la bourse n'est pas vide! ⎯⎯ beaucoup
de Français veulent, c'est faire un séjour de vacances dans un
pays «exotique» — Asie, Afrique, Amérique — ⎯⎯ les gens et la
culture sont différents, mais en restant dans le cadre confortable
⎯⎯ le Club Med garantit. En somme, c'est ⎯⎯ on a toujours (often)
rêve ⎯⎯ vous tombe dans la main tout préparé !

IV Vocabulary review

5.4 Partir, s'en aller, quitter, laisser

To express *to leave*, French has several verbs with specific meanings and uses:

1. partir: *to leave, to depart*

Partir is intransitive (no direct object). If a name of place is used, it is introduced by **de**.

Quand vas-tu **partir?**	*When are you going to leave?*
Les coureurs cyclistes **sont partis de la place St. Sébastien**.	*The bicycle racers left from St. Sebastien Square.*

2. S'en aller: *to leave, to go away*

S'en aller is intransitive (no direct object). It can be used alone or with a prepositional object. It is seldom used in the compound tenses.

Il **s'en allait** à travers les bois.	*He would go away through the woods.*
Va-t'en!	*Go away!*
—Bon, **je m'en vais.**	*Okay, I'm leaving.*

Note that, contrary to **s'en aller**, **aller** is always followed by a prepositional object.

Je **vais à la gare.**	*I am going to the station.*
—Mais oui, **vas-y** tout de suite.	*Yes, go there right away.*

3. quitter: *to leave (someone/something)*

Quitter always takes a direct object, either a person or thing.

Françoise **a quitté la France** quand elle était très jeune.	*Francoise left France when she was very young.*
Les joueurs **quittent le stade.**	*The players are leaving the stadium.*

[5]**rêver (à)** *to dream of*

4. **Laisser**: *to leave (behind)*

Laisser takes a direct object (person or thing) and means *to leave someone/something (behind) somewhere.*

Laure **a laissé ses gants** ici.
Laisse Fernande à la maison et
nous, allons au ciné !

Laura has left her gloves here.
*Leave Fernande at home and let's
go to the movies.*

À votre tour !

Connaissez-vous Arthur Rimbaud ? Avez-vous lu quelques-uns de ses poèmes ? Pour savoir quelle sorte de jeunesse il a eue, complétez le récit suivant en ajoutant la forme appropriée du verbe qui manque. Choisissez parmi les verbes suivants:

visiter	partir	laisser aller
rendre visite	s'en aller	quitter

Le jeune Arthur vivait à Charleville avec une mère très stricte. Il n'aimait guère le lycée et souvent, il ___ la maison et ___ seul dans la campagne. Il ___ par les petites routes, composant des vers, heureux enfin. Il ___ derrière lui la ville, l'école, le magasin de sa mère. Il vagabondait[1], cet enfant révolté, sans même savoir vers quelle ville il ___. Il n'avait pas d'amis à qui il pouvait ___. Et il n'avait aucun intérêt à ___ des villages ou des musées ou des églises. S' il ___ sur les routes, c'était pour être libre : ainsi, il ___ loin de lui les créations des hommes. Lui, l'illuminé, il créait dans sa tête des paysages délirants : il ___ pour un voyage halluciné où il ___ des pays qui n'existaient pas. C'est ce qu'il a appelé sa «folie».

Vue d'ensemble

A. Parlez de v
pour vous
temps des

1. Quel(s)
2. Quels s
3. Êtes-vo
   visitées
4. Dites c
5. Avez-vo

: savoir ce que vous faites
en faisant attention aux

isités ?
/provinces que vous avez

ville.
ites ce qui est arrivé.

[1]**vagabonde**

Pg 178 Answers
1) que
2) dont
3) qui
4) dont
5) qui
6) ce dont
7) laquelle
8) ce qui
9) qui
10) dont
11) qui
12) où
13) lesquelles
14) dont
15) qui
16) dont
17) ce que
18) où
19) que
20) ce dont / à quoi
21) qui

6. Quels sont les sports que vous faites ?
7. Avez-vous jamais eu un accident quand vous faisiez des sports ? Qu'est-ce qui est arrivé ?
8. Quelles sont les distractions que vous préférez ?
9. Allez-vous souvent au cinéma ? Avez-vous vu des films français ? Lesquels ?
10. Quel(s) genre(s) de film(s) aimez-vous ?

B. **Obtenez des renseignements !** Demandez à un(e) camarade de classe s'il/si elle...

1. a voyagé au Canada / au Mexique / en France.
2. a l'intention d'aller à Paris / en Normandie / sur la Côte d'Azur.
3. a fait un voyage qui lui a beaucoup plu / déplu. Demandez-lui d'expliquer cela.
4. regarde souvent la télévision. Et quels genres de programmes ?
5. préfère aller au cinéma ou écouter des disques. Et pourquoi ce choix ?
6. aime lire, et quoi.
7. a une bonne collection de disques ou de livres (quel genre ?)
8. joue d'un instrument de musique ou aime chanter / danser.
9. fait souvent des excursions à la montagne / à la plage / à la campagne et ce qu'il/elle préfère de ces trois choix.
10. a déjà fait de la course à pied / du judo / du ballet.

II En scène !

Imaginez que c'est le week-end où vous avez projeté de faire un pique-nique avec vos copains. Mais il pleut très fort, alors vos copains et vous, vous devez décider si vous allez passer l'après-midi à la maison à écouter des disques et jouer à des jeux ou bien si vous allez aller au cinéma voir un film. Créez une conversation entre trois ou quatre copains et vous où chaque personne présente son choix personnel. Enfin, vous vous mettez d'accord sur un choix. Pour terminer, jouez cette petite scène en classe avec vos camarades. Amusez-vous bien !

III Soyez créateurs !

Travail en groupe. Organisez des groupes de cinq ou six étudiants et dans chaque groupe, organisez le voyage de vos rêves ! Soyez précis et aussi dites pourquoi ce voyage est vraiment le voyage idéal. Choisissez dans chaque groupe un «gentil organisateur»—comme au Club Med ! Chaque organisateur doit présenter le voyage du groupe à toute la classe; puis la classe choisira le meilleur voyage (si c'est possible de se décider pour un seul !).

CHAPITRE 6

Les Français et la joie de vivre

Le couvert est mis avec un service en faïence de Rouen (XVIIIe siècle) et des verres en cristal de Baccarat.

Vocabulaire spécial

I La cuisine

Noms

la cuisine *cooking*
la cuisine minceur *lean cuisine*
le/la cuisinier (-ère) *cook*
le gourmet
le/la gourmand(e) *heavy eater*
le bon vivant *connoisseur of food*
le/la glouton(ne) *glutton*
le maître d'hôtel *maître d'*

la serveuse *waitress*
le garçon *waiter*
la ligne *figure (physique)*
le régime *diet*
la graisse *fat, grease*
la santé *health*
la cuisinière *range (stove)*
la plaque chauffante *burner*
le four *oven*

Paul Bocuse, le roi de la gastronomie française.

la casserole *cooking pan*
la poêle *frying pan*
le bol *bowl*
le plat *dish, large plate*
la nappe *tablecloth*
la recette *recipe*
la nourriture = l'aliment *m food*
le plat *dish (of food)*
les hors d'œuvre
l'entrée *f entree (second course)*
le plat principal *main course*
la viande *meat*
le bœuf *beef*
le veau *veal*
l'agneau *m lamb*
le poulet *chicken*
la dinde *turkey*
le poisson *fish*
le rôti *roast*
le ragoût *stew*
l'escalope *f cutlet*
le coq au vin *chicken in wine sauce*
les escargots *m snails*
le(s) légume(s) *m vegetables*
les haricots *m* (verts) *(green) beans*
les épinards *m spinach*
le champignon *mushroom*
la cerise *cherry*
la poire *pear*
la fraise *strawberry*
les gâteaux *m* secs *cookies*
le mille-feuilles *napoleon*
la crêpe *crepe*
le flan *egg custard*
les épices *f spices*
l'herbe *f* aromatique *herb*

le pain de campagne *country bread*
la confiture *jam*
la pâte *dough, paste*
l'infusion *f* = la tisane *herbal tea*
le goûter *tea (meal), snack*
la pincée *pinch*

Adjectifs

affamé *famished, hungry*
gros(se) ≠ mince *fat ≠ slim*
grossissant ≠ amaigrissant *fattening ≠ slimming*
exquis *exquisite, delicious*
frais (-aîche) *fresh*
sucré ≠ salé *sweet ≠ salty*
lisse *smooth*
bourguignon *Burgundian (in the manner of Burgundy)*
nourrissant *nourishing*
célèbre = bien connu

Verbes

nourrir *to nourish, to feed*
cuire *to cook*
rôtir *to roast*
chauffer ≠ refroidir *to heat ≠ to cool*
rater *to botch*
abîmer *to ruin, to damage, to spoil*
ajouter *to add*
mélanger *to mix*
verser *to pour*
grossir ≠ maigrir *to gain weight ≠ to lose weight*
mettre la table *to set the table*
mettre le couvert *to set a place*

II La chanson

Noms

le/la chanteur (-euse) *singer*
le/la compositeur (-trice) *composer*
le chansonnier *writer of political and satirical songs*
le/la musicien(ne) *musician*
le/la spectateur (-trice) *spectator*

l'auditeur (-trice) *listener*
la mélodie *melody*
l'air *m tune, air*
le rythme *rhythm*
les paroles *f lyrics*
le refrain *refrain, chorus*
l'hymne *m hymn*

le tube (argot) *hit song (slang)*
l'enregistrement *recording*
le festival
le récital
le gala
la soirée *social gathering (in the evening)*
le cabaret *nightclub*
la tournée *tour*
l'accordéon *m accordion*
l'orgue *f organ*
la batterie *drums*
le disquaire *record dealer*
le microsillon *LP record*
le choix *choice*
la marque *label (of a record company)*

animé *lively, animated*
lent *slow*
assourdissant *deafening*
doux (-ce) *soft*
nostalgique *nostalgic*
tendre *tender*
gai ≠ triste *gay ≠ sad*
sourd *deaf*

Verbes

composer *to compose*
applaudir *to applaud*
fredonner *to hum*
diriger *to conduct*
accompagner *to accompany, to escort*
siffler *to whistle*
enregistrer *to record*
gâcher *to ruin*

Adjectifs

populaire *popular*
folklorique *folkloric*

Trouvez le mot juste !

A. Donnez le mot/l'expresion qui convient à chaque définition.

1. La partie d'une cuisinière où l'on fait rôtir une viande
2. qui a très faim
3. une infusion de plantes médicinales
4. chanter avec la bouche fermée
5. chauffer les aliments avant de les manger
6. une chanson qui a un grand succès
7. placer une assiette, un verre, une fourchette, etc., sur la table
8. une personne qui vend des disques
9. vraiment délicieux
10. la cuisine qui ne fait pas grossir

B. Donnez le contraire de chacun des mots/expressions suivants et faites une phrase avec chaque réponse.

1. gros
2. chauffer
3. salé
4. animé
5. réussir un plat
6. inconnu
7. gai
8. maigrir

C. Complétez les phrases suivantes par des mots ou expressions du vocabulaire spécial.

1. Quand une personne veut préparer un plat nouveau, elle doit suivre une ⎯ pour réussir le plat.

2. Beaucoup de gens font la cuisine sur une —— électrique, mais les vrais chefs préfèrent une —— à gaz.
3. Les trois genres principaux de viande sont le ——, le ——, et l'——.
4. Dans le monde de la chanson, les —— ont une place à part: ils écrivent des chansons très satiriques.
5. Dans un orchestre de jazz, c'est la —— qui donne le rythme.
6. Les danses —— sont des danses régionales.

D. **Il pleut... on ne sort pas!** Il pleut... alors vous et vos copains, vous ne pouvez pas sortir. Allez-vous faire de la musique ou de la cuisine? Voici des suggestions. Vous pouvez ajouter d'autres choses.

MODÈLE Hé, les copains, si on faisait une tarte aux cerises?

jouer	crêpes aux fraises
chanter	vieille chanson française
composer	nouvelles cassettes de jazz
écouter	chansons canadiennes
faire	quiche aux champignons
cuire	chanson comique/satirique
préparer	guitare électrique
apprendre	poulet au four
	deux douzaines de gâteaux secs
	chansons d'amour de la Renaissance
	pizza énorme avec tout dessus
	vraie soupe à l'oignon

Future and future perfect
Interrogation
Interrogative adverbs,
adjectives, and pronouns

I Future and future perfect (le futur et le futur antérieur)

6.1.A Future indicative (le futur)

1. *Formation*

   a. For all verbs, without exception, the endings are **-ai, -as, -a, -ons, -ez, -ont.**

je	dîner**ai**	nous	dîner**ons**
tu	dîner**as**	vous	dîner**ez**
il, elle	dîner**a**	ils, elles	dîner**ont**

   b. For the regular conjugations, the stem is the full infinitive, with a slight change in the third conjugation (**-re** verbs), where the final **-e** is dropped: je **chauffer**ai, il **rôtir**a, ils **entendr**ont.

conjugation	1st—**dîner**	2nd—**choisir**	3rd—**vendre**
stem	**dîner-**	**choisir-**	**vendr-**

Some **-er** verbs with an orthographical change in stem in the present tense also have the same change in stem in the future:

(1) Verbs in **-eler** and **-eter;** those that double the consonant have **-eller-** and **-etter-** in their stems; those that change **e** to **è** have **-èler-** and **-èter-** in their stems:
> j'**appeller**ai, nous **jetter**ons, tu **achèter**as, il **gèler**a

(2) Verbs in **e** + consonant + **-er** change **e** to **è:**
> je **mèner**ai, vous vous **lèver**ez

(3) Verbs in **-yer** change **y** to **i:**[1]
> tu **paier**as, nous **emploier**ons, j'**essuier**ai
> —but—
> Verbs in **é** + consonant + **-er** maintain the **-é-** in the future:
> j'**espérer**ai, il **préférer**a, vous **compléter**ez

c. Many irregular verbs have an irrelugar stem. The following list gives the future of the most common irregular verbs:

aller	j'**ir**ai	**recevoir**	je **recevr**ai
envoyer	j'**enverr**ai	**pouvoir**	je **pourr**ai
avoir	j'**aur**ai	**savoir**	je **saur**ai
être	je **ser**ai	**valoir**	je **vaudr**ai ~to be worth~
faire	je **fer**ai	**vouloir**	je **voudr**ai
tenir	je **tiendr**ai	**voir**	je **verr**ai
venir	je **viendr**ai	**falloir**	il **faudr**a ~to be necessary~
devoir	je **devr**ai	**pleuvoir**	il **pleuvr**a

However, some common irregular verbs have a regular future stem:

couvrir, offrir, ouvrir, souffrir : je **couvrir**ai, j'**offrir**ai
dormir, mentir, partir, sentir, servir, sortir : je **dormir**ai
boire, croire, dire, écrire, lire : je **boir**ai, je **dir**ai
connaître, paraître, plaire : je **connaîtr**ai, je **plair**ai
mettre, prendre : je **mettr**ai, je **prendr**ai
suivre, vivre : je **suivr**ai, je **vivr**ai
verbs in **-indre** : je **craindr**ai
verbs in **-uire** : je **conduir**ai

---

[1] Verbs in **-ayer** may keep the **y** but contemporary usage favors the stem **paier-** over **payer-**. Note that **envoyer** has an irregular future stem **enverr-**: j'**enverr**ai, nous **enverr**ons.

À votre tour!

A. Faites les substitutions indiquées entre parenthèses. Faites les autres changements si cela est nécessaire.

1. *Yves Montand* donnera un récital à New York. (nous, les frères Jacques, vous, je, tu)
2. Feras-*tu* un gâteau pour la partie ce soir? (Robert, tes copines et toi, nous, Maman, vos amis)
3. *Nous* ne prendrons pas de dessert ce soir. (je, vous, Gisèle et sa mère, tu, le gros garçon)

B. Michel et Liliane font des projets pour un dîner d'amis. Liliane fera la cuisine et Michel l'aidera seulement si ce n'est pas de la cuisine. Jouez le rôle de Michel.

MODÈLES LILIANE Il faudra préparer des hors d'œuvre. (tu)
          MICHEL Eh bien, tu prépareras les hors d'œuvre.
          LILIANE Il faudra servir les hors d'œuvre. (je)
          MICHEL Alors, je servirai les hors d'œuvre.

1. Avec le rôti, il faudra faire des haricots verts avec une sauce aux champignons. (tu)
2. Ah! Il faudra aller à la boulangerie pour un pain de campagne. (je)
3. Et puis il faudra commander une glace à la menthe. (je)
4. Il faudra préparer une mayonnaise fraîche pour la salade de crabe. (tu)
5. Il faudra cuire une tarte aux pommes. (tu)
6. Ah, je n'ai plus de bon café. Il faudra prendre une livre de café colombien chez Potin[2]. (je)

2. Use

a. The future is used to express a future action or state of mind.

La cuisinière **achètera** trois livres de ragoût de bœuf.	*The cook will buy three pounds of beef stew.*
Ils ne **réussiront** pas le soufflé.	*They won't be successful with the soufflé.*
Tu **seras** bien triste si tu abîmes ce disque.	*You'll be very sad if you ruin this record.*

b. After the conjunctions **aussitôt que/dès que** (*as soon as*), **lorsque/quand** (*where*), and **tant que** (*as long as*), the future is used whenever there is a future connotation. Note that English uses the present in this case.

Quand le rôti **sera** cuit, vous le sortirez du four.	*When the roast is done, you will take it out of the oven.*

---

[2] **Potin** est une épicerie qui se spécialise dans les produits de bonne qualité.

| Dès que tu auras le disque de Souchon, téléphone-moi ! | As soon as you have Souchon's record, phone me! |
| Vous ne ferez pas de bonnes crêpes **tant que vous ne suivrez pas** la recette. | You will not make any good pancakes as long as you do not follow the recipe. |

c. The future is sometimes used to express a command.

| Maman m'a dit: «**Tu iras** au marché acheter des fruits frais.» | Mom said to me: "You'll go to the market to buy fresh fruit." |

À votre tour !

A. Irène est la mère d'Étienne, un adolescent très actif. Elle est en train de préparer le dîner et Étienne lui pose des questions. Terminez les phrases de leur conversation en ajoutant les verbes au futur.

ÉTIENNE   Que (manger)-nous au dîner ce soir ?

IRÈNE   Nous (avoir) un soufflé aux épinards et des escalopes de veau.

ÉTIENNE   Horreur ! Des épinards ! Je n'en (prendre) jamais !

IRÈNE   C'est pour ta santé, mon poulet. Enfin, tu (pouvoir) prendre beaucoup de salade à la place du soufflé. Et je te (servir) une belle poire comme dessert.

ÉTIENNE   Non, non. Pas de fruit. Tu me (mettre) de la glace au chocolat.

IRÈNE   Mon petit, tant que tu ne (prendre) pas de légumes verts, tu (devoir) manger des fruits frais. Et puis, Étienne, cesse de sauter[3] : pour sûr, le soufflé (être) raté !

ÉTIENNE   Ça, Maman, tu ne me (voir) pas attristé quand ça (arriver). Et je t'assure que moi, quand je (avoir) des enfants, je ne (vouloir) pas leur donner des épinards.

B. Nicole, qui est un peu trop grosse, écoute la radio. Le programme est interrompu par des annonces publicitaires pour des produits qui «font toujours maigrir». Nicole fait des commentaires ironiques. Jouez le rôle de Nicole. Imaginez des réactions ironiques ou amusantes.

MODÈLE   Si vous prenez les pillules Slim, vous perdrez cinq livres par semaine. (Quand je...)

NICOLE   Quand je prends des pillules, je ne perds rien. Mais quand je prendrai des pillules Slim, je perdrai cinq livres ! Ah, et moi je crois au Père Noël !

1. Si vous buvez de l'eau minérale Magique, vous maigrirez comme par... magie !   (Quand je...)

2. Si vous mangez deux bonbons amaigrissants Sangraisse avant les repas, vous n'aurez plus si faim.   (Quand les gens trop gros...)

---

[3] **sauter**   *to jump*

3. Si vous mettez le survêtement[4] Belfam quand vous faites du jogging, vous retrouvez une ligne svelte. (Quand ma tante Agathe qui pèse 80 kilos. . .)
4. Si vous prenez des infusions d'herbes orientales Minceur, vous deviendrez mince comme un mannequin[5]. (Quand je. . .)

6.1.B The future perfect (le futur antérieur)

1. *Formation*

The future perfect is a compound tense formed with the future of the auxiliary and the past participle of the verb.

Parler		Partir	
j'aurai	parlé	je serai	parti(e)
tu auras	parlé	tu seras	parti(e)
il aura	parlé	il sera	parti
elle aura	parlé	elle sera	partie
nous aurons	parlé	nous serons	parti(e)s
vous aurez	parlé	vous serez	parti(e)(s)
ils auront	parlé	ils seront	partis
elles auront	parlé	elles seront	parties

tu auras écrit   **elle ne sera pas tombée**   **aurez-vous cru?**

2. *Use*

a. The future perfect expresses an action, a condition, or a state that will have taken place in the future *before another* future event.

| La chanteuse **sera arrivée** à Nice avant mardi. | *The singer will have arrived in Nice by Tuesday.* |
| **Auras-tu terminé** dans une heure? | *Will you have finished in an hour?* |

b. The future perfect is used after **quand, lorsque, dès que, aussitôt que,** and **après que,** when this future action or condition occurs before the future event expressed in the main clause. It is translated by a present perfect in English.

| **Dès que** Laurent **sera arrivé**, nous ferons des crêpes. | *As soon as Laurent has arrived, we will make crepes.* |
| **Lorsque tu auras appris** cette chanson, tu nous la chanteras. | *When you have learned this song, you will sing it to us.* |

When the events in the second example are plotted on a time line, it is clear that the song will have to be learned before it is sung. Therefore, the event represented by the future perfect is anterior to (preceding in time) the event expressed in the main clause.

---

[4] **le survêtement** *jogging suit*
[5] **le mannequin** *fashion model*

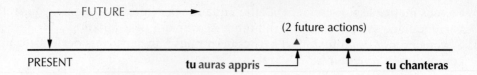

c. Sometimes the future perfect is used to convey a supposition.

Claire **se sera trompée** de rue.　　　*Claire may/must have made a mistake*
about the street.

À *votre tour !*

A. Faites les substitutions indiquées entre parenthèses. Faites les autres changements si cela est nécessaire.

1. *J'*aurai préparé le coq au vin avant six heures.　(Maman, nous, tu, les apprentis cuisiniers, vous)
2. *Tu* ne seras pas revenu avant le dîner.　(vous, je, les enfants, nous, la tante de Solange)
3. Après qu'*Anne Sylvestre* aura composé une chanson, elle la chantera.　(tu, nous, les Frères Jacques, je, vous)

B. Fernand et ses copains musiciens veulent créer un petit groupe de rock. Ils vont demander au père de Fernand de leur prêter de l'argent. Établissez des arguments qu'ils vont utiliser, en employant des mots et expressions des trois colonnes.

MODÈLE　Quand nous aurons obtenu assez d'argent, nous achèterons un nouveau saxophone.

A	B	C
obtenir de l'argent	jouer dans les bals	meilleur orgue
écrire nos chansons	donner un concert	beau banjo
faire de la publicité	faire une tournée	guitare électrique
avoir du succès	acheter	quelques disques
être bien connu	enregistrer	dans la ville
	rembourser	dans la région
	remplacer	à la Foire
		au Festival de la Chanson
		l'argent emprunté

C. Thème : Un dîner spécial. Traduisez en français.

1. When Helene has completed her regional cooking class, she will prepare a fantastic dinner for her friends.
2. As soon as she has planned the menu, she will buy the ingredients at a specialty store.

3. She will make a list of her favorite friends after she has chosen the date for the dinner.
4. She hopes that her friends will appreciate her new talent.
5. But if she does not succeed, she will have worked a lot in vain.

II Interrogation

6.2.A Yes/no **questions**

Questions that call for a *yes/no* answer can be formulated in any of four different ways. The table gives a quick review of these options. Note that the interrogative form of the verb (inverted form) has already been discussed in Chapitres 1 (present indicative), 2 (present indicative of pronominal verbs), and 4 (**passé composé).**

EXAMPLE	FORM	LIMITATIONS
Sheila fera une tournée ? *Sheila will go on a tour?*	*Intonation* (voice rising at end of sentence)	used mostly in speaking
Est-ce qu'elle aura du succès ? *Will she have some success?*	**Est-ce que** (starting a declarative sentence)	none

EXAMPLE	FORM	LIMITATIONS
Elle chantera à Londres, **n'est-ce pas?** *She'll sing in London, won't she?*	**n'est-ce pas?** (ending a declarative sentence)	used when speaker expects agreement with statement
Ira-t-elle à New York? *Will she go to New York?* L'**ai-je** déjà **vue?** *Did I see her already?* **Brassens est-il** bien connu? *Is Brassens well-known?*	*Inversion* (changing word order to verb-subject pronoun)	seldom used with **je** form unless it is **ai-je** or **suis-je**

À votre tour!

A. Faites les substitutions indiquées entre parenthèses. Faites les autres changements si cela est nécessaire.

1. Aimes-*tu* Alain Souchon? (elles, vous, les jeunes, ton frère, nous, on)
2. Est-ce qu'*il* prépare une omelette? (je, le chef, nous, tu, les gourmands, vous)
3. *Vous* n'achèterez pas ces croissants, n'est-ce pas? (tu, la grosse dame, nous, les deux garçons, on, je)

B. Posez des questions à la personne près de vous en utilisant une des quatre formes interrogatives simples et en variant la forme de vos questions. Demandez-lui s'il/si elle...

1. est déjà allé(e) à un récital de vieilles chansons françaises.
2. achètera les nouvelles chansons de Julien Clerc.
3. a déjà acheté des disques d'un(e) chanteur/chanteuse français(e).
4. préfère les chanteurs français aux chanteurs américains.
5. chantera *la Marseillaise* le 14 juillet[1].
6. a déjà essayé de faire de la cuisine française.
7. préparera un bœuf bourguignon pour un dîner avec ses amis.
8. commandera du vin français quand il/elle ira dans un restaurant chic.

C. Line et François sont chez un disquaire et ils choisissent des disques pour l'anniversaire de leur copain Jean-Pierre. François fait vite son choix mais Line a toujours des questions. Jouez le rôle de Line en utilisant l'inversion pour les questions.

MODÈLE FRANÇOIS Jean-Pierre aime ce disque de Julien Clerc.
              LINE L'aimera-t-il vraiment?

1. Ah... Mais il n'a pas ces chansons de Gérard Lenorman.
2. Eh bien! Il adore le style d'Yves Duteil.

---

[1] Le **14 juillet** est le jour de la Fête Nationale en France. On célèbre l'anniversaire de la prise de la Bastille à Paris en 1789 (le commencement de la Révolution française). *La Marseillaise* est l'hymne national francais.

3. Oh. . .Mais Jean-Pierre préfère les chanteuses aux chanteurs.
4. Euh, voyons. . .Jean-Pierre est fou de Marie Laforêt.
5. Ah, voilà ! Il sera charmé par la voix de Sheila.
6. Assez, assez, Line. Achetons-lui la *Symphonie fantastique* de Berlioz. Et ne me pose plus de questions !

D. Thème : Faisons des crêpes ! Traduisez en français.

1. Are your pals going to make crepes for the Mardi Gras?[2]
2. Do they have the recipe for that?
3. I doubt it. Will you give it to them?
4. Will your pals invite us to celebrate with them?
5. Hasn't Annie already suggested this to them?

III Interrogative adverbs and adjectives

6.3.A Interrogative adverbs (les adverbes interrogatifs)

The common interrogative adverbs are as follows:

(time)	**quand**	*when*
(number)	**combien (de)**	*how much, how many*
(manner)	**comment**	*how*
(location)	**où**	*where*
(cause)	**pourquoi**	*why*

Note the word order:

adverb + inverted group + rest of sentence

Pourquoi Gérard Lenorman est-il un bon chanteur ?	*Why is Gérard Lenorman a good singer?*
Quand a-t-il chanté à l'Olympia ?	*When did he sing at the Olympia?*
Combien ce chanteur gagne-t-il ?	*How much does this singer earn?*
Où Gérard chantera-t-il dimanche ?	*Where will Gérard sing Sunday?*

With **quand, combien, comment, où,** a simpler word order may be used when the subject is a noun and the verb has no object:

---

[2] Le **Mardi Gras** *(Shrove Tuesday)* est le jour qui précède **le Carême** *(Lent).* On le célèbre par des festivités ou un Carnaval comme à Nice.

Combien gagnent les chanteuses ?	*How much do the singers earn?*

–but–

Combien de cassettes **Marc a-t-il ?**	*How many cassettes does Marc have?*
Où dîne Joseph ?	*Where does Joseph dine?*

–but–

Où Joseph range-t-il ses disques ?	*Where does Joseph store his records?*

Note that the simpler construction cannot be used with **pourquoi.**

Pourquoi cette fille mange-t-elle si mal ?	*Why does this girl eat so poorly?*

À votre tour !

A. Après leurs achats, Line et François prennent un verre au café. Line bavarde mais François ne semble pas l'écouter avec attention. C'est lui qui maintenant pose des questions. Jouez le rôle de François en utilisant l'inversion.

MODÈLE LINE Tu sais, il y a un nouveau disquaire *dans la rue Gambetta.*

FRANÇOIS Où y a-t-il un nouveau disquaire ?

1. Je trouve son choix de cassettes *sensationnel.*
2. Il vend des disques populaires *à cinquante francs.*
3. *Demain,* j'irai voir ses nouvelles sélections.
4. Il a même des disques folkloriques *au fond du magasin.*
5. J'aime aller chez ce disquaire *parce qu'il est si aimable.*
6. Mais enfin, François, tu me poses toutes ces questions *parce que tu es sourd ou bête ?*

B. Mme Lefranc donne un grand dîner. Rachel doit mettre la table. Elle ne veut pas faire de fautes d'étiquette, alors elle a préparé une liste de questions qu'elle va poser à sa mère. Reformulez ces questions en utilisant la forme simplifiée quand c'est possible. Si c'est impossible, dites «impossible».

1. Où la nappe de dentelle est-elle ?
2. Où place-t-on les verres à vin ?
3. Où le couteau va-t-il ?
4. Comment plie-t-on la serviette ?
5. Où la serviette se place-t-elle ?
6. Combien de fourchettes met-on ?
7. Pourquoi faut-il mettre un verre à eau ?
8. Quand les invités arrivent-ils ?

6.3.B Interrogative adjective quel (l'adjectif interrogatif)

The interrogative adjective **quel** must agree in gender and number with the noun it modifies.

	SINGULAR	PLURAL
masculine	**quel**	**quels**
feminine	**quelle**	**quelles**

Quel immediately precedes the noun or can be separated from it when the verb **être** is used. It is translated in English by *what* or *which*.

Quels plats orientaux préférez-vous ? *What Oriental dishes do you prefer?*
Quelles sont **vos recettes favorites** ? *What are your favorite recipes?*

If the construction of the verb calls for a preposition, the preposition always precedes **quel**.

Avec quels fruits fais-tu ce punch ? *With what fruits do you make this punch?*

À votre tour !

A. Justine achète des pâtisseries pour aller à un goûter chez ses cousines. Jouez le rôle de la vendeuse.

MODÈLE JUSTINE Euh, je veux choisir des éclairs, Madame.
        VENDEUSE Quels éclairs voulez-vous choisir, Mademoiselle ?

1. Eh bien, je prendrai deux beaux babas, s'il vous plaît.
2. Ensuite, je choisirai cinq belles tartelettes.
3. Et maintenant, j'ajouterai trois petites meringues.
4. Ensuite, Madame, je prendrai deux gros mille-feuilles.
5. Alors, j'ajouterai une tranche de flan.
6. Enfin, je prendrai des gâteaux secs.

B. Hubert veut préparer un repas français pour sa petite amie. Il demande à sa mère les secrets de son coq au vin. Il prépare des questions selon le modèle donné. Aidez-le !

MODÈLE Préparer la marinade / dans un bol
        Dans quel bol prépares-tu la marinade ?

1. utiliser pour la marinade / un vin rouge
2. ajouter à la marinade / des aromates
3. faire la marinade / avec des épices
4. mettre les morceaux de poulet / dans une casserole

5. faire la sauce / avec des champignons
6. servir le coq au vin / dans un grand plat

IV Interrogative pronouns (les pronouns interrogatifs)

6.4.A "Short forms": Qui, que, quoi

1. *Forms*

The table at the top of page 196 gives the "short forms" of the interrogative pronouns. A differentiation is made between questions about people and questions about things.

FUNCTION	PEOPLE		THINGS	
Subject	**qui**	*who*	**que**[1]	*what*
Direct object	**qui**	*whom*	**que**	*what*
Object of a preposition	**[à] qui**	*whom*	**[à] quoi**	*what*

Note that **que** becomes **qu'** in front of a word starting with a vowel or a mute **h**.

2. *Use*

a. Questions about people (and often animals)

The interrogative pronoun is **qui** in all cases (subject, direct object, or object of a preposition). The pronoun **qui** requires the inverted form of interrogation except when **qui** is the subject of the verb.

Subject:

Qui a dîné avec Louise ?   *Who had dinner with Louise?*

Direct object:

Qui avez-vous invité pour le   *Whom did you invite for the picnic?*
    pique-nique ?

Object of a preposition:

Pour qui prépare-t-elle ce magnifique   *For whom is she preparing this great-*
    gâteau ?   *looking cake?*

b. Questions about things

The interrogative pronoun is **que** for subject and direct object. There are very few cases when **que** can be used as a subject (only with the impersonal verbs **il arrive, il se passe**). In all other cases the form **qu'est-ce qui** is used (see Section 6.4.B). The pronoun **que** requires the inverted form of interrogation.

Subject:

Que se passe-t-il ?   *What is happening?*

Subject:

Qu'est-il arrivé ?   *What happened?*

Direct object:

Que ferons-nous lundi ?   *What shall we do Monday?*

[1] **Que** is used in limited cases.

After a preposition, the pronoun is **quoi**. Again, the inverted form of interrogation is used with **quoi**.

Avec quoi sert-on cette sauce ?   *With what do you serve this sauce?*
À quoi pensait-elle en écoutant des   *What was she thinking about while*
    chansons tristes ?   *listening to sad songs?*

Note that when the subject of the verb is a noun, no inverted pronoun is used.

Que font les jeunes le dimanche ?   *What do young people do on Sunday?*
À qui appartient la flûte d'argent ?   *To whom does the silver flute belong?*

À votre tour !

A. Eliane prépare un rapport sur le grand chef Michel Guérard. Travaillez avec elle et suggérez-lui quelques bonnes questions, selon les modèles.

MODÈLES   1. Pour ____ Michel Guérard a-t-il travaillé d'abord ?
          (une personne)
          Pour qui Michel Guérard a-t-il travaillé d'abord ?
       2. Dans ____ s'est-il spécialisé au début ?   (une chose)
          Dans quoi s'est-il spécialisé au début ?

1. ____ est Michel Guérard ?   (une personne)
2. Chez ____ a-t-il fait son apprentissage ?   (une personne)
3. À cause de ____ était-il trop gros ?   (une chose)
4. ____ a-t-il rencontré qui a changé sa vie ?   (une personne)
5. ____ lui est-il arrivé après son régime ?   (une chose)
6. Avec ____ a-t-il développé sa cuisine minceur ?   (une personne)
7. De ____ se composent ses soupes minceur ?   (des choses)
8. ____ met-il dans ses sauces de base ?   (des choses)
9. Avec ____ prépare-t-il l'assaisonnement[2] des salades ?   (des choses)
10. Pour ____ a-t-il écrit son livre sur la cuisine minceur ?   (des personnes)

B. Mimi et Christian dirigent un petit groupe de chanteurs dont la spécialité est les vieilles chansons de France. Ils sont en train de préparer un nouveau programme. Mimi pose des questions et Christian y répond. Pour chaque réponse de Christian, donnez la question de Mimi.

MODÈLE   On donnera le refrain d'«Auprès de ma blonde» *aux barytons.*
         À qui donnera-t-on le refrain d'«Auprès de ma blonde» ?

1. *Odette* chantera la partie féminine de cette chanson.
2. Et *Georges* fera la partie masculine.
3. On pourra donner la partie du marin de la chanson «Brave Marin» à *Daniel.*
4. Mais il faut réserver le rôle de l'hôtesse *pour Claire.*
5. On accompagnera «Auprès de ma blonde» *avec l'accordéon.*

----

[2] **l'assaisonnement** *m* dressing (for a salad)

6. Et pour accompagner «Brave marin», je préfère *deux guitares*.

7. Pour commencer, on peut chanter *«Ma Normandie»*.

8. Je vais choisir les sopranos *pour chanter le premier couplet de «Ma Normandie»*.

6.4.B "Long forms": qui est-ce qui/que, qu'est-ce qui/que,
[à] qui/quoi est-ce que

1. *Forms*

FUNCTION	PEOPLE		THINGS	
Subject	**qui est-ce qui**	*who*	**qu'est-ce qui**	*what*
Direct object	**qui est-ce que**	*whom*	**qu'est-ce que**	*what*
Object of a preposition	**[à] qui est-ce que**	*whom*	**[à] quoi est-ce que**	*what*

2. *Use*

Since the "long forms" use **est-ce**, no inverted form of interrogation is needed. The first pronoun is an interrogative (**qui** for persons, **que** for things), and the second pronoun is a relative (**qui** for a subject, **que** for an object).

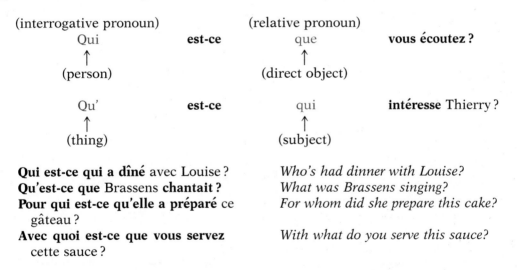

(interrogative pronoun)		(relative pronoun)	
Qui	**est-ce**	que	**vous écoutez ?**
↑		↑	
(person)		(direct object)	
Qu'	**est-ce**	qui	**intéresse** Thierry ?
↑		↑	
(thing)		(subject)	

Qui est-ce qui a dîné avec Louise ? *Who's had dinner with Louise?*

Qu'est-ce que Brassens **chantait ?** *What was Brassens singing?*

Pour qui est-ce qu'elle a préparé ce gâteau ? *For whom did she prepare this cake?*

Avec quoi est-ce que vous servez cette sauce ? *With what do you serve this sauce?*

À votre tour !

A. La famille Lambert regarde le Gala de la Chanson à la télévision. Au programme, il y a Yves Duteil. Complétez la conversation par la forme appropriée du pronom interrogatif à la forme longue.

MME LAMBERT ⎯ chante en ce moment ? C'est un beau garçon, pour sûr.

LUC Voyons, Maman, ⎯ tu faisais quand on a annoncé le programme ? C'est Yves Duteil.

M. LAMBERT   Moi, je trouve qu'il a une belle voix. ____ tu en penses, Rosine?

MME LAMBERT   Oui, oui. Mais quel beau physique! De ____ il s'agit?

RACHEL   Ça, si tu faisais moins attention à son physique! ____ ça fait, ça, dans une chanson?

LUC   Oui, tu aurais compris qu'il s'agit d'une vieille maison en Normandie.

M. LAMBERT   Eh bien! Eh bien! ____ il y a? Au sujet de ____ vous vous disputez comme des chats?

MME LAMBERT   Tiens, mais, les paroles sont très belles. ____ les a écrites? Et la musique, ____ l'a composée? Elle est très agréable.

TOUS LES TROIS ENSEMBLE   C'est lui!

MME LAMBERT   Et pour ____ il a écrit tout cela?

LUC   Pour sa jolie femme, Noëlle. ____ tu en dis, Maman?

MME LAMBERT   Ce chanteur est sensationnel!

B. **La machine à remonter le temps**. Vous avez de l'imagination, n'est-ce pas? Alors, voilà: vous avez accès à cette machine qui fait revenir (pour quelques minutes seulement!) des personnages connus de l'histoire et vous posez deux questions à chacun (en utilisant les formes courtes et longues des pronoms interrogatifs) sur leurs habitudes gastronomiques.

MODÈLE   le marquis de La Fayette
Qu'est-ce que vous avez mangé pour votre premier petit déjeuner en Amérique?
Qui était le meilleur chef à New York selon vous?

1. Cléopâtre
2. Marco Polo
3. Louis XIV
4. Christophe Colomb
5. Marie-Antoinette
6. la reine Victoria

C. **Thème: Les crêpes au rhum.** Traduisez en français. Utilisez alternativement des formes courtes et des formes longues des pronoms interrogatifs.

1. When you make crepes, what do you put the flour in?
2. What do you add to the flour?
3. Next, what do you pour into the bowl?
4. With what do you mix all the ingredients?
5. What is added to the batter at the end?
6. Who makes crepes at your house?
7. With whom does that person eat them?

Crêpes au rhum

$\frac{1}{4}$ livre farine
3 œufs
1 pincée sel
1 cuiller à soupe huile

Mettez la farine dans un bol; ajoutez les autres ingrédients.

Versez lentement $\frac{1}{2}$ litre de lait et mélangez avec le fouet[3] pour obtenir une pâte lisse.

Ajoutez une cuiller à soupe de rhum à la pâte. Laissez reposer 2 heures.

---

[3] **le fouet**   *hand whip*

6.4.C The interrogative pronoun lequel

The pronoun **lequel** and its various forms correspond to the interrogative pronouns *which one / which ones*. **Lequel** must agree in gender and number with the noun it replaces.

	SINGULAR	PLURAL
masculine	lequel	lesquels
feminine	laquelle	lesquelles

Regarde ces pâtisseries ! **Lesquelles** veux-tu ?	*Look at these pastries! Which ones do you want?*
Laquelle des chansons de Jacques Brel préfère-t-il ?	*Which one of Jacques Brel's songs does he prefer?*

When **à** or **de** precede a form of **lequel**, contraction takes place except in the feminine singular. The table gives these contracted forms:

auquel	auxquels	auxquelles
duquel	desquels	desquelles

J'ai besoin de deux nouveaux disques. —**Desquels** as-tu besoin ?	*I need two new records. Which ones do you need?*
Auquel de ces garçons commande-t-on le vin ?	*From which one of these waiters does one order the wine?*

À votre tour !

A. Mme Ledoux présente à la Foire de sa ville les tartes et les confitures qu'elle a faites. Son amie Mme Martin vient les admirer et pose des questions. Avec vos camarades de classe, jouez les rôles des deux dames.

MODÈLE *deux tartes* aux pommes
Je présente deux tartes aux pommes.
—Lesquelles est-ce ?

1. *une tarte* à l'orange.
2. *deux pots* de confiture de prunes.
3. *un pot* de confiture de cerises.
4. *deux tartes* aux abricots.
5. *une tarte* hawaïenne
6. *un pot* de confiture de fraises

B. Patrick et Armelle regardent la page des spectacles pour choisir un programme à la télévision. Jouez leurs rôles, en ajoutant la forme appropriée du pronom **lequel.**

PATRICK   Regarde tous ces films ! ___ veux-tu voir ?

ARMELLE   Ah ! Ça dépend du genre de film.

PATRICK   Eh bien ! ___ t'intéresses-tu le plus ?

ARMELLE   Euh, un film tendre.

PATRICK   Voilà ! Deux bons films : *Jules et Jim* sur une chaîne et *Le Dernier métro* sur l'autre. ___ préfères-tu ?

ARMELLE   Zut ! Je les ai déjà vus. De la musique alors.

PATRICK   Bon ! Il y a le programme *Champs Elysées* ou bien *Les Enfants du Rock*. ___ as-tu envie ?

ARMELLE   Et puis, non ! Écoutons tes cassettes ! ___ as-tu apportées ? Et ___ a un bon rythme ? J'ai envie de danser.

On danse dans les bals, les discothèques et les nightclubs. Dans les parties, quelques bonnes cassettes et un peu d'espace suffisent aux couples.

V Vocabulary review

6.5.A Translating *what*

The word *what* is used in many different ways in English and its translation into French requires some care.

1. What *as a pronoun*

   a. Interrogative pronoun: **que, qu'est-ce qui/que, [à] quoi est-ce que**

   Subject: **que** (rarely used), **qu'est-ce qui**

Que se passe-t-il? **Qu'est-ce qui** se passe?	*What's happening?*

   Direct object: **que, qu'est-ce que**

Que cuisez-vous au four? **Qu'est-ce que** vous cuisez au four?	*What are you baking?*

   Object of a preposition: **[. . .] quoi, [. . .] quoi est-ce que**

Avec quoi mangez-vous? **Avec quoi est-ce que** vous mangez?	*What are you eating with?*

   b. Relative pronoun (that, which): **ce qui/que/dont/à quoi**

   Subject: **ce qui**

   J'aime **ce qui** est sucré.   *I like what is sweet.*

   Direct object: **ce que**

   J'aime **ce que** je mange.   *I like what I'm eating.*

   Object of preposition **de: ce dont**

   Je sais **ce dont** ils ont besoin.   *I know what they need.*

   Object of preposition **à: ce à quoi**

   Je sais **ce à quoi** tu penses.   *I know what you're thinking about.*

2. What *as an interrogative adjective:* **quel/quels/quelle/quelles**

Dans **quel** cabaret chante-t-il?	*What nightclub does he sing in?*
Quelles chansons aimons-nous?	*What songs do we like?*

3. What *in set interrogative expressions*

Qu'est-ce que c'est?	*What is it?*
Qu'est-ce que or **Qu'est-ce que c'est (que)**. . .	*What is it . . .?* (asking for a definition)
Qu'est-ce qu'un gala? **Qu'est-ce que c'est** un gala? **Qu'est-ce que c'est qu'**un gala?	*What is a gala?*

4. **What** *as an exclamative pronoun:* **quel/quels/quelle/quelles**
Exclamative forms are discussed in Chapitre 12.

À votre tour !

A. Complétez les phrases par la forme appropriée de *what*.

> **L'histoire de Vatel.** Vatel a vécu au XVIIᵉ siècle. C'était un grand chef cuisinier du prince de Condé. —— l'a rendu célèbre ? D'abord, la cuisine qu'il préparait, bien sûr. Mais —— est le plus connu de lui, ce sont les circonstances de sa mort. —— savez-vous à ce sujet ? Eh bien, le prince de Condé avait invité le roi Louis XIV à un dîner de gala. Vatel avait commandé tout —— le roi aimait le mieux. —— plats préférait le roi ? Des viandes exquises et du poisson très frais. —— Vatel s'inquiétait, c'était du poisson. Il n'était pas arrivé, deux heures avant le dîner. —— solution

pouvait-il trouver? Aucune, selon Vatel. ____ le roi allait penser
d'un dîner de gala sans poisson? C'était le déshonneur pour Vatel.
Mieux valait la mort. Avec ____ s'est-il suicidé? Avec son épée[1].
____ pensez-vous de cela?

B. Thème: Un grand restaurant parisien. Traduisez en français.

1. What is your favorite restaurant in Paris?
2. *La Tour d'Argent*, on the Quai de la Tournelle. The food is superb but guess what
   I like most—after the food!
3. What interests you are beautiful things.
4. Ah, touché! But what I'm talking about aren't pretty women. It's the view from
   the restaurant.
5. And what can one see?
6. What attracts me there? The cathedral Notre-Dame and the lovely Seine.
7. What kind of people go to *La Tour d'Argent?*
8. The refined gourmets, the romantics, too. For me, what makes a meal unforget-
   table are the cuisine and the ambience.

6.5.B Vocabulary review: translating *time*

The word *time* has several meanings in English that correspond to various translations
into French.

1. Time *with the meaning of clock time:* **heure** *f*

A quelle **heure** est le repas?	*At what time is the meal?*
C'est l'**heure** de servir le punch.	*It's time to serve the punch.*

   The expression **être à l'heure** means *to be on time.*

Soyez à l'heure pour le concert!	*Be on time for the concert!*

2. Time *with the meaning of repeated occurrences:* **fois** *f*

Je lui ai demandé plusieurs **fois** s'il avait faim.	*I asked him several times if he was hungry.*
C'est la deuxième **fois** que Roger joue ce disque.	*It's the second time Roger plays this record.*
Cette **fois**-ci, tu as raté le soufflé.	*This time, you botched the soufflé.*
Deux **fois** cinq font dix.	*Two times five make ten.*

   Common adverbial expressions with **fois** are as follows:

à la fois	*at the same time*
chaque fois	*every time*

---

[1] **epée** *f* sword

parfois	at times
quelquefois	sometimes
une fois	once

3. Time *with the meaning of time in general:* **temps** *m*

There are many temporal expressions using **temps.** The most frequently used are as follows:

à temps	in time
de temps en temps	from time to time
de tout temps	always
en même temps	at the same time
longtemps	a long time
tout le temps	all the time

Common verbal expressions with **temps** are as follows:

avoir le temps	to have time
gagner du temps	to play for time
passer son temps	to spend one's time
perdre son temps	to waste one's time
prendre son temps	to take one's time

Julia, le dîner sera-t-il prêt **à temps**?	*Julia, will the dinner be ready on time?*
Prenez votre temps pour préparer ce plat.	*Take your time to prepare this dish.*

4. Time *in idiomatic expressions*

s'amuser (bien/mal)	to have a good/bad time
en avance	ahead of time, early
en ce moment même	at this very time, right now
jamais	at no time, never
n'importe quand	any time (at all)

T'amuseras-tu bien si tu vas a l'Opéra?	*Will you have a good time if you go to the Opera?*
Ne partez pas **en avance.**	*Don't leave ahead of time.*

À *votre tour!*

A. Martine et Thierry se préparent à aller écouter un nouveau groupe de jazz dans leur cabaret favori, *Le Chat noir.* Martine n'est pas prête, Thierry s'impatiente. Par groupes de deux, jouez la petite scène en ajoutant les expressions qui expriment *time.* Choisissez-les dans la liste suivante.

fois	temps	tout le temps	heure
cette fois-ci	à temps	n'importe quand	à l'heure
chaque fois	longtemps		

THIERRY   Dépêche-toi, nous n'arriverons pas ___ pour le début du groupe.

MARTINE   À quelle ___ est-ce que ça commence ?

THIERRY   C'est la troisième ___ que tu me demandes ça. Ne perds pas ton ___ .
Prends ton manteau et partons !

MARTINE   ___ qu'on sort, c'est la même chose. Tu me forces à me dépêcher
mais le programme ne commence jamais ___ .

THIERRY   Il y a ___ que j'attends cette soirée. Ne la gâche pas. Tu es ___ en
retard quand nous sortons ensemble.

MARTINE   (qui se fâche) Eh bien, ___ , tu peux y aller tout seul, au *Chat noir*.
Moi, je vais au cinéma. On peut y arriver ___ !

B. Êtes-vous ponctuel ? Dites si vous êtes à l'heure (**parfois, de temps en temps, jamais,
tout le temps, chaque fois,** etc.) quand vous faites certaines choses.

MODÈLE   arriver au cinéma
J'arrive quelquefois à l'heure au cinéma.

1. arriver au travail, aux cours
2. quitter le bureau, la bibliothèque
3. partir en vacances, à la plage
4. arriver au théâtre, au concert, au cinéma
5. arriver au restaurant, au café, à un pique-nique
6. aller chez le médecin, chez le dentiste
7. aller à l'église, à la gare, à l'aéroport
8. rentrer à la maison le soir
9. arriver à votre rendez-vous avec votre petit(e) ami(e)
10. répondre aux lettres que vous recevez

Vue d'ensemble

I À vous la parole !

A. **Parlez de vous-même !** Nous faisons tous des projets. Partagez les vôtres avec vos
camarades de classe en répondant aux questions suivantes. Notez que la majorité
des verbes sont au futur. Répondez donc en employant des temps du futur.

1. Qu'est-ce que vous ferez pendant les vacances de Pâques[1] ?
2. Quand vous serez invité(e) chez vos amis, ferez-vous la cuisine avec eux ?
3. Si vous avez le choix, quel repas préférerez-vous préparer ?
4. Si vos amis aiment votre cuisine, leur donnerez-vous vos recettes ?
5. Pendant les prochaines grandes vacances, aurez-vous un emploi ou suivrez-vous
des cours ?
6. Quand vous aurez gagné un peu d'argent, achèterez-vous des disques ou des
cassettes ? De quel chanteur ? (ou : de quelle chanteuse ?)

___

[1] **Pâques** *f pl*   *Easter*

7. Lorsque vous sortirez avec votre ami(e), irez-vous dans un restaurant bien connu pour sa cuisine ? Dépenserez-vous beaucoup d'argent ?
8. Si vous allez en France, irez-vous écouter des chanteurs et des chanteuses célèbres ? Lesquels ?
9. Préférez-vous les chansons populaires modernes ou les chansons folkloriques ? Donnez la raison de votre préférence.
10. Si vous en avez l'occasion, apprendrez-vous des chansons françaises? Lesquelles ?

B. **Obtenez des renseignements !** Demandez à la personne près de vous...

1. ce qu'il/elle aime dans la cuisine française.
2. quelles sont ses recettes favorites et de quels pays elles viennent.
3. quelle recette française il/elle préparera bientôt.
4. quels secrets de cuisine il/elle veut échanger avec vous.
5. ce qu'il/elle préfère: la cuisine minceur ou la cuisine gourmande.
6. ce qu'il/elle fera quand on lui donnera des escargots / des cuisses de grenouilles[2] / des tripes à la mode de Caen dans un restaurant français.
7. ce qu'il/elle aime dans les chansons françaises.
8. ce qui lui fera plaisir d'entendre : des chansons d'Edith Piaf ou des chansons de Sylvie Vartan.
9. quelles chansons de Noël il/elle connaît.
10. qu'il/elle chante avec vous le refrain de *la Marseillaise.*

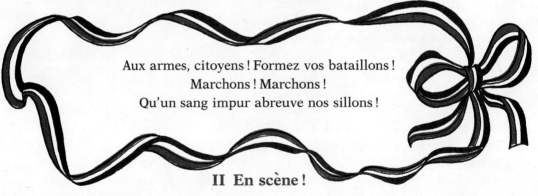

Aux armes, citoyens ! Formez vos bataillons !
Marchons ! Marchons !
Qu'un sang impur abreuve nos sillons !

II En scène !

Eh bien, vous avez tous certainement une histoire «horrible»quand il s'agit de nourriture ou de restaurant français. Sans doute êtes-vous allé(e) dans un restaurant avec un menu tout en français où vous avez dû deviner ce que les plats offerts étaient en réalité. Alors, vous avez eu des surprises, amusantes ou embarrassantes ou même horribles. Préparez avec trois camarades—un maître d'hôtel, une serveuse, vous et votre invité(e)—une petite scène qui illustre votre gaffe[3]. Bien sûr, vous jouerez cela en classe et tout le monde rira bien—vous aussi. Après tout, on apprend par l'expérience !

---

[2] **la cuisse de grenouille** *f   frog leg*
[3] **la gaffe**   *blunder*

III Soyez créateurs !

Travail en groupe. Divisez la classe en groupes de cinq ou six étudiants et dans chaque groupe, étudiez une chanteuse ou un chanteur français. Trouvez quelques éléments biographiques ou une petite anecdote qui donnera vie à l'artiste. Puis choisissez une de ses chansons que vous enregistrerez sur cassette et dont vous copierez les paroles pour distribuer à tous. À la fin, il y aura un petit «festival de la chanson française» où chaque groupe présentera son chanteur favori. Et pourquoi pas ? On chantera quelques chansons, puisque, selon les Français, «tout finit par des chansons» !

CHAPITRE 7
La Vie affective

Les amoureux aiment s'asseoir au parc. Ils y trouvent rarement la solitude car les enfants et les adultes viennent y passer des heures entières.

Vocabulaire spécial

I Les personnes et leurs relations

Noms

l'amoureux (-euse) *lover, sweetheart*
l'amant *m lover m*
la maîtresse *lover f, mistress*
le/la célibataire *unmarried person*
le type *guy*
l'être *m being*
le héros, l'héroïne *f*
le/la marié(e) *groom/bride*
les relations *f relationship*
la liaison *love affair*
les fiançailles *f engagement*
la dispute = la querelle
la brouille *falling out*
la rupture *break, break-up*
la promesse *promise*
la fidélité *faithfulness*
la tromperie *deception, cheating*
le sourire *smile*
le baiser *kiss*
le cœur *heart*
le courrier du cœur *lonely hearts column*
l'angoisse *f anguish*

Adjectifs

aimant *loving*
fidèle *faithful*
chaleureux (-euse) *warm, hearty*
attentionné *caring, attentive*
prometteur (-euse) *promising*
dévoué *devoted*
séduisant *charming, enticing*
reconnaissant ≠ ingrat *grateful ≠
    ungrateful*
discret (-ète) *discreet*
trompeur (-euse) *deceitful, deceptive*
indulgent *lenient*
cajoleur (-euse) *cajoling*

rêveur (-euse) *dreaming*
inquiet (-ète) *uneasy, worried*
déprimé *depressed*
mou (molle) ≠ dur *soft ≠ hard*
exigeant *demanding*
cruel(le) *cruel*
menteur (-euse) *lying*
flatteur (-euse) *flattering*
timide ≠ hardi *timid ≠ bold*
bref (brève) = court(e)

Verbes

se lier (avec) *to become friendly (with)*
se fier (à) ≠ se méfier (de) *to trust ≠ to
    distrust*
s'entendre bien/mal (avec) *to get along
    well/poorly (with)*
se disputer = se quereller
flirter *to flirt*
cohabiter *to live together*
serrer (dans ses bras) *to hold (in one's
    arms)*
plaire (à) ≠ déplaire (à) *to please ≠ to
    displease*
tromper *to deceive, to cheat on*
se conduire bien/mal *to behave
    well/badly*
exiger *to demand*
courtiser *to court*
se fiancer (avec) *to become
    engaged (to)*
épouser = se marier (avec)
se détacher (de) *to break away (from)*
rompre *to break up*
se fâcher (contre) *to get mad (at)*
se brouiller ≠ se raccommoder *to fall out
    ≠ to make up*
mériter *to deserve*
se remarier *to remarry*
enlever *to remove, to take off*

II Les sentiments

Noms

le penchant = l'inclination *f*
la camaraderie
l'amitié *f friendship*
l'attrait *m attraction*
le coup de foudre *love at first sight*
l'espoir *m hope*
le malheur ≠ le bonheur *misfortune, unhappiness ≠ happiness*
la durée *duration*
la sincérité *sincerity*
le bien ≠ le mal *good ≠ bad, evil*
le défaut ≠ la qualité *fault ≠ quality*
la bonté ≠ la méchanceté *goodness ≠ meanness*
la générosité *generosity*
l'ennui *m boredom*
la joie ≠ la tristesse *joy ≠ sadness*
la sensibilité *sensitivity*
la colère ≠ le calme
le chagrin *sorrow, woe*
la douleur *pain, grief*
la peine de cœur *heartache*
le soupçon *suspicion*
le mensonge *lie*

Adjectifs

épris = amoureux
soupçonneux (-euse) *suspicious*
généreux (-euse) *generous*
vertueux (-euse) *virtuous*
sincère ≠ faux (-sse) *sincere ≠ false*
sensible ≠ insensible *sensitive ≠ insensitive*
durable ≠ passager (-ère) *lasting ≠ transitory*
profond ≠ superficiel(le) *deep ≠ superficial*
déréglé *immoral*

Verbes

tomber amoureux (de) *to fall in love (with)*
éprouver = ressentir *to feel*
abattre *to weaken, to dampen*
attirer *to attract*
réconforter *to comfort*
retomber sur ses pieds *to recover, to get back on one's feet*
désappointer *to disappoint*

Trouvez le mot juste !

A. Donnez le mot/l'expression qui convient à chaque définition.

1. une affaire amoureuse
2. qui reste attaché à quelqu'un sans briser ses promesses
3. l'amour qui est né à la première rencontre
4. mettre fin à un engagement/une liaison
5. ressentir une émotion, un sentiment
6. qui est victime d'une dépression
7. tenir quelqu'un dans ses bras
8. la tristesse causée par un malheur (deux réponses possibles)
9. se marier avec quelqu'un
10. très amoureux d'une personne

B. Donnez le contraire de chacun des mots/expressions suivants et faites une phrase avec chaque réponse.

1. déplaire à   5. court
2. ingrat   6. la bonté
3. la joie   7. superficiel
4. durable   8. le malheur

C. Complétez les phrases suivantes par des mots ou expressions du vocabulaire spécial.

1. Ton ami n'est certainement pas timide; au contraire, je le trouve ____ .
2. Thierry, un très beau garçon, charme toutes les jeunes filles : il est vraiment ____ .
3. Quand on a des ____ , il faut aussi avoir des qualités pour faire équilibre !
4. Ces deux amoureux viennent de décider de se marier dans quelques mois. Alors, demain, ils vont annoncer leurs ____ .
5. Philippe et Germaine sont brouillés depuis deux jours, mais ils vont ____ bien vite car il s'aiment.
6. Lionel offre souvent des cadeaux à sa fiancée. Elle apprécie sa ____ .
7. Christine pardonne toujours toutes les méchancetés de son petit ami. Nous la trouvons trop ____ .
8. Je ne peux pas ____ à Jean-Pierre. Il n'est pas honnête.
9. Depuis qu'elle est tombée amoureuse, notre fille ____ un grand bonheur.
10. Votre sœur ne dit jamais la vérité. Elle est ____ et pas sympathique !

D. Un sondage... Répondez de plusieurs manières aux deux questions suivantes:

1. Qu'est-ce qui rend un homme/une femme sympathique ?
2. Qu'est-ce qui vous détache d'un homme/une femme ?

Voici deux exemples de réponses.

Ce qui rend une femme sympathique, c'est son esprit de camaraderie.
Ce qui me détache d'un homme, c'est sa méfiance.

Descriptive adjectives
Adverbs
Comparative and superlative forms

I Descriptive adjectives (les adjectifs qualificatifs)

Descriptive adjectives are used to modify a noun or a pronoun and must agree with it in gender and number.

7.1.A Feminine of adjectives

1. The feminine is formed by adding **-e** to the masculine singular. If the masculine adjective ends in **-e**, the masculine and feminine forms are the same.

le joli chapeau   la jolie robe
un amant loyal   une maîtresse loyale
le chapeau jaune   la robe jaune

If the **-e** is added to a silent consonant ending or to a nasal vowel, the consonant is sounded in the feminine.

le pantalon gris   la blouse grise
un amour certain   une promesse certaine

2. Special feminine endings:

Doubling of last consonant		
MASCULINE	FEMININE	
-eil	-eille	pareil/pareille
-el	-elle	cruel/cruelle
-ul	-ulle	nul/nulle
-ien	-ienne	ancien/ancienne
-on	-onne	bon/bonne
-et	-ette	muet/muette

Various changes to last consonant		
MASCULINE	FEMININE	
-c	-que	public/publique
-er	-ère	cher/chère
-f	-ve	émotif/émotive
-g	-gue	long/longue
-x	-se	heureux/heureuse
		jaloux/jalouse

Exceptions: **(in)complet, concret, (in)discret, inquiet, secret** change **-et** to **-ète**:

un amant **discret**   une amie **discrète**

3. Adjectives ending in **-eur:**

  a. Ten adjectives in **-eur** have a regular feminine in **-eure:**

antérieur, postérieur	**inférieur, supérieur**	**meilleur**
intérieur, extérieur	**majeur, mineur**	**ultérieur**
une qualité **supérieure**	ma **meilleure** amie	

b. Adjectives ending in **-teur:**

(1) those derived from the present participle of a verb in **-ter/-tir** change **-teur** to **-teuse: flatteur/flatteuse, menteur/menteuse.**

(2) those not derived from the present participle of a verb change **-teur** to **-trice: séducteur/séductrice, accusateur/accusatrice.**

c. Adjectives ending in **-eur** with a consonant other than **-t-** preceding the ending change **-eur** to **-euse: trompeur/trompeuse, rêveur/rêveuse.**

4. Five adjectives have special forms for the feminine and also for the masculine singular if it precedes a noun starting with a novel or mute **h.**

MASCULINE SINGULAR		FEMININE SINGULAR	
Normal	Before vowel or mute h		
beau	bel	belle	le **bel** amant, la **belle** fille
nouveau	nouvel	nouvelle	le **nouvel** an, la **nouvelle** idée
fou	fol	folle	le **fol** achat, la **folle** amie
mou	mol	molle	le **mol** amant, la poire **molle**
vieux	vieil	vieille	le **vieil** ami, la **vieille** table

(handwritten: Crazy/Daft beside fou)

5. Adjectives of color have special rules for both gender and number. See the plural of adjectives, Section 7.1.B.

6. A few adjectives do not fit into any group and have irregular forms.

blanc/blanche frais/fraîche *fresh* grec/grecque *Greek*
franc/franche gentil/gentille favori/favorite
sec/sèche épais/épaisse *thick* sot/sotte *silly, stupid*
bénin/bénigne gras/grasse *fat* doux/douce *sweet*
malin/maligne gros/grosse *large* roux/rousse *reddish brown*
paysan/paysanne las/lasse *tired* faux/fausse *false*

(handwritten margin: frank, dry, bening good, bad shrewd, peasant)

la **gentille** femme **rousse** la fille **sotte** et **fausse**

7. A few adjectives have no feminine form.

angora **chic** **snob**
une chatte **angora** une remarque **snob**

À votre tour !

A. Marie-Ange et Pierre disent ce qu'ils apprécient dans la vie. Faites les substitutions indiquées entre parenthèses et les changements nécessaires.

MODÈLE   un grand amour   (joie)
         J'apprécie un grand amour.
         —Et moi, j'apprécie une grande joie.

1. un nouveau copain (amie)   5. un camarade spécial (copine)
2. un gentil guide (vendeuse)   6. un enfant sage (décision)
3. le travail créateur (pensée)   7. un couple heureux (famille)
4. un espoir réel (confiance)   8. le premier baiser (confidence)

Et maintenant, ils disent ce qu'ils cherchent. (Je cherche. . . —Et moi, je cherche. . .)

1. un vieux café   (boutique)   5. un roman amusant   (pièce)
2. un sac chic   (robe)   6. un oiseau bleu   (fleur)
3. un bon succès   (amitié)   7. un copain actif   (vie)
4. un bonheur complet   (joie)   8. un parc public   (salle)

Enfin, ils disent ce qu'ils n'aiment pas. (Je n'aime pas. . . —Et moi, je n'aime pas. . .)

1. un cœur faux   (attitude)   5. un long discours   (soirée)
2. un gros chagrin   (peine)   6. un sourire cajoleur   (voix)
3. un choix inférieur   (idée)   7. un refus net   (insulte)
4. un temps frais   (saison)   8. le climat saharien   (chaleur)

B. Relisez le texte suivant qui décrit «votre ami» en l'appliquant à «votre amie». Faites
   tous les changements nécessaires.

   Mon ami favori est grec. C'est un beau garçon brun, sérieux
   mais pas trop, compréhensif et sensible. Il sait être consolateur
   quand il le faut, pas flatteur mais attentionné. C'est mon meilleur
   conseiller. . . et il est amoureux de moi! Il n'y en a pas d'autre
   pareil à lui.

7.1.B Plural of adjectives

1. The plural is usually formed by adding **-s** to the masculine or feminine singular.

   le chagrin **fou**   les chagrins **fous**
   la **jeune** fille   les **jeunes** filles
   la liaison **dangereuse**   les liaisons **dangereuses**

2. If the masculine singular form ends in **-s** or **-x**, the adjective retains the same
   ending in the masculine plural. In the feminine plural, **-s** is added to the feminine
   singular.

   le chat **gris**   les chats **gris** (les chattes **grises**)
   un ami **sérieux**   des amis **sérieux** (des amies **sérieuses**)

3. Adjectives with certain endings have an irregular masculine plural.

MASCULINE SINGULAR	MASCULINE PLURAL	
-al	-aux	amical/amicaux
-eau	-eaux	beau/beaux

Exceptions: seven adjectives in **-al** have a regular plural: **banal, bancal, fatal, glacial, final, natal, naval.**

des amis **loyaux**   BUT   des sentiments **fatals**

4. Adjectives of color that derive from real objects, such as an orange, a ruby, gold, and so forth, remain invariable for both gender and number. The most frequently used are as follows:

argent	corail	marron[1]	rubis
brique	crème	olive	saumon
cerise	émeraude	or	turquoise
chocolat	jade	orange	

une robe **jade**   des robes **jade**
un chapeau **olive**   des chapeaux **olive**

Exceptions: **mauve, rose** take an **-s** in the plural: les jupes **roses.**

5. The adjectives **chic** and **snob** have a regular masculine plural (**chics, snobs**), but no feminine plural, whereas **angora** remains invariable.

un manteau **chic**   des manteaux **chics**
    –but–   –but–
une robe **chic**   des robes **chic**
une chatte **angora**   des chattes **angora**

6. The adjectives **beau, nouveau,** and **vieux** have the following plural forms:

	MASCULINE PLURAL	FEMININE PLURAL	
beau	beaux	belles	les **beaux** couples, les **belles** filles
nouveau	nouveaux	nouvelles	les **nouveaux** amis, les **nouvelles** idées
vieux	vieux	vieilles	les **vieux** amants, les **vieilles** dames

[1] **le marron**   *chestnut* (a reddish-brown fruit or color)

Note that in the plural, **bel, nouvel,** and **vieil** revert to the normal plural forms **beaux, nouveaux, vieux.**

À *votre tour!*

A. Line exagère toujours. Quand sa copine Solange dit qu'elle connaît une chose ou une personne, Line dit qu'elle en connaît plusieurs.

> MODÈLE   un nouveau type
> Je connais un nouveau type.
> —Ah! Moi, je connais plusieurs nouveaux types.

1. un garçon vertueux
2. une femme fatale
3. un nouvel ami
4. un amoureux ardent
5. un camarade cordial
6. une famille heureuse
7. un type snob
8. un vieil artiste

De nouveau, quand Solange dit qu'elle a acheté quelque chose, Line dit qu'elle en a acheté plusieurs. (J'ai acheté... —Ah! Moi, j'ai acheté plusieurs...)

1. une blouse chic
2. un chapeau orange
3. un beau sac
4. un sweater crème
5. un vieux livre
6. une jupe marron
7. un pantalon bleu
8. une nouvelle cassette

B. Le week-end dernier, Robert a rencontré une jolie blonde à une partie. Ils vont se retrouver aujourd'hui dans un café du Boul'Mich'[2]. Lisez le récit en faisant l'accord des adjectifs donnés entre parenthèses.

Robert arrive et regarde les consommateurs (assis) à la terrasse.
Il y a un (vieux) homme qui fume une (gros) pipe (blanc) en lisant
un journal (allemand). Une dame (âgé) est (assis) avec deux (petit)
enfants aux cheveux (roux). Il voit une (jeune) fille (séduisant)
aux cheveux (brun) et (court) qui lit une revue (étranger). Elle
porte des (grand) lunettes de soleil[3] qui cachent en partie ses
joues[4] (rose). «Non, ce n'est pas Danielle», pense Robert. «Danielle
est (blond).» Alors, il s'assied à une (petit) table et commande
une boisson (gazeux). Il regarde sa montre et attend. La (joli)
fille, elle aussi, est (impatient). Elle regarde sa montre et enfin
elle enlève ses lunettes (bleu). Alors, Robert reconnaît Danielle. Il
lui dit d'un air (confus) : «Mais, vos cheveux ne sont pas (blond)! »
Et Danielle répond qu'elle portait une perruque[5] (amusant)

[2] **le Boul'Mich'** = le boulevard Saint-Michel, bien connu des étudiants du Quartier Latin à Paris
[3] **les lunettes** *f* **de soleil**   *sunglasses*
[4] **la joue**   *cheek*
[5] **la perruque**   *wig*

pour la partie. Et elle admet : «Je ne vous ai pas reconnu non plus ! Votre visage est (différent) ! —Oui, dit Robert. J'avais une barbe (élégant) mais je l'ai coupée.»

7.1.C Special cases of agreement

1. Demi

When placed before the noun, **demi** is invariable. When placed after the noun, **demi** agrees with the noun in gender only.

une **demi-heure**   dcs **dcmi-litres**
trois heures et demie   **deux litres et demi**

2. *Compound adjectives*

a. Recently created adjectives ending in **o (néo, anglo, franco,** and so on) are joined to a second adjective by a hyphen and do not agree.

des ouvrages **néo-classiques**   des accords **anglo-allemands**
une amie **anglo-italienne**   une maladie **gastro-intestinale**

b. An adjective used to modify a second adjective functions as an adverb and does not agree.

une fille **nouveau-née**   =   une fille nouvellement née

Exceptions: **grand, large, premier, dernier** agree with the nouns they modify.

des enfants **premiers-nés**   une fenêtre **grande ouverte**

3. *Modified adjectives of color*

When an adjective of color is modified by another adjective, such as **clair** *(light)*, **foncé** *(dark)*, or **pâle** *(pale)*, there is no agreement for either adjective.

des robes **vert pâle**   une blouse **bleu ciel**

If an item is of several colors, all adjectives of color are invariable, that is to say, they do not agree. If an item is of only one color, but there are alternative choices of color, the adjectives must agree.

une écharpe **blanc et bleu**   *(the scarf has two colors)*
des maisons **blanches, grises et jaunes**   *(each house is of one color)*

4. *Adjectives modifying several nouns*

If several nouns (joined by **et, ni,** or **ou**) are modified by a single adjective, the adjective is written in the plural. If all nouns are of one gender, the adjective has that particular gender. If the nouns are of mixed genders, the adjective is kept in the masculine.

Ginette et sa sœur, très **actives** pour leur âge, font du tennis ensemble.	*Ginette and her sister, very active for their age, play tennis together.*
Une femme et un homme cordiaux nous ont parlé.	*A friendly woman and man spoke to us.*
Ils ne suivent **ni règle ni loi rigoureuses.**	*They follow neither rigorous rule nor (rigorous) law.*

À votre tour!

A. Martine s'est fiancée hier dans une cérémonie élégante. Aujourd'hui, elle parle avec sa jeune sœur Ginette. Complétez leur conversation avec les adjectifs donnés entre parenthèses. Faites les accords si nécessaire.

GINETTE   Pourquoi as-tu mis deux heures et (demi) pour te préparer hier? Moi, j'ai mis une (demi)-heure.

MARTINE   Parce que je veux être (beau) pour mon fiancé.

GINETTE   Ah bon! Mais alors pourquoi portais-tu ta robe (bleu) (clair)? Tu n'es pas (joli) avec. Moi, j'aime mieux ta robe (vert) et (jaune), la robe avec les (grand) fleurs.

MARTINE   Tu ne comprends rien à la mode (chic). Je ne pouvais pas ressembler à une perruche[6] (nouveau)- (arrivé) de la jungle (méso)-(brésilien). Pour les (grand) cérémonies, on peut porter des robes (rose), (blanc) ou (rouge) ou d'une couleur pastel, mais d'une (seul) couleur. C'est plus chic!

GINETTE   Oh la la! C'est compliqué. Moi, je suis (content) de ne pas être la fille (premier)-(né). Comme ça, je t'observe et je peux décider comment je vais faire, plus tard.

B. **Questions indiscrètes.**   Soyez imaginatif/imaginative et répondez aux questions personnelles suivantes.

1. Questions pour les jeunes filles.

a. Pour aller au cinéma avec vous, votre amoureux porte des vêtements de sport. Décrivez-les et dites de quelles couleurs ils sont.

b. Pour aller danser avec votre amoureux, vous portez une robe de différentes couleurs avec des sandales assorties. Décrivez-les.

2. Questions pour les garçons.

a. Votre ami a amené une copine de sa petite amie pour que vous sortiez avec elle. Elle arrive... horreur! elle porte des vêtements *punk* de couleurs laides. Décrivez-les.

b. Vous allez à la plage et vous y rencontrez une jolie fille qui porte un maillot de bain de plusieurs couleurs. Décrivez-le.

---

[6] **la perruche**   *parakeet*

7.1.D Vocabulary review

1. **être** (*to be*), **paraître/sembler** (*to seem*) + adjective: the adjective modifies the subject and must agree with it.

Les amoureux **paraissent contents d'être seuls.**	*The lovers seem happy to be alone.*
Vos enfants **semblent tristes.**	*Your children look sad.*

2. **rendre** (*to make*) + direct object + adjective: the adjective modifies the direct object and must agree with it.

La nouvelle de vos fiançailles **rend vos amies heureuses.**	*The news of your engagement makes your friends happy.*
Regardez Valérie. Le bonheur **la rend si belle !**	*Look at Valérie. Happiness makes her so beautiful!*

3. **avoir l'air** (*to look/to seem*) + adjective: the adjective agrees either with the subject or with the noun **air** (masculine singular).

Elle **a l'air ennuyé(e).**	*She looks annoyed.*
Cette femme **a l'air satisfait(e)** de son nouveau poste.	*This woman seems satisfied with her new position.*

À votre tour !

Madeleine la mal mariée. Lisez le paragraphe suivant en ajoutant les adjectifs donnés entre parenthèses. Faites les accords si c'est nécessaire.

Les amies de Madeleine ne semblent pas (surpris) d'apprendre son quatrième divorce. Cette décision a rendu Madeleine très (malheureux). Ses amies l'ont vue au café et elle avait l'air (abattu). L'émotion, la fatigue et le chagrin trop (grand) ont affecté la pauvre femme. Ni les paroles ni les sourires (amical) n'ont pu la réconforter. Mais son fidèle ami Jean vient de lui apporter un bouquet de fleurs (bleu, blanc et rose). C'est une consolation et une joie (évident) pour Madeleine. En deux jours et (demi), elle paraît (transformé). Songe-t-elle déjà à un cinquième mariage ?

7.1.E Position of adjectives

1. *Basic rule of position*

Most adjectives follow the nouns they modify.

    une femme **fatale**   des liaisons **dangereuses**

These include adjectives referring to color, physical aspect, nationality, religion, geography, technology, science, politics, and class.

Quand on est invité chez des amis, il est de bonne étiquette
d'apporter des fleurs. Il faut les choisir avec l'aide de la fleuriste
qui sait composer des bouquets pour toutes les occasions.

des cheveux **roux**	un produit **industriel**
une épouse **danoise**	un congrès **médical**
une cérémonie **protestante**	un parti **républicain**
une région **tropicale**	une famille **bourgeoise**

Present and past participles used as adjectives follow the noun.

un homme **charmant**   une femme **aimée**

2. *Adjectives that precede the noun* (**adjectifs prénominaux**)

    a. Some very common short descriptive adjectives precede the noun.

autre	**gentil**	**haut**	**mauvais**	**vieux**
beau	**grand**	**jeune**	**nouveau**	**vilain**
bon	**gros**	**joli**	**petit**	

Une **grande joie** entra dans le cœur du **jeune garçon**.	*A great joy came into the young boy's heart.*	
La **jolie Lisette** a un **nouvel amant**.	*Pretty Lisette has a new lover.*	

b. Numerical adjectives, both cardinal and ordinal, and the adjectives **premier** and **dernier** precede the noun.

De ces **cinq personnes**, la **première femme** est divorcée.	*Of these five people, the first woman is divorced.*
Je t'écris pour la **troisième** et **dernière fois**.	*I'm writing to you for the third and last time.*

Exceptions: When ranking kings, popes, and so forth, **premier, deux, trois,** and so on, come after the proper noun: **François Ier (premier), Henri III (trois). Dernier** is placed after **an/année, mois, semaine,** or **jour** and has the meaning of **passé** *(just past, last)*: **le mois dernier.**

c. Adjectives normally placed after the noun may be used before it to intensify their meaning.

Son ami est un **excellent chef**.	*Her friend is an excellent chef.*
Nous avons passé une **merveilleuse soirée**.	*We've spent a marvelous evening.*

3. *Adjectives that change meaning depending on position*

Some adjectives may be used before or after the noun, but they have a different meaning in each case. Usually the meaning is more figurative when the adjective precedes the noun. The following list gives only the most common pairs:

ancien	l'**ancien** ami	l'ami **ancien**
	the former friend	*the old friend*
bon	une **bonne** personne	une personne **bonne**
	a good-natured person	*a good person*
brave	un **brave** copain	un copain **brave**
	a kind pal	*a courageous (brave) pal*
certain	un **certain** charme	un succès **certain**
	a certain (some) charm	*a sure (definite) success*
cher	ma **chère** femme	ma femme **chère**
	my dear wife	*my expensive wife*
faux	un **faux** ami	un ami **faux**
	a false friend	*an insincere (deceitful) friend*
grand	un **grand** bonheur	un homme **grand**
	a great happiness	*a tall man*
même	la **même** joie	la joie **même**
	the same joy	*the very joy*
pauvre	la **pauvre** fille	la fille **pauvre**
	the poor (pitiable) girl	*the poor (penniless) girl*

propre	ma **propre** veste	ma veste **propre**
	my own jacket	*my clean jacket*
sale	un **sale** type	un garçon **sale**
	a nasty guy	*a dirty boy*
seul	un **seul** baiser	un homme **seul**
	a single (only one) kiss	*a single (alone) man*
simple	une **simple** invitation	un cœur **simple**
	a mere invitation	*a simple (modest) heart*
vrai	un **vrai** Don Juan	une femme **vraie**
	a real (true) Don Juan	*a sincere (truthful) woman*

4. *Two or more adjectives modifying a noun*

a. If they all normally follow the noun, they keep that position and the last adjective is introduced by **et.**

une amie **honnête et douce**   un amour **tendre et sincère**

When an adjective is used to contrast with another, it is untroduced by **mais.**

un bonheur **simple mais vrai**   un cœur **tendre mais jaloux**

b. If they all normally precede the noun, they may be placed before or after the noun and are joined by **et.** However, **autre** and all numerical adjectives remain before the noun.

un **gros et vilain** mensonge   une amitié **belle et bonne**
dix filles **jeunes et jolies**   un **autre** copain **jeune et bon**

c. If the adjectives are of both types (some preceding and some following), they retain their normal positions.

Marcel est amoureux d'une **jeune** vendeuse **espagnole.**   *Marcel is in love with a young Spanish salesgirl.*

À votre tour !

A. La Saint-Valentin. Ajoutez aux noms en italique les adjectifs donnés entre parenthèses.

MODÈLE   Parlons de nos *fêtes*. (plaisant)
         Parlons de nos fêtes plaisantes.

1. La Saint-Valentin est un *jour de fête* (agréable).
2. Les *amoureux* (jeune, vieux) se préparent à l'avance.
3. D'abord il faut trouver une *carte* (beau, original) à envoyer à l'objet de son amour.
4. Puis, chez un *fleuriste* (accueillant, bon) on choisit des *fleurs* (cerise, corail, rose, rouge)
5. Ou bien on achète un *bouquet* (gros, joli) de *violettes* (parfumé).
6. Il faut aussi avoir une *boîte* (grand) de *chocolats* (délicieux).

7. Le jour de la Saint-Valentin, l'amoureux se présente avec ses *cadeaux* (beau, généreux) chez sa belle.

8. C'est ainsi qu'il lui prouve son *amour* (fidèle, éternel).

B. **Ma camarade de chambre.** Ajoutez aux noms en italique l'adjectif donné entre parenthèses. Faites attention à la position de l'adjectif parce qu'elle influe sur son sens.

MODÈLE C'est une *fille* (brave = gentil).
C'est une brave fille.

1. Connaissez-vous Sidonie ? C'est une *amie* (cher = aimé) à moi. *chère*

2. C'est aussi une *amie* (ancien = vieux), une *fille* (bon — de bonne nature)... et jolie en plus !

Dans les maisons françaises, le salon est une pièce qui met en valeur le goût, l'élégance et la classe sociale d'une famille.

3. Elle ne parle pas beaucoup, mais souvent je vois de l'affection sur son visage qui montre qu'elle n'est pas une *amie* (faux = malhonnête).
4. Son *bonheur* (grand = important) c'est d'être sur mes genoùx quand j'étudie.
5. C'est une *fille* (propre = pas sale) qui a son *lit* (propre = à elle).
6. Pour moi, c'est la *joie* (même = absolu) quand je la vois, couchée en rond, son nez dans ses pattes, sur ma chaise.
7. Les Siamoises sont des *amies* (vrai = réel)! Et maintenant, savez-vous qui est Sidonie?

C. **L'amour de ma vie.** Faites le portrait de la jeune fille ou du jeune homme de vos rêves. Parlez de l'aspect physique, des qualités, des caractéristiques mentales de celle/celui qui captivera votre cœur. Utilisez beaucoup d'adjectifs qualificatifs et faites attention à leur position quand il y en a plusieurs.

II Adverbs (les adverbes)

Adverbs are invariable words used to modify a verb, an adjective, or another adverb. They are of various types, such as adverbs of manner, time, place, quantity, and frequency.

7.2.A Forms

1. *Adverbs ending in* **-ment**

Many adverbs are formed by adding the suffix **-ment** to the adjective, according to the following basic rules:

a. When the adjective ends in a consonant, the feminine form is used.

faux/fausse → **faussement**   amical/amicale → **amicalement**
heureux/heureuse → **heureusement**   réel/réelle → **réellement**
doux/douce → **doucement**   naïf/naïve → **naïvement**

However, adjectives ending in **-ant/-ent** use the endings **-amment/-emment.**[1]

méchant → **méchamment**   patient → **patiemment**

Exception: lent → **lentement**

b. When the masculine form of the adjective ends in a vowel, **-ment** is added directly to it.

tendre → **tendrement**   vrai → **vraiment**
exagéré → **exagérément**   résolu → **résolument**

Exceptions: gai → **gaiement**, nouveau → **nouvellement**, fou → **follement**, mou → **mollement**.

---

[1] They are both pronounced the same way /amã/.

c. *Irregular forms*: some adverbs have **é** instead of **e** before **-ment**.

confus → **confusément**	énorme → **énormément**
précis → **précisément**	intense → **intensément**
obscur → **obscurément**	uniforme → **uniformément**
profond → **profondément**	

Some adverbs follow no rule:

gentil → **gentiment**	bon → **bien**
bref → **brièvement**	mauvais → **mal**
	petit → **peu**

2. *Short adverbs*

These are in frequent usage and it is helpful to learn them by categories.

Time			
alors	autrefois	depuis	longtemps
après	avant	désormais	maintenant
après-demain	avant-hier	encore	puis
aujourd'hui	bientôt	enfin	soudain
auparavant	déjà	ensuite	tard
aussitôt	demain	hier	tôt

Quantity			
assez	combien	peu	tant
autant	davantage	plus	très
beaucoup	moins	si	trop

Frequency	Manner	Place	
jamais	ainsi	dedans	là
parfois	bien	dehors	là-bas
quelquefois	ensemble	dessous	loin
souvent	mal	dessus	partout
toujours	vite	ici	près

3. *Adjectives used as adverbs*

With certain verbs only, some adjectives, written in the masculine singular, are used as adverbs, in which case there is no agreement of the adjective.

parler **bas/haut**	to speak softly/loudly	travailler **dur**	to work hard
voler **bas/haut**	to fly low/high	crier **fort**	to shout loudly
sentir **bon/mauvais**	to smell good/bad	frapper **fort/dur**	to hit hard
coûter **cher**	to cost dearly	voir **grand**	to see big
voir **clair**	to see clearly	voir **juste**	to see right
chanter **juste/faux**	to sing on key/off key	dire **vrai**	to speak truly
deviner **juste**	to guess right	faire **vrai**	to appear authentic

Ce parfum sent bon, mais il coûte cher.

This perfume smells good, but it costs dearly/a lot.

In contemporary French, there is a tendency to use more adjectives in the above manner, especially in the language of advertising and politics.

Achetez français !
Ce rouge fait jeune.
Votez socialiste !

Buy French!
This rouge makes one look young.
Vote socialist!

À votre tour !

A. Un professeur de psychologie donne des conseils à ses étudiants. Répétez chaque phrase en utilisant des adverbes à la place des adjectifs en italique.

MODÈLE   Un homme est attiré par une femme avec de *jolis* vêtements. (vêtu)
Un homme est attiré par une femme joliment vêtue.

1. Un homme est attiré par une femme à la coiffure *élégante*. (coiffé)
2. Un homme est attiré par une femme au parfum *sensuel*. (parfumé)
3. Une femme est attirée par un homme aux attentions *gentilles*. (attentionné)
4. Une femme désire un homme avec un amour *fou*. (amoureux)
5. Un homme préfère une femme aux proportions *plaisantes*. (proportionné)
6. Un homme désire une femme aux dépenses *modérées*. (dépensier)
7. Une femme cherche un homme à la fidélité *constante*. (fidèle)
8. Un homme n'aime pas une femme de *mauvaise* éducation. (éduqué)
9. Un adolescent cherche un copain à l'amitié *vraie*. (amical)

B. Complétez les mini-conversations en ajoutant l'adverbe qui manque. Sur les adverbes proposés, un seul est correct pour la phrase donnée.

1. REPORTER   Mlle du Parc, quand allez-vous annoncer vos fiançailles ?
MLLE DU PARC   Je ne sais pas précisément. Ce sera ⸺ (hier / bientôt / ensuite).
REPORTER   Combien de personnes inviterez-vous pour la cérémonie ?
MLLE DU PARC   Oh ! Je ne sais. Il y en aura ⸺ (autant / davantage / beaucoup).

2. LOUISON   Dis-moi, Nicole, combien de fois es-tu sortie avec Jérôme cette semaine ?

NICOLE   Petite curieuse ! Je ne te le dirai ___ (jamais / toujours / quelquefois).

LOUISON   Je t'assure, je ne le dirai pas à Maman. Alors, tu es sortie ___ (autrefois / souvent / ensemble) ?

NICOLE   Non, non ! Je ne te dirai rien. Tu me questionnes ___ (très / autant / trop).

C. **Une soirée perdue.** Alain raconte à son copain Henri sa soirée de Saint-Valentin passée avec une nouvelle amie, Sylvie. Complétez le dialogue par la forme appropriée du verbe donné et modifiez chacun par un des adjectifs suivants: **bon, cher, dur, faux, fort, grand, juste, vrai.**

MODÈLE   Tu as une nouvelle amie. Est-ce que je (dire) ___ ?
Est-ce que je dis vrai ?

HENRI   Alors, tu es vraiment sorti avec Sylvie ? Raconte ! Tu lui as offert des fleurs ?

ALAIN   Naturellement ! Un bouquet de violettes qui (sentir) ___ .

HENRI   Et vous avez dîné au restaurant ?

ALAIN   Mais oui, mon vieux[2], «Chez Gaston ››. Et ça (coûter) ___ : cent quinze francs.

HENRI   Super ! Toi, tu fais les choses royalement. Tu (voir) ___ !

ALAIN   Tu (dire) ___ .

HENRI   Et après ? Ciné, concert ? Est-ce que je (deviner) ___ ?

---

[2] **mon vieux** (usage familier)   *old pal, pal, old sport*

ALAIN Une représentation de *Madame Butterfly*. Eh bien! Sylvie a trouvé que les acteurs (chanter) ___!

HENRI Trouver une fille sympa, c'est pas facile. On ne peut pas toujours (voir) ___.

ALAIN Attends! Ce n'est pas tout. Sylvie n'aime que les films de Jean-Paul Belmondo et de John Wayne. Elle aime les types qui (parler) ___ et (frapper) ___.

HENRI Quel désastre! Une soirée perdue et, en plus, te voilà fauché[3] maintenant! Pauvre vieux!

7.2.B Position of adverbs

1. *Adverbs modifying adjectives and other adverbs*

In this case, the modifying adverb always precedes the adjective or other adverb.

Stéphane parlait avec une **assez jolie** fille.	*Stefan was speaking with a rather pretty girl.*
J'ai répondu **très franchement** à Paul.	*I answered Paul very frankly.*

2. *Adverbs modifying verbs*

a. When the verb is in a simple tense, the adverb usually follows the verb, or **pas, plus, jamais,** and so on, if the verb is negated, or the inverted form of the verb if it is in the interrogative form.

Vous avez **vraiment** raison d'éviter Marc; il boit **trop.**	*You're truly right to avoid Marc; he drinks too much.*
Ne vous décidez pas **trop rapidement** à vous marier!	*Don't decide too fast to get married!*
Nathalie sort-elle **toujours** avec le jeune Anglais?	*Does Nathalie still go out with the young Englishman?*

b. When the verb is in a compound tense, short adverbs are placed between the auxiliary and the past participle.

Claire était **vite** rentrée car Thierry s'était **souvent** plaint de son retard.	*Claire had come home quickly, for Thierry had often complained about her lateness.*

Exceptions: Adverbs of time or place usually follow the past participle, except for **déjà, encore, enfin.**

Les amoureux sont allés **loin** pour être seuls. Ils ont **enfin** trouvé un coin calme.	*The lovers went far away to be alone. They finally found a quiet spot.*

Adverbs in **-ment** usually follow the past participle.

---

[3] **fauché** (usage familier) *broke*

Il a serré Claire **amoureusement** dans ses bras.	*He held Claire lovingly in his arms.*

Exceptions: **certainement, complètement, entièrement, probablement, sûrement,** and **vraiment** are often placed before the past participle.

Tu as **vraiment** pris une bonne décision.	*You really took a good decision.*

c. When the verb is followed by an infinitive, the adverb precedes the infinitive.

Nous allons **certainement** fixer la date du mariage ce soir.	*We are certainly going to set the wedding date tonight.*

d. Adverbs of time or place and a few adverbs of manner (**heureusement, malheureusement, généralement, ordinairement**) may be placed at the beginning of a sentence (for emphasis) or at the end.

Demain, je t'aimerai encore plus.	*Tomorrow, I'll love you even more.*
Ici, on traite les gens avec compassion.	*Here, we treat people with compassion.*
Elle n'a plus de chagrin, **heureusement.**	*She no longer has any sorrow, fortunately.*

Adverbs of place follow the direct object noun when one is used.

Il ouvre la boîte et met la bague **dedans.**	*He opens the box and places the ring inside.*

e. Adverbs in **-ment** may be placed at the beginning (for emphasis) or end of the sentence, after the past participle (normal place) or before the past participle (for emphasis).

Lentement, Julien marche vers sa femme.	*Slowly, Julien walks toward his wife.*
Pourquoi lui parles-tu **méchamment ?**	*Why do you speak to him meanly?*
Son impatience m'a **fortement** déplu.	*Her impatience greatly displeased me.*
Nous avons compris **finalement** que notre amour était solide.	*We finally understood that our love was firm.*

f. When **à peine** (*hardly, scarcely*), **en vain, peut-être,** or **sans doute** are used at the beginning of a sentence, the verb and its subject are inverted.

Sans doute craint-il que sa femme le trompe !	*Undoubtedly he fears that his wife is cheating on him!*
À peine étions-nous arrivés qu'ils se sont mis à se disputer.	*Hardly had we arrived than they started arguing.*

However, **peut-être que** and **sans doute que** do not require any inversion.

Peut-être qu'ils divorceront.	*Perhaps they will get divorced.*

À *votre tour!*

A. Luc joue avec le feu[4] Lisez le récit suivant en ajoutant les adverbes donnés entre parenthèses.

1. (trop)   Luc et Ginette se sont fiancés vite.
2. (souvent)   Luc est déprimé; (très)   mais c'est un beau garçon.
3. (sans doute que)   Elle est amoureuse de lui.
4. (malheureusement)   Elle n'a pas plus de cervelle *(brains)* qu'un oiseau.
5. (toujours)   Mais ils ne semblent pas s'amuser ensemble.
6. (hier)   Ils étaient à une surprise-partie.
7. Savez-vous ce que Luc a fait? (ouvertement)   Il a flirté avec Katie.
8. (en vain)   Ginette s'est-elle fâchée.
9. (encore)   Luc n'a pas compris qu'il jouait avec le feu.

B. Tout est bien qui finit bien! Complétez l'histoire suivante en utilisant des adverbes choisis dans la liste suivante.

| après-demain | autrefois | ici | partout | soudainement |
| aujourd'hui | dehors | là | sans doute | |

_____, ils vivaient ensemble dans son appartement. On voyait ces deux amoureux _____: ils étaient inséparables! _____, elle s'est mise à sortir sans lui. Lui, on le voyait seul, _____ ou _____. _____ avaient-ils eu une brouille sérieuse. On disait qu'elle avait mis son amoureux _____. _____, tout est changé. Nous avons appris qu'ils annonceront leurs fiançailles _____.

III Comparative and superlative forms

7.3.A Comparative forms (le comparatif)

The comparative is used to compare two persons, two things, or two groups. There are three degrees of comparison: superiority, inferiority, and equality.

1. Comparatives may be used with adjectives, adverbs, verbs, and nouns.

	SUPERIORITY	INFERIORITY	EQUALITY
	(more . . . than)	*(less . . . than)*	*as (much) . . . as*
Adjectives Adverbs	**plus. . . que**	**moins. . . que**	**aussi. . . que**
Verbs	**. . . plus que**	**. . . moins que**	**. . . autant que**
Nouns	**plus de. . . que**	**moins de. . . que**	**autant de. . . que**

---

[4] **le feu** *fire*

a. The second element of the comparison is introduced by **que** (*than* or *as* in English). If the second element is a personal pronoun, the stressed form of the pronoun must be used.

Je trouve ton ami **plus séduisant que** Denis mais **moins attentionné que lui.**	*I find your friend more seductive than Dennis but less caring than he.*
Leur amitié durera **aussi longtemps qu'**ils vivront.	*Their friendship will last as long as they live.*
Cet enfant aime son oncle **autant que** ses parents.	*This child loves his uncle as much as his parents.*
Cette liaison t'apportera **plus d'ennuis que** tu crois.	*This affair will bring you more trouble than you think.*

b. In a negative sentence, **si** may be used instead of **aussi.**

Adèle n'est pas **si aimante** avec sa fille **qu'**avec son fils.	*Adele is not as loving with her daughter as with her son.*

2. The following adjectives and adverbs have irregular comparatives of superiority:

ADJECTIVES		ADVERBS	
bon	meilleur	bien	mieux
mauvais	plus mauvais / pire	mal	plus mal / pis
petit	plus petit / moindre	peu	moins

Jean a un **meilleur** emploi **que** toi.	*John has a better job than you.*
Est-ce que Pavarotti chante **mieux que** Caruso ?	*Does Pavarotti sing better than Caruso?*

a. Because they are adjectives, **meilleur, pire,** and **moindre** follow the rule for the agreement of adjectives.

Sais-tu si ces chansons sont **meilleures** ou **pires que** les précédentes ?	*Do you know whether these songs are better or worse than the preceding ones?*
Ses défauts sont **moindres qu'**ils n'étaient avant.	*His faults are smaller than they were before.*

b. Note that **pis** is seldom used outside of the expressions **tant pis** (*too bad*) and **de mal en pis** (*from bad to worse*).

Elle quitte son ami. **Tant pis !**	*She's leaving her friend. Too bad!*

3. When used with the comparatives of superiority and inferiority, the adverbs **beaucoup, bien,** and **tellement** intensify their meaning. They can be translated by *far ...*, *much ...*, and *so much.*

La jalousie est une émotion **bien moins violente que** la colère, mais **tellement plus durable.**

Jealousy is an emotion far less violent than anger, but so much more lasting.

4. When there are several adjectives or adverbs in a comparison, the comparative must be repeated with each.

Je la trouve **plus tendre** et **plus calme** que sa sœur.

I find her more tender and quieter than her sister.

À votre tour !

A. **Comparons nos copains!** Sylvie et Brigitte comparent les garçons qui font partie de leur bande. Faites des phrases avec les mots donnés en utilisant les trois degrés de comparaison. Ajoutez les mots nécessaires pour faire des phrases complètes.

MODÈLE   Thierry / être / drôle / dans / conversation / Bernard
Thierry est aussi (plus/moins) drôle dans la conversation que Bernard.

1. Marc / sembler / attentionné / avec / amies / David
2. Patrick / montrer / tendresse / Norbert
3. Vincent / aimer / jouer / tennis / rarement / Roland
4. Alain / paraître / amusant / dans / parties / Olivier
5. Hervé / aimer / faire / sports / Eric
6. Michel / bavarder / Lucien / quand / nous / aller / café
7. François / savoir / bien / danser / Jean-Paul
8. Serge / avoir / temps / pour / promenades / Étienne

B. **Deux camarades.** Joëlle et Isabelle font partie de la même bande de copains mais elles sont très différentes.

JOËLLE   18 ans; elle a beaucoup de copains; elle sort tous les week-ends; elle est intéressée par les sports mais peu par la lecture; elle aime beaucoup danser.
ISABELLE   21 ans; elle a quelques copains; elle sort trois fois par mois; elle est très intéressée par la lecture mais peu par les sports; elle aime beaucoup danser.

Comparez les deux jeunes filles sur les points suivants: âge, nombre de copains, fréquence des sorties, intérêts (sports, lecture, danse). Utilisez des comparatifs de supériorité, d'infériorité et d'égalité.

Exemple: Joëlle sort plus souvent qu'Isabelle.

C. Thème: Le courrier du cœur. Traduisez en français.

1. Simon is jealous. Is jealousy worse than anger?
   —One is as bad as the other.
2. Marielle is violent. Is an irritable lover better than an indifferent lover?
   —In love, indifference is less dangerous than violence.
3. Daniel isn't passionate. Is tenderness more lasting than passion?
   —Tenderness lasts much longer than passion.

7.3.B Superlative forms (le superlatif)

1. The superlative expresses the highest or the lowest degree or amount of what is being compared. There are two degrees of the superlative: superiority and inferiority.

   Pierre est **le plus gentil** garçon.   *Peter is the nicest fellow.*
   Ginette danse **le moins souvent.**   *Ginette dances the least often.*

2. The superlative may be used with adjectives, adverbs, verbs, and nouns.

	SUPERIORITY	INFERIORITY
Adjectives	le/la/les plus...	le/la/les moins...
Adverbs	le plus...	le moins...
Verbs	... le plus[1]	... le moins
Nouns	le plus de...	le moins de...

   a. With adjectives, the definite article must agree in gender and number with the modified noun.

   Il invite toujours **ses amis les plus loyaux.**   *He always invites his most loyal friends.*

   With adverbs, nouns, and verbs, only **le** (invariable) is used.

   Notre trio a chanté **le moins faux.**   *Our trio sang the least off-key.*
   C'est ma rupture avec Jean qui m'a causé **le plus de** chagrin.   *It is my breakup with John that caused me the most sorrow.*
   C'est quand il s'ennuie que Serge lit **le plus.**   *It's when he is bored that Serge reads the most.*

   b. In general, the adjective retains its usual position, before or after the noun. When it is placed after the noun, the definite article is repeated.

---

[1] In this case, the **s** in **plus** is sounded.

Pourquoi sors-tu avec **la moins jolie** fille ?	*Why do you go out with the least pretty girl?*
Les gens **les plus riches** ne sont pas **les plus heureux.**	*The wealthiest people are not the happiest.*

c. With adjectives, a possessive adjective may be used instead of a definite article.

As-tu lu **mes plus beaux** poèmes ?	*Have you read my most beautiful poems?*

3. The adjectives **bon, mauvais,** and **petit** and the adverbs **bien** and **mal** have some regular and irregular forms for the superlative of superiority only.

bon(ne)(s)	le/la/les meilleur(e)(s)
mauvais(e)(s)	le/la/les plus mauvais(e)(s) le/la/les pire(s)
petit(e)(s)	le/la/les plus petit(e)(s) le/la/les moindre(s)
bien	le mieux
mal	le plus mal/le pis[2]
peu	le moins

Charles a dit **les pires** mensonges sur son copain.	*Charles told the worst lies about his pal.*
Quelle est **la meilleure** qualité d'un ami ?	*What is a friend's best quality?*
Ce sont ses romans **les plus mauvais.**	*These are his worst novels.*
Agnès s'exprime **le mieux** et Sophie **le plus mal.**	*Agnes expresses herself the best and Sophie the worst.*

4. After a superlative, **de** is used as the equivalent of *in* or *of.*

Julia cuisine **le mieux de** la famille.	*Julia cooks the best (of anyone) in the family.*
C'est **le plus gentil** célibataire du village.	*He's the kindest bachelor in the village.*

À votre tour !

A. Ève et Hubert ne filent pas le parfait amour[3]. Faites des phrases avec les mots donnés. Utilisez les adjectifs ou les adverbes en italique au superlatif. Ajoutez les mots nécessaires pour faire des phrases complètes. N'oubliez pas de faire les accords.

---

[2] In modern French, **le pis** is seldom used.
[3] **filer le parfait amour** (locution) *to live the perfect love*

MODÈLE Ève / être / *peu* / gentil / fille / bande
Ève est la moins gentille fille de la bande.

1. Ève et Hubert / venir de / se parler / *méchamment* / toute la semaine
2. jalousie / sembler / être / *mauvais* / caractéristique / ce couple
3. hier / Ève / flirter avec / *bon* / copain / Hubert
4. Malheureusement / colère / ne pas être / *petit* / défaut / Hubert
5. Mais / pourquoi / Ève / tenir à / être / fille / *flirteur* / toute la ville ?
6. Nous / penser / que / ils / ne pas se conduire / *bien* / possible
7. Nous / croire / aussi / que / ce / être / couple / *stupide* / que / nous / connaître

B. Simone, aidée par sa petite fille Brigitte, prépare une partie pour l'anniversaire de son mari. Jouez le rôle de Brigitte.

MODÈLE Nous allons avoir une partie pour Papa. (beau, l'année)
BRIGITTE La plus belle partie de l'année !

1. Je vais faire un *gâteau au chocolat*. (délicieux, la ville)
2. Toi, tu prépareras les *décorations*. (jolie, le monde)
3. Tu choisiras les *fleurs*. (parfumé, le magasin)
4. Papa aura une *surprise*. (doux, sa vie)
5. Il aimera notre *cadeau*. (bon, le monde)
6. Quelle soirée ce sera ! (heureux, l'année)

Vue d'ensemble

I À vous la parole !

A. **Parlez de vous-même !** Nos relations affectives constituent une partie très importante de notre vie. Vous allez donc parler de vos sentiments, de vos projets amoureux et de vos espoirs. Employez des adjectifs et des adverbes qui décrivent clairement et avec imagination.

1. Avez-vous un(e) petit(e) ami(e) ? Faites son portrait en donnant ses caractéristiques physiques et morales. Si vous êtes marié(e), alors faites le portrait de votre femme/mari.
2. Vos relations affectives sont-elles très sérieuses ou préférez-vous attendre plus tard pour vous engager vraiment ? Donnez vos raisons.
3. Pour vous, qu'est-ce qu'un(e) bon(ne) camarade ? En avez-vous plusieurs ? Qu'aimez-vous faire ensemble ?
4. L'amitié est différente de la camaraderie. En quoi consiste cette différence pour vous ?
5. Êtes-vous lié(e) d'amitié avec quelqu'un ? Pouvez-vous vous fier à cette personne ? Cette amitié sera-t-elle durable ? Dites pourquoi.
6. Aimez-vous la solitude ? Dans quelles circonstances ?
7. Vous sentez-vous déprimé(e) parfois ? Qu'est-ce qui cause cela ?
8. Quand vous êtes triste ou déprimé(e), que faites-vous pour retomber sur vos pieds ?

Le Baiser, grande statue de marbre sculptée en 1886,
est une des plus célèbres œuvres de Rodin.

9. Avez-vous des ami(e)s ou des camarades dynamiques ? Qu'est-ce qui les rend
   ainsi ?
10. Épouser son premier grand amour vous semble-t-il raisonnable ? Pensez-vous
    plutôt qu'il vaut mieux acquérir plus d'expérience avant de faire le «grand
    pas» ? Donnez vos raisons.

B. **Obtenez des renseignements !** Demandez à la personne près de vous...

1. s'il/si elle a des amis ou des camarades français et combien.
2. s'il/si elle fréquente quelqu'un en vue d'un mariage et qui.
3. s'il/si elle pense qu'il faut être très amoureux avant de se marier.
4. s'il/si elle connaît des personnes qui ont fait un mariage de raison.
5. ce qu'il/elle fera quand un(e) bon(ne) ami(e) devra aller vivre dans une autre
   ville.
6. quelles sont selon lui/elle les qualités qu'un(e) ami(e) doit avoir.
7. quels sont les défauts qu'il/elle déteste le plus chez une autre personne.
8. s'il/si elle a une qualité spéciale... un défaut qu'il/elle veut perdre et lesquels.
9. s'il/si elle a lu un roman d'amour qu'il/elle a trouvé très beau. Demandez-lui si
   c'est le héros ou l'héroïne qu'il/elle a aimé(e).
10. s'il/si elle a vu un film d'amour qui l'a fait pleurer. Pourquoi ?

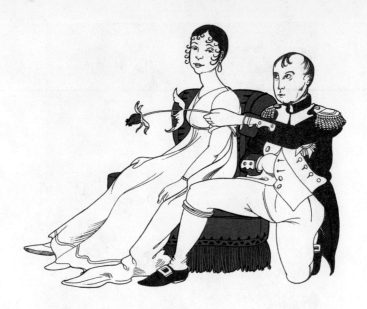

II En scène !

Il y a dans l'histoire et dans la littérature des couples célèbres tels Antoine et Cléopâtre, Napoléon et Joséphine, Carmen et Don José, Emma et Charles Bovary, Roméo et Juliette, Cyrano de Bergerac et Roxane. Préparez une présentation à jouer en classe où chaque couple célèbre racontera un événement bien connu de sa vie, sous forme d'un dialogue. Par exemple :

JOSÉPHINE Te souviens-tu, Napoléon chéri, du jour de notre sacre ?...

ANTOINE Ma divine Cléopâtre, comme tu étais belle, ce soir-là, sur ta barge royale, descendant le Nil !...

Si vous voulez ajouter des couples modernes, il y a le Prince Charles et la Princesse Di, Jack et Jackie Kennedy, Elizabeth Taylor et Richard Burton. À vous d'en trouver d'autres, si vous le désirez.

III Soyez créateurs !

Travail en groupe. Divisez la classe en groupes de cinq on six étudiants et dans chaque groupe discutez de l'attraction entre les deux sexes. Déterminez ce qui rend un homme désirable pour une femme au point qu'elle tombe amoureuse de lui et désire l'épouser. Faites la même chose pour le cas d'une femme qu'un homme veut épouser. Lorsque vous aurez établi vos listes de caractéristiques, tous les groupes se réuniront pour comparer leurs résultats.

CHAPITRE 8
La Vie conjugale

Le mariage civil se fait à la mairie, devant le maire ou son adjoint.

Vocabulaire spécial

I Le mariage

Noms

le compagnon/la compagne *companion*
l'époux/épouse *spouse*
la personnalité *personality, character*
le tempérament = le caractère
la capacité = l'aptitude *f*
la dévotion ≠ l'indifférence *f*
la lune de miel *m honeymoon*
les noces *f wedding*
le voyage de noces *honeymoon trip*
l'annonce *f announcement*
la vie conjugale *married life*
le bien-être *well-being*
les beaux-parents *in-laws*
le gendre *son-in-law*
la belle-fille *daughter-in-law*

partir
aller en

Adjectifs

amical *friendly*
attentif (-ive) *attentive*
courageux (-euse) *courageous*

honnête ≠ malhonnête *honest ≠ dishonest*
insouciant *carefree*
franc(he) *frank*
mûr ≠ puéril *mature ≠ childish*
coûteux (-euse) *costly, expensive*
assorti *matched*
ravi/enchanté *delighted*
surmené *overworked*
embarrassant *embarrassing*
émouvant *moving*

Verbes

faire attention (à) *to pay attention (to)*
se soucier (de) *to care (about)*
se réjouir (de) *to rejoice (over)*
faire plaisir (á) *to please*
dorloter/choyer *to pamper*
protéger *to protect*
être indifférent à ≠ se soucier (de)
réagir *to react*
déplorer *to deplore*

II La vie au foyer

Noms

le foyer *home*
la femme au foyer *homemaker, housewife*
les travaux ménagers *housekeeping chores, housework*
la course *errand*
la vaisselle *dishes*
les économies *f savings*
l'humeur *f mood*
l'égalité *equality*
l'esclave *m, f slave*
le phallocrate *male chauvinist*
la pilule *(contraceptive) pill*
la grossesse *pregnancy*
l'avortement *abortion*

la crèche *day nursery*
le baby-sitter
le souci *care, worry*
le reproche *reproach*
la scène de ménage *row (fight)*
l'adultère *m adultery*
le divorce

Adjectifs

agressif (-ive) *aggressive*
frustré *frustrated*
grincheux (-euse) *grouchy*
maussade *surly, glum*
odieux (-euse) = détestable
hypocrite *hypocritical*
soucieux (-euse) *worried*
coupable ≠ innocent

adultère *adulterous*
fautif (-ive) *at fault*
irritable ≠ placide *irritable ≠ calm*
décevant *disappointing*
déçu *disappointed, deceived*

Verbes

faire des courses *to run errands*
faire la vaisselle *to do the dishes*
faire des économies *to save money*
se dévouer *to devote oneself*
défendre/interdire *to forbid*
se débarrasser (de) *to get rid (of)*
blâmer *to blame*
reprocher (à) *to reproach*

faire exprès (de) *to do intentionally (something)*
craindre *to fear*
briser *to break*
battre *to beat*
frapper *to hit, to strike*
pleurer *to cry, to weep*
se venger (de) *to avenge oneself (for), to take vengeance (on)*
décevoir[1] *to disappoint, to deceive*
insinuer *to insinuate*
quitter (qqn) *to leave (s.o.)*
abandonner *to abandon*
divorcer (d'avec) *to divorce*
demander une pension alimentaire *to ask for alimony*

Trouvez le mot juste !

A. Donnez le mot/l'expression qui convient à chaque définition.

1. cérémonie où deux personnes deviennent officiellement mari et femme
2. enchanté
3. prendre un soin excessif de quelqu'un
4. nettoyer les plats, les assiettes, les casseroles, etc.
5. trompé
6. un endroit où les parents laissent leurs enfants quand ils travaillent
7. avoir peur
8. qui n'a aucun souci
9. détestable
10. être très heureux au sujet de...

B. Donnez le contraire de chacun des mots/expressions suivants et faites une phrase avec chaque réponse.

1. être indifférent à
2. placide
3. la femme au travail
4. se marier avec
5. puéril
6. dépenser son argent
7. l'indifférence
8. rire
9. innocent
10. permettre

C. Complétez les phrases suivantes par des mots ou expressions du vocabulaire spécial.

1. Henri est devenu le ⎯⎯ de Mme Petit quand il a épousé sa fille Hélène.
2. Ils viennent de se marier et maintenant, ils sont partis pour leur ⎯⎯ en Normandie.

---

[1] **décevoir** conjugated like **recevoir**

3. La ⎯ est une période heureuse qui fait suite aux noces.
4. Beaucoup de jeunes mariées prennent la ⎯ pour éviter une ⎯ car elles ne veulent pas d'enfant trop tôt.
5. Quand les époux ne s'entendent pas, il y a des ⎯.
6. Des études sociologiques ont montré qu'il y a encore trop de maris violents qui ⎯ leur femmes. Cela mène à la séparation et au ⎯ dans certains cas mais souvent la femme reste au ⎯. Pourquoi cela ? Les femmes ont peur de leur mari, oui, elles le ⎯.

D. Donnez des conseils (quatre pour chaque catégorie) à des jeunes mariés pour rester heureux en ménage.

1. Pour garder votre mari amoureux et fidèle, il est bon de (+ infinitif). . .
2. Pour garder votre femme heureuse et attentionnée, il est recommandé de (+ infinitif). . .

Voici un exemple de conseil pratique : Pour garder votre mari amoureux et fidèle, il est bon de préparer pour lui ses plats préférés au moins une fois par semaine.

Subjunctive mood (le subjonctif)

The tenses of the indicative mood are used to report or ask about facts.

Il partira ce soir.	*He'll leave tonight.*
Partira-t-il ce soir ?	*Will he leave tonight ?*

The subjunctive mood, on the other hand, presents an act or state not as fact but as contingent or possible or viewed emotionally. The subjunctive mood appears in dependent clauses most often introduced by **que**.

Elle est étonnée qu'il parte ce soir.	*She's surprised that he's leaving tonight.*
Je doute qu'il parte ce soir.	*I doubt that he'll leave tonight.*
Nous exigeons qu'il parte ce soir.	*We demand that he leave tonight.*

In the above examples, note that the indicative mood is used in the main clause : «Elle est étonnée», «Je doute», «Nous exigeons»; all report facts. The subjunctive appears in the dependent clause : «qu'il parte ce soir» is subordinate to the verb of the main clause.

Sometimes the original main clause is not expressed. This is infrequent and usually refers to a wish or an order.

Qu'il parte ! = (J'exige qu'il parte !)	*Let him leave ! = (I demand that he leave!)*
Vive la République ! = (Je veux que vive la République !)	*Long live the Republic ! = (I want that the Republic live !)*

I Formation of the subjunctive tenses

There are four tenses in the subjunctive: present and past (actively used) and **imparfait** and **plus-que-parfait** (literary tenses seldom used in everyday life). The latter two tenses are discussed in Appendix A.

8.1.A Present subjunctive (le subjonctif présent)

1. The present subjunctive endings are the same for all verbs, regular and irregular, except for **avoir** and **être.** They are **-e, -es, -e, -ions, -iez, -ent.**

que j'	aime		que nous	aimions
que tu	aimes		que vous	aimiez
qu'il, elle	aime		qu'ils, elles	aiment

2. The stem of the regular verbs is obtained by dropping the third person plural ending of the present indicative.

Conjugation	1st—aimer	2nd—unir	3rd—rendre
Present indicative	ils aiment	ils unissent	ils rendent
Stem	**aim-**	**uniss-**	**rend-**

que nous aim**ions**   que tu un**isses**   qu'il rend**e**

Il faut **qu'il bâtisse** son foyer sur une base solide.

It's imperative that he build his home on firm ground.

Note that verbs in **-ier** have a double **i** in the **nous** and **vous** forms: que nous nous mari**ions**, que vous vous souc**iiez**.

Note also that all **-er** verbs with stem changes in the present indicative have the same changes in the subjunctive, with the exception of the **-cer** and **-ger** verbs.

que j'app**elle**   que nous app**elions**
que je **jette**   que nous **jetions**
que j' ach**ète**   que nous ach**etions**
que je m**ène**   que nous m**enions**
que j'esp**ère**   que nous esp**érions**
que je **paie/paye**   que nous **payions**
que j'env**oie**   que nous env**oyions**
que j'ess**uie**   que nous ess**uyions**
                       –but–
que je pla**ce**   que nous pla**cions**
que je chan**ge**   que nous chan**gions**

3. For some irregular verbs, the stem is derived from the third person plural of the present indicative, as in the case of the regular verbs.

	PRESENT INDICATIVE	PRESENT SUBJUNCTIVE
conduire[1]	ils conduisent	que je **conduise**
connaître	ils connaissent	que je **connaisse**
craindre	ils craignent	que je **craigne**
dire	ils disent	que je **dise**
dormir[1]	ils dorment	que je **dorme**
écrire	ils écrivent	que j'**écrive**
lire	ils lisent	que je **lise**
mettre	ils mettent	que je **mette**
ouvrir[1]	ils ouvrent	que j'**ouvre**
plaire	ils plaisent	que je **plaise**
suivre	ils suivent	que je **suive**
vivre	ils vivent	que je **vive**

4. **Avoir** and **être** are irregular in both stems and endings.

avoir		être	
que j'	aie	que je	sois
que tu	aies	que tu	sois
qu'il, elle	ait	qu'il, elle	soit
que nous	ayons	que nous	soyons
que vous	ayez	que vous	soyez
qu'ils, elles	aient	qu'ils, elles	soient

5. Most irregular verbs have irregular stems. Some have only one stem, others have two stems.

   a. Verbs with one stem not regularly derived

	PRESENT SUBJUNCTIVE		PRÉSENT SUBJUNCTIVE
faire	que je **fasse**	falloir	qu'il **faille**
pouvoir	que je **puisse**	pleuvoir	qu'il **pleuve**
savoir	que je **sache**		

   b. Verbs with two stems

These verbs have one stem for the **je, tu, il, ils** forms and a second stem for the **nous, vous** forms.

[1] See also the verbs following the same pattern in Chapitre 1, page 41.

	STEM 1	STEM 2
aller	que j'**aille**	que nous **allions**
boire	que je **boive**	que nous **buvions**
croire	que je **croie**	que nous **croyions**
devoir	que je **doive**	que nous **devions**
prendre	que je **prenne**	que nous **prenions**
recevoir	que je **reçoive**	que nous **recevions**
tenir	que je **tienne**	que nous **tenions**
valoir	que je **vaille**	que nous **valions**
venir	que je **vienne**	que nous **venions**
voir	que je **voie**	que nous **voyions**
vouloir	que je **veuille**	que nous **voulions**

8.1.B Past subjunctive (le subjonctif passé)

The past subjunctive, a compound tense, is formed with the present subjunctive of the auxiliary **avoir** or **être** and the past participle of the verb.

aimer		
que j'	**aie**	**aimé**
que tu	aies	aimé
qu'il	ait	aimé
qu'elle	ait	aimé
que nous	ayons	aimé
que vous	ayez	aimé
qu'ils	aient	aimé
qu'elles	aient	aimé

aller		
que je	sois	allé(e)
que tu	sois	allé(e)
qu'il	soit	allé
qu'elle	soit	allée
que nous	soyons	allé(e)s
que vous	soyez	allé(e)(s)
qu'ils	soient	allés
qu'elles	soient	allées

se marier

que je	me	sois	marié(e)
que tu	te	sois	marié(e)
qu'il	se	soit	marié
qu'elle	se	soit	mariée

que nous	nous	soyons	marié(e)s
que vous	vous	soyez	marié(e)(s)
qu'ils	se	soient	mariés
qu'elles	se	soient	mariées

À votre tour !

A. Faites les substitutions indiquées entre parenthèses.

1. Il vaut mieux que *tu* ne sortes pas avec André ce soir.   (vous, les autres garçons, je, ta belle-fille, nous)
2. Il est triste que *Marielle* ait dû divorcer si vite.   (je, les Duplanty, nous, tu, vous)
3. Il faut que *vous* réagissiez calmement à cette nouvelle.   (nous, je, votre épouse, les jeunes mariés, tu)

4. Les beaux-parents doutent que *je* me sois soucié de leur fille. (le mari frivole, vous, tu, nous, des inconnus)

B. Sabine et Patrick ne filent plus le parfait amour. Sabine demande conseil à sa mère d'abord. Jouez le rôle de la mère. Faites tous les changements nécessaires.

MODÈLE (dire à Patrick que tu n'es plus heureuse) (il faut)
Il faut que tu dises à Patrick que tu n'es plus heureuse.

1. (essayer de comprendre ce qui ne va pas entre vous) (il faut)
2. (avoir plus de confiance en toi) (il vaudrait mieux)
3. (s'ennuyer seule à la maison) (il ne faut pas)
4. (crier quand tu parles à Patrick) (il n'est pas bon)
5. (pouvoir te sentir à l'aise avec Patrick) (il faudrait)
6. (divorcer sur un coup de tête[2]) (il ne faut pas)
7. (aller chez un conseiller matrimonial) (il serait sage)
8. (suivre ses conseils) (il faudra)
9. (croire que tout s'arrangera vite) (il ne faut pas)

Maintenant, jouez le rôle du conseiller matrimonial.

MODÈLE (être patiente) (il faudra)
Il faudra que vous soyez patiente.

1. (craindre de révéler vos sentiments) (il ne faut pas)
2. (savoir à quel moment parler à Patrick) (je recommande)
3. (faire attention à la dépression) (il faut)
4. (sortir plus souvent avec votre mari) (je suggère)
5. (prendre le temps de voir une bonne amie) (il serait bon)
6. (établir une liste de priorités) (je conseille)
7. (aller danser plus souvent avec Patrick) (je souhaite)
8. (être plus calme) (je recommande)

8.1.C Use of the present and past subjunctive
(concordance des temps du subjonctif)

1. The present subjunctive is used when the action or idea expressed in the subordinate clause takes place at the same time as or after the action or idea in the main clause.

Il **doute que** sa femme le **quitte dans deux jours.**	*He doubts that his wife will leave him in two days.*

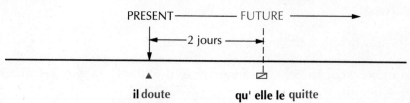

---

[2] **le coup de tête** *rash impulse*

Eric **voulait que** Lise **reste** à la maison ce soir-là.

Eric wanted Lise to stay at home that evening.

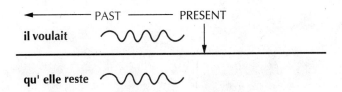

2. The past subjunctive is used when the action or idea expressed in the subordinate clause took place before the action or idea in the main clause.

Nous **regrettons que** votre mari **ait été** malade **hier.**

We're sorry that your husband was ill yesterday.

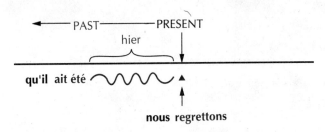

Tu **étais contente que** Paul **n'ait pas demandé** de divorce.

You were glad that Paul didn't ask for a divorce.

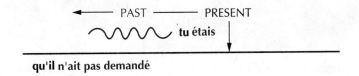

À votre tour !

Gisèle vient d'annoncer à son amie Liliane qu'elle pense se marier bientôt. Liliane est surprise. Complétez leur conversation en mettant les verbes donnés entre parenthèses soit au subjonctif présent soit au subjonctif passé. Faites attention à la concordance des temps.

LILIANE   Je suis heureuse que tu (rencontrer) un gentil garçon le mois dernier. Mais je suis étonnée que vous (parler) déjà de mariage.

En France, les «troisième âge» ont une vie en général agréable, grâce
au système de retraite qui leur donne beaucoup d'avantages.

GISÈLE   Oui, c'est rapide! Mais André désire que nous (se marier) avant qu'il
(partir) faire son service militaire.

LILIANE   Ne crois-tu pas qu'il (valoir) mieux attendre jusqu'à ce qu'il (revenir)
de son service?

GISÈLE   Évidemment, il semble que ce (être) plus sage d'attendre. Mais les
parents d'André ont voulu que je (aller) les voir la semaine dernière et...

LILIANE   Et il semble que tu (faire) leur conquête! C'est ça?

GISÈLE   Mais oui! Il est possible qu'ils (aimer) mon genre sérieux. Ils étaient
heureux que leur fils unique (tomber) amoureux d'une fille «intelligente et
travailleuse». C'est exactement ce qu'ils ont dit.

LILIANE   Eh bien, moi, je vais te parler en amie. Je ne crois pas que tu (avoir) beaucoup de bon sens en ce moment. Tu es amoureuse, oui! Mais j'aimerais que tu (être) plus raisonnable. Il faut que tu (connaître) mieux André avant de te décider.

GISÈLE   Oui... peut-être.

II Uses of the subjunctive

8.2.A The subjunctive is *required* after the following expressions:

1. *Expressions of will, wish, necessity, obligation*

Verbs and expressions of will, wish, necessity, and obligation are followed by the subjunctive in the subordinate clause. The following list is not exhaustive.

Verbs	Impersonal expressions
vouloir que	il faut que
exiger que *demand*	il est temps que
commander que	il vaut mieux que
ordonner que	il est important/nécessaire que
aimer (mieux) que	il est olbigatoire que
désirer/souhaiter que	il est utile/inutile que
conseiller/recommander que	il est naturel/normal que
suggérer que	il est bon/désirable/sage que
défendre que	il est préférable/souhaitable que
empêcher que	

Faut-il que nous **envoyions** un cadeau de mariage aux Dupré?

Must we send a wedding gift to the Dupres?

Mireille **ne voulait pas que** son mari **parte** sans elle.

Mireille did not want her husband to leave without her.

2. *Expressions of doubt, uncertainty, possibility*

Verbs and expressions of doubt, uncertainty, and possibility are followed by the subjunctive in the subordinate clause.

Verbs	Impersonal expressions
douter que	il est douteux/improbable que
n'être pas sûr/certain que	il n'est pas probable que
	il est peu probable que
	il est possible/impossible que
	il n'est pas sûr/certain/évident que
	il semble que
	il se peut que

	Le psychologue **doute que** cette femme **soit** heureuse.	The psychologist doubts that this wife is happy.
	Il semble qu'elle ait voulu avoir un enfant, mais **qu'elle n'ait pas pu.**	It seems that she wanted to have a child, but she couldn't.

Note that **il est probable que, il me/te/lui/nous/vous/leur semble que, il est sûr/ certain/évident que,** do not require the subjunctive.

	Il te semble que Monique et son mari **sont** bien assortis.	It seems to you that Monique and her husband are well-matched.

3. *Expressions of emotion and feeling*

Verbs and expressions of emotion and feeling, such as joy, sadness, fear, anger, surprise, regret, are followed by the subjunctive in the subordinate clause.

Verbs	Impersonal expressions
être content/heureux/ravi que	il est heureux que
se réjouir que	
être désolé/triste que	il est désolant/triste que
déplorer que	il est dommage que
avoir peur que	il est effrayant/terrible que
craindre que	
être furieux que	il est exaspérant que
être étonné/surpris que	il est étonnant/surprenant que
regretter que	il est regrettable que

*to gladden
sorry for* [handwritten note]

frightening [handwritten note]

	Laurence **se réjouit que** son divorce **soit** enfin **terminé.**	Laurence is happy that her divorce is finally over.
	Il est regrettable que ce couple **ait** de si grands soucis.	It's too bad this couple has such great troubles.

Note that in spoken French, **c'est** often replaces **il est** in the impersonal expressions given previously.

	C'est triste qu'elle ne puisse pas avoir d'enfants.	It's sad that she can't have any children.

Note that **espérer** is not considered a verb of emotion in French but a verb of opinion. It is discussed later with the verbs of opinion (see Section 8.3.A).

	J'espère que les Leduc **ne se disputeront plus** en public.	I hope the Leducs will not quarrel anymore in public.

À votre tour !

A. Conseils à un futur époux. Gérard va épouser Natalie dans une semaine. Sa mère lui donne beaucoup de bons conseils. Complétez en donnant la forme correcte des verbes entre parenthèses.

1. Il faut que tu (être) *sois* patient et attentionné avec ta femme.
2. Il est important que vous (montrer) *montriez* de la tolérance l'un pour l'autre.
3. Il est utile que vous (pouvoir) *puissiez* parler calmement de vos sentiments et de vos besoins.
4. Il sera bon que Natalie (avoir) *ait* une soirée libre pour rencontrer ses amies de temps en temps.
5. Il est préférable que je (ne pas venir) *ne vienne pas* vous voir si vous avez d'autres projets.
6. Je suggère que vous (établir) *établissiez* un budget pour votre ménage et vos affaires.

B. Des jeunes qui regardent la télévision apprennent qu'une actrice de cinéma qu'ils aiment va divorcer. C'est son troisième divorce. Chacun fait des commentaires, gentils ou sarcastiques. Complétez les phrases en mettant les verbes au subjonctif ou à l'indicatif, selon le cas.

1. Eh bien, ça ne m'étonne pas qu'elle (divorcer) *divorce* encore. Il faut toujours qu'elle (faire) *fasse* parler d'elle.
2. Je suis sûr qu'elle (avoir) *a* un mauvais caractère et qu'elle (être) *soit* trop gâtée.
3. Moi, je doute qu'elle (être) *soit* ainsi. Il semble que la pauvre femme (avoir) *ait* beaucoup de soucis.
4. Oui, et il me semble aussi qu'elle (travailler) *travaille* trop. Je ne suis pas certaine que son dernier film (être) satisfaisant pour elle.
5. Tu as raison, Sylvie. Il est bien possible que son troisième mari (être) *soit* peu soucieux d'elle et de ses besoins. Je suis furieux qu'un homme si riche (interdire) *interdise* à sa femme de prendre des vacances simplement parce qu'il veut qu'elle le *suive* (suivre) partout.
6. Il est probable qu'elle (faire) *fait* bien de le quitter. Et j'espère qu'elle (trouver) *trouveras* bientôt un quatrième mari—un type dévoué, cette fois-ci!

C. Thérèse vient d'annoncer à sa famille qu'elle veut se fiancer avec son petit ami André. Chacun a une réaction différente. Complétez chaque phrase selon le modèle en imaginant une réaction assortie au caractère de la personne.

MODÈLE (le père, qui sait qu'il a trois filles à marier) : Je suis ravi que. . .
Je suis ravi que l'aînée de mes filles ait trouvé un garçon qui va l'épouser.

1. (le père, qui connaît bien André et apprécie sa gentillesse) : Je suis enchanté que. . . *qu'ils se marient vous vous mariez.* *delighted*
2. (la mère, qui est toujours inquiète) : Moi, j'ai peur que. . . *vous n'ayez pas prêt* *worried*
3. (le grand frère, qui est un copain d'André) : C'est vraiment bien que. . .
4. (la sœur, qui est jalouse de Thérèse) : C'est dommage que. . .
5. (le petit frère, qui n'aura plus les bons desserts préparés par Thérèse) : C'est rudement triste que. . . *elle n'est pas*

8.2.B Infinitive replacing subjunctive

1. When the verb in the main clause and the verb in the subordinate clause have the same subject, the subjunctive is replaced by the infinitive. The infinitive may

directly follow the main verb or be introduced by **de**, depending on the verb construction. Compare the following:

<table>
<tr><td align="center">*two different subjects*</td><td align="center">*same subject*</td></tr>
<tr><td>**Je** désire **que tu aies** un bon mari.</td><td>**Je** désire **avoir** un bon mari.</td></tr>
<tr><td>*I want you to have a good husband.*[1]</td><td>*I want to have a good husband.*</td></tr>
<tr><td>**Tu** as peur qu'**elle soit** enceinte.</td><td>**Tu** as peur **d'être** enceinte.</td></tr>
<tr><td>*You're afraid she might be pregnant.*</td><td>*You're afraid to be pregnant.*</td></tr>
</table>

Note that there is no French counterpart for the English construction "*I want you/him/her/us/them* to + infinitive." Since the two verbs have different subjects, French requires the subjunctive for the second verb. Thus, the sentence "*I want us to get married in June*" requires **Je veux que** + the subjunctive of **se marier**: **Je veux que nous nous mariions en juin**.

2. When the main verb is an impersonal expression, it is followed by an infinitive (instead of a subjunctive) if there is no subject expressed. This is usually the case of a general statement such as a proverb, maxim, or rule. **Il faut** and **il vaut mieux** are followed directly by the infinitive; **il est/c'est** + adjective take **de** before the infinitive.

<table>
<tr><td align="center">*two subjects*</td><td align="center">*one subject*</td></tr>
<tr><td>**Il faut que vous pardonniez** la colère de votre époux.</td><td>**Il faut pardonner** la colère d'un époux.</td></tr>
<tr><td>*It's necessary that you forgive your spouse's anger.* OR *You've got to forgive your spouse's anger.*</td><td>*It's necessary to forgive a spouse's anger.*</td></tr>
<tr><td>**C'est triste qu'il soit mort** si jeune.</td><td>**C'est triste de mourir** si jeune.</td></tr>
<tr><td>*It's sad that he died so young.*</td><td>*It's sad to die so young.*</td></tr>
</table>

À votre tour!

A. Le renvoi de Joséphine. Quand Napoléon a jugé bon de mettre fin à son mariage avec Joséphine, il a été brutal pour lui dire sa décision. Pendant un repas, il l'a forcée à écrire une lettre où elle demandait le divorce. Imaginez la scène entre les deux. Donnez les réponses de Joséphine, en imitant le modèle.

MODÈLE   J'exige que tu me fasses une grande faveur.
            —Je ne veux pas te faire de grande faveur.

1. Je veux que tu m'écrives une lettre d'adieu.
2. Je veux que tu te sépares de moi.
3. J'exige que tu demandes un divorce.
4. Je veux que tu quittes Paris.
5. J'exige que tu prennes la Malmaison[2] comme domicile permanent.

---

[1] Literally, *I want that you have a good husband.*
[2] **La Malmaison** est un château situé à l'ouest de Paris.

6. J'exige que tu te conduises avec calme.
7. Je veux que tu finisses ce repas avec moi.
8. Enfin, j'ordonne que tu fasses tes valises le plus vite possible.

B. **Thème : L'Odyssée de Marie-Louise.** Traduisez en français. Faites attention aux temps des verbes.

1. Napoleon wanted to marry a woman of royal blood, Marie-Louise of Austria (**Autriche**).
2. It was important that he have a son.
3. When his son was born, Napoleon wanted him to be the Prince of Rome.
4. Marie-Louise was happy to have a beautiful baby, but she feared he would have an uncertain future.
5. She wished to please her husband. It was also necessary to obey the emperor.
6. But after Napoleon's fall (**chute**, *f*), she was glad to leave France.
7. Her family was not surprised that she came back to Austria.

8.2.C Conjunctions and expressions that require the subjunctive

Some conjunctions and expressions of concession, restriction, purpose, and fear require the subjunctive in the subordinate clauses they introduce.

concession	**bien que, quoique**	*though, although*
	où que	*no matter where, wherever*
	que. . . ou non	*whether . . . or not*
	qui que	*no matter who, whoever*
	quoi que	*no matter what, whatever*
restriction	**à condition que**	*provided that*
	pourvu que	
	à moins que. . . (ne)[3]	*unless*
	avant que. . . (ne)[3]	*before*
	en attendant que	*until, while*
	jusqu'à ce que	*until*
	sans que	*without*
purpose	**afin que**	*in order that*
	pour que	*so that*
fear	**de crainte que. . . (ne)**[3]	*for fear that*
	de peur que. . . (ne)[3]	

---

[3] The expletive **ne** in these expressions is not a negation. It has no value at all and may or may not be used.

Marcel aide sa femme **bien qu'il ne fasse pas** la cuisine aussi bien qu'elle.

Marcel helps his wife although he doesn't cook as well as she does.

Ne dites pas de mal des Hubert **à moins que vous ne vouliez** me déplaire.

Don't say anything bad about the Huberts unless you want to displease me.

Quoi que vous pensiez de lui, cet homme est un phallocrate !

No matter what you think of him, that man is a male chauvinist!

Que cela te plaise ou non, nous n'inviterons pas ces gens à notre mariage.

Whether you like it or not, we won't invite these people to our wedding.

If the verbs of the main clause and subordinate clause have the same subject, some conjunctions change to their corresponding prepositions, and the subjunctive is replaced by an infinitive.

Conjunction + subjunctive	Preposition + infinitive
à condition que	**à condition de**
à moins que	**à moins de**
avant que	**avant de**
en attendant que	**en attendant de**
sans que	**sans**
afin que	**afin de**
pour que	**pour**
de crainte que	**de crainte de**
de peur que	**de peur de**

Hervé a insulté sa femme **sans qu'elle réagisse**.

Harvey insulted his wife without her reacting to it.

Elle s'est laissé insulter par son mari **sans réagir**.

She let herself be insulted by her husband without reacting.

Elle n'a pas répondu **de peur que son mari la batte**.

She didn't answer for fear that her husband would beat her.

Elle n'a pas répondu **de peur d'être battue** par son mari.

She didn't answer for fear of being beaten by her husband.

Note that **bien que, quoique, pourvu que, jusqu'à ce que, que...ou non, où que, qui que,** and **quoi que** are always followed by the subjunctive, even when the subjects of the two verbs are the same.

Simone va épouser cet homme **bien qu'elle le connaisse** à peine.

Simone is going to marry this man even though she hardly knows him.

Quoi qu'elle dise, elle va faire une bêtise.

Whatever she says, she's going to do a stupid thing.

À votre tour !

A. Avant leur mariage, Annick et Roger ne sont pas d'accord sur la place d'Annick dans le ménage. Roger veut qu'elle abandonne son travail mais Annick ne veut pas. Comment résoudre cela ? Complétez le dialogue en mettant les verbes donnés entre parenthèses soit au subjonctif soit à l'infinitif.

    ANNICK   Écoute, chéri ! Je t'épouserai à condition de (pouvoir) continuer à travailler au bureau.

    ROGER   Mais, ma biche[4], tu sais que je ne veux pas que ma femme (travailler). Bien que nous ne (être) pas encore mariés, je me soucie de ton bien-être.

    ANNICK   Justement ! Mon bien-être est de travailler au bureau pendant la journée, quoi que tu en (dire). En attendant de (devenir) mère, que ferai-je, toute seule au foyer, pendant la journée ? Je m'ennuierai, alors je mangerai pour (oublier) que je m'ennuie. Que cela te (plaire) ou non, je veux (travailler).

    ROGER   Eurêka ! J'ai la solution. Tu pourras travailler jusqu'à ce que tu (avoir) notre enfant.

    ANNICK   Eh bien ! D'accord. C'est un bon compromis.

[4] **Ma biche**   *my doe* (term of endearment)

B. Thème : La femme au foyer. Traduisez en français.

[handwritten: Après obte leur liberté des femmes mariée étaient seulement]
1. Before obtaining their liberation, married women were often forced to stay at home, whether they liked it or not. *[handwritten: qu'il ait empaient ou non]*
2. They took care of their children while waiting for them to become older.
3. Although many women at home had abilities, they could not use them and they became frustrated. *[handwritten: maintenant, la plupart de femme marie travail — ils ont des enfants ou non]*
4. Now, most married women work whether they have children or not.
5. No matter what the mothers say, that situation creates a problem for the children. *[handwritten: des mères dit ce sont rien]*
   [handwritten: Pendant attendre trouves un solution, des mère peuvent travaille]
6. While waiting to find a solution, mothers can work part-time so as to spend some time with their children.
7. A mother may work full-time provided she has a husband who likes to stay at home with their young children.

III Cases where the subjunctive may be used

The determining factor in the cases where the subjunctive may be used is the speaker's point of view and the intent of the message. If the speaker wishes to convey that there is some definite uncertainty about the statement or question, then the subjunctive is used. If the speaker wants to convey that the degree of uncertainty is quite minimal, then the indicative is used.

8.3.A After verbs of opinion

The verbs and expressions of opinion represent belief, thinking, or opinion. When used in the affirmative (no uncertainty), they require the indicative in the subordinate clause. When used in the negative, interrogative, or interrogative-negative, they may be followed either by the indicative if the speaker has little doubt about the event/condition, or by the subjunctive if the speaker wants to stress a state of uncertainty.[1] Common verbs and expressions of opinion are the following:

avoir l'impression que	juger que
contester que	penser que
croire que	supposer que
être d'avis que	trouver que
imaginer que	espérer que

[handwritten left margin: to be in opinion]

Nous avons l'impression que Robert n'**est** pas heureux.	*We have the impression that Robert is not happy.*
Crois-tu qu'elle ait bien fait de laisser ses deux enfants avec ce baby-sitter ?	*Do you think she did right to leave her two children with this baby-sitter?*
Je n'espère pas que mon mari **revienne.** (uncertainty expressed)	*I don't hope/expect that my husband would come back.*

---

[1] Contemporary spoken French tends to avoid the subjunctive in all cases. However, there are some purists who insist on respecting the rules calling for the subjunctive in the case of uncertainty.

| **Je n'espère pas que** mon mari **reviendra.** (no uncertainty) | *I don't hope/expect that my husband will come back.* |

À votre tour!

A. Jean-Pierre et sa femme, Hélène, pensent à leurs vacances. Hélène sait qu'elle doit faire usage de psychologie pour obtenir ce qu'elle désire—des vacances en Provence. Complétez en mettant les verbes donnés entre parenthèses à l'indicatif ou au subjonctif, selon le cas.

> HÉLÈNE Chéri, crois-tu que dans le couple chacun (devoir) penser à son partenaire?
>
> JEAN-PIERRE C'est une bonne règle. Mais je ne crois pas que cela (être) toujours facile.
>
> HÉLÈNE Je pense que tu (avoir) raison. Oh! J'oubliais. Ta mère nous invite à passer nos vacances avec elle à Dinard².
>
> JEAN-PIERRE Je suis d'avis que le bord de la mer nous (faire) du bien. Et puis, ne trouves-tu pas vraiment que la Bretagne (être) très agréable?
>
> HÉLÈNE Je dis «oui» à tes deux questions. Mais j'ai peur que tu (avoir) une nouvelle bronchite avec la pluie si fréquente en Bretagne. Je ne crois pas du tout que tu (pouvoir) passer des bonnes vacances si tu tombes malade. Il faut que nous (aller) à une plage au soleil.
>
> JEAN-PIERRE Évidemment... le soleil...
>
> HÉLÈNE Es-tu d'avis que nous (chercher) un endroit pas trop cher en Tunisie?
>
> JEAN-PIERRE Mais ça coûte terriblement cher! Imagines-tu que je (avoir) envie de dépenser toutes nos économies?
>
> HÉLÈNE Alors, chéri, en Provence peut-être.

B. Donnez votre opinion personnelle. Répondez affirmativement ou négativement, selon les modèles.

> MODÈLES Pensez-vous qu'une femme mariée puisse aller dîner au restaurant avec un ancien amoureux?
> —Je pense qu'elle peut faire cela.
> —Je ne pense pas qu'elle peut faire cela. (Il n'y a aucun doute.)
> —Je ne pense pas qu'elle puisse faire cela. (Il y a un doute.)

1. Pensez-vous qu'une femme mariée...

a. doive dire à son mari tous ses secrets de jeune fille?

b. ait raison de partir en vacances sans son mari?

c. doive faire seule tous les travaux ménagers parce que son mari pense que c'est un travail de femme?

d. doive encourager son mari à faire la cuisine avec elle pendant le week-end?

² **Dinard** est une jolie ville de Bretagne, près de Saint-Malo, sur la côte nord de la province.

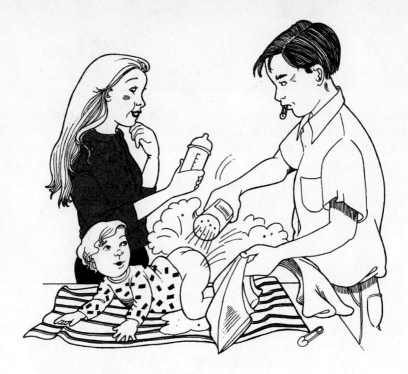

2. Croyez-vous qu'un homme marié...

    a. doive aider sa femme à s'occuper de leur bébé?

    Je pense que ... doive

    b. ait raison de vouloir prendre seul les décisions financières du couple?

    Je ne pense pas que ... ait

    c. puisse exiger que sa femme ne sorte jamais sans lui?

    Je ne pense pas que ... puisse peut

    d. ait raison de jouer souvent au tennis/au golf avec une amie de sa femme?

    Je ne pense pas que ... ait

8.3.B In relative clauses

1. In general, verbs in relative clauses (dependent clauses introduced by a relative pronoun such as **qui, que, dont**) are in the indicative because the speaker is stating a fact. But when the speaker implies that the existence of the person, event, or condition is doubtful or unlikely, the subjunctive is used in the relative clause. The following verbs and expressions, when used in the negative or interrogative, often call for the subjunctive in the relative clause.

Verbs	Impersonal expressions
chercher	il y a
connaître	il existe
demander	il se trouve
désirer	
vouloir	

Indicative	Subjunctive
Je connais un mari **qui fait** toutes les courses pour le ménage. (statement of fact)	**Je ne connais pas** de mari **qui fasse** toutes les courses pour le ménage. (The speaker does not know such a man.)
I know a husband who runs all the errands for the household.	*I do not know a husband who runs all the errands for the household.*
Elle a trouvé un homme **qui veut** faire la vaisselle tous les soirs. (statement of fact)	**Trouvera-t-elle** un homme **qui veuille** faire la vaisselle tous les soirs ? (uncertainty as to his existence)
She found a man who wants to do the dishes every evening.	*Will she find a man who wants to do the dishes every night?*
Il y a une femme qui veut épouser ce vieux grincheux. (statement of fact)	**Y a-t-il** une femme **qui veuille** épouser ce vieux grincheux ? (existence doubtful)
There's a woman who wants to marry that old grouch.	*Is there a woman who wants to marry that old grouch?*
Il cherche la jeune et jolie fille **qu'il a vue** à la piscine[3]. (She does exist; he saw her.)	**Il cherche une** fille **qui soit** jeune, riche et belle. (He does not know any now.)
He's looking for the young and pretty girl he saw at the pool.	*He's looking for a girl who's young, rich, and beautiful.*

Note that **chercher** may imply doubtful existence or nonexistence even in the affirmative form. The last set of examples above illustrates this point: "He's looking for a girl he's already met" (no subjunctive), as opposed to "He's looking for a girl whose existence is doubtful" (subjunctive).

2. When the main clause has an adjective in the superlative or any form of the adjectives **premier, dernier, seul,** and **unique,** the following relative clause is in the indicative if a statement of fact is made. But if the speaker conveys a personal opinion or feeling, or expresses a doubt, the relative clause is in the subjunctive.[4]

Gilbert a épousé la fille **la plus gentille qu'il connaissait.** (statement of fact)	Line a épousé l'homme **le plus méchant que je connaisse**. (personal opinion of the speaker)
Gilbert married the nicest girl he knew.	*Lena married the meanest man I know.*
Gabrielle est **la première femme que Roland a embrassée.** (statement of fact)	Gabrielle est-elle **la première femme qu'il ait embrassée ?** (the speaker does not know)
Gabrielle is the first woman Roland has kissed.	*Is Gabrielle the first woman he's kissed?*

---

[3] **la piscine** *swimming pool*
[4] In spoken French, the indicative is often used in preference to the subjunctive even if a subjective statement is made.

À *votre tour !*

LE FIGARO
premier quotidien national français
SAMEDI 8 - DIMANCHE 9 AVRIL 1989 · N° 13 8/7 · NUMERO QUADRUPLE : 20 F

A. Des jeunes sont assis à un café et lisent les annonces personnelles du *Figaro*[5]. Complétez leur conversation en mettant les verbes donnés entre parenthèses à l'indicatif ou au subjonctif.

LILI   Écoutez, les copains. Voilà une annonce très drôle. «Jeune fille de bonne famille cherche jeune homme qui (savoir) piloter bateau à voiles et qui (ne pas avoir) d'attaches de famille.» Eh ! Voilà une fille qui (savoir) ce qu'elle (vouloir). Jojo, tu lui réponds ?

JOJO   Tu rêves, ma belle ! Cette nana[6] désire trouver un garçon qui (être) son esclave.

COLETTE   Eh bien, moi, je voudrais un garçon qui (pouvoir) emprunter la belle américaine[7] de son père et qui me (conduire) dans tous les endroits chics de la Côte d'Azur.

LILI   Dis donc, Coco, tu as des goûts simples ! Et aimerais-tu un monsieur mûr qui (avoir) beaucoup d'argent et qui (être) généreux ? Jojo, connais-tu quelqu'un qui (répondre) à cette description ?

JOJO   Mes copains sont des garçons bien élevés qui (être) sans le sou mais qui (avoir) des scrupules.

COLETTE   Si je mettais une annonce dans *le Figaro* ? On verra bien s'il existe encore des hommes qui (vouloir) plaire à une fille sans tirer avantage d'elle.

B. Jeanne vient de découvrir que son mari a une liaison avec sa secrétaire au bureau. Elle s'adresse à un conseiller matrimonial. Reconstituez leur dialogue. Faites les accords des adjectifs et articles et donnez les verbes à l'indicatif ou au subjonctif.

1. (C.) Est-ce que / ce / être / le premier / fois / que / votre mari / avoir / un / liaison / ?
   (J.) Je / savoir / que / ce / être / le premier / liaison / que / il / avoir

2. (C.) Ce / femme / être (interrog.) / elle / le plus charmant / secrétaire / que / votre mari / connaître / ?
   (J.) Elle / ne pas / être / le plus joli / fille / qui / travailler / au bureau

3. (C.) Le / beauté / ne pas / être / l'unique raison / qui / pouvoir / amener / un / homme / à l'adultère
   (J.) Eh bien, ce / être / peut-être / le plus charmant / femme / qui / être / au bureau

4. (C.) Et vous, / penser (interrog.) / vous / que / vous / être / toujours / attentionné / avec / votre mari / ?
   (J.) Pas toujours / mais / il / ne pas / être / le plus aimable / mari / que / je / connaître
   (Jeanne est furieuse d'entendre le conseiller insinuer que c'est elle qui est fautive. Voici ce qu'elle pense.)

5. (J.) Ce conseiller / être / le plus odieux / phallocrate / que / je / jamais / rencontrer
   (J.) Ce / être / le dernier / fois / que / je / aller / consulter / cet imbécile / !

---

[5] *Le Figaro* est un grand journal bien connu de tous les Français.
[6] **la nana** (argot) *girl, girlfriend* (slang)
[7] la belle (voiture) américaine

C. Posez des questions personnelles à vos camarades de classe. Utilisez des mots de chacune des trois colonnes. Imitez les modèles.

MODÈLES   Quel est le défaut le plus odieux que vous connaissiez?
Quel est le film d'amour le plus insipide que vous ayez vu?

A	B	C
la qualité	sentimental	chercher
le défaut	insipide	connaître
le roman d'amour	passionnant	avoir aimé
le film d'amour	révoltant	avoir détesté
le poème	désirable	avoir lu
le feuilleton télévisé	émouvant	avoir vu
la pièce	odieux	
le reportage télévisé	bête	
	contestable	
	décevant	

IV Vocabulary review

8.4.A Défendre, interdire, empêcher

Défendre, interdire   *to forbid*
Empêcher   *to prevent*

Il a défendu que sa femme **aille** au bar sans lui.	*He forbade his wife to go to the bar without him.*
Il voudrait **empêcher qu'on écrive** un reportage sur l'actrice.	*He would like to prevent people from writing a feature story on the actress.*

It is possible to avoid the subjunctive after these verbs and to replace it by **de** + infinitive whenever a general statement is made or when there is no subject to the second verb.

On a empêché d'interviewer la chanteuse.	*They prevented interviewing the singer.*
Il est interdit de fumer dans cette salle.	*It is forbidden to smoke / Smoking is forbidden in this room.*

Défendre, interdire, empêcher, like many verbs of will, have a double construction that allows avoiding the subjunctive even when the subjects of the two verbs are different:

défendre/interdire à (quelqu'un) de + infinitive
empêcher (quelqu'un) de + infinitive

Les Le Kernec **défendent à leur fils de voir** Gigi. **Ils l'empêchent de** lui **téléphoner.**	*The Le Kernecs forbid their son to see Gigi. They prevent him from phoning her.*

This particular double construction is fully discussed in Chapitre 10.

À votre tour!

Mireille, dont le fiancé Charles est très jaloux, se confie à son amie Béatrice. Complétez leur conversation en mettant les verbes soit à l'infinitif soit au subjonctif et en ajoutant **de** ou **que** selon le cas.

MODÈLE   1. Selon Charles, il est défendu (faire) attention à moi.
Selon Charles, il est défendu de faire attention à moi.
2. Charles empêche (je / aller) avec ses copains au café.
Charles empêche que j'aille avec ses copains au café.
—ou—
Charles m'empêche d'aller avec ses copains au café.

MIREILLE   Tu sais, la jalousie de Charles commence à m'irriter. Il a interdit (ses amis / prendre) des photos de moi!

BÉATRICE   Voyons! Tu t'irrites trop vite. Il n'a pas défendu (tu / parler) avec eux, cependant.

MIREILLE   Mais si! Pour moi, il est interdit (parler) avec eux si lui, Charles, n'est pas là! Alors, tu vois!

BÉATRICE   Oui, je vois. Est-ce qu'il empêche (tu / sortir) sans lui?

MIREILLE   Eh bien, il a interdit (je / aller) au cinéma sans lui. Et puis, il m'a défendu (faire) du jogging avec d'autres garçons.

BÉATRICE   Et si tu sortais avec moi, que dirait-il?

MIREILLE   Ah! Écoute le pire! Hier, il m'a interdit (sortir) avec toi parce que, selon lui, tu flirtes trop.

BÉATRICE   Ça, alors, c'est incroyable! Eh bien, moi, je vais empêcher (tu / épouser) ce garçon parce qu'il est fou.

8.4.B Idiomatic expressions with cœur

In general, **cœur** means heart—either the physical organ or emotions. **Cœur** is also used in many idiomatic expressions which, in translation, may or may not refer to the heart. **Cœur** is used in the following:

1. *Noun expressions*

à contrecœur	*unwillingly, reluctantly*
de bon/tout cœur	*wholeheartedly*
au cœur de... (l'hiver)	*in the dead of . . . (winter)*
un bourreau des cœurs	*a Don Juan, a heartbreaker*
cœur à cœur	*heart to heart, openly*
le courrier du cœur	*lonely hearts' column*
joli(e) comme un cœur	*pretty as a picture*

Thérèse est **jolie comme un cœur,** mais elle fait son travail **à contrecœur.**
Therese is pretty as a picture, but she does her work reluctantly.

2. *Verbal expressions*

avoir bon/du cœur	*to be kind/selfless*
avoir le cœur gros	*to be sad/blue, to have the blues*
avoir le cœur sur le main	*to be generous*
avoir mal au cœur	*to be sick to one's stomach*
avoir un cœur d'or	*to have a heart of gold*
en avoir le cœur net	*to get the true picture*
prendre à cœur	*to take to heart*
savoir par cœur	*to know by heart*

Elle **avait le cœur gros** car elle avait appris que son mari la trompait.

She had the blues because she had learned that her husband was cheating on her.

À *votre tour* !

Faites des phrases originales en employant des mots et expressions avec **cœur**.

MODÈLE   Elise s'ennuie, alors elle écrit des lettres idiotes au courrier du cœur d'*Elle*.

Vue d'ensemble

I À vous la parole !

A. Parlez de vous-même ! Vous avez certainement des idées à vous sur les relations sentimentales entre hommes et femmes. Partagez-les avec vos camarades de classe en répondant aux questions suivantes.

1. Pensez-vous qu'on doive se marier jeune ou qu'il faille attendre d'être plus mûr ? Justifiez votre opinion.
2. Croyez-vous que se marier peu de temps après qu'on s'est rencontré soit recommendable ? Donnez vos raisons.
3. Croyez-vous au coup de foudre ? Cela vous est-il déjà arrivé ?
4. Aimez-vous qu'un homme soit attentionné avec les femmes ou préférez-vous qu'il les traite comme des femmes libérées ?
5. Croyez-vous que la libération des femmes ait fait plus de mal que de bien ? Expliquez votre point de vue.
6. Pensez-vous qu'il soit désirable d'avoir des enfants assez vite après le mariage ? Dites pourquoi.
7. Préférez-vous être marié(e) mais ne pas avoir d'enfants ? Justifiez votre décision.
8. Préférez-vous vivre avec votre petit(e) ami(e) pendant quelque temps avant de l'épouser ? Donnez vos raisons.
9. Pensez-vous qu'une femme qui a de jeunes enfants doive rester au foyer pour s'occuper d'eux et bien les élever ? Justifiez votre opinion.
10. Y a-t-il d'autres moyens (plutôt que le divorce) pour amener la paix entre des époux qui ont des problèmes maritaux ?

Les écoles maternelles sont bien équipées pour donner aux enfants un environnement qui facilite leur développement.

B. Obtenez des renseignements ! Demandez à la personne près de vous. . .

1. s'il/si elle pense que l'amour est la chose la plus importante de la vie et pourquoi.
2. s'il/si elle a déjà pensé sérieusement à se marier.
3. ce qu'il/elle pense de la jalousie dans les relations entre les deux sexes.
4. ce qu'il/elle croit être la meilleure qualité chez un homme, chez une femme.
5. ce qu'il/elle croit être le pire défaut chez un homme, chez une femme.
6. où il/elle passera sa lune de miel quand il/elle se mariera.
7. s'il/si elle pense que les Américains divorcent trop souvent et trop facilement.
8. s'il/si elle pense qu'il est désirable que les gens mariés aient beaucoup d'activités ensemble en dehors de la maison et lesquelles.
9. ce qu'il/elle pense d'une personne qui exige de connaître toute la vie amoureuse de son/sa partenaire.
10. s'il/si elle croit que le fiancé doit donner à sa fiancée une bague de fiançailles coûteuse pour lui prouver son amour.

II En scène !

Il y a parfois des situations embarrassantes où l'on se trouve malgré soi. Vous êtes assis(e) à un café et vous attendez votre ami(e) qui est en retard. À la table près de la vôtre se trouvent deux amoureux qui se disputent : lui veut aller à un concert de rock, elle veut aller voir son acteur préféré dans un nouveau film. L'un et l'autre vous demandent de donner votre appui à leur choix personnel. C'est embarrassant pour vous... et quand votre ami(e) arrive, il/elle est aussi entraîné(e)[1] dans la discussion. Bientôt, vous et votre ami(e), vous vous disputez aussi. Composez les dialogues et jouez la scène en classe.

III Soyez créateurs!

Travail en groupe. Le courrier du cœur du magazine *Marie-Claire* a reçu la lettre suivante : «Je viens de découvrir que mon mari me trompe depuis plus d'un an. Nous avons deux enfants de trois et huit ans. Je suis tellement blessée et déconcertée que je ne peux pas penser clairement. Si je divorce, il faudra que j'aille travailler et je n'ai aucune formation professionnelle. Si je reste avec mon mari, je ne pourrai plus lui faire confiance. Je ne sais pas ce que je dois faire. Aidez-moi! Cœur brisé.» Divisez la classe en groupes de cinq ou six étudiants et dans chaque groupe, préparez une réponse à Cœur brisé. Les réponses seront discutées par toute la classe.

[1] **entraîner** *to drag into*

CHAPITRE 9
Le Monde au féminin

Marguerite Yourcenar, première femme admise à l'Académie française, le jour de sa réception en 1981.

Vocabulaire spécial

I La condition féminine

Noms

le/la militant(e)
le militantisme
le droit de vote *m voting right*
l'électeur (-trice) *voter*
le/la retraité(e) *retired man/woman*
le/la fonctionnaire *government
    worker*
le/la misogyne *woman hater*
le parti *(political) party*
le pouvoir *power*
l'autorité *f authority, power*
l'esclavage *m slavery*
la bêtise *stupidity*
la faiblesse *weakness*
le groupe de pression *f pressure
    group, lobby*
les moyens *means*
le soutien *support*
le but *goal, aim*
l'avenir *m* = le futur
l'habitude *f habit, custom*
l'œuvre *f work, opus,
    production*
l'inégalité *f* ≠ l'égalité *f*
le renversement *reversal*
la revendication *(social/political)
    demand*
le préjugé *bias*
la vérité *truth*
le sondage *(opinion) poll*
l'écart *m gap*
le siège = la place

Adjectifs

conservateur (-trice) ≠ libéral
impartial ≠ partial, injuste
évitable *avoidable*
grossier (-ère) ≠ fin

engagé *committed*
libéré *liberated*
politisé *politicized*
discriminatoire *discriminatory*
autoritaire ≠ conciliant *authoritarian ≠
    conciliatory*
tenace *tenacious*
faible ≠ fort, puissant
digne (de) *worthy (of)*
mêlé (à/avec) *mixed (with)*
préconçu *preconceived*
tendancieux (-euse) *biased (referring
    to things/ideas)*

Verbes

supprimer = abolir
réduire *to reduce*
améliorer = rendre meilleur
avoir des préjugés *to be
    biased*
élire *to elect*
se ranger (avec) *to side (with)*
soutenir *to support*
accorder = donner
favoriser ≠ défavoriser
rendre un service (à) *to do a favor
    (for)*
éviter *to avoid*
disculper ≠ inculper *to exonerate ≠
    to incriminate*
se faire des soucis = s'inquiéter
prévoir *to foresee*
se borner (à) = se limiter (à)
faire face (à) *to face,
    to confront*
avoir lieu *to take place*
prendre au sérieux *to take
    seriously*

II Les débouchés pour les femmes

Noms

le débouché *outlet, job opportunity*
le domaine *domain*
le secteur *sector*
l'enseignement *m teaching*
la politique *politics*
la magistrature *magistracy*
l'armée *f army*
la presse *press*
les médias *m media*
le personnel de service *service workers*
le tableau *painting (object)*
la maison d'édition *publishing house*
la mairie *city hall*
la campagne *campaign*
l'échec *m* ≠ le succès

Adjectifs

égal ≠ inégal
accessible (à) *open (to)*
subalterne *subordinate*
qualifié ≠ non qualifié
moyen(ne) *mid-range, middle*
intérimaire *temporary*
intenable *untenable*
économique *economic*
politique *political*
égalitaire *egalitarian*

Verbes

exercer un emploi *to perform a job*
gagner sa vie *to earn one's living*
consacrer (temps, efforts) *to devote*

Noms existant aussi au masculin

l'avocate *attorney*
l'écrivaine *writer*
l'infirmière *nurse*
la cinéaste *movie producer*
la chercheuse *researcher*
la soldate *soldier*
l'académicienne *academician*
la sténodactylo *stenotypist*
la missionnaire *missionary*
la collègue *colleague*

Noms uniquement au masculin[1]

le médecin *physician*
le peintre *painter*
le député *representative*
le sénateur *senator*
le maire *mayor*

réfléchir *to reflect, to think*
concourir *to compete (for a job, prize)*
lutter = combattre
s'imposer *to assert oneself*
inverser (les rôles) *to reverse*
éduquer *to educate*
soigner *to care for, to tend*
publier *to publish*
se diriger (vers) *to head (for)*
aboutir (à) *to result (in), to lead (to)*

Trouvez le mot juste!

A. Donnez le mot/l'expression qui convient à chaque définition.

1. qui est entièrement juste et objectif (adj.)
2. rendre quelque chose meilleur
3. le travail, la production d'un écrivain, d'un artiste

---

[1] To clarify the meaning, **femme** is often added: **la femme médecin**

4. confronter quelqu'un ou quelque chose
5. qui manque d'objectivité (adj. qui se réfère à des idées)
6. se faire des soucis
7. les possibilités de travail
8. une idée préconçue qui manque d'objectivité
9. se limiter à quelque chose
10. l'ensemble des magistrats

B. Donnez le contraire de chacun des mots/expressions suivants et faites une phrase avec chaque réponse.

1. égalité
2. favoriser
3. fort
4. se mettre contre
5. fin (adj.)
6. libérale
7. intelligence
8. inculper
9. autoritaire
10. mensonge

C. Complétez les phrases suivantes par des mots ou expressions du vocabulaire spécial.

1. Pour obtenir les opinions de la population en général, on fait beaucoup de ____ en France.
2. On peut ainsi voir si le gouvernement a réduit les ____ de salaire entre les deux sexes.
3. Il y encore trop de députés et sénateurs ____ (adj.) qui ne veulent pas donner aux femmes le traitement égalitaire qu'elles devraient recevoir.
4. D'ailleurs (*besides*), il y a autour des parlementaires des ____ qui essaient fort de les influencer.
5. Cependant, des lois passées dans les années 70 ont rendu beaucoup d'emplois ____ (adj.) aux femmes.
6. Avant, on aurait ri d'une femme qui voulait devenir ingénieur ou astronaute. Maintenant, on la ____ (expression verbale).
7. On trouve même des femmes dans ____ où elles sont traitées comme tous les soldats du sexe masculin.
8. Peut-on encore parler du sexe ____ (adj.) quand on parle de la femme d'aujourd'hui? Ce terme était bon seulement pour nos mères ou nos grands-mères.

D. **Donnez votre opinion!** Essayez de définir le genre d'emploi que les femmes désirent/cherchent. Utilisez d'abord la liste no. 1, puis la liste no. 2. Donnez trois caractéristiques prises dans chaque liste. Ajoutez au moins deux caractéristiques originales.

Liste no. 1

être
(affirmatif/négatif)
{
intenable / sûr / intéressant
bien payé / intérimaire
à temps plein / à temps partiel
exclusivement réservé aux femmes
}

MODÈLE   Selon moi, les femmes désirent un emploi que ne soit pas intérimaire.

Liste no. 2

donner
(affirmatif/négatif)

{
la sécurité financière
le respect des collègues
des problèmes de santé / des soucis
plusieurs semaines de vacances
la possibilité de promotion
des satisfactions personnelles
une situation subalterne
une bonne ambiance de travail
}

MODÈLE   Selon moi, les femmes cherchent un emploi qui leur donne des satis-factions personnelles.

Pluperfect
Conditional—devoir
Possession
Possessive adjectives and pronouns

I Pluperfect indicative (le plus-que-parfait)

9.1.A Formation

The **plus-que-parfait** is a compound tense formed with the **imparfait** of the auxiliary and the past participle of the verb.

publier		devenir	
j' avais	publié	j' étais	devenu(e)
tu avais	publié	tu étais	devenu(e)
il avait	publié	il était	devenu
elle avait	publié	elle était	devenue
nous avions	publié	nous étions	devenu(e)s
vous aviez	publié	vous étiez	devenu(e)(s)
ils avaient	publié	ils étaient	devenus
elles avaient	publié	elles étaient	devenues

nous avions publié   ils n'étaient pas devenus   était-elle sortie ?

9.1.B Use

1. The **plus-que-parfait** describes an action, a condition, or a state that existed in the past before another past action, condition, or state—either expressed or implied.

| **Elle n'avait pas encore publié** son roman. | *She had not published her novel yet.* |
| **Tu étais devenue** médecin avant de te marier. | *You had become a physician before getting married.* |

Avais-tu mis tes lunettes quand tu
as signé le contrat ?

*Had you put your glasses on when
you signed the contract?*

When the last sentence above is diagrammed, it is clear that the action expressed
by the **plus-que-parfait** preceded in time (was anterior to) the action expressed
by the **passé composé.**

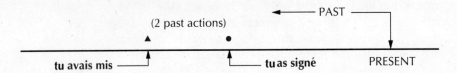

2. The **plus-que-parfait** may also refer to an event or condition that existed far back
   in the past in relation to a present event or condition.

   La version finale de son film n'est
   pas ce qu'**elle avait projeté.**

   *The final version of her film is not
   what she had planned.*

3. The **plus-que-parfait** is used in a subordinate clause introduced by **si** when the
   verb in the main clause (the "result" clause) is in the conditional. This use is fully
   discussed in the next section of this chapter.

   Marguerite Yourcenar ne **serait** pas
   entrée à l'Académie française **si**
   elle avait vécu cinquante ans plus
   tôt.

   *Marguerite Yourcenar would not have
   entered the Academie francaise if
   she had lived fifty years earlier.*

À votre tour !

A. Faites les substitutions indiquées entre parenthèses. Faites les autres changements
si cela est nécessaire.

1. *Nous* n'avions pas terminé ce travail avant sept heures. (tu, la dactylo, vous, je,
   nous, vos collègues)
2. *L'académicien* s'était conduit en vrai phallocrate. (je, vous, les historiens, nous,
   tu)
3. *Les Parisiennes* étaient-elles allées à Versailles ? (nous, tu, je, la directrice, vous)

B. Complétez le récit suivant en mettant au **plus-que-parfait** les verbes donnés entre
parenthèses.

Scandale ! Une femme est élue à l'Académie française.

Quand on a proposé le nom de Marguerite Yourcenar pour un
siège vacant à l'Académie française, on (ne pas oublier) que cette
institution (avoir) dans son passé bien des querelles bruyantes
à propos de certains candidats. Mais personne ne (prévoir) la
fureur, la passion et les préjugés qui se sont montrés à cette

occasion. Était-ce parce que la candidate (ne pas faire) preuve de son excellence dans le domaine littéraire ? Non, la critique (reconnaître) son œuvre comme l'une des meilleures. Bien sûr, certains académiciens ont dit que Marguerite Yourcenar (négliger) de maintenir sa nationalité française. Mais la vérité est tout autre. On reprochait à cette écrivaine de talent le fait qu'elle (naître) femme ! Jamais il n'y (avoir) de femme à l'Académie française ! Quand elle a été élue, les académiciens qui (s'opposer) à son entrée ont prouvé que la bêtise a parfois un visage masculin.

C. **Thème : Un peu d'histoire**. Traduisez en français.

1. French women had received the right to vote in 1945.
2. But they entered the government only in 1974. It had been a long wait (**attente,** *f*)!

Françoise Giroud et François Mitterrand participent à un débat sur la libération de la femme.

3. President Giscard d'Estaing created a position in his Cabinet to represent the "feminine condition" and gave it to Françoise Giroud.
4. Before that, Madame Giroud had directed with Jean-Jacques Servan-Schreiber the well-known magazine *L'Express*.
5. There is a Ministry of Woman's Rights and women who had remained at home are now entering politics.

II Conditional (le conditionnel)

The conditional is a mood (mode) of the verb system that expresses the result or consequences of suppositions, possibilities, or wishful thinking. The two conditional tenses, present and past, are used in the same manner in French as in English.

Elle **travaillerait** si elle trouvait un poste de cadre.	*She would work if she found an executive position.*
Elle a dit qu'elle **irait** au Centre d'Information.	*She said she would go to the Information Center.*

The conditional has two tenses: present conditional and past conditional.

9.2.A Formation of the conditional

1. *Present conditional* (**le conditionnel présent**)

For all verbs, the stem is that of the future and the endings are those of the imperfect indicative. Refer to Chapitre 6 for all regular and irregular future stems.

je	publier**ais**	nous	publier**ions**
tu	publier**ais**	vous	publier**iez**
il, elle	publier**ait**	ils, elles	publier**aient**

vous agiriez   elle n'aurait pas   feraient-ils ?

2. *Past conditional* (**le conditionnel passé**)

The past conditional is a compound tense formed with the present conditional of the auxiliary and the past participle of the verb.

voter		aller	
j' aurais	voté	je serais	allé(e)
tu aurais	voté	tu serais	allé(e)
il aurait	voté	il serait	allé
elle aurait	voté	elle serait	allée
nous aurions	voté	nous serions	allé(e)s
vous auriez	voté	vous seriez	allé(e)(s)
ils auraient	voté	ils seraient	allés
elles auraient	voté	elles seraient	allées

nous aurions publié   ils ne seraient pas venus   aurait-elle dit ?

À votre tour!

A. Faites les substitutions indiquées entre parenthèses. Faites les autres changements si cela est nécessaire.

1. *Tu* pourrais écrire le scénario du film. (la nouvelle assistante, je, vous, les rédactrices, nous)
2. *Nous* n'agirions pas ainsi en pays étranger. (tu, nos collègues, vous, l'avocate, je)
3. *Je* n'aurais pas voté socialiste. (nous, tu, la militante, vous, les doctoresses)
4. Serait-*elle* sortie seule? (je, vous, la cinéaste, nous, les divorcées)

B. À une réunion féministe, deux femmes échangent des idées sur leurs préférences. Par groupes de deux, jouez leurs rôles.

MODÈLES 1. écrire un best-seller (ensemble)
   Si c'était possible, j'écrirais un best-seller.
   —Moi aussi. Alors nous l'écririons ensemble.
2. mener une vie luxueuse (seule)
   Si c'était possible, je mènerais une vie luxueuse.
   —Pas moi. Alors tu la mènerais seule.

1. essayer d'améliorer les salaires féminins   (ensemble)
2. exercer un métier dans l'enseignement   (seule)
3. partir en Amazonie   (ensemble)
4. proposer des lois égalitaires   (ensemble)
5. devenir une astronaute   (seule)
6. imposer des limites aux naissances   (seule)
7. voir tous les films d'Agnès Varda[1]   (ensemble)
8. être missionnaire en Afrique noire   (seule)

C. Ah! Si j'avais su! Sabine aime rêver à ce qu'elle aurait pu faire si elle avait été plus sage. Réagissez à ses idées en donnant votre préférence personnelle.

MODÈLE   aller à un congrès féministe.
   Si Sabine avait su, elle serait allée à un congrès féministe.
   —J'y serais allé(e) moi aussi.
         —ou—
   —Pas moi. Je n'y serais pas allé(e).

1. sortir plus souvent avec des copains intéressants
2. écrire une lettre de protestation au journal
3. faire des études de médecine
4. mieux travailler au lycée
5. se ranger avec la militante féministe
6. voter pour la candidate de la minorité

---

[1] **Agnès Varda** est une cinéaste française connue.

7. agir plus sagement le mois dernier
8. soutenir la cause des femmes abandonnées

9.2.B Use of the conditional in independent and main clauses

When used in an independent or a main clause, the conditional may express the following:

1. a possibility, an eventuality, a supposition

Téléphone à ton éditeur. Demain **serait** trop tard.

Phone your editor. Tomorrow would be too late.

2. a polite request or suggestion

Je **voudrais** que vous relisiez le poème avec soin.
J'**aimerais** vous revoir.

I would like you to reread the poem carefully.
I'd enjoy seeing you again.

3. a piece of information whose accuracy one cannot guarantee

La candidate **aurait reçu** la majorité des votes, selon *Le Monde.*

(It seems) the candidate received the majority of the votes, according to
Le Monde.

4. a wish, a dream, an imagined event

Elle imagine une carrière brillante. Elle **serait** chef du bureau et elle **aurait** beaucoup d'autorité.

She imagines a brilliant career. She would be head of the office and would have a lot of power.

5. surprise, indignation

Moi, j'**aurais dit** cela?!

I would have said that?! (contesting the fact)

À votre tour!

Les malheurs de Pauline. Pauline a un travail de bureau qui la rend malheureuse. Son patron est grossier et misogyne. Le soir, chez elle, elle pense au lendemain... Complétez le récit en mettant au futur ou au conditionnel les verbes donnés entre parenthèses.

Pauline (être) encore au bureau demain, avec le patron déplaisant; elle le sait. «C'est impossible», pense-t-elle. Alors elle imagine. Elle (pouvoir) ne pas aller au bureau. Elle (prétendre) qu'elle est malade ou que sa mère est très malade. Elle (savoir) bien trouver une excuse. De toute façon, le patron n'y (voir) rien... Et Pauline continue à imaginer. Elle (avoir) le temps d'aller à l'agence pour chercher un autre emploi. «Comme[2] je (vouloir) que ce soit

---

[2] **comme** + exclamative sentence *how, how much...!*

possible ! », pense-t-elle. Mais, sortie de son rêve, elle fait face à la réalité, à sa faiblesse. «Ah ! Quel beau rêve. . . Mais demain je (aller) au bureau comme toujours. Pourquoi suis-je si faible ? Comme je (aimer) avoir le courage de changer !»

9.2.C Use of the conditional in subordinate clauses

1. *Reported speech*

In order to report indirectly (indirect discourse[3]) something that is to be done at a later time, the conditional is used after a declarative verb in the past. Note that the same thing occurs in English.

style direct	*style indirect*
L'infirmière a dit : «**Je demanderai** une promotion demain.»	L'infirmière a dit qu'**elle demanderait** une promotion le lendemain.
The nurse said: "I'll ask for a promotion tomorrow."	*The nurse said she would ask for a promotion the next day.*

In direct discourse, the verb in the quote referring to a future event is in the future indicative. In indirect discourse, when the declarative verb is in the past, the future event is expressed by the conditional. Usually, the verb in the subordinate clause is in the present conditional, as in the previous example. But if this verb expresses an event that will happen before another one or before a set time, the past conditional is used.

style direct	*style indirect*
Tu as dit : «**J'aurai dîné** avant que Robert arrive.»	Tu as dit que **tu aurais dîné** avant que Robert arrive.
You said: "I will have eaten dinner before Robert arrives."	*You said you would have eaten dinner before Robert arrived.*

[handwritten note: futur perfect]

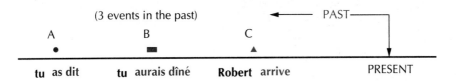

The diagram clearly shows the temporal relationships of all three events. All are in the past, but events B and C are future events when compared to A. Event B, however, takes place before event C, hence a past conditional.

Note that a similar use of the present and past conditional occurs after the verbs **savoir si** *(to know whether)*, **demander si** *(to ask whether)*, **se demander si** *(to wonder whether)* when they are used in the past.

---

[3] Indirect discourse is fully discussed in Chapitre 12.

present	*past*
Je ne sais pas **si tu divorceras** un jour.	Je ne savais pas **si tu divorcerais** un jour.
I don't know whether you'll divorce some day.	*I didn't know whether you would divorce some day.*

À votre tour !

A. Madame Lemercier, la mère de Gisèle, était présente quand Gisèle a annoncé à son mari Joseph qu'elle voulait divorcer. Maintenant Mme Lemercier raconte la scène à Monsieur Lemercier. Jouez le rôle de Mme Lemercier parlant à son mari. Commencez les phrases par **Gisèle a dit que**... ou par **Joseph a répondu que**... Faites tous les changements nécessaires.

> MODÈLES   GISÈLE   Je ne pourrai pas continuer à vivre avec toi.
> Gisèle a dit qu'elle ne pourrait pas continuer à vivre avec lui.
>   JOSEPH   Je ne pourrai pas vivre sans toi.
> Joseph a répondu qu'il ne pourrait pas vivre sans elle.

> GISÈLE   Je ne voudrai pas rester dans cette situation désagréable.
> JOSEPH   Tu ne voudras pas mettre fin à notre vie ensemble.
> GISÈLE   Je le ferai précisément pour le bien-être du couple.
> JOSEPH   Le divorce ne sera pas un bien-être pour moi.
> GISÈLE   Toi et moi, nous ne pourrons pas exister sans confiance mutuelle.
> JOSEPH   Il faudra que tu ailles travailler, une fois divorcée.
> GISÈLE   Un travail au dehors me donnera beaucoup de satisfaction.
> JOSEPH   J'aurai préféré que tu acceptes une réconciliation entre nous.
> GISÈLE   Ça, ce sera tout à fait impossible.

B. Refaites les phrases suivantes en employant le temps du verbe donné entre parenthèses. Faites tous les autres changements nécessaires.

> MODÈLE   Michèle se demande si elle vendra ses tableaux à la galerie.
> (Michèle se demandait)
> Michèle se demandait si elle vendrait ses tableaux à la galerie.

1. Michèle ne sait pas si elle fera un profit par la vente de ses tableaux. (Michèle ne savait pas)
2. Elle demande au propriétaire de la galerie si la vente aura lieu bientôt. (Elle a demandé)
3. Le propriétaire répond que la vente sera dans une semaine. (Le propriétaire a répondu)
4. Michèle ne sait pas si elle aura terminé son grand tableau pour cette date. (Michèle ne savait pas)
5. Elle demande au propriétaire s'il acceptera son grand tableau avec un peu de retard. (Elle a demandé)
6. Il répond que cela lui fera plaisir de lui rendre ce service. (Il a répondu)
7. Michèle se demande si les acheteurs seront aussi généreux que cet aimable propriétaire. (Michèle s'est demandé)

2. Condition or hypothesis with si clauses

A condition or a supposition/hypothesis is introduced by a **si** (*if*) clause. The main clause expresses the result and is therefore called the result clause.

a. When **si** is followed by a verb in the present indicative, the corresponding tense in the result clause may be a present or future indicative or an imperative, but not a conditional. Note that the rule is the same in French and in English.

Si tu n'obtiens pas de pension alimentaire,
$$\left\{ \begin{array}{l} \textbf{tu peux} \text{ travailler.} \\ \textbf{tu travailleras.} \\ \textbf{travaille !} \end{array} \right.$$

If you don't get any alimony,
$$\left\{ \begin{array}{l} \textit{you can work.} \\ \textit{you will work.} \\ \textit{work!} \end{array} \right.$$

b. When **si** is followed by a verb in the **imparfait,** the result clause is in the present conditional. Again, the French construction parallels that of English.

Les femmes **seraient** mieux protégées par les lois **si elles avaient** plus de députés[4] femmes au Parlement.	*Women would be better protected by the laws if they had more women representatives in Parliament.*

c. When **si** is followed by a **plus-que-parfait,** the result clause may be
—either in the present conditional if that end result would take place in the present or the future . . .

Tu irais mieux maintenant **si tu avais pris** deux aspirines hier soir.	*You'd feel better now if you had taken two aspirins last night.*

—or in the past conditional if that result would have taken place in the past.

La dactylo **aurait exigé** un salaire égal **si elle n'avait pas eu** peur de perdre son emploi.	*The typist would have demanded an equal salary if she had not been afraid of losing her job.*

The following table summarizes the sequence of tenses (**concordance des temps**):

Si clause	Result clause
present	present or future indicative imperative
imparfait	present conditional
plus-que-parfait	present conditional past conditional

---

[4] **Le député** (homme ou femme) est le représentant d'un district électoral à l'Assemblée nationale (*House of Representatives*).

À votre tour !

A. Marcelle écoute à la radio une interview du député de sa ville. Cet homme parle de la situation économique et sociale des femmes. Marcelle fait des commentaires. Jouez le rôle de Marcelle.

MODÈLE   DÉPUTÉ   Les femmes n'ont pas de salaire égal.
       MARCELLE   Si j'étais ministre, les femmes auraient un salaire égal.

1. Les femmes n'entrent pas souvent dans la médecine.
2. Les femmes de moins de 25 ans ne peuvent pas souvent trouver du travail.
3. Les Françaises ne se présentent pas souvent comme candidates aux postes politiques.
4. Les lois qui protègent les femmes ne sont pas toujours appliquées.
5. Les jeunes enfants des femmes qui travaillent ne reçoivent pas toujours des soins satisfaisants.
6. Les femmes compétentes n'obtiennent pas souvent des postes de cadres supérieurs.

B. Posez des questions qui font réfléchir! Pour connaître les opinions de vos camarades de classe sur la condition féminine, posez-leur les questions suivantes. Il faut répondre en employant les mêmes temps que dans les questions.

1. Si vous étiez président(e) des États-Unis, nommeriez-vous plus de femmes à la Cour Suprême?
2. Si vous étiez président(e) des États-Unis, choisiriez-vous des femmes pour être vos conseillères personnelles?
3. Si vous aviez été élu(e) gouverneur de votre état, auriez-vous donné aux femmes l'égalité complète avec les hommes pour tous les postes administratifs?
4. Si une femme très compétente se présentait comme candidate à la Présidence de votre pays, voteriez-vous pour elle?
5. Si vous étiez président(e) de votre pays, auriez-vous un Ministre de la Paix? Donneriez-vous ce poste à une femme?
6. Si vous aviez été une grande écrivaine, auriez-vous voulu faire partie de l'Académie française? Pourquoi?

C. Thème: Des options pour les femmes. Traduisez en français.

1. If I were a woman judge, I would not exonerate a woman simply because she's a woman.
2. If I were a lawyer, I would choose to give priority to the interests of the children.
3. If I were a newspaper reporter, I would not write biased articles.
4. If I had had a high position in the government, I wouldn't have let **(laisser)** lobbies influence my decisions.
5. If I had obtained a diploma in medicine, I would be a medical researcher today.

III Devoir

The verb **devoir** *(must, to have to, to ought to, to be supposed to, to owe)* has meanings that may vary with its construction and with the tenses used.

9.3.A Devoir + infinitive

Devoir + infinitive most often expresses necessity or moral obligation. At times, some tenses of the indicative express a probability or a supposition.

1. Devoir *in the present indicative*

Used in this tense, **devoir** may express necessity or moral obligation *(must, to have to)*, probability *(must, to be probably)*, or supposition *(to be supposed to)*. The context helps in deciding the correct meaning.

Un juge **doit** exercer ses fonctions impartialement. (moral obligation)	*A judge must/has to perform his/her duties impartially.*
Elle n'a pas reçu de promotion. Elle **doit** être furieuse. (probability)	*She didn't get any promotion. She must be/is probably furious.*
Elle **doit** nous écrire pour expliquer la chose. (supposition)	*She's supposed to write us to explain the affair.*

2. Devoir *in the* **imparfait**

Used in the **imparfait, devoir** may express necessity or moral obligation *(had to, used to have to)*, probability *(must have .../was probably/were probably)*, or supposition *(was/were supposed to)*. Again, it depends on the context.

Christine **devait** laisser ses deux enfants à la crèche. (necessity)	*Christine used to have to leave her two children at the nursery.*
Olga **devait** dépenser beaucoup à en juger par ses vêtements chics. (probability)	*Olga must have been spending/probably spent a lot, judging from her chic clothes.*
Paul **devait** nous rencontrer à la mairie. (supposition)	*Paul was (supposed) to meet us at the city hall.*

3. Devoir *in the* **passé composé**

Used in the **passé composé, devoir** may express necessity or moral obligation *(had to)* or probability *(must have, has probably)*. The context helps in deciding the correct meaning.

Les grandes écoles militaires nationales **ont dû** permettre aux femmes de concourir avec les hommes pour y entrer. (necessity)	*The national military schools had to allow women to compete with men for entrance.*
C'est un misogyne qui **a dû** écrire cet article. (probability)	*A woman hater must have written this article.*

4. **Devoir** *in the future*

Used in the future, **devoir** expresses necessity or moral obligation *(will have to)*.

Elle **devra** se joindre aux socialistes pour être élue.	*She will have to join the Socialists to be elected.*

5. **Devoir** *in the conditional*

Used in the conditional, **devoir** expresses necessity or moral obligation. The present conditional, **je devrais**, and so on, is *I ought to, I should.* The past conditional, **j'aurais dû,** and so forth, is *I ought to have, I should have.*

Nous **devrions** soutenir les femmes qui luttent pour l'égalité des sexes.	*We ought to support women who fight for the equality of the sexes.*
Germaine **aurait dû** éviter une rencontre avec son ex-mari.	*Germaine should have avoided a meeting with her ex-husband.*

6. **Devoir** *in the subjunctive*

Used in the subjunctive, **devoir** may express necessity or moral obligation *(must, to have to)* or probability *(must, to be probably).* Both the present and the past subjunctive are used.

Nous sommes désolés que tu **doives** abandonner le projet de film. (necessity)	*We're sorry that you must give up the film project.*
Bien que vous **n'ayez pas dû** faire cela, j'apprécie votre attention. (moral obligation)	*Though you didn't have to do that, I appreciate your care.*
Bien qu'elle **doive** encore souffrir de son échec, elle continuera à écrire des pièces. (probability)	*Though she's probably still suffering from her failure, she will continue writing plays.*

À *votre tour!*

Gaston a écrit un essai sur la condition féminine. Il a laissé un blanc chaque fois qu'il allait utiliser le verbe **devoir**. Complétez son travail en ajoutant la forme correcte de **devoir**. Faites attention aux mots du texte qui indiquent les temps ou aux notations entre parenthèses.

Les femmes ont-elles eu raison de faire leur «libération»? Des études récentes montrent que l'égalité des sexes ne ＿＿ sans doute pas être regardée dans la situation présente comme favorable aux femmes. Quand elle a eu lieu dans le passé, que ＿＿ accomplir cette révolution? Elle avait deux buts. Elle ＿＿ libérer les femmes mariées de l'esclavage domestique (travaux ménagers, soins des enfants) et leur permettre d'obtenir de bons emplois à salaire égal. Le second but est pratiquement atteint, mais récemment on ＿＿ reconsidérer le premier but.

Quand on a fait les sondages, les femmes mariées, avec un ou plusieurs enfants, ____ (temps passé) avouer qu'elles n'étaient pas satisfaites de leur condition. Elles ____ (temps passé) admettre qu'elles avaient plus de travail qu'avant. Ainsi chaque soir, après le travail, elles ____ (temps passé) faire les courses puis le dîner (avec ou sans l'aide du mari qui lui aussi travaille) et ensuite faire la vaisselle et s'occuper des enfants. Alors les femmes ont compris qu'elles ____ (temps passé, conditionnel) prévoir ces choses! La seule solution qu'on ____ (conditionnel) accepter, la voici. Quand la mère travaille, alors c'est le père qui ____ (temps futur) rester à la maison et devenir l'homme au foyer. C'est donc un renversement des rôles traditionnels. Cela aussi représente une libération pour la femme qui n'a pas les capacités ou les goûts pour rester au foyer. Mais ce genre de femme ____ trouver un mari qui préfère le rôle d'homme au foyer! Cela ne ____ (conditionnel) pas être si difficile!

9.3.B Devoir + direct object

Devoir + *direct object* has the meaning of *to owe*. It can be used in all tenses and it maintains the meaning of *to owe* throughout.

Olga a travaillé pour aider son mari à finir ses études. Il lui **doit** sa situation.	Olga worked to help her husband finish his studies. He owes her his position.
Pour lancer son salon de beauté, Marthe a dû emprunter de l'argent à ses parents. Elle leur **doit** 80 000 francs.	To start her beauty salon, Martha had to borrow money from her parents. She owes them 80,000 francs.
Maryse **devait** son succès à sa persévérance.	Maryse owed her success to her perseverance.

À votre tour!

Créez six phrases où vous utiliserez le verbe **devoir** dans le sens de *to owe*. Utilisez des mots de chacune des trois colonnes suivantes.

MODÈLE   La cinéaste doit le sujet de son dernier film à la situation politique en Amérique latine.

A	B	C
femme ministre	deux millions	chance
cinéaste	succès	ex-mari riche
femme médecin	échec	banque
femme député	sujet du film	vote des socialistes
écrivaine	nomination	situation politique
divorcée	fortune	vote des femmes
maison d'édition	sécurité	premier ministre
parti de Chirac	élection	manque d'argent

9.3.C Verbal expressions with meaning similar to devoir

1. **être obligé/forcé de** + infinitive: *to be obliged/forced to, must, to have to* (necessity or moral obligation)

   L'écrivaine **est obligée de s'adresser** à une maison d'édition suisse.

   The (woman) writer is forced to/must address herself to a Swiss publishing house.

2. **être censé** + infinitive: *to be supposed to* (supposition)

   Nul n'**est censé ignorer** la loi.

   No one is supposed to be ignorant of the law.

   Étiez-vous censée téléphoner à votre avocate?

   Were you supposed to call your lawyer?

3. **avoir à** + infinitive: *must, to have to* (necessity or moral obligation) This expression can replace **devoir**, especially when a simple tense is used (**j'ai, j'avais, j'aurai, j'aurais, que j'aie**).

   Tu es désolé **que j'aie à récrire** ma thèse.

   You're sorry that I have to rewrite my thesis.

À votre tour!

A. Complétez les phrases suivantes en ajoutant la forme appropriée d'**être obligé de** ou **être censé**. Faites attention au contexte quand vous faites votre choix.

Les relations hommes-femmes

1. Selon la tradition, la femme ⸺ aider son mari dans ses projets mais selon la loi, elle ⸺ (négatif) le faire.
2. Selon l'ancienne loi salique qui dictait le mode de succession, les filles des rois de France ⸺ abandonner le trône à leurs frères : elles ne pouvaient pas hériter du trône.
3. Selon les règles de l'étiquette, un homme ⸺ donner sa place *(seat)* à une femme dans l'autobus ou le métro, mais une femme «libérée» ⸺ (négatif) l'accepter.
4. Selon la loi, le père d'un enfant «illégitime» ⸺ pourvoir *(provide)* financièrement aux besoins de son enfant si la femme peut prouver sa paternité.
5. Les femmes «libérées» ont déclaré qu'elles ⸺ (négatif, passé) rester avec leur mari simplement parce qu'ils avaient des enfants : elles peuvent les élever seules.

B. Camille se lance dans la politique. Passionnée de politique, Camille veut devenir député de son département.[1] Elle et son amie Gilberte commentent cette décision. Utilisez la forme appropriée de **devoir** ou d'une expression similaire (**avoir à, être obligé de**). Employez le plus de variété possible.

---

[1] Aux élections parlementaires, les Français élisent les députés qui siègeront *(will be seated)* à **l'Assemblée nationale**.

1. Je ___ dire que ta décision m'a étonnée.
   Je dois (je suis obligée de) dire que ta décision m'a étonnée.
2. Je ___ parler de mon programme aux ouvriers de l'usine
   Frigébon.
   Je dois (j'ai à) parler de mon programme aux ouvriers de l'usine
   Frigébon.

GILBERTE   J'apprends que tu te présentes aux élections parlementaires. Tu
___ préparer beaucoup de choses pour ta campagne en ce moment.

CAMILLE   Oui, je ___ travailler avec mon comité. La semaine dernière, je
___ passer des nuits courtes car je ___ écrire plusieurs discours. Ensuite
mon comité et moi, nous ___ établir une liste de priorités.

GILBERTE   Comme cela ___ être fatigant. Et tu commences seulement. Bientôt,
tu ___ quitter ton foyer et partir en campagne. Tu ___ voyager beaucoup.
Que dit ton mari?

CAMILLE   Eh bien! Il ___ se faire une raison[2] le mois passé quand j'ai pris ma
décision. Il n'est pas fâché que je ___ m'absenter. Il sait que si je veux être
élue, je ___ sacrifier certaines choses.

[2] **se faire une raison** = **s'adapter à l'idée**

GILBERTE   Et si tu es élue, tu ____ passer beaucoup de temps à Paris, à l'Assemblée nationale. Bien sûr, ta famille ____ s'adapter à cette nouvelle situation. Ne ____ -tu pas avoir un peu peur de toutes ces responsabilités ?

CAMILLE   Ma petite Gilberte, tu ne ____ pas te faire de soucis à mon sujet. Je sais ce que je fais. J'ai toujours pensé que je ____ servir mon pays.

IV Possession
Possessive adjectives and pronouns

Possession can be expressed through nouns (possessive case in English), possessive adjectives, and possessive pronouns

9.4.A Possessive case (le cas possessif)

The construction "de + noun" is used to indicate that something belongs to someone or that someone/something is a part of an entity.

la sœur **de Nicole**	*Nicole's sister*
la main **de Nicole**	*Nicole's hand*
la loi **du pays**	*the law of the country*
les habitants **du pays**	*the country's inhabitants*

Note that the English construction "noun + 's + noun" does not exist in French. The construction "noun + **de** + noun" is used and the word order is reversed.

La participation des femmes dans le gouvernement est encore très minime.

Women's participation in government is still very minimal.

But when "noun + 's" means "at the place/house of," the construction "**chez** + noun" is used in French.

Ne m'attends pas ! Je vais **chez Paulette**.

Don't wait for me! I'm going to Paulette's.

À votre tour !

A. Les objectifs du programme de Camille. Aidez Camille à établir les objectifs de son programme économique et social. Combinez des mots de chaque colonne pour représenter des aspects du programme dont Camille doit parler ce soir à la télévision.

MODÈLE   Camille, vous devez donner vos idées sur la misère des retraités.

les revendications	le chômage
les besoins	les droits
la misère	le vote
les dépenses	les pouvoirs

les problèmes de logements
l'attitude
les agriculteurs
les mères abandonnées
les travailleurs immigrés
les citoyens

les retraités
les jeunes délinquants
les chômeurs
le gouvernement
les étudiants
les ouvrières

B. Thème : Les femmes dans la politique. Traduisez en français.

1. The role of women in politics has become very important in France. They represent half **(la moitié)** of the voters.
2. The women's group, in general, has more cohesion and often votes to the right of the political center.
3. Jacques Chirac's success is in part due to **(dû à)** the women's vote for his party.
4. In turn **(À son tour),** Chirac has favored the entry of women in important administrative positions.
5. If you want to know more on this subject, go to Suzanne's. She is a history professor.
6. But at this moment, she is at her parents'. You may call her there.

9.4.B Possessive adjectives (les adjectifs possessifs)

1. *Forms*

The possessive adjectives are given in the following table:

	MASCULINE	FEMININE	PLURAL	
one possessor	**mon**	**ma**	**mes**	*my*
	ton	**ta**	**tes**	*your*
	son	**sa**	**ses**	*his/her/its*
several possessors	**notre**	**notre**	**nos**	*our*
	votre	**votre**	**vos**	*your*
	leur	**leur**	**leurs**	*their*

2. *Use*

The possessive adjectives agree in gender and number with the noun they modify. **Ma, ta, sa** are used with feminine singular nouns, but if the noun begins with a vowel or a mute **h, mon, ton, son** are used instead.

mon parti	**sa** réforme	**leur** politique
tes contrats	**nos** juges	**leurs** votes
ta mère	BUT **ton** avocate	**ton** habitude

Possessive adjectives are placed before the noun they modify and are repeated before each noun in a series.

Ton éditeur a reçu **ta** lettre et **ton** manuscrit.

Your editor received your letter and manuscript.

3. *Special cases*

a. With parts of the body, the definite article is used instead of the possessive adjective whenever there is no ambiguity as to the possessor.

Elle a **les yeux** verts.
She has green eyes.

Elle tourne **la tête** pour éviter le regard d'Yvon.
She turns her head to avoid Ivan's gaze.

—but—

Il posa sa main sur **mon bras**.
He placed his hand on my arm.

b. With parts of the body, the definite article is used whenever the verb is a reflexive.

Elle s'est cassé la jambe.
She broke her leg.

Lave-toi les cheveux !
Wash your hair!

À votre tour !

A. Nicole, récemment divorcée, met de l'ordre dans ses placards *(closets).* Elle retrouve des choses qui sont à son ex-mari, Albert. Pour savoir ce qu'elle dit, faites des phrases avec les mots donnés en ajoutant les adjectifs possessifs (ou les articles) et en accordant les verbes avec leur(s) sujet(s).

1. Tiens ! / ce / être / vêtements. / Voilà / cravate / et / chemise / et encore / vieux pantalon
2. Et voilà / album de photos. / Ce / être / lui / avec / chapeau / sur / tête / et moi / avec / manteau rouge / sur / dos
3. Ah ! / Nous / être / amusants / avec / vieux / vêtements / devant / première auto
4. Et là / je / se brosser / cheveux / avec / brosse à cheveux / devant / miroir
5. Ici / nous / être / chez / amis. / Albert / nager / dans / piscine / et moi / je / porter / joli maillot
6. Maintenant / ce / être / fini / mais / je / ne pas / regretter / vie passée / et / bons moments / avec / Albert

B. C'est le moment des campagnes électorales à la télévision. Monsieur Ciron, candidat au Sénat, explique ce qu'il fera s'il est élu. Janine, qui regarde le programme, préfère Mme Lesage, candidate féministe au même poste. Donnez les réparties[1] de Janine.

---

[1] **la repartie** *retort*

MODÈLE   M. CIRON   Si je suis élu, j'emploierai mon temps à soutenir les causes justes. (causes féministes)

JANINE   Si Mlle Lesage était élue, elle emploierait son temps à soutenir les causes féministes.

1. Si je suis élu, j'utiliserai mon argent à créer des emplois pour les chômeurs. (femmes abandonnées par leurs maris)
2. Si je suis élu, je persuaderai mes collègues de voter des lois favorisant notre parti. (causes féministes)
3. Si je suis élu, je passerai mes week-ends à organiser des groupes de soutien pour nos pauvres. (mères sans emploi)
4. Si je suis élu, je consacrerai mon énergie à éliminer les problèmes de nos retraités. (jeunesse délinquante)
5. Si je suis élu, je donnerai mon soutien à nos petits commerçants. (femmes écrivains et artistes)

9.4.C Possessive pronouns (les pronoms possessifs)

1. *Forms*

The possessive pronouns are given in the following table:

SINGULAR		PLURAL		
Masculine	**Feminine**	**Masculine**	**Feminine**	
le mien	la mienne	les miens	les miennes	*mine*
le tien	la tienne	les tiens	les tiennes	*yours*
le sien	la sienne	les siens	les siennes	*his/hers/its*
le nôtre	la nôtre	les nôtres	les nôtres	*ours*
le vôtre	la vôtre	les vôtres	les vôtres	*yours*
le leur	la leur	les leurs	les leurs	*theirs*

2. *Use*

The possessive pronouns agree in gender and number with the object possessed, which is the noun they replace. Note that **le sien, la sienne, les siens, les siennes** may mean *his, hers,* or *its,* just as **son, sa, ses** may mean *his, her,* or *its.*

L'avocate prend son rôle au sérieux. Aline prend **le sien** plus légèrement. (**son, le sien** agree with **rôle,** masc. sing.).

The (woman) attorney take her role seriously. Eileen takes hers more lightly.

Donnez-lui votre aide. —Il n'aura pas **la mienne**.

Give him your help. He will not get mine.

Note that **le** and **les** contract with the prepositions **à** and **de**.

Les retraitées écrivent à leur sénateur. Mais vous n'écrivez pas **au vôtre**.

The retired women write to their senator. But you don't write to yours.

Le reporter a parlé des soucis des mères seules, mais il n'a rien dit **des nôtres**.

The reporter spoke about the worries of single mothers, but he said nothing about ours.

À votre tour !

A. Yvette et Dominique, deux jeunes femmes nouvellement entrées dans l'armée, font leurs «classes» militaires comme les hommes. Après une longue marche, il y a un repos. Leurs sacs et autre équipement se trouvent mêlés à tous les autres. Quand elles doivent repartir, elles cherchent leurs affaires. Complétez en ajoutant les adjectifs ou les pronoms possessifs.

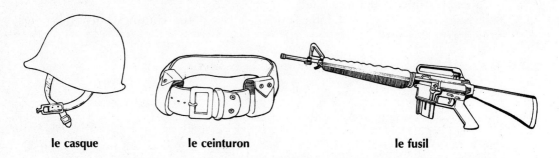

le casque   **le ceinturon**   **le fusil**

YVETTE   Où est ___ casque ? Ah ! là-bas.
SOLDAT   Ce casque est à moi.
YVETTE   Excusez-moi. Je croyais que c'était *le mien*. Je ne savais pas que c'était
    ___ .

DOMINIQUE   Où est *mon* sac ? C'est toi qui me l'as pris, Yvette.
YVETTE   Mais non, idiote ; ça, c'est *le mien* ce n'est pas *le tien*
SERGENT   Soldate Leblanc, Yvette ! Ce casque et ce fusil, ce sont *les ? vôtres*
YVETTE   Oui, mon sergent, ce sont *les miens*
SERGENT   Vous serez de corvée de vaisselle² toute la semaine. Un soldat ne
    perd jamais *son* fusil et *son* casque, compris ?
DOMINIQUE   ___ brosse à cheveux et ___ brosse à chaussures, je ne les trouve
    pas.
YVETTE   Regarde près de l'arbre. Ces brosses, ce sont ___ ?
DOMINIQUE   Oui, oui, ce sont *les miens*
SOLDAT   Erreur, soldate. Elles appartiennent à deux autres soldates. Lisez les
    noms : ce sont ___, pas ___ . Vous avez de la chance, le sergent n'a pas vu
    tout ce désordre.
DOMINIQUE   Oh la la, soldat Pucheux ! On est tous dans l'armée. Ce ceinturon
    que vous portez, c'est *le mien* Mon nom est écrit dessus.
SERGENT   En avant³, tous ! Et plus vite !

---

² **la corvée de vaisselle** *KP (kitchen police) duty*
³ **En avant** ! *Forward!*

Nicole Riedel, la première femme chef d'escadrille.

B. Sophie met de l'ordre dans sa chambre et Pierre l'aide. Complétez leur conversation avec des pronoms possessifs.

MODÈLE   Ce vieux dictionnaire Larousse, il est à toi?
               —Oui, c'est le mien.

PIERRE   Voilà *Le Deuxième Sexe* de Simone de Beauvoir. Il est à toi, ce livre?

SOPHIE   Oui, je crois que c'est le mien

PIERRE   Non, je vois le nom de Julie Chancel, ce livre est à elle.

SOPHIE   Tu as raison. C'est le sien.

PIERRE   Tiens, ce guide sur la Côte d'Azur. Mais il est à moi! Mais oui, c'est le mien

SOPHIE   Je sais bien que c'est le tien, j'allais te le rendre.

PIERRE   Eh! Un livre d'art sur Mme Vigée-Lebrun, le peintre de Marie-Antoinette. Mais c'est le livre de mes parents! Oui, c'est bien le leur

SOPHIE J'avais oublié ça. Ce livre n'est pas à nous; ce n'est pas _le nôtre_. Il est à vous. C'est _le vôtre_. Je l'avais emprunté pour écrire mon rapport.

PIERRE Regarde ces portraits merveilleux. Ce sont bien ses œuvres à elle ?

SOPHIE Bien sûr, ce sont _les siennes_. Elle avait beaucoup de talent.

PIERRE J'aime ce portrait-là. Est-ce que c'est un portrait d'elle-même ?

SOPHIE Mais oui, c'est _le sien_. Elle était jolie femme !

PIERRE Et maintenant, passons à cette pile de cassettes. Elles sont toutes à toi ?

SOPHIE Euh, oui, euh, je pense que ce sont _les miennes_. Excepté celles où ton nom est écrit : ce sont _les tiennes_.

PIERRE Attends, je compte : cinq, six, sept. Ces sept cassettes-ci sont à moi ou à mes parents, oui, ce sont _les nôtres_. Tu vas me payer leur location *(rental)*, dis ?

SOPHIE Tu blagues *(joke)* ! On est entre amis !

Vue d'ensemble

I À vous la parole !

A. **Parlez de vous-même !** Au XVIIIe siècle (quand Mme Vigée-Lebrun vivait), les femmes de la bourgeoisie et de la noblesse avaient souvent une vie active. Vous allez imaginer que vous auriez pu être une femme de cette époque. Répondez avec imagination, mais selon vos goûts et opinions.

1. Si vous aviez été peintre comme Mme Vigée-Lebrun, qu'est-ce que vous auriez aimé peindre ? Donnez quelques détails.
2. Si vous aviez été une femme riche, quelles personnes auriez-vous invitées à venir dans votre salon[1] ?
3. Si vous aviez été Marie-Antoinette, qu'auriez-vous fait toute la journée au château de Versailles ?
4. Qu'auriez-vous fait pour aider les pauvres femmes de Paris qui avaient faim ?
5. Qu'auriez-vous fait quand les Parisiens ont pris la Bastille le 14 juillet 1789 ?
6. Qu'auriez-vous conseillé à votre mari, le roi Louis XVI, quand ses sujets ont demandé plus de liberté ?
7. Où seriez-vous allée si vous aviez pu quitter la France avant la Terreur[2] ?
8. Si vous aviez été une des premières féministes (comme Olympe de Gouges[3]), qu'auriez-vous demandé pour «la libération» des femmes ?
9. Aimeriez-vous avoir de l'influence dans la politique du pays ? Que feriez-vous, en particulier, pour la cause des femmes ?
10. Pensez-vous qu'une femme qui a de fortes convictions politiques doive sacrifier sa vie familiale pour les réaliser ? Ou bien est-il possible de concilier les deux ? Justifiez votre opinion.

---

[1] Les femmes riches tenaient des salons où les gens importants et connus dans beaucoup de domaines étaient invités.
[2] **La Terreur** est la période de la révolution où les chefs révolutionnaires (comme Robespierre) sont passés à des actes de violence extrême et injustifiée.
[3] **Olympe de Gouges** était une femme de lettres qui favorisait les idées révolutionnaires. Elle demanda l'émancipation des femmes. Elle a été guillotinée sous la Terreur.

B. Obtenez des renseignements ! Demandez à la personne près de vous. . .

1. s'il/si elle aurait aimé être Mme Curie et ce qu'il/elle sait d'elle.
2. ce qu'il/elle aurait fait s'il/si elle avait découvert la radioactivité ?
3. ce qu'il/elle pense d'une femme comme Olympe de Gouges qui a donné sa vie pour obtenir l'égalité civile pour les femmes.
4. ce qu'il/elle pense du féminisme.
5. ce qu'il/elle aimerait que les femmes obtiennent politiquement et socialement.
6. ce qu'il/elle pense d'une femme qui veut faire une carrière dans la politique; dans les grandes affaires commerciales.
7. s'il/si elle pense qu'une femme dans l'armée doive aller se battre comme un homme, et pourquoi.
8. ce qu'il/elle pense d'une femme qui veut avoir une carrière en même temps que des enfants.
9. quelles sont les actrices françaises qu'il/elle a vues au cinéma et lesquelles sont ses préférées.
10. s'il/si elle sait qui est la première Française à l'Académie française et ce qu'il/elle sait de cette écrivaine.

II En scène !

Tout le monde connaît l'actrice Brigitte Bardot : on peut parler de ses films érotiques, par exemple *Et Dieu créa la femme, La Mariée est trop belle*. Elle était un symbole sexuel, une chatte sensuelle. Mais peu de gens savent qu'elle adore tous les animaux, qu'elle donne beaucoup de son temps et de son argent pour les protéger et qu'elle a fondé une société très active pour la défense et la protection des animaux. Jouez une petite scène où vous êtes un reporter qui interviewe Brigitte sur sa vie. Vous et un(e) camarade devez composer un dialogue vivant que vous jouerez en classe.

III Soyez créateurs!

Travail en groupe. Divisez la classe en groupes de cinq ou six étudiants et dans chaque groupe, choisissez une femme française bien connue—du temps passé ou de maintenant—et faites un petit portrait d'elle, mais ne dites pas son nom! Chaque groupe présentera son portrait devant toute la classe qui devra trouver le nom de la femme mystérieuse.

CHAPITRE 10
La Vie intellectuelle

Bernard-Henri Lévy est un des leaders du groupe des «nouveaux philosophes».

Vocabulaire spécial

I Les activités intellectuelles

Noms

la littérature *literature*
la philosophie *philosophy*
la morale *ethics, morals*
la logique *logic*
la poésie *poetry*
la pensée *thought, thinking*
le roman psychologique *introspective
   novel*
la pièce de théâtre *play*
la nouvelle *short story*
l'auteur *m* dramatique *playwright*
le/la poète (-esse) *poet*
la critique *criticism, critique*
l'événement *m event*
la pratique *practice*
le meurtre *murder*
la misère *destitution, misery*
la pauvreté ≠ la richesse *poverty ≠ wealth*
la jeunesse ≠ la vieillesse *youth ≠ old
   age*
la maturité *maturity, middle age*
la paresse ≠ la diligence *laziness ≠
   diligence*
le/la traître (-esse) *traitor*

Adjectifs

littéraire *literary*

lié *tied, involved*
prêt *ready*
abrégé *abridged, abbreviated*
exposé *exhibited*
instructif (-ive) *instructive, informative*
actuel(le) *present, current*
inconnu ≠ connu *unknown ≠ known*

Verbes

atteindre *to attain, to reach*
se consacrer (à) *to dedicate oneself (to)*
se joindre (à) *to join*
se déplacer *to move about, to travel*
décrire *to describe*
éclairer *to light, to enlighten*
se plaire (à) *to like, to enjoy*
mener (une vie) *to lead (a life)*
payer de sa personne *to incur risks*
se détourner (de) *to turn away (from)*
apparaître ≠ disparaître *to appear ≠ to
   disappear*
intervenir *to intervene*
critiquer *to criticize*
choquer *to shock*
déranger *to disturb*
manquer *to miss*
trahir *to betray*
tuer *to kill*

II Les idées philosophiques

Noms

l'idée *f idea*
le mythe *myth*
le sort = la destinée
le sens *meaning, sense*
la salut *salvation*
le fardeau *load, weight*
le désastre *disaster*
la souffrance *suffering*
la récompense ≠ la punition *reward ≠
   punishment*

l'âme *f soul*
Dieu *m God*
le ciel *heaven, sky*
la prière *prayer*
le vœu *wish*
la paix ≠ la guerre *peace ≠ war*
la sagesse *wisdom*
la beauté *beauty*
la volonté *will*
le raisonnement *reasoning*
l'horreur *f horror*

Adjectifs

athée ≠ croyant *atheistic ≠ believing*
convaincu *convinced*
désabusé *disillusioned*
léger ≠ lourd *light ≠ heavy*
honteux (-euse) *shameful*
douloureux (-euse) *painful*
provocant *provocative*
intérieur ≠ extérieur *inner ≠ outer*

Verbes

croire (à, en) *to believe (in)*
nier ≠ affirmer *to deny ≠ to affirm*
prier *to pray*
sauver *to save*
alléger *to lighten*
avouer = admettre, confesser
prétendre *to claim, to pretend*
mettre (qqn) dans le coup *to get (s.o.)*
   involved
se résigner ≠ se rebeller
fonder *to found, to base*

André Glucksmann, un autre «nouveau philosophe», a attaqué, tout comme Lévy, le système stalinien et les goulags.

Trouvez le mot juste !

A. Donnez le mot/l'expression qui convient à chaque définition.

1. légende historique populaire peuplée de héros
2. admettre quelque chose
3. un adjectif pour dire «désillusionné»
4. un événement malheureux ou catastrophique
5. prendre des risques pour soi-même
6. un adjectif pour dire «mis sous forme plus courte»
7. un écrivain qui se spécialise dans le théâtre
8. un adjectif qui veut dire «présent, contemporain»
9. aller d'une place à une autre
10. un âge entre la jeunesse et la vieillesse

B. Donnez le contraire de chacun des mots/expressions suivants et faites une phrase avec chaque réponse.

1. athée
2. la punition
3. affirmer
4. lourd
5. douter
6. apparaître
7. connu
8. la jeunesse
9. se résigner
10. la richesse

C. Complétez les phrases suivantes par des mots ou expressions du vocabulaire spécial.

1. Quand ils ont des problèmes difficiles, beaucoup de gens adressent une ⎯⎯ à Dieu.
2. La philosophie judéo-chrétienne enseigne que l'être humain a un corps et une ⎯⎯.
3. Il est naturel de faire des ⎯⎯ pour la ⎯⎯, c'est-à-dire pour la disparition de la guerre.
4. On peut aussi souhaiter d'arriver à la ⎯⎯, c'est-à-dire à un mélange de prudence, de bon sens et de discipline personnelle.
5. Les intellectuels français se sont toujours intéressés à la raison d'être des humains, donc, à leur ⎯⎯.
6. Peut-être que Voltaire[1] ne ⎯⎯ pas personnellement en Dieu mais il le trouvait nécessaire pour contrôler les masses par la peur d'une punition éternelle.
7. Les Français sont passionnés par les ⎯⎯, c'est-à-dire par les histoires qui utilisent l'introspection comme moyen de description.
8. La ⎯⎯ cartésienne est un système de raisonnement cohérent développé par Descartes[2].

---

[1] **Voltaire**, grand philosophe du XVIIIᵉsiècle, a lutté pour la liberté individuelle et la tolérance religieuse.
[2] **René Descartes**, célèbre philosophe et scientifique du XVIIᵉsiècle, a développé une méthode scientifique basée sur la raison.

D. Qui a critiqué quoi ? Êtes-vous fort(e) en histoire des idées intellectuelles ? Dites qui a critiqué les idées ou les situations de la liste B[3].

MODÈLE   Le peuple français en 1789 a critiqué la monarchie absolue et il s'est rebellé contre elle.

A	B
1. Jésus-Christ	a. la monarchie absolue
2. Descartes	b. la barbarie nazie
3. Voltaire	c. le manque de respect des humains pour la vie
4. les pères de la démocratie américaine	d. le système non-évolutionniste
5. le peuple français en 1789	e. les systèmes non-scientifiques
6. Darwin	f. la taxation sans représentation
7. Dickens	g. les pratiques religieuses hypocrites
8. Schweitzer	h. la situation horrible des pauvres
9. les résistants français en 1940–44	i. l'intolérance
10. Martin Luther King, Jr.	

Prepositions with nouns, pronouns, and verbs
Adjectives and verbs with à and de
Present participle

Prepositions are invariable words that occur in simple and compound form. They may introduce a noun, a pronoun, or a verb. They are also used after some verbs and adjectives as part of their specific construction. Their purpose is to link one word to another to express a relationship between the two.

I Prepositions with nouns, pronouns, and verbs

10.1.A Forms

1. *Simple prepositions*

   à après avant avec
   chez contre
   dans de depuis *(since)* derrière dès *(from . . . on)* devant
   en entre excepté
   jusque *(until, to)*
   malgré *(despite, in spite of)*
   par parmi *(among)* pendant pour
   sans sauf *(except, save)* selon sous suivant *(according to)* sur
   vers *(toward)*

---

³ Réponses : 1g, 2e, 3i, 4f, 5a, 6d, 7h, 8c, 9b, 10i.

2. *Compound prepositions*

à cause de **à côté de** *(next to, beside)* **à la place de/au lieu de**
(instead of) **à travers** *(through)* **au-dessous de** *(beneath)* **au-dessus de**
(over) **au milieu de** **au sujet de** **autour de** *(around)*
d'après *(according to)* **de l'autre côté de** *(opposite, on the other side of)*
en dépit de *(in spite of)* **en face de** *(opposite)*
jusqu'à *(until, as far as)*
le long de *(along)* **loin de**
par rapport à *(in relation to)* **près de**
vis-à-vis de *(regarding, vis-a-vis)*

10.1.B Use

1. Prepositions may introduce a noun.[1]

Vis-à-vis des êtres humains, nous avons tous des obligations.	*Regarding human beings, we all have obligations.*
L'homme ne peut pas vivre **sans espoir**.	*Man cannot live without hope.*

2. When a preposition introduces a pronoun, the pronoun must be in the disjunctive form (**moi, toi, lui,** and so on).

Entre vous et moi, ce philosophe ne semble pas aussi grand qu'on le prétend.	*Between you and me, this philosopher does not seem as great as it is often claimed.*
Prends soin de tes livres! C'est **avec eux** que tu apprends.	*Take care of your books. It's through them that you learn.*

3. When the prepositions **afin de/pour** *(to, in order to, so as to)*, **à moins de** *(unless)*, **après, avant de, de peur de** *(for fear that)* introduce a verb, the verb must be in the infinitive.

Les gens prient **afin d'alléger** le fardeau de leurs peines.	*People pray so as to lighten the burden of their sorrows.*
Avant de parler, réfléchis à ce que tu vas dire.	*Before speaking, think about what you're going to say.*

Note that **après** is always followed by a past infinitive.

On atteint la paix intérieure seulement **après s'être** bien **discipliné**.	*One reaches inner peace only after having well disciplined oneself.*
Après avoir lu les essais de Sartre, nous sommes convaincus que «l'existentialisme est un humanisme».	*After reading Sartre's essays, we're convinced that "existentialism is a humanism."*

---

[1] For rules regarding the use and omission of the article after a preposition, see Chapitre 2, Section II, and most particularly, 2.2.C.4 and 2.2.C.5.

The preposition **en** is the only one not followed by an infinitive. Instead, it takes a present participle. This special construction, called the gerund, is fully discussed in Section IV of this chapter.

En écrivant *La Peste,* Camus a exprimé ses idées sur le sens de la vie.

In writing The Plague, *Camus expressed his ideas on the meaning of life.*

À votre tour!

A. Voici une plante imaginaire qui a des feuilles et des fleurs variées. Dites où elles se trouvent les unes par rapport aux autres. Utilisez les prépositions suivantes : **à côté de, au-dessous de, au-dessus de, en face de, loin de, près de.**

1. La feuille noire est ____ la feuille blanche.
2. La feuille rayée est ____ la feuille grise.
3. La fleur rouge est ____ la grande fleur.
4. La petite feuille est ____ la fleur rayée.
5. La fleur blanche est ____ la feuille grise.
6. La petite feuille est ____ la grande feuille.
7. La fleur grise est ____ la fleur rouge.
8. La feuille rayée est ____ la fleur grise.
9. La feuille grise est ____ la fleur blanche.
10. La fleur rayée est ____ la fleur rouge.
11. La feuille blanche est ____ la feuille grise.

une feuille { rayée →
grise →

B. Simone de Beauvoir rencontre Sartre. Dans le récit suivant, ajoutez les prépositions appropriées. Choisissez-les dans la liste suivante.

à	de
à côté de	par
au-dessus de	pour
au sujet de	près de
avec	selon
chez	sur
dans	

Jean-Paul Sartre et Simone de Beauvoir ont beaucoup fréquenté les cafés parisiens. Un bon nombre d'intellectuels, comme eux, aiment ces lieux animés où ils se retrouvent entre amis.

Sartre avait deux bons camarades et il étudiait ⌒ l'École
Normale[2] ____ eux. L'un ____ ces camarades était Herbaud qui
était lié d'amitié ____ Simone. «Les trois petits camarades»—
____Sartre qui les avait nommés ainsi—se retrouvaient
____ Sartre, ____ sa chambre d'étudiant. Herbaud et son
copain aimaient étudier ____ lui parce qu'il avait lu les grands
philosophes et avait des idées précises ____ eux. Ils s'asseyaient
____ Sartre et ils discutaient ensemble. Un jour, Herbaud a
amené Simone ____ Sartre.
Elle était intimidée ____ Sartre et elle ne se sentait pas égale
____ lui. Simone ne pensait pas qu'il était intellectuellement
____ elle mais il savait plus de choses ____ tous les auteurs. En
revenant tous les jours, elle s'est sentie à l'aise ____ Sartre. Elle
est sortie ____ les «petits camarades» : elle avait été adoptée
____ eux et c'est ainsi que son amitié ____ Sartre s'est développée.

C. **Thème : Les nouveaux philosophes**. Traduisez en français.

1. The intellectuals of the Left are always for the Marxist philosophy and against the other philosophies.
2. But the new philosophers of the Left in France have written against the current practices of the Left.
3. Bernard-Henri Lévy complains that the socialists, after joining with the bourgeois class, have betrayed the movement.
4. To shock the people, André Glucksmann has compared Brezhnev to Hitler.
5. The politicians of the Right wish that the new philosophers would side with them in order to get the support of the intellectuals.
6. But the new philosophers claim that their ideas follow the true Marxist line.

II Adjectives with à and de

10.2.A Adjectives + à/de + noun

1. The following adjectives are followed by the preposition **de** + noun.

chargé	désolé	heureux	orné	rempli
content	entouré	honteux	plein	satisfait
couvert	étonné	malheureux	ravi	surpris
décoré	fâché	mécontent		

Le gourou était **entouré de** ses
disciples fidèles.

*The guru was surrounded by his faithful
disciples.*

Il était **content de** son sort.

He was happy with his fate.

2. A few adjectives are followed by the preposition **à** + noun.

accessible	insensible	nécessaire
inaccessible	inutile	utile

---

[2] **L'École Normale Supérieure** est une Grande École qui se spécialise dans la formation des professeurs de lycées.

Les sociologues marxistes trouvent les inégalités sociales **utiles à** leurs arguments.	*Marxist sociologists find social inequalities useful for their arguments.*

Note that **à** and **de** contract with the definite articles **le** and **les**.

Il est **ravi du succès** de Paul.	*He's thrilled with Paul's success.*
C'est **nécessaire aux enfants.**	*It's necessary for the children.*

10.2.B C'est/Il est + **adjective** + à/de + **infinitive**

1. The construction *c'est/c'était* (and so on) + adjective is used to refer to something already mentioned. The adjective is followed by **à** + infinitive.

Rousseau et Voltaire se sont disputé violemment. **C'était facile à prédire.**	*Rousseau and Voltaire quarreled violently. That was easy to predict.*

2. The construction **il est/il était/il sera** and so on + adjective is used to present an idea not previously mentioned (in this case, **il** is impersonal; it does not refer to anything). The adjective is followed by **de** + infinitive. Very often, the infinitive is followed by a noun used as a direct or indirect object.

Il est difficile de parler à un inconnu.	*It is difficult to speak to a stranger.*
Il sera intéressant de voir la réaction de cet écrivain.	*It will be interesting to see this writer's reaction.*

Note that, even in the previous case, **c'est** is frequently used instead of **il est** in contemporary French, especially in speaking.

C'est agréable d'avoir réponse à tout.	*It's pleasant to have an answer to everything.*

10.2.C Adjectives + de + **infinitive**

Adjectives expressing a feeling (such as **content, désolé, furieux, heureux, surpris, triste**) may be followed by **de** + infinitive.

Jérôme était **ravi d'avoir vu** la pièce de Camus, *Caligula*.	*Jerome was delighted to have seen Camus' play* Caligula.
Nous avons été **tristes d'apprendre** la mort du philosophe Michel Foucault.	*We were sad to learn of the philosopher Michel Foucault's death.*

À votre tour !

A. Léo, le correspondant *(pen pal)* canadien de Denise, vient lui rendre visite à Paris. Elle l'emmène au Quartier Latin au café *Les Deux Magots*, favori de Jean-Paul Sartre. Complétez leur conversation avec les prépositions **à** ou **de**. Faites toutes les contractions nécessaires.

MODÈLE LÉO Je crois que c'est utile _____ (les progrès) de mon français d'aller à ce café.

Je crois que c'est utile aux progrès de mon français d'aller à ce café.

DENISE Bien sûr! C'est là que Sartre passait souvent des heures entières entouré *de* (les amis) qui aimaient discuter avec lui.

LÉO Mais le café devait être plein *de* gens. Ce n'était pas trop bruyant?

DENISE Sartre était insensible *au* (le bruit). Tu vois «sa» table, là-bas? C'est la table ornée *de* fleurs jaunes.

LÉO Ah oui! dans le coin. Ils n'étaient pas dérangés là parce que c'était moins accessible *aux* (les autres clients).

DENISE Exactement. L'ambiance des cafés du Quartier Latin était nécessaire *au* (le style de vie de Sartre). En peu de temps, la table se trouvait couverte *de* verres et *de* bouteilles et le coin était rempli *de* fumée.

LÉO Et les clients n'étaient pas surpris *de* voir cet écrivain connu, dans la salle avec eux?

DENISE Mais non! Les Parisiens ne sont pas étonnés *de* rencontrer les intellectuels au café.

LÉO Eh bien, si j'étais Parisien, je serais satisfait *de* mon sort.

DENISE C'est une bonne philosophie, Léo.

B. **Qu'en pensez-vous?** Réagissez aux idées suivantes en employant **c'est ___ à ___** ou **il est ___ de ___**, selon le cas. Variez les adjectifs que vous utilisez (agréable, utile, important, difficile).

MODÈLE voyager beaucoup
C'est agréable à faire.
—ou—
Il est agréable de voyager beaucoup.

1. être de bonne humeur
2. avoir des idées positives
3. mener une vie disciplinée
4. se résigner à son sort
5. éviter les mauvaises compagnies
6. aider les autres
7. se consacrer pleinement à son travail
8. avoir un mari/une femme aimant(e)
9. avoir des enfants en bonne santé
10. respecter les droits humains

C. **Pour être heureux...** Selon vous, que faut-il pour être heureux? Répondez en utilisant la construction **il (n') est (pas) nécessaire/bon/désirable/important/de...** Donnez quatre réponses originales.

MODÈLE Pour être heureux, il est désirable de prendre les choses du bon côté.

III Verbs followed by prepositions

10.3.A Verbs + preposition + noun/pronoun

1. Some verbs that take a direct object in English are constructed in French with an indirect object introduced by a preposition. The more common verbs of this type are the following:

s'adresser à	to address	se marier avec	to marry
il s'agit de	it concerns	se méfier de	to distrust
assister à	to attend	obéir à	to obey
demander à	to ask	plaire à	to please
douter de	to doubt	rendre visite à	to visit
échapper à	to escape	renoncer à	to renounce
écrire à	to write	répondre à	to answer
entrer dans	to enter	ressembler à	to resemble
se fier à	to trust	se servir de	to use
jouer à	to play (game)	se souvenir de	to remember
jouer de	to play (instrument)	succéder à	to succeed
			(someone)

réussir

Le Deuxième sexe[1] est un livre qui ne **s'adresse** pas seulement **aux femmes**.	*The Second Sex is a book that does not address women only.*
Vous **servez-vous** toujours **des mêmes arguments** pour réfuter cette théorie ?	*Do you always use the same arguments to refute that theory?*

Remember that when a pronoun follows the preposition, the disjunctive form of the pronoun is required if it refers to a person. If the pronoun refers to a thing, **y** is used instead of **à** + pronoun and **dans** + pronoun; **en** is used instead of **de** + pronoun (see Chapitre 3, Section 3.2.C).

Descartes a commencé par **douter de tout**.	*Descartes started by doubting everything.*
—Oui, il **en a douté**.	*Yes, he did doubt it.*
Doutez-vous de Descartes?	*Do you doubt Descartes?*
—Mais non, je ne **doute** pas **de lui**!	*Oh, no! I don't doubt him.*
Penses-tu souvent **aux** philosophes?	*Do you often think about the philosophers?*
—Non, **je ne pense jamais à eux**.	*No, I never think about them.*
Penses-tu à leurs idées?	*Do you think about their ideas?*
—**J'y pense** souvent.	*I think about them often.*

Note that for most verbs constructed with **à** + noun of person, **à** + noun is replaced by an indirect object pronoun placed before the verb. But there are a few verbs where **à** + noun is replaced by **à** + disjunctive pronoun (see Chapitre 3, Section 3.2.E.2.e).

---

[1] *Le Deuxième sexe* est sans doute l'œuvre la plus importante de **Simone de Beauvoir**.

J'**obéis à** Papa. — Je **lui** obéis.
Je **pense à** Papa. — Je pense **à lui**.

2. Conversely, there are a few French verbs followed by a direct object (no preposition needed) whose English equivalents require an indirect object introduced by a preposition. These verbs are

attendre	*to wait for*	**demander**	*to ask for*	**payer**	*to pay for*
chercher	*to look for*	**écouter**	*to listen to*	**regarder**	*to look at*

Les bouddhistes **cherchent la paix** intérieure dans une vie simple et altruiste. Ils **la** cherchent et ils **la** trouvent.

Buddhists look for inner peace through a simple and altruistic life. They look for it and they find it.

À *votre tour!*

A. Le professeur Bontemps va donner une conférence à Londres. Il donne ses instructions à sa secrétaire, Mlle Janson, qui les répète en remplaçant les noms objets par les pronoms appropriés. Jouez le rôle de Mlle Janson.

MODÈLES   a. Vous téléphonerez ⎯⎯ professeur Perrot.
—Je téléphonerai au professeur Perrot; oui, je lui téléphonerai.

b. Vous attendrez ⎯⎯ sa réponse avec patience.
—J'attendrai sa réponse avec patience; oui, je l'attendrai avec patience.

1. Vous demanderez ⎯⎯ professeur d'envoyer les résultats de son expérience.
2. Non, correction. Vous vous adresserez ⎯⎯ sa secrétaire.
3. Vous direz ⎯⎯ la secrétaire de nous téléphoner les résultats.
4. Vous assisterez ⎯⎯ la réunion du conseil des professeurs.
5. Vous écouterez ⎯⎯ tous les commentaires.
6. Après la réunion, vous écrirez ⎯⎯ professeur Perrot pour lui donner les résultats du vote.
7. Pour le courrier, vous pouvez vous fier ⎯⎯ concierge.
8. Vous paierez ⎯⎯ les frais d'envoi *(mailing cost)* de mon livre à Madrid.
9. Vous vous souviendrez ⎯⎯ toutes ces instructions?

B. Gervaise suit un cours de philosophie. Le professeur aime stimuler les idées des étudiants par des sujets originaux. Voici le plus récent : «Vous avez choisi de mener une vie d'austérité. Dites ce que vous allez faire ou ne pas faire ou ne plus faire.» Aidez Gervaise à faire ce devoir. Utilisez des verbes des deux listes de la section 10.3.A. Faites au moins cinq phrases.

MODÈLE   Demain, je commence ma vie d'austérité; je ne regarderai plus les programmes de la télévision.
—ou—
je n'obéirai plus à mon appétit trop grand.

10.3.B Verbs with nouns in double construction

Because it is not possible in French to use the construction *"to give somebody something,"* the following pattern is required:

> *to give something to somebody*
> **donner quelque chose à quelqu'un**

This pattern occurs with the following:

1. Verbs that express a transfer of possession of a thing (direct object) to a person (indirect object).

acheter			passer	
donner			prendre	
emprunter			prêter	
envoyer	} quelque chose à quelqu'un		remettre	} quelque chose à quelqu'un
louer			reprendre	
offrir			vendre	

Vends ton poème au journal.   *Sell your poem to the newspaper.*

2. Verbs that express communicating something (direct object) to somebody (indirect object).

apprendre			montrer	
conseiller			pardonner	
demander			permettre	
dire			promettre	
écrire	} quelque chose à quelqu'un		raconter	} quelque chose à quelqu'un
enseigner			refuser	
expliquer			reprocher	
interdire			révéler	

Dis la vérité aux lecteurs.   *Tell the truth to the readers.*

À votre tour !

A. Un écrivain existentialiste donne des conseils à ses disciples, mais il note ses idées sous forme abrégée. Reconstituez ses conseils.

MODÈLE   expliquer (idées nouvelles / société)
         Il faut que l'écrivain explique les idées nouvelles à la société.

1. donner (modèles / lecteurs)
2. apprendre (importance de l'existence / monde)
3. enseigner (nécessité de l'action / êtres humains)
4. dire (rôle du choix / homme engagé)
5. conseiller (responsabilité / tous les humains)
6. offrir (solidarité / homme moderne)

B. Thème : L'histoire inspire les romanciers. Traduisez en français.
1. Recent history has given novelists interesting subjects for their books.
2. Henri Troyat, of Russian origin, has revealed to his readers the history of a Russian family.
3. André Schwarz-Bart has shown the literary world the horror of the persecution of the Jews **(les Juifs)** in the concentration camps.
4. In *The Plague*, Albert Camus explained to the public the agony of a city struck by a disaster.

10.3.C Verbs with à/de + **infinitive**

Many verbs may be followed by another verb in the infinitive. In some cases, the two verbs are joined by the preposition **à** or **de** before the infinitive.

1. *Verbs* + **à** + *infinitive*

aider à	*to help*	**encourager à**	*to encourage*
apprendre à	*to learn*	**s'habituer à**	*to get used to*
s'attendre à	*to expect*	**hésiter à**	*to hesitate*
arriver à	*to succeed in*	**s'intéresser à**	*to be interested in*
avoir à	*to have to, must*	**inviter à**	*to invite*
chercher à	*to seek, to try*	**se mettre à**	*to begin, to start*
commencer à	*to begin*	**montrer à**	*to show*
consentir à	*to consent*	**renoncer à**	*to give up*
continuer à	*to continue*	**réussir à**	*to succeed in*
se décider à	*to decide*	**tarder à**	*to delay, to be long*

Les intellectuels de la Gauche **ne sont pas arrivés à convertir** les Français au marxisme.

The intellectuals of the Left did not succeed in converting the French to Marxism.

2. *Verbs* + **de** + *infinitive*

cesser de	*to cease*	**se contenter de**	*to be satisfied with*
commencer de	*to begin*	**continuer de**	*to continue*
conseiller de	*to advise*	**craindre de**	*to fear*

décider de	to decide	**finir de**	to finish
défendre de	to forbid	**ordonner de**	to order
demander de	to ask	**oublier de**	to forget
se dépêcher de	to hurry	**permettre de**	to permit
dire de	to tell	**promettre de**	to promise
empêcher de	to prevent from	**refuser de**	to refuse
essayer de	to try	**regretter de**	to regret

Dans le «nouveau roman», l'écrivain **se contente de raconter** une histoire de différentes manières sans donner de fin logique.	*In the "new novel," the writer is satisfied with telling a story in different ways without giving a logical ending.*

3. *Verbs + infinitive*

Note that many verbs are directly followed by the infinitive without need of a preposition.

aimer	to like	**falloir**	to be necessary
aller	to go, to be going	**laisser**	to let
compter	to intend	**penser**	to think
croire	to believe	**pouvoir**	can, to be able
désirer	to desire	**préférer**	to prefer
détester	to hate	**savoir**	to know how
devoir	must, to have to	**sembler**	to seem
envoyer	to send	**venir**	to come
espérer	to hope	**voir**	to see
faire	to make	**vouloir**	to want

Jean Anouilh **a voulu donner** une interprétation originale de Jeanne d'Arc dans sa pièce *L'Alouette*.	*Jean Anouilh wanted to give an original interpretation of Joan of Arc in his play* The Lark.

À votre tour!

Annick et Jean-Louis sont allés voir la pièce d'Anouilh, *L'Alouette*. À la sortie, ils vont dans un café et échangent leurs opinions sur la pièce. Complétez leur conversation en ajoutant les prépositions devant les infinitifs quand c'est nécessaire.

JEAN-LOUIS   Ah! quelle pièce formidable! Et très émouvante.

ANNICK   Pour sûr! Et les acteurs ont réussi _____ faire _____ croire au public qu'on était vraiment à Rouen en 1431.

JEAN-LOUIS   J'ai appris _____ aimer les pièces d'Anouilh au lycée. Nous devions _____ lire *Le Voyageur sans bagages*. J'ai été emballé *(carried away)*.

ANNICK   Voudrais-tu _____ m'expliquer quelque chose? Je ne peux pas _____ comprendre pourquoi le dauphin Charles ne consentait pas _____ aller au sacre à Reims.

JEAN-LOUIS   Il ne croyait pas ⎯⎯ être le fils véritable du roi Charles VI.

ANNICK   Est-ce que c'est une invention d'Anouilh ?

JEAN-LOUIS   Non ! À la cour, on ne cessait pas ⎯⎯ dire au dauphin que sa
mère, la reine Isabeau de Bavière, avait eu tant d'amants qu'elle ne pouvait
pas ⎯⎯ savoir si le roi était vraiment le père !

ANNICK   Oh quel scandale ! Mais puisqu'on ne savait pas pour sûr, je n'arrive
pas ⎯⎯ voir où était le problème.

JEAN-LOUIS   Eh bien ! cette situation encourageait le dauphin ⎯⎯ ne rien faire.
Il cherchait toujours ⎯⎯ trouver des excuses à sa paresse et à son manque de
courage. S'il devenait officiellement roi de France, il aurait ⎯⎯ combattre
pour défendre son trône. Il aimait mieux ⎯⎯ s'amuser.

ANNICK   Triste individu ! Je ne regrette pas ⎯⎯ ne pas l'aimer. Il a abandonné
Jeanne si honteusement.

JEAN-LOUIS On ne m'empêchera pas ____ croire qu'il avait aussi de très mauvais conseillers.

ANNICK Sans doute, monsieur l'historien. Mais le vrai caractère d'une personne ne tarde pas ____ se montrer, quels que soient les conseils reçus!

10.3.D Verbs with noun and infinitive in double construction

Some verbs may have the following double construction: verb + **à** + noun + **de** + infinitive. The pattern is the following:

dire à quelqu'un de faire quelque chose	
conseiller à... de...	permettre à... de...
défendre à... de...	promettre à... de...
demander à... de...	refuser à... de...
dire à... de...	reprocher à... de...
écrire à... de...	suggérer à... de...
interdire à... de...	téléphoner à... de...
ordonner à... de...	

L'auteur dramatique **avait interdit aux acteurs de critiquer** sa pièce.

The playwright had forbidden the actors to criticize his play.

Note that in the previous sentence, all nouns can be replaced by pronouns: **aux acteurs** is an indirect object pronoun and **sa pièce** a direct object pronoun.

Il **leur avait interdit de la critiquer**.

He had forbidden them to criticize it.

À votre tour!

Un peu d'histoire : la mission de Jeanne d'Arc. Avec les mots donnés, faites des phrases qui vont révéler une partie de la mission de Jeanne. Ajoutez les prépositions et les articles nécessaires; faites tous les accords appropriés. L'action se passe dans le passé, en l'année 1429. Les verbes sont donc au passé.

1. Jeanne / conseiller / roi / attaquer / Anglais / qui / faire / siège / Orléans
2. Elle / demander / roi / lui / donner / armée
3. Elle / interdire / soldats / se conduire / mal / et / elle / ordonner / soldats / maintenir / discipline / stricte
4. Jeanne / ordonner / capitaines / suivre / son plan / pour / attaqué / ville
5. Elle / permettre / petit / troupe / entrer / secrètement / Orléans
6. De plus / elle / promettre / habitants / ville / les / délivrer / Anglais / en / deux jours
7. Elle / tenir / sa promesse / puis / elle / conseiller / roi / avec / force / aller / Reims / pour / sacre / officiel
8. Elle / ordonner / armée / précéder / roi / et / libérer / villes / entre / Orléans et Reims
9. Elle / décider / prendre / direction / armée / et son plan / réussir

IV Present participle (le participe présent)

10.4.A Formation

For all verbs except three, the present participle is obtained by dropping the **-ons** ending of the **nous** form of the present indicative and replacing it by **-ant**. The English equivalent is the *-ing* form of the verb.

Verb	Nous form	Present participle
prouver	nous prouv**ons**	prouvant
trahir	nous trahiss**ons**	trahissant
prétendre	nous prétend**ons**	prétendant
avancer	nous avanç**ons**	avançant
déranger	nous dérange**ons**	dérangeant
joindre	nous joign**ons**	joignant

The three exceptions to the rule are:

Verb	Nous form	Present participle	
avoir	nous av**ons**	but **ayant**	*having*
être	nous sommes	but **étant**	*being*
savoir	nous sav**ons**	but **sachant**	*knowing*

10.4.B Use

The present participle may be used as an adjective or as a verb.

1. Used as an adjective, it must agree in gender and number with the noun it modifies. A limited number of present participles are used this way.

   Le récit d'Henri Troyat, *La Neige en deuil,* est une histoire courte mais **fascinante**.

   Henry Troyat's tale, The Snow in Mourning, *is a short but fascinating story.*

2. Used as a verb, it is always invariable. The English progressive form (*to be* + present participle) has no counterpart in French and should never be translated by **être** + present participle. *I am doing* is **je fais** (present), *I was doing* is **je faisais** (imparfait), *I will be doing* is **je ferai** (future). As a verb, the present participle occurs in two different situations.

   a. It may be used as a verb followed by a noun object or by an adjective to express an action or a state/condition.

   Sartre était dans le café, **discutant de politique** avec des amis.
   Étant malade ce jour-là, il n'a pas donné son cours.

   Sartre was in the café, discussing politics with friends.
   Being sick that day, he didn't give his class.

b. It is used after the preposition **en** to indicate that two actions or conditions occur simultaneously. **En** has the meaning of *while, upon, by, through.* This use is called the gerund **(le gérondif).**

Albert Schweitzer a montré son amour de l'humanité **en soignant** les Africains.	*Albert Schweitzer showed his love for humanity by caring for the Africans.*

Often, **tout en** is used to reinforce the simultaneity of the two actions/conditions.

Il lisait **tout en mangeant**.	*He was reading while eating (at the same time).*
Cet écrivain est fascinant **tout en étant** sarcastique.	*This writer is fascinating and all the while sarcastic.*

Note that there are orthographical (spelling) changes in the present participles of verbs in **-guer** and **-quer**. When used as a verb, the present participle ends as expected in **-guant** and **-quant**. But when used as an adjective, it ends in **-gant** and **-cant**, respectively.

en se fati**guant**	–but–	un travail fati**gant**
en communi**quant** bien	–but–	des vases communi**cants**

Le mouvement structuraliste n'a pas apporté d'idées philosophiques vraiment **provocantes**.	*The structuralist movement did not bring really provocative philosophical ideas.*
C'est **en éduquant** les jeunes qu'on les prépare à vivre en démocratie.	*It's by educating the young that we prepare them to live in a democracy.*

ce travail est fatigant
le prof fatiguant la classe...

À votre tour !

A. La jeunesse d'Albert Camus. Complétez les phrases suivantes avec des participes présents utilisés comme adjectifs ou verbes. Utilisez **en/tout en** quand c'est nécessaire. Faites les accords des adjectifs. Choisissez parmi les verbes suivants :

avoir	écrire	étonner	être	~~habiter~~	stimuler
faire	se joindre	nager	passionner	persister	

1. _Étant_ né en Algérie, Camus a toujours aimé la mer et le soleil.
2. Sa mère, _ayant_ perdu son mari dès le début de la Première Guerre mondiale, a dû travailler dur pour élever ses deux fils.
3. _Habitant_ dans un quartier très pauvre d'Alger, la famille Camus a eu une vie difficile.
4. Il n'est pas _étonnant_ que Camus ait bien compris l'injustice sociale.
5. Albert aimait les sports qu'il trouvait _stimulant_
6. Les week-ends, il les passait à la plage et c'est _____ dans la mer Méditerranée qu'il se sentait libre et fort. _en nageant_

Albert Camus aimait porter ce trench-coat qui était devenu sa
marque distinctive.

7. A l'âge de dix-sept ans, il est tombé malade de la tuberculose, une maladie
persistent dont il a souffert longtemps.

8. _Joindant_ au parti communiste en 1933, il pensait qu'il pourrait aider la classe
ouvrière.

9. Il a commencé à écrire ses idées philosophiques et sociales (*L'Envers et l'endroit*)
faisant ses études supérieures.

10. Mais c'est _en écrivant_ des articles pour un journal d'Alger que Camus a découvert sa
carrière ___ : être un écrivain engagé.
passionant.

B. Trouvez comment des personnes célèbres ont fait leurs inventions ou pris leurs
décisions. Complétez les phrases en mettant les verbes donnés entre parenthèses au
gérondif.

MODÈLE Luther s'est opposé aux abus de l'église ____ (publier) ses 95 thèses.
Luther s'est opposé aux abus de l'église en publiant ses 95 thèses.

1. Archimède a découvert la loi sur le volume des solides *prenant* (prendre) son bain.
2. Christophe Colomb a décidé que la Terre était ronde *en regardant* (regarder) les bateaux au loin sur l'océan.
3. Galilée a découvert la loi de la chute *(fall)* des corps *jetant* (jeter) des objets du haut de la célèbre Tour de Pise.
4. Papin a découvert la force de la vapeur *(steam)* *voyant* (voir) la vapeur qui s'échappait d'une casserole.
5. Newton a découvert la loi de l'attraction universelle *recevoyant* (recevoir) une pomme sur la tête.
6. Franklin a inventé le paratonnerre *(lightning rod)* *expérimentant* (expérimenter) avec un cerf-volant *(kite)*.
7. Einstein a découvert le principe de la relativité *se deplaçant* (se déplacer) en tramway.

10.4.C Past form of the present participle

The present participle may have a past or perfect form that is obtained by using **ayant** (if the verb has **avoir** as an auxiliary) or **étant** (if the verb has **être** as an auxiliary) plus the past participle.

INFINITIVE	PRESENT PARTICIPLE	PERFECT PARTICIPLE
aider	aidant	ayant aidé
agir	agissant	ayant agi
vendre	vendant	ayant vendu
aller	allant	étant allé(e)(s)
s'aider	s'aidant	s'étant aidé(e)(s)

The perfect participle is used in only one case: when the action it describes has taken place *before* that of the verb in the main clause.

Ayant compris son erreur, le philosophe a récrit son article.
S'étant résignées à leur condition inégale, les femmes sont restées très longtemps passives.

Having understood his mistake, the philosopher rewrote his article.
Having resigned themselves to their unequal status, women remained passive for a very long time.

À votre tour !

Stéphane veut emmener Marie-Ange au cinéma voir le film *Manon des sources* qui est basé sur le célèbre roman de Marcel Pagnol. Il lui téléphone pour l'inviter. Remplacez chaque expression verbale entre parenthèses par le passé du participe présent.

MODÈLE Allô, Marie-Ange! (Parce que j'ai remarqué) que tu ressembles à Emmanuelle Béart, je veux te le dire.
Allô, Marie-Ange! Ayant remarqué que tu ressembles à Emmanuelle Béart, je veux te le dire.

MARIE-ANGE Mille mercis, Roméo! Quoi de neuf?
STÉPHANE Dis, Marie-Ange, Pagnol, tu connais?
MARIE-ANGE (Puisque j'ai été) lycéenne, je le connais bien. Notre prof de français choisissait toutes nos dictées dans ses mémoires (parce qu'elle avait adoré) les films de Pagnol.
STÉPHANE Tu parles de son livre *La Gloire de mon père*. Pagnol, (parce qu'il avait renoncé) au théâtre et au cinéma, s'était mis à écrire ses souvenirs d'enfance.
MARIE-ANGE C'est pour me dire ça que tu me téléphones? (Après avoir fait) ce petit test, tu as d'autres projets?

LA VIE INTELLECTUELLE **321**

STÉPHANE   Justement, ma belle ! (Comme j'ai lu) la critique si élogieuse sur le film *Manon des sources*, je t'invite à aller le voir demain soir.

MARIE-ANGE   Tu es un amour ! (Maintenant que j'ai appris) qu'Emmanuelle Béart est la star du film, je serai contente de le voir avec toi.

STÉPHANE   Alors, je passe te chercher demain à sept heures et demie.

V Vocabulary review

10.5.A Verbs manquer, changer, rester

1. Manquer

a. manquer + direct object : *to miss* (with the meaning of "not to catch")

manquer le train / l'avion / l'autobus
manquer un concert / un programme / une pièce de théâtre

J'ai manqué la réception pour le romancier Michel Tournier.	*I missed the reception for the novelist Michel Tournier.*

b. manquer + **à** + noun: *to miss (someone/something)*. Literally, the construction is *to be lacking to* and it requires inverting the subject and object when translated into English.

Quand Bella[1] est morte, **elle manquait** tant **à Chagall** qu'il ne pouvait plus peindre pendant presque deux ans.	*When Bella died, Chagall missed her so much that he couldn't paint for almost two years.*
—Hélas, oui ! **Elle lui manquait** terriblement.	*Alas, yes! He missed her terribly.*

Note the French construction: **elle manquait à Chagall** = *she was lacking to Chagall*. Note also the inverted word order in English.

S	IO	
Elle manquait à Chagall.		**Elle lui manquait.**

Chagall missed her.   *He missed her.*

c. manquer + **de** + noun: *to lack (something)*

On ne doit pas **manquer** **d'**imagination pour être un bon écrivain.	*One must not lack imagination to be a good writer.*

d. manquer + **de** + infinitive: *to nearly* + verb, *to come close to* + verb

Plusieurs des protagonistes de *La Peste* **ont manqué de** mourir de cette horrible maladie. Mais le père Paneloux, lui, en est mort.	*Several of the protagonists of* The Plague *nearly died of this horrible disease. But Father Paneloux did die of it.*

[1] **Bella** était la première femme du grand peintre **Marc Chagall**. Elle est morte à New York en 1944.

2. Changer

a. changer + noun: *to change, to replace (someone/something)*

Tu devrais **changer** l'ordre des vers dans cette strophe.	*You ought to change the order of the lines in this stanza.*
N'allez-vous pas **changer** le personnel du bureau ?	*Aren't you going to replace the office staff ?*

b. changer + noun + **contre/pour** + noun: *to exchange/trade something for something else*

Daru[2] **aurait-il changé** sa place **contre/pour** une autre ?	*Would Daru have exchanged his place for another ?*

c. changer + **de** + noun: *to change, to put on something new*

En changeant de pays, il a changé de coutumes.	*By changing country, he changed customs.*
Changeras-tu de chemise ?	*Will you change your shirt ?*

3. *Impersonal expressions* **il manque, il reste**

a. il manque + noun + **à** + noun: *to lack (something), to be short, to be missing (someone/something).* **Il manque** is invariable.

Il manque dix francs **à** l'artiste.	*The artist is short ten francs.*
Il me manque dix francs.	*I am short of ten francs.*
Il manque un vers **à** son sonnet.	*His sonnet is short by one line.*
Il manque un bouton **à** cette chemise ?	*This shirt is missing a button?*
—Oui, **il lui manque** un bouton.	*Yes, it's missing a button.*

Note that in English the indirect object becomes the subject, but the direct object remains the same.

```
         S              DO          IO
  Il   manque   un bouton    à la chemise.


   The shirt is missing a button
         S              DO
```

b. il (me/te/lui/nous/vous/leur) reste + noun: *it remains (something), to have (something) left.* **Il reste** is invariable.

Il reste dix francs dans mon compte.	*There's ten francs left in my account.*
Il me reste dix francs dans mon compte.	*I have ten francs left in my account.*

---

[2] **Daru** est le héros de *L'Hôte*, une nouvelle bien connue de **Camus**.

Again, note that in English the indirect object becomes the subject, but the direct object remains the same.

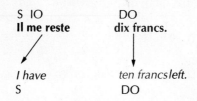

c. il (me/te/lui/nous/vous/leur) reste + à + infinitive: *to have left to (do)*. Il reste is invariable.

Il me reste une chose à faire : vérifier le titre de l'article.	*I've got one thing left to do: to verify the title of the article.*

À votre tour !

Je ne fais pas ça.

A. **Manque de pot**[3] ! Marc téléphone à son ami Thierry. Complétez leur conversation en ajoutant les prépositions **à** ou **de** quand elles sont nécessaires.

MARC   Allô, Thierry ! Mauvaise nouvelle ! J'ai manqué ___ l'autobus, alors j'ai aussi manqué ___ la conférence sur Michel Foucault.

THIERRY   Alors, ça, manque ___ pot !

MARC   Tu peux le dire ! Et maintenant, il me manque ___ tous les renseignements importants pour mon rapport. Je dois changer ___ sujet.

THIERRY   Mais tu manques ___ temps pour préparer un autre sujet. Il te reste ___ une semaine.

MARC   Alors, que me reste-t-il ___ faire ?

THIERRY   Il te reste ___ téléphoner ___ Claudine et ___ lui demander ses notes. Elle a assisté à la conférence, je le sais.

MARC   Quelle idée formidable ! Merci, mon vieux !

B. **Thème : La vie de Camus**. Traduisez en français.
1. During his studies at the university, Camus changed jobs several times.
2. He was planning to be a professor, but he changed careers because of his poor (= bad) health.
3. There was one career left which he liked, journalism.
4. He did not lack any talent for the theater—thus his literary career started.
5. In his short life, there was nothing left to try in literature except poetry.
6. Because of Camus' death, we are missing the conclusion of a fascinating career.

<hr/>

[3] **manque de pot** (argot) *tough luck* (literally, *lack of luck*) (slang)

10.5.B Verbs plaire à, se plaire, se plaire à

1. plaire à + noun: *to please (someone)*

Quand Camus a créé le journal *Combat*[4], il ne voulait pas **plaire aux lecteurs** mais les «éclairer». Vos idées **me plaisent**.

When Camus founded the newspaper Combat, he did not want to please the readers but to enlighten them. Your ideas please me.

2. se plaire : *to like "it," to feel happy, satisfied*

Arrivant de Russie, Chagall **s'est** tellement **plu** à Paris qu'il y est resté.

Arriving from Russia, Chagall liked it so much in Paris that he stayed there.

3. se plaire + **à** + infinitive: **to like/enjoy** + present participle

Simone Weil[5] **s'est plu à décrire** la vie ouvrière avec compassion.

Simone Weil enjoyed describing the workers' life with empathy.

À votre tour !

Donnez vos réactions aux activités suivantes : répondez affirmativement ou négativement. Variez la forme de vos réponses.

MODÈLE   lire *les Misérables*
Lire *les Misérables*, ça me plairait (ça m'a plu).
—ou—
Je me plairais (je me suis plu) à lire *les Misérables*.

1. lire un roman historique
2. voir une pièce de théâtre qui fait réfléchir
3. lire les mémoires d'un écrivain célèbre
4. lire un roman policier de Simenon
5. voir une pièce de théâtre amusante
6. lire un roman de science-fiction de Jules Verne

10.5.C Prepositions en, dans, pendant, pour

1. en/dans + time expression: *in* + time expression

En (+ time expression) is used to give the time it takes to do something.

Il a écrit sa comédie **en trois mois**.

He wrote his comedy in three months. (= it took three months to write).

---

[4] **Combat**, journal du «mouvement de libération française», a été fondé par Camus en 1942, pendant l'occupation allemande de la France.
[5] **Simone Weil**, philosophe chrétienne et mystique, s'est intéressée à la justice sociale et au salut individuel.

Dans (+ time expression) is used to indicate the time that will elapse before something begins.

Il va écrire le dernier chapitre de son roman **dans une semaine**.	*He's going to write the last chapter of his novel in (= at the end of) one week.*

2. **pendant/pour** + time expression: *for* + time expression

Pendant (+ time expression) means *during* and indicates the duration of an action. Pendant may be omitted after **attendre, rester**.

Le public a applaudi **pendant cinq minutes**.	*The public applauded for five minutes.*
Le poète est resté (**pendant**) **deux heures** à la réception.	*The poet stayed (for) two hours at the reception.*

Pour (+ time expression) is used to stress the amount of time intended to be spent.

La troupe part **pour un mois** en Angleterre.	*The troupe leaves for one month in England.*
Les acteurs ont loué une salle de spectacle **pour trois semaines**.	*The actors rented an auditorium for three weeks.*

À votre tour !

Questions personnelles. Répondez aux questions suivantes en employant **en** ou **dans**, selon le cas.

1. Dites combien de temps il vous faut pour

   a. lire un roman qui vous plaît.

   b. lire une pièce de théâtre intéressante.

   c. écrire un rapport de trois pages sur un sujet littéraire.

   d. écrire une lettre de Noël à un(e) parent(e).

   e. écrire une lettre d'amour à votre petit(e) ami(e).

2. Dites dans combien de temps

   a. vous aurez votre diplôme.

   b. vous partirez en vacances.

   c. vous irez à la bibliothèque.

   d. vous irez au laboratoire de langues.

Répondez aux questions suivantes en employant **pendant** ou **pour,** selon le cas.

1. Combien de temps resteriez-vous en France si vous y alliez ?
2. Combien de temps restez-vous à attendre votre petit(e) ami(e) quand il/elle est en retard à un rendez-vous ?
3. Quand un(e) ancien(ne) ami(e) du lycée vient vous voir, pour combien de temps vient-il/elle ?
4. La prochaine fois que vous ferez du camping, pour combien de temps partirez-vous ?

Vue d'ensemble

I À vous la parole !

A. **Parlez de vous-même !** Nous avons tous une philosophie personnelle, une manière à nous de considérer la vie et la destinée. Vous allez donner vos idées personnelles.

1. Cherchez-vous le secret du bonheur / de l'éternelle jeunesse / de la sagesse ? Qu'est-ce que vous avez trouvé ?
2. Écoutez-vous les conseils de vos parents / des personnes plus âgées que vous ? Pourquoi ?
3. Vous fiez-vous aux personnes que vous ne connaissez pas ou que vous connaissez peu ? Dites pourquoi.
4. Que pensez-vous de cette phrase que l'on répète souvent : «Ah ! Si jeunesse savait et si vieillesse pouvait !» ?
5. Selon vous, quelle est la raison de notre existence ?
6. Croyez-vous à quelque chose après la mort ? Expliquez votre conception.
7. Pensez-vous que Jean-Jacques Rousseau avait raison de dire : «L'homme naît bon, la société le rend mauvais» ? Justifiez votre opinion.
8. Seriez-vous content(e) d'apprendre qu'il y a de la vie sur Mars ? Pourquoi ?
9. Dites une chose que vous regrettez d'avoir faite.
10. Dites une chose que vous aimeriez avoir faite mais que vous n'avez pas faite.

B. **Obtenez des renseignements !** Demandez à la personne près de vous. . .

1. ce qu'il/elle pense de l'idée que nous avons déjà vécu d'autres vies.
2. s'il/si elle avait pu choisir le pays où il/elle est né(e), quel pays il/elle aurait choisi, et pourquoi.
3. quels écrits de Camus il/elle a déjà lus (*L'Étranger*, peut-être) en anglais ou en français.
4. ce qu'il/elle pense de l'œuvre proféministe de Simone de Beauvoir.
5. quelle est sa réaction à ce qu'il/elle a appris à l'université sur la signification de l'existence.
6. ce qui, selon lui/elle, manque encore dans son éducation pour la vie.
7. ce qui, selon lui/elle, manque dans sa vie pour être complètement satisfait(e).
8. ce qu'il/elle choisirait de demander si un magicien lui disait : «Faites un vœu, je vais le réaliser pour vous.»

9. ce qu'il/elle ferait s'il/si elle se trouvait (comme le Dr. Rieux de *La Peste*) bloqué dans une ville frappée par une grave épidémie.
10. ce qu'il/elle aimerait être à quarante ans.

II En scène !

Vous savez sans doute que Meursault, le héros de *L'Étranger*, est condamné à mort[1]. Il ne s'est pas défendu pendant le procès *(trial)* et est resté indifférent à tout, même au meurtre qu'il avait commis. Avec un(e) camarade de classe, composez un dialogue entre le juge et Meursault où Meursault se défend si bien que le juge ne le condamne pas à mort mais seulement à la prison. Ensuite, jouez cette petite scène en classe.

III Soyez créateurs !

Travail en groupe. Divisez la classe en groupes de cinq ou six étudiants et dans chaque groupe, préparez une petite présentation sur ce que le groupe ferait s'il pouvait changer une chose importante dans le monde actuel. Quand tous les groupes auront fait leurs présentations, dites laquelle semble être la plus nécessaire ou la plus significative.

[1] **Meursault** a tué un Arabe en cherchant à protéger un copain qui s'était battu avec plusieurs Arabes.

CHAPITRE 11
La Vie artistique

François Truffaut, décédé en 1984, a été l'animateur le plus inspiré de la «Nouvelle Vague» du cinéma français.

Vocabulaire spécial

I La musique et le cinéma

Noms

le/la mélomane *music lover*
la pratique *practice*
le génie ≠ la médiocrité
la célébrité *celebrity*
l'orchestre *m orchestra*
le chef d'orchestre *conductor*
le conservatoire *music school*
le morceau de musique *piece of music, composition*
le rythme *rhythm*
le son *sound*
l'ouverture *f overture*
la sonate *sonata*
la valse *waltz*
le/la cinéphile *movie fan*
le/la cinéaste *movie maker*
le/la réalisateur (-trice) *movie producer*
le metteur en scène *movie director*
l'acteur (-trice) *actor/actress*
la vedette[1] = la star[1]
les décors *m movie set*
la mise en scène *staging production*
l'écran *m screen*
le dessin animé *cartoon*
le discernement *insight, perception*
l'humour *m humor*

Adjectifs

classique *classical*
romantique *romantic*
lyrique *lyric, lyrical*
majestueux (-euse) *majestic*
mélodieux (-euse) *melodious*
enjoué *vivacious*
pompeux (-euse) *pompous*
imposant *imposing*
paisible *peaceful*
serein *serene*
monotone *monotonous*
vivant *lively, alive*
déconcertant *disconcerting*
harassant *harassing*
méprisable *despicable*
méprisant *scornful*

Verbes

pratiquer *to practice*
conduire (un orchestre) *to conduct, to lead*
tolérer *to tolerate*
tourner (un film) *to make (a film)*
projeter (un film) *to project (a film)*
comprendre *to comprise*
déconcerter *to disconcert, to abash*
mépriser ≠ estimer *to despise ≠ to esteem*
dénoncer *to denounce*
se vanter (de) *to boast (of/about)*

II Les arts plastiques

Noms

la peinture *painting* (art)
la sculpture *sculpture*
le dessin *drawing*
le sculpteur[2] *sculptor*
le maître *master*
l'amateur[2] *m* d'art *art lover/fancier*
le modèle[2] *model*

---

[1] **la vedette, la star** always feminine
[2] These nouns exist only in the masculine. To stress a feminine form, **femme** may be added: **la femme sculpteur**.

le chef d'œuvre *masterpiece*
le navet *bad painting/movie/novel*
la peinture à l'huile *oil paint(ing)*
l'aquarelle *f watercolor*
l'encre *f ink*
la nature morte *still life*
le nu *nude*
le coucher de soleil *sunset*
la scène d'intérieur *indoor scene*
la marine *seascape*
la toile *canvas*
le pinceau *(paint) brush*
la lumière *light*
la ligne *line*
la tache *spot, stain*
le trait *(straight) line*
le/la paysan(ne) *peasant, country folk*
l'animal *m familier pet*
le premier plan ≠ l'arrière plan *foreground ≠ background*
le fond *background scenery*
l'exposition *f exhibit*
le goût *taste*
l'érotisme *m eroticism*
le trésor *treasure*
la pièce de monnaie *f coin*

Adjectifs

abstrait ≠ figuratif (-ive)
sensuel(le) *sensual*
froid ≠ chaud *cold ≠ warm*
brillant *shiny*
choquant *shocking*
commun *common, usual*
magnifique *magnificent*
éclairé *discerning*
inestimable *priceless*
admiratif (-ive) *admiring*
galant *gallant, attentive to women*
isolé *isolated*
droit ≠ courbe *straight ≠ curved*
levant ≠ couchant *rising ≠ setting*

Verbes

peindre *to paint*
dessiner *to draw*
colorier *to color*
exposer *to exhibit (art)*
contempler *to contemplate*
s'inspirer (de) *to be inspired (by)*
rejeter *to reject*
prévenir *to warn*
relier *to link*

Trouvez le mot juste !

A. Donnez le mot/l'expression qui convient à chaque définition.

1. une personne qui aime les films
2. un adjectif qui veut dire «qui a du discernement»
3. une star de cinéma ou de la chanson
4. dire des choses exagérées ou fausses, par vanité
5. une couleur à base d'eau
6. l'objet sur lequel on projette un film
7. montrer des objets d'art au public
8. un adjectif qui veut dire «d'un prix qui surpasse toute estimation»
9. faire un film
10. le peintre peint avec cet instrument
11. un adjectif qui décrit une voix ou une musique agréable à l'oreille
12. montrer de la tolérance pour quelque chose

B. Donnez le contraire de chacun des mots/expressions suivants et faites une phrase avec chaque réponse.

1. droit (adj.)
2. premier plan
3. estimer
4. génie
5. couchant (adj.)
6. accepter

C. Complétez les phrases suivantes par des mots de la liste qui suit. Notez que vous devez faire tous les accords nécessaires.

choquant	galant	magnifique	sensuel
compositeur	goût	mélomane	sonate
érotisme	lyrique	nature morte	tableau

1. Au Louvre, les ＿＿ des peintres du XVIIIᵉ siècle sont toujours agréables à voir.
2. Il y a des toiles qui représentent des scènes dans des parcs avec des hommes ＿＿ et des femmes en habits ＿＿.
3. Ou alors ce sont des scènes mythologiques, avec Vénus ou Diane ou Léda, des femmes ＿＿ et nues qui donnent beaucoup d'＿＿ aux tableaux.
4. Le public ne trouvait pas cela ＿＿ car à cette époque-là, les ＿＿ étaient très libertins.
5. D'autres peintres ont préféré les ＿＿ très réalistes, avec des fleurs, des fruits, des objets familiers.
6. La musique française de cette époque imitait souvent les ＿＿ italiens.
7. Mais il y a eu des artistes français très originaux qui ont exprimé des émotions personnelles intenses dans des œuvres ＿＿ comme *Les Indes Galantes* de Rameau[3].
8. Les ＿＿ aimaient la musique de chambre et en particulier les belles ＿＿ de Couperin[4].

D. Mon musée personnel. Exprimez vos goûts personnels en choisissant des tableaux parmi ceux représentés (pages 333–336). Utilisez les temps donnés dans le modèle.

MODÈLE   Si j'étais très riche, j'achèterais une copie des *Tournesols*[5] de Van Gogh parce que j'aime beaucoup ces grandes fleurs magnifiques.

---

[3] **Jean-Philippe Rameau** (1683–1764), créateur de l'harmonie moderne
[4] **François Couperin** (1668–1733), organiste célèbre, a fait la fusion de la musique italienne et de la musique française.
[5] **le tournesol**   *sunflower*

Henri Matisse. *Figure décorative sur fond ornemental* (Paris, Musée national d'art moderne)

Auguste Renoir. *Sur la terrasse* (Art Institute of Chicago)

Paul Cézanne. *Pommes et oranges* (Paris, Musée d'Orsay)

Claude Monet. *Les Coquelicots* (Paris, Musée d'Orsay)

Edgar Degas. *La Danseuse au bouquet saluant sur la scène*
(Paris, Musée d'Orsay)

Paul Gauguin. *Le Chien rouge* (Paris, Musée d'Orsay)

Vincent Van Gogh. *Les Tournesols*
(Munich, Pinacothek)

Henri Matisse. *Nature morte aux poissons rouges*
(Moscou, Musée Pouchkine)

Demonstrative adjectives and pronouns
Indefinite adjectives and pronouns
Tout
Causative faire

I Demonstrative adjectives and pronouns

11.1.A Demonstrative adjectives (les adjectifs démonstratifs)

1. *Forms*

The demonstrative adjectives are given in the following table:

	MASCULINE		FEMININE	
	Nouns starting with consonant	Nouns starting with vowel/mute **h**		
Singular	**ce**	**cet**	**cette**	*this, that*
Plural	**ces**	**ces**	**ces**	*these, those*

2. *Use*

The demonstrative adjectives agree in gender and number with the nouns they modify. **Ce** is used with masculine singular nouns, but if the noun begins with a vowel or a mute **h**, **cet** is used instead.

ce génie	**cette** vedette	**ces** artistes
ce musée –but–	**cet** orchestre	**cet** humour

Ce, cet, cette mean either *this* or *that*. But if a comparison or contrast is made between two persons, things, or groups, **-ci** (from **ici**, *here*) is added after one noun (corresponding to *this* in English) and **-là** *(there)* is added after the other noun (corresponding to *that*). The same applies to **ces**.

Que pensez-vous de **ces tableaux**, Mademoiselle?	*What do you think of these paintings, Miss?*
—Eh bien, j'adore **ce paysage-ci**. Mais **ce paysage-là**, je le trouve déconcertant. Quant à **ce nu**, il est trop sensuel.	*Well, I adore this landscape. But that landscape I find disconcerting. As for this (that) nude, it is too sensual.*

Demonstrative adjectives are placed before the noun they modify and are repeated before each noun in a series.

Dans sa *Suite provençale*, Darius Milhaud a incorporé **ces danses et ces airs** provençaux qu'il aimait tant.	*In his* Suite provençale, *Darius Milhaud incorporated those Provencal dances and tunes he liked so much.*

LA VIE ARTISTIQUE   337

Le hall central de musée d'Orsay est consacré à la sculpture française du XIXe siècle.

À votre tour !

A. Mark, un étudiant américain à Paris, est au Musée d'Orsay[1] en train de contempler *Le Déjeuner sur l'herbe*, un tableau du peintre impressionniste Edouard Manet (voyez la photo, page 339). Mark pose des questions au guide qui donne des explications. Remplacez les articles en italique par les adjectifs démonstratifs appropriés.

> MARK   *La* femme au premier plan, qui est-ce ?
> GUIDE   C'est Victorine Meurent, un modèle de Manet.
> MARK   Mais pourquoi *le* modèle est-il nu ?

[1] **Le Musée d'Orsay** s'est ouvert en 1986. Les Impressionnistes qui étaient au Musée du Jeu de Paume sont maintenant au Musée d'Orsay.

Edouard Manet. *Le Déjeuner sur l'herbe* (Paris, Musée d'Orsay)

GUIDE Manet s'est inspiré d'un tableau de Raphaël, *le* peintre célèbre de la Renaissance. Mais *les* trois modèles de Raphaël étaient nus.

MARK Ah ! voilà *le* fait déconcertant pour moi. Seulement *la* femme rousse est nue.

GUIDE C'est *la* chose qui a causé *le* fameux scandale. On n'a pas compris pourquoi *les* hommes à droite et à gauche étaient habillés, pas nus.

MARK Et puis, *les* hommes ne semblent pas être venus pour *le* pique-nique qui est annoncé dans le titre du tableau.

GUIDE *La* remarque que vous faites, c'est ce qu'a dit Napoléon III[2] en voyant «*l'*indécent tableau».

MARK Oui, *le* tableau me déconcerte, mais moi, je ne suis pas artiste ! Je ne comprends pas toujours *les* idées originales des artistes.

B. Voici une esquisse de *Le Déjeuner sur l'herbe*. Vous allez décrire différents aspects du tableau en utilisant des adjectifs démonstratifs et, quand vous ferez une comparaison ou un contraste entre deux personnes/objets, utilisez les mots **-ci** et **-là** pour clarifier.

MODÈLES Cet arbre au fond a des feuilles rousses et vertes (7).
Cet arbre-ci est à gauche et cet arbre-là est au fond (5 et 7).

[2] **Napoléon III**, neveu de Napoléon Ier, était empereur de 1852 à 1870.

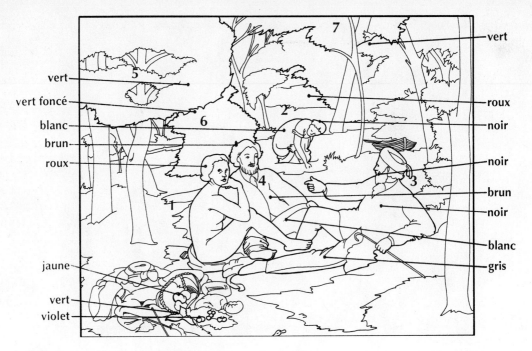

Le Déjeuner sur l'herbe, dessin analytique.

1. Contrastez les deux femmes (1 et 2) sur les points suivants.

    a. les vêtements

    b. les cheveux

2. Contrastez les deux hommes (3 et 4) sur les points suivants.

    a. la barbe

    b. ce qu'ils portent sur la tête

    c. la veste

    d. le pantalon

3. Contrastez les deux arbres (5 et 6) sur les points suivants.

    a. la taille

    b. le tronc

4. Contrastez les différents fruits (pommes, poires, prunes) du panier *(basket)* en ce qui concerne leurs couleurs.

5. Donnez votre opinion personnelle sur ce tableau.

11.1.B Demonstrative pronouns (les pronoms démonstratifs)

1. *Forms*

The demonstrative pronouns are given in the following table:

	MASCULINE	FEMININE	
Singular	celui	celle	*this one, that one*
Plural	ceux	celles	*these, those*

2. *Use*

The demonstrative pronouns agree in gender and number with the nouns they replace. They must be followed by **-ci** or **-là** or by a special construction.

a. Followed by **-ci/-là**, the demonstrative pronouns are used to contrast or compare two groups or two persons or things.

De ces deux réalisateurs, **celui-ci** se spécialise dans les films de guerre, **celui-là** dans les comédies.	*Of these two film producers, this one specializes in war movies, that one in comedies.*
Voilà des statues peu communes. —**Celles-ci** viennent d'Égypte, **celles-là** du Pérou.	*Here are some unusual statues. These come from Egypt, those from Peru.*

b. Followed by a noun clause, the construction is

> demonstrative pronoun + **de** + (article) + noun

and is translated in English by *this/that of* (or *these/those of*) + noun or by a possessive case whenever possible (for instance, my friend's).

Je n'aime pas sa **manière** de conduire l'orchestre. Je préfère **celle de** l'ancien chef d'orchestre.	*I don't like his way of conducting the orchestra. I prefer the former conductor's (i.e., that of the former conductor).*
Quels **tableaux** du Louvre préfère-t-elle? —**Ceux de** l'école romantique.	*Which paintings of the Louvre does she prefer? Those of the Romantic School.*

c. Followed by a relative clause, the construction is

> demonstrative pronoun + relative pronoun + relative clause

and is translated in English by *the one(s) who/whom/which/whose/that* + relative clause.

Quel **musée** vas-tu visiter à Albi?	*Which museum are you going to visit in Albi?*
—**Celui qui** vient d'être présenté à la télé, le Musée Toulouse-Lautrec.	*The one that has just been shown on TV, the Toulouse-Lautrec Museum.*
Vous voulez acheter des **instruments** anciens authentiques. **Ceux dont** je parle sont des imitations.	*You want to buy authentic old instruments. Those I'm talking about are replicas.*

À *votre tour!*

A. Quelques films français «classiques». Voici quatre films très connus qui sont des «classiques» du cinéma français. Répondez aux questions en suivant les suggestions. Commencez chaque réponse avec un pronom démonstratif + **de**/pronom relatif.

MODÈLES   a. (1er écran) Quel homme joue Belmondo? (vole une voiture)
                  Celui qui vole une voiture.
          b. (2e écran) Quel scénario est-ce? (Marguerite Duras)
                  Celui de Marguerite Duras.

Jean-Luc Godard	Alain Resnais
À bout de souffle[3]	*Hiroshima mon amour*
Michel vole une voiture et va à Paris. Dans une aventure, il tue un policier. Sa maîtresse américaine, Patricia, finit par dire à la police où Michel se cache, mais elle le prévient. Il se laisse arrêter.	Une actrice tournant un film à Hiroshima est amoureuse d'un Japonais. Elle revoit sa vie en France pendant la guerre quand elle aimait un soldat allemand. Les Français l'ont tué. Enfin elle oublie ce passé mais quitte son ami japonais.
Drame réaliste avec Jean-Paul Belmondo et Jean Seberg	Film d'amour avec scénario de Marguerite Duras

1. a. Quel film est-ce? (Godard)
    b. Quel rôle joue Belmondo? (un meurtrier)

---

[3] Dans la version en anglais, le titre du film est *Breathless*.

c. Quelle femme joue Seberg ? (dénonce son ami)

d. Quelle fin a le film ? (représente l'arrestation de Michel)

e. Quel genre de film Godard a-t-il tourné ? (est un drame réaliste)

2. a. Quel film est-ce ? (Resnais)

b. Quelle vie l'actrice revoit-elle ? (elle vivait pendant la guerre)

c. Quelle époque était-ce en France ? (la guerre)

d. Quel soldat allemand aimait la femme ? (les Français ont tué)

e. Quel passé l'actrice finit-elle par oublier ? (a eu lieu en France)

Claude Lelouch

Un homme et une femme

Jean-Louis et Anne, une veuve, se rencontrent à Deauville[4] où chacun a un enfant à l'école. Elle manque son train, alors il la ramène en auto à Paris. Leur roman d'amour a des hauts et des bas. Ils finissent par vivre ensemble.

Film d'amour avec Jean-Louis Trintignant et Anouk Aimée

François Truffaut

Baisers volés

Antoine commence sa vie. Il perd plusieurs emplois (garde à l'hôpital, détective, réparateur de télévision). Il est naïf et sans complexes. Enfin il découvre l'amour. C'est une histoire simple avec des scènes amusantes.

Film réaliste et amusant avec Jean-Pierre Léaud

3. a. Quel film est-ce ? (Lelouch)

b. Quelle situation permet à l'homme et à la femme de faire connaissance ? (le train manqué)

c. Quelle femme joue Aimée ? (est veuve avec un enfant)

d. Quelle fin a le film ? (un film qui finit bien)

4. a. Quel film est-ce ? (Truffaut)

b. Quel rôle joue Léaud ? (Antoine)

c. Quels emplois Antoine a-t-il ? (ne durent pas longtemps)

d. Quelle nature a Antoine ? (un homme sans grands complexes)

e. Quelles situations allègent le film ? (sont vivantes et amusantes)

B. **Exprimez vos préférences personnelles.** Répondez en utilisant le pronom démonstratif avec **-ci** ou **-là**.

---

[4] **Deauville** est une plage à la mode sur la côte de la Manche *(Channel)* en Basse Normandie.

MODÈLE   Ce tableau-ci représente un vase de roses, ce tableau-là, des petits chats.
          Lequel préférez-vous ?
          Je préfère celui-là.

1. Cette musique-ci est sereine, paisible et mélodieuse. Cette musique-là est bruyante, très rythmique et vivante. Laquelle préférez-vous ?
2. Cette symphonie-ci est dramatique et violente. Cette symphonie-là est romantique et douce. Laquelle aimeriez-vous écouter ?
3. Ce peintre-ci peint des paysages calmes avec des paysans au travail ou au repos. Ce peintre-là peint des marines violentes avec des bateaux dans la tempête. Lequel préférez-vous ?
4. Ce peintre-ci est moderne et il peint des abstractions aux couleurs brillantes. Ce peintre-là est traditionnel et il peint des scènes de famille avec des enfants et des animaux familiers. Les tableaux duquel aimeriez-vous avoir chez vous ?
5. Si vous étiez très riche, quelle statue achèteriez-vous ? Cette statue-ci ou cette statue-là ?

Rodin. *Le Penseur* (Paris, Musée Rodin)

Edgar Degas. *Danseuse* (Paris, Musée d'Orsay)

3. Special uses of some demonstrative pronouns

a. Celui-ci. . . celui-là, celle-ci. . . celle-là, and so forth, may be used in pairs to express *the former . . . the latter.* **Celui-ci, celle-ci,** and so on, is *the latter;* **celui-là celle-là,** and so on, is *the former.* Note that in French the order is reversed because **-ci** means *the closer of the two,* hence *the latter,* and **-là** means *the farther of the two,* hence *the former.*

À Paris, visitez le Louvre et le Musée d'Orsay. **Celui-ci** contient les Impressionnistes; **celui-là** contient tous les peintres d'avant 1850.

In Paris, visit the Louvre and the Orsay Museum. The former contains all the painters from before 1850; the latter contains the Impressionists.

Les événements culturels de l'été comprennent les spectacles «Son et lumière» et les festivals. Ceux-ci présentent des ballets, des concerts, des pièces de théâtre; ceux-là re-créent l'histoire des grands châteaux.

The summer cultural events comprise the "Sound and Light" spectacles and the festivals. The former recreate the history of the great castles; the latter present ballets, concerts, plays.

b. Ceci *(this)* and **cela/ça** *(that)* are indefinite, neuter forms of the demonstrative pronouns. Traditionally, **ceci** refers to what follows, what is going to be said, whereas **cela** (familiar form **ça**) indicates what precedes or what has just been said. **Ça** and **cela,** more frequent in spoken French, often have the meaning of *things, everything,* or *it.*

Comment **ça va**?

How's everything?

C'est **ça**! Prenons des billets pour voir les ballets à l'Opéra.

That's it! Let's get some tickets to see the ballets at the Opera.

Il faut comprendre **ceci:** les festivals d'Avignon et d'Aix sont si populaires qu'il faut réserver ses places bien à l'avance.

One must understand this: the Avignon and Aix festivals are so popular that it is necessary to reserve seats well in advance.

—Tiens, je ne savais pas **cela**.

Say, I didn't know that.

À votre tour!

A. Petite scène de famille : Papa a le dernier mot! Papa veut que son fils Toto soit instruit en histoire de l'art. Complétez le dialogue en ajoutant les pronoms démonstratifs indéfinis **ceci, cela/ça.**

PAPA   Toto, qu'est-ce que ____? Des mauvaises notes en histoire de l'art?

TOTO   Ce sujet-là, je comprends pas.

PAPA   Toto, tu vas faire mieux ou je me fâche. Tu comprends ____ ?

TOTO   Oui, mais l'art, j'aime pas ____.

PAPA   Pas d'argumentation : je ne tolère pas ____ ! Mes parents me disaient toujours ____ : «La connaissance des chefs d'œuvre artistiques, ____ permet de comprendre l'histoire de son pays et ____ enrichit l'âme».

TOTO   Papa, je dois te dire ____ : notre livre est barbant *(boring)*.

PAPA   Bon ! Alors, dimanche, je t'emmène au musée. ____ sera mieux que ton livre.

B. Un artiste contemporain : Georges Mathieu. Complétez le portrait du peintre Mathieu en ajoutant les adjectifs et les pronoms démonstratifs appropriés. Choisissez parmi la liste suivante :

ceci	celle-ci	celle qui	celui-là	cette
cela	celle que	celui de	cet	

Mathieu a exposé ses premières œuvres en 1942. *Cet* artiste a fait sa réputation en devenant le maître de l'école tachiste. *Cet* art est caractérisé par deux éléments, le trait et la tache. *Ceci* consiste en éclaboussures *(splashes)* d'encre ou de peinture sur la toile placées selon un ordre déterminé d'avance par l'artiste ; *cela* consiste en lignes droites ou courbes tracées avec une rapidité extraordinaire pour relier les taches. *Ceci* forme un ensemble de signes de couleurs pures. L'effet est *celui* d'un dynamisme puissant. Mathieu appelle *cet* art «l'abstraction lyrique» parce que *cet* abstraction est *celle qui* «représente la psychologie d'un peuple et s'adresse à son esprit, à son cœur, à son âme». Un exemple intéressant de *cela*, c'est la pièce de monnaie de dix francs. C'est *celle* qu'il a dessinée et qui a circulé jusqu'en 1986. On peut donc dire *cela* : l'art de Mathieu a passé entre les mains de tous les Français. Combien d'artistes peuvent-ils se vanter de *cela* ?

II Indefinite adjectives and pronouns

Indefinite adjectives and pronouns are words that qualify or represent nouns in an unspecified, imprecise manner, such as *a few/several* (persons or things), *certain/various* (persons or things), *someone*, and so on. In French, these words are **quelque(s)**, **plusieurs, certains, divers, quelqu'un,** and so forth, and it is important to distinguish between adjectives and pronouns.

11.2.A Indefinite adjectives (les adjectifs indéfinis)

1. Some adjectives are always indefinite by their very meaning of indeterminate character or quantity.

plusieurs (invariable)	*several, some*	**plusieurs** tableaux, **plusieurs** stars
quelque(s)	*a few, some*	**quelque** artiste, **quelques** romans
autre(s)	*other*	l'**autre** cinéaste, les **autres** musées
chaque (invariable)	*each, every*	**chaque** jour, **chaque** femme
certain(e)(s)	*some, certain*	un **certain** sourire, **certains** amis
divers(es)	*various*	**divers** musiciens, **diverses** idées
n'importe quel(le)(s)	*any, just any*	**n'importe quel(le)(s)** artiste(s)

Plusieurs peintres exposent leurs œuvres. Tu vas acheter **quelques toiles.**	*Several painters exhibit their works. You're going to buy a few canvases.*
Chaque jour, certains amateurs critiquent son style.	*Every day, certain amateurs criticize his/her style.*
Les autres musiciens jouent de **divers instruments.**	*The other musicians play various instruments.*

Note that

a. un(e) autre becomes **d'autres** in the plural.

Il achète **d'autres statues.**	*He buys other statues.*

b. certain has an indefinite meaning only when used before the noun (see Chapitre 7, Section 7.1.E.3 for other meanings).

Ce peintre a **un certain talent.**	*This painter has a certain (= some kind of) talent.*

c. n'importe quel is actually an indefinite relative adjective. Therefore, **quel** must agree in gender and number with the noun it modifies.

Le public n'apprécie pas **n'importe quels peintres.**	*The public does not appreciate just any painters.*

2. Some adjectives with specific meanings may at times be used in an indefinite manner.

a. tel(le)(s) usually means *such, such a, like, as,* but as an indefinite adjective it means *a certain.*

Il méprise l'homme en général mais pas *tel homme.*	*He despises man in general but not a certain man.*

b. tout(e), tous, toutes mean *all.* As an indefinite adjective, **tout** has the connotation of *every.*

Toute peine mérite salaire.	*Every labor deserves a salary.*

Because of its complexity, **tout** (adjective, pronoun, and adverb) is discussed separately in Section III of this chapter.

11.2.B Indéfinite pronouns (les pronoms indéfinis)

The indefinite adjectives listed previously may also be used as pronouns, with some slight changes for the following:

1. **quelque** becomes **quelqu'un** (no feminine), *someone*; **quelques**, adjective, becomes **quelques-un(e)s**, *a few, some.*

2. **chaque** becomes **chacun(e)**, *each one, everyone.*

3. **n'importe quel** becomes **n'importe lequel**, *anyone, just anyone.*

Les artistes ne sont pas **tous** ici : **plusieurs** sont malades et **d'autres** arriveront en retard.	*The artists are not all here: several are ill and some others will arrive late.*
Combien d'affiches veux-tu ?	*How many posters do you want?*
—Achètes-en **quelques-unes**. Je te rembourserai **chacune**.	*Buy a few (of them). I'll reimburse you for each one.*
Luc n'a aucun discernement pour la qualité des orchestres. Il achète des disques de **n'importe lesquels**.	*Luke has no insight as to the quality of orchestras. He buys records of just any (ones).*

Nous tous. all of us.

À votre tour !

A. **Deux musiciens célèbres.** Complétez les phrases suivantes par des adjectifs ou des pronoms indéfinis. Choisissez parmi la liste suivante. Certains mots sont utilisés plusieurs fois.

certaines	chacune	diverses	quelques
certains	chaque	n'importe quel	quelques-uns
chacun	d'autres	plusieurs	tel

1. _____ des grands noms de la musique française contemporaine sont Olivier Messiaen et Pierre Boulez. *(Certains)*
2. _____ œuvres de Messiaen sont d'inspiration religieuse et _____ ont été inspirées par la musique de l'Inde. *(Certaines/Quelques)* *(Quelques-uns)*
3. Mais _____ œuvre est écrite dans une musique très personnelle et _____ est pleine de spiritualité. *(chaque)* *(d'autres)*
4. Ses pièces pour le piano, comme *Le Réveil des oiseaux*[1], sont très difficiles et ce n'est pas _____ pianiste qui peut les jouer.
5. Pierre Boulez, l'élève de Messiaen, a d'abord écrit _____ œuvres inspirées par la musique atonale.
6. Depuis, il est devenu le maître de la musique concrète qui emploie _____ techniques de l'électronique.

[1] *The Awakening of the Birds*

7. Par exemple, après avoir enregistré ___ passages musicaux sur bande magnétique, il les rejoue à ___ vitesses pendant la performance de l'œuvre entière.

8. ___ des résultats sont extraordinaires, ___ plutôt bizarres! ___ auditeur aime cette musique mais ___ autre auditeur ne l'aime pas. ___ à son goût!

B. Thème: Le Louvre. Traduisez en français.

1. Several museums are well known, but none is as famous as the Louvre. Each art lover has various favorite French painters.

2. The Louvre has a few priceless treasures, and each is the masterpiece of a great master. A few are *The Gioconda*[2] by Leonardo da Vinci, *The Indifferent* by Watteau,[3] and *Liberty Leading the People* by Delacroix.[3]

---

[2] *Joconde f* nom français de la *Mona Lisa* de Léonard de Vinci
[3] **Antoine Watteau** (1684–1721), peintre de fêtes galantes; **Eugène Delacroix** (1798–1863), le plus grand des peintres romantiques. Les fêtes galantes *costumed garden parties.*

3. Several paintings attract the public: the nudes by Boucher,[4] particularly those which show a certain eroticism, and the sunsets by Le Lorrain,[4] each being a magnificent scene in a seaport (**port** *m* **de mer**).
4. The public is discerning; people do not admire just any painting because it is in the Louvre!

11.2.C Indefinite personal pronoun on (le pronom personnel indéfini)

On, a personal pronoun always followed by the same verbal form as **il/elle**, has the indefinite connotation of *someone, somebody*, or *people*.

On a dit que *la Joconde* était en réalité Léonard de Vinci lui-même.	*Someone said that the* Mona Lisa *was in reality Leonardo da Vinci himself.*
On ne comprend pas toujours la musique électronique moderne.	*People do not always understand modern electronic music.*

In English, **on** is often translated by *we, they, you*, or by a verb in the passive voice.

On connaît la vie tragique de Van Gogh et **on compatit**.	*We know Van Gogh's tragic life and we sympathize.*
On parle français ici.	*French is spoken here.*

When **on** refers to a plural (**on** = *they, we, you*), (a) the adjective that follows a verb such as **être, rester, devenir** is in the plural, and (b) the past participle of a verb conjugated with **être** is in the plural. **On** with a singular connotation:

On est triste aujourd'hui.
{
I'm sad today. (talking about self)
You're sad today. (talking to someone)
(S)he's sad today. (talking about someone)
}

On with a plural connotation:

On est **tristes** aujourd'hui.
{
We're sad today. (talking about us)
You're sad today. (talking to a group)
They're sad today. (talking about a group)
}

On est toutes arrivées trop tard.   *We all arrived too late.*

Similarly, when **on** refers to a feminine (single person or group), there is agreement of the adjective after **être** and of the past participle of a verb conjugated with **être**.

On est **satisfaite**, Sophie?	*You're satisfied, Sophie?*
Suzanne et moi, **on** est **allées** au Louvre.	*Suzanne and I went to the Louvre.*

---

[4] **François Boucher** (1703–1770) est le peintre de fêtes galantes et de scènes de vie familiale; **Claude Lorrain** (1600–1682) est le peintre classique de la lumière et de scènes antiques.

À votre tour !

Un petit groupe d'étudiants accompagnés de leur professeur de dessin visitent le Musée d'Orsay. Ils font des commentaires qui causent la réaction du professeur. Jouez le rôle du professeur.

MODÈLE   Nous deux, nous trouvons les toiles de Renoir[5] magnifiques.
(Évidemment)
Évidemment ! On trouve les toiles de Renoir magnifiques.

1. Ginette et moi, nous sommes pleines d'admiration pour *La Balançoire (swing)*. (Naturellement, mesdemoiselles)
2. Tous les garçons sont fascinés par *Olympia* de Manet[6]. (Cela va sans dire !)
3. Non ! Mon copain et moi, nous n'aimons pas ce tableau et nous le trouvons choquant. (Oh, pas possible !)
4. Eh bien, nous, nous n'aimons pas les grosses femmes du tableau de Renoir, *Les Grandes Baigneuses (bathers)*. (Bien sûr)
5. Des gens sont groupés devant *Impression : Soleil levant* de Monet[7] et ils disent qu'ils ne comprennent pas. (Ah ça, par exemple ! [*By gosh!*])
6. Monsieur le professeur, moi, j'aime bien cette toile. (Bravo, jeune homme !)

III Tout

11.3.A Forms

	MASCULINE	FEMININE
Singular	tout	toute
Plural	tous	toutes

tout le temps   **toute** la journée
tous les musiciens   **toutes** les aquarelles

11.3.B Uses

Tout can be used as an adjective, a pronoun, a noun, or an adverb.

1. Tout *used as an adjective*

As an adjective, **tout** must agree in gender and number with the noun it modifies. The meaning of **tout** in the singular is different from its meaning in the plural.

---

[5] **Auguste Renoir** (1841–1919) est un peintre impressionniste célèbre pour ses portraits d'enfants et de femmes et pour ses scènes pleines de joie de vivre.
[6] **Edouard Manet** (1832–1883) a peint *Olympia* nue. Les critiques ont trouvé le tableau «scandaleux».
[7] **Claude Monet** (1840–1926) est le plus célèbre peintre impressionniste. Il a représenté les jeux de la lumière et a été un artiste prolifique *(Femmes au jardin, Impression: Soleil levant, Les Coquelicots,* série de la *Cathédrale de Rouen,* série des *Nymphéas).*

a. Tout/toute + article (or possessive/demonstrative adjective) + noun: *the whole, the entire, all.*

Patrick écoutera **tout l'opéra** parce que *Carmen*[1] est celui qu'il préfère.	*Patrick will listen to the entire opera because* Carmen *is the one he prefers.*
Le musée n'est pas ouvert **toute la semaine**.	*The museum isn't open all (= the whole) week.*

b. Tout/toute + noun: *any/all/every/each* (indefinite connotation)

Tout ténor bien entraîné peut chanter les grands airs de *Carmen*.	*Any well-trained tenor can sing the great arias from* Carmen.
Toute insulte sera punie.	*Any insult will be punished.*

c. Tous/toutes: *all, every* (meaning "each and every one")

Nommez **tous les grands peintres** impressionnistes français.	*Name all the great French Impressionist painters.*

2. **Tout** *used as a pronoun*

   a. In the singular, only **tout** is used (but never **toute**): it is the indefinite, neuter form meaning *everything, all.*

Tout est bien qui finit bien.	*All is well that ends well.*
La peinture était **tout** pour lui.	*Painting was everything for him.*

   b. In the plural, **tous**[2]**/toutes** means *all, all of (them/us/* and so on) and agrees in gender and number with the noun it replaces.

Le critique n'a rien dit de bon sur **nous toutes**.	*The critic said nothing good about all of us.*

Often there is a choice between two constructions.

Tous admirent la *Vénus de Milo*.	*All admire the* Venus de Milo.
Ils admirent tous la *Vénus de Milo*.	*They all admire the* Venus de Milo.

3. **Tout** *used as a noun*

   Tout *(m)* is also used as a noun meaning *the totality, the whole.*

Il ne faut pas prendre la partie pour **le tout**.	*One must not take the part for the whole.*

4. **Tout** *used as an adverb*

   As an adverb, **tout** means *very, most, completely, entirely, extremely* and may be used

---

[1] *Carmen* est le plus célèbre opéra français. C'est **Georges Bizet** (1838–1875) qui l'a écrit.
[2] When **tous** is used as a pronoun, the **-s** is pronounced /tus/.

a. preceding another adverb. **Tout** is invariable in this case.

Elle chantait **tout simplement** pour son plaisir.	*She was singing, most simply put, for her pleasure.*

b. preceding an adjective. **Tout** (invariable) is used with all masculine (singular and plural) adjectives and with all feminine (singular and plural) adjectives beginning with a vowel or mute **h** (but in the case of these feminine adjectives, the liaison with the **t** of **tout** is required).

Le public n'a pas aimé les **tout premiers** tableaux de Monet.	*The public didn't like the very first paintings of Monet.*
Elles étaient **tout émues** de voir le beau jardin de Monet à Giverny.	*They were extremely moved to see Monet's beautiful garden in Giverny.*
Denise a joué la valse **tout entière** sans faire de fautes.	*Denise played the entire waltz without making any mistakes.*

But when the feminine adjective begins with a consonant or aspirate **h, tout** must agree in gender and number with the adjective (**toute/toutes**).

Les portes de la salle de concert sont **toutes grandes** ouvertes.	*The doors of the concert hall are wide open.*
Je trouve cette sculpture **toute hideuse**.	*I find this sculpture completely hideous.*

À votre tour !

Tu es tout fou - *You are completely crazy.*
Elle est tout(e) folle(s) → exception
elles sont tout idiotes

Patricia vient de visiter Beaubourg[3], le Musée national d'art moderne (M.N.A.M.) à Paris. Elle veut acheter des reproductions de tableaux en vente à la librairie du musée. Dans la conversation qui suit, ajoutez la forme appropriée de **tout**.

PATRICIA Monsieur, je suis ____ enthousiasmée par l'exposition d'art moderne que je viens de voir.

VENDEUR Et moi, Mademoiselle, je suis ____ ravi de vous l'entendre dire. Avez-vous vu ____ nos soldes (*sales*) de livres et de reproductions ?

PATRICIA Oh ! Je voudrais pouvoir ____ acheter. Je voudrais ____ les cartes postales des tableaux de Fernand Léger. J'aime son style qui est ____ plein de dynamisme.

VENDEUR Tiens ! moi aussi ! De ____ mes peintres favoris, c'est lui qui est le plus fascinant. Savez-vous que pendant ____ sa vie, il a été un homme très simple et vraiment sympathique.

PATRICIA Ses tableaux, je les ai bien regardés ____ et je les aime ____. Mais surtout, j'adore *Hommage à Louis David*. Ça me fait penser à ____ sortes de choses que ____ les personnages ont pu faire avant de poser pour le peintre.

---

[3] **Beaubourg**, officiellement **le Centre Georges-Pompidou**, a été ouvert en 1977. Le style de cet immense bâtiment a été contesté par certains qui l'ont appelé «monstre» et «raffinerie de pétrole» (*oil refinery*).

VENDEUR   Voyons, euh, ce tableau? Ah oui! Vous parlez de *Les loisirs*. C'est ainsi que nous *tous* l'appelons. Et vous êtes *tout* fascinée par cette scène?

PATRICIA   Les cyclistes, je les aime *tous* les trois. Ça me rappelle mes copains et moi en promenade sportive, par une *tout* belle journée.

VENDEUR   C'est vrai! Alors, qu'est-ce que vous achetez? *Tout* la série de cartes. Et *tout* les affiches en solde?

PATRICIA   J'achète *tout* cela. Et mettez-moi le *tout* dans un grand sac plastique.

VENDEUR   Dans dix minutes, je termine mon travail ici. Voulez-vous que *tous* les deux nous allions prendre un pot dans un café *tout* près d'ici?

PATRICIA   Mais j'en suis *tout* heureuse!

11.3.C Expressions with tout

Tout is also part of a number of frequently used expressions.

à toute heure	*at any time, all the time*
à toute vitesse	*at full speed*
donner toute satisfaction	*give full satisfaction*
en tout cas	*in any case*
pas du tout	*not at all*
tous/toutes les deux	*both (of them/you/us)*
tout à coup	*all of a sudden*
tout à fait	*entirely*
tout à l'heure	*shortly, later*
tout compte fait	*all things considered*
tout de suite	*right away*
tout le monde	*everybody*

Tout le monde peut le voir **à toute heure.**   *Everybody may see him at any time.*

Ils arriveront **tout à l'heure.**   *They'll arrive shortly.*

À votre tour!

A. Mlle Vitale, un professeur d'histoire de la musique, s'adresse à ses étudiants. Répondez à leur place en utilisant des expressions avec **tout.**

1. Nadine, quand me remettrez-vous votre rapport sur «Le trombone dans la musique contemporaine»? *tout à l'heure*
2. Jean-Michel, êtes-vous satisfait de la note que vous avez obtenue pour votre rapport? *je ne pas du tout satisfait*
3. Et vous, Pierrot, savez-vous pourquoi vous avez eu une mauvaise note à votre rapport? Vous l'avez écrit... *à toute vitesse*
4. Quant à vous, Jean-Sébastien, quand l'idée vous est-elle venue de signer votre rapport Jean-Sébastien Bach? *tout à coup*
5. Qui dans cette classe a dit que le cours n'était «pas assez amusant»? *tout le monde*
6. Trouvez-vous que cette remarque est vraie? *tout à fait*

B. Faites quatre phrases originales en employant des expressions avec **tout** pour exprimer les sentiments de Mlle Vitale vis-à-vis de ses étudiants.

MODÈLE   Tout compte fait, cette classe me donne toute satisfaction.

IV Causative faire (la construction causative)

11.4.A Construction of the verbs with causative faire

The construction **faire faire, faire construire**, and so on, is called the causative construction. It corresponds to the English *to have (something) done/built*. The full construction is

> **faire** + infinitive + **quelque chose (à/par quelqu'un)**

The causative construction requires **faire** as the first verb that is most often used in a conjugated form.[1] The second verb that follows is put in the infinitive; it can be any verb, including **faire**.

Le président Pompidou **a fait dessiner** le musée Beaubourg par un architecte italien.	*President Pompidou had the Beaubourg Museum designed by an Italian architect.*
Ferez-vous construire une maison à la campagne ?	*Will you have a house built in the country?*
Il serait bon que tu **fasses visiter** le Louvre à tes fils.	*It would be a good idea to have your sons visit the Louvre.*

11.4.B Causative faire with object nouns

The person who is made to do something is called the agent (**l'agent**) and is introduced by **par** (most often) or **à.**

L'empereur **a fait peindre son portrait.**	*The Emperor had his portrait painted.*
Napoléon **a fait peindre son portrait par David**[2].	*Napoleon had his portrait painted by David.*
Elle **fait réciter le poème aux enfants**.	*She has the children recite the poem.*

Note that English has two possible ways to express the causative construction whereas French has one.

faire faire quelque chose par/à quelqu'un { a. *to have something done by someone* b. *to have someone do something*

---

[1] Sentence structure sometimes calls for the first verb (**faire**) in an infinitive form, as in **Il faut faire publier votre roman**, in **Je conseille de faire publier votre roman**, or in **Il n'est pas facile de faire publier mon roman.**

[2] **Jacques-Louis David** (1748–1825), peintre officiel à la cour de Napoléon Ier, est célèbre par son grand tableau *Le Sacre de Napoléon.*

In French the agent is always an indirect object introduced by **à** or **par**. In English the agent may be an indirect object as in *a* above or a direct object as in *b* above.

Note also that when **à** introduces the agent, it may lead to confusion. **Elle fait faire une robe à sa fille** may mean *She has a dress made by her daughter* or *for her daughter*. Only the context can tell. Thus, when confusion is possible, it is better to use **par** to introduce the agent, leaving **à** to refer strictly to the recipient.

Elle fait faire une robe **à sa fille**
  par la couturière[3].
	*She has the dressmaker make a dress
	  for her daughter.*

À votre tour !

A. Beaubourg (le Centre Georges-Pompidou). Voici une série de renseignements sur Beaubourg. Répétez chacun en employant la construction causative.

MODÈLE Georges Pompidou voulait qu'on construise un musée d'art moderne à Paris.
Georges Pompidou a fait construire un musée d'art moderne à Paris.

1. Pompidou voulait qu'on prenne des architectes d'avant-garde pour le projet.
2. Il désirait qu'on dessine un grand bâtiment de conception moderne.
3. Les architectes voulaient qu'on utilise le verre et le métal partout.
4. Ils désiraient qu'on fasse faire le travail par les meilleurs techniciens du bâtiment.

---

[3] **la couturière** *dressmaker*

Le Centre Pompidou (ou Centre Beaubourg) est une masse imposante que les Parisiens appellent familièrement la «méccano-machine».

5. Pompidou voulait qu'on établisse un centre pluridisciplinaire *(multidisciplinary)* de la culture.
6. C'est pourquoi il voulait qu'on ajoute un centre pour les recherches musicales.

B. Jean-Michel vient de visiter Beaubourg pour la première fois avec une amie de sa mère, Mme Pinson. Complétez la lettre qu'il écrit à sa mère en employant la construction causative.

MODÈLE   elle me (visiter) Beaubourg.
                    elle m'a fait visiter Beaubourg.

Ma chère Maman,
Je viens de visiter Beaubourg avec Mme Pinson. Plutôt, elle me (visiter) Beaubourg, car c'était son idée. Elle me (voir) d'abord tout l'extérieur du musée. Je (remarquer) qu'il ressemble à une énorme usine! Mais Mme Pinson me (comprendre) qu'un musée d'art moderne doit avoir une architecture moderne. Cela me (rire) au début, mais tout compte fait, elle a raison.
Elle me (monter) au 5ᵉ étage par les grands escalators extérieurs, tout en verre. Merveille! De cette manière, elle me (voir) une grande partie de Paris. La journée était si belle et le soleil (briller) tous les toits, toutes les fenêtres, toutes les grandes tours de Paris étalé *(spread)* autour de nous.
Puis Mme Pinson me (prendre) avec elle une glace italienne au café du Musée. Nous avons pris des photos de Paris et quand nous (développer) ces photos lundi prochain, je (agrandir) les meilleures pour toi. Je te raconterai le reste plus tard.
Baisers de ton fils,

Jean-Michel

11.4.C Causative faire with object pronouns

When object pronouns are used, they precede the first verb (a form of **faire**). Note that there is never any agreement of the past participle of **faire** (if a compound tense is used) because the preceding object pronoun is a direct object of the verb in the infinitive (not of **faire**).

Voyez les tableaux **qu'il a fait mettre** au musée **par son assistant**.	*See the paintings he had his assistant place in the museum.*
Il **les lui a fait mettre** le mois dernier.	*He had him place them last month.*
Il **ne les a pas fait exposer** dans la grande salle.	*He did not have them exhibited in the large room.*

Faites voir **le film aux étudiants**.	*Have the students see the film.*
Faites-le-leur voir !	*Have them see it!*
–but–	
Ne **leur** faites pas voir le documentaire.	*Don't have them see the documentary.*

Note that in French the thing done or to be done is always the direct object and the agent is always the indirect object.

$$\text{Il a fait mettre } \underline{\textbf{les tableaux}} \text{ au musée } \underline{\textbf{par son assistant}}.$$

DO   IO

Il a fait mettre **les tableaux** au musée **par son assistant**.

DO IO

Il **les lui** a fait mettre au musée.

À votre tour !

Dans le récit suivant, remplacez les mots en italique par les pronoms d'objet appropriés.

Agnès Varda et les Impressionnistes

Quand Agnès Varda, une cinéaste célèbre, a tourné son film Le Bonheur, elle a voulu faire entrer *les beaux paysages français* dans les scènes d'extérieur. Elle a fait jouer *les scènes à ses acteurs* dans les prairies en fleurs ou dans les forêts de pins. Elle a fait photographier *celles-ci par les cameramen* quand les amoureux se promenaient sous les arbres. Elle a fait prendre *les vues de celles-là par ses cameramen* quand le soleil faisait briller *l'eau de la rivière*. Pour les plans, elle a fait photographier *ceux-là* de manière à contraster les zones d'ombre[4] avec les zones de lumière. Elle a fait utiliser *la caméra* comme les peintres impressionnistes utilisaient leurs pinceaux. Le résultat est un film dont les scènes font revivre *les tableaux de Monet et de Renoir*. C'est un film qui fera se réjouir *les amateurs d'art*.

[4] **l'ombre** *f* *shade, shadow*

11.4.D Idiomatic expressions with causative faire

The causative construction is used in French in some cases where English has no need for it.

faire asseoir	*to seat (someone)*	**faire sortir**	*to show out*
faire attendre	*to keep (someone) waiting*	**faire taire**	*to silence*
		faire venir	*to send for*
faire circuler	*to pass around*	**faire visiter**	*to show around*
faire entrer	*to show in*	**faire voir**	
faire payer	*to charge*	**faire vivre**	*to support (someone)*
faire savoir	*to inform*		
se faire attraper **se faire prendre**	*to get caught*	**se faire arrêter**	*to get arrested*
		se faire renvoyer	*to get fired*

Le réalisateur **ne vous fera pas attendre** longtemps.	*The producer will not keep you waiting long.*
Faites-la sortir!	*Show her out!*
Le metteur en scène **s'est fait renvoyer** hier.	*The director got fired yesterday.*

À votre tour !

Thème: Comment Bizet a écrit <u>Carmen</u> (voir le dessin, page 359). Traduisez en français.

1. Carvalho, director of the Opéra-Comique, had Bizet come to Paris to write the music for *Carmen*.
2. He informed him that he had only two months to do it.
3. When Bizet arrived, Carvalho told his secretary to show him in. Then he had the room locked (**fermer à clé**).
4. Bizet protested, but Carvalho silenced him.
5. Carvalho would pass around Bizet's partitions. When he did not like the music, he had Bizet do it over . . . and over and over (**et encore et encore**).
6. He told poor Bizet: "Don't keep me waiting or I won't feed you!"

V Vocabulary review

11.5 Time expressions with demonstratives

Some time expressions require the use of a demonstrative adjective. Its form varies according to the point of reference—either the present or the past.

Time in the present		Time in the past	
ce jour (-ci) aujourd'hui	*today, this day*	ce jour-là	*that day*
ce matin	*this morning*	ce matin-là	*that morning*
cet après-midi	*this afternoon*	cet après-midi-là	*that afternoon*
ce soir	*tonight (evening)*	ce soir-là	*that evening*
cette nuit	*tonight (night)*	cette nuit-là	*that night*
cette semaine	*this week*	cette semaine-là	*that week*
ce mois-ci	*this month*	ce mois-là	*that month*
cette année	*this year*	cette année-là	*that year*
ce siècle	*this century*	ce siècle-là	*that century*
en ce moment	*at this time*	à ce moment-là	*at that time*

Ce soir-là, nous sommes allés voir un ballet, mais **ce soir** nous irons au concert.

That evening we went to see a ballet, but tonight we will go to the concert.

Plusieurs bons films sont sortis **ce mois-ci**.

Several good films came out this month.

À ce moment-là, les deux peintres étaient fauchés.

At that time, the two painters were broke.

Note that when reference is made to the present, **-ci** must be added to **ce mois**; it may also be added to **ce jour** when there is ambiguity, but it is not used with the other expressions. However, when reference is made to the past, **-là** must be added to all the time expressions.

À votre tour !

Mettez le récit suivant au passé.

Ce matin, en regardant le journal, Sabine a vu que l'exposition
Boucher se termine après ce week-end. Vite elle téléphone à
son copain Bernard pour lui demander d'y aller avec elle cet
après-midi. Bernard aimerait bien faire cela mais, manque de
pot, cette semaine il prépare un examen partiel très difficile
en trigonométrie. Il ajoute que, en ce moment, il y a de bonnes
expositions à Paris et que plus tard ce mois-ci, ils pourraient
en voir une. Hélas, cela n'arrange pas Sabine car, pour sa
présentation orale en classe ce vendredi, elle doit décrire deux
tableaux de Boucher. Alors, elle est obligée d'aller seule à
l'exposition ce jour-ci. Sans Bernard, ce n'est pas amusant !

Vue d'ensemble

I À vous la parole !

A. **Parlez de vous-même** ! Cet exercice va vous demander quelque imagination.
Imaginez qu'un être généreux et puissant vous offre de vous transformer en l'un
des grands peintres impressionnistes (Manet, Degas, Monet, Renoir) ou post-
impressionnistes (Gauguin, Rousseau, Van Gogh, Toulouse-Lautrec, Cézanne) ou
fauvistes (Matisse).

1. Lequel allez-vous choisir ? Pourquoi ?
2. Quels sujets allez-vous peindre de préférence (nus, portraits, paysages, marines,
   natures-mortes, scènes de famille, animaux) ? Faites trois choix en donnant vos
   raisons pour chacun.
3. Quelle méthode adopterez-vous pour peindre—voyages et tableaux faits dans
   leur environnement, ou travail en studio et tableaux faits surtout de
   mémoire ? Justifiez votre «style».
4. Serez-vous un(e) artiste qui tient à ses principes artistiques (en préférant si
   nécessaire moins de succès parce que vous voulez rester vous-même) ou qui veut
   un succès rapide (en peignant ce que le public aime et achète même si ce n'est
   pas votre préférence) ? Donnez vos raisons.
5. Que pensez-vous d'un peintre qui une fois qu'il/elle a produit un sujet qui se vend
   bien, refait vingt fois plus ou moins la même chose ?
6. Que ferez-vous quand un(e) homme/femme célèbre vous demandera de faire son
   portrait d'une manière très flatteuse ? Pourquoi ?
7. Pensez-vous que le gouvernement d'un pays doive aider financièrement les jeunes
   artistes de talent qui n'ont pas les moyens de se consacrer entièrement et unique-
   ment à leur art ? Justifiez votre réponse.

8. (Toujours sur le sujet de la question 7). Pensez-vous qu'il y ait un risque pour l'intégrité de l'artiste si le gouvernement le/la sponsorise? Et si c'est un riche mécène (patron) indépendant du gouvernement?

B. **Obtenez des renseignements!** Demandez à la personne près de vous...

1. s'il/si elle aimerait être un(e) acteur/actrice de cinéma ou de théâtre ou au contraire un(e) cinéaste célèbre. Et pourquoi?
2. s'il/si elle choisirait d'être un(e) grand(e) violoniste ou pianiste, ou au contraire un grand chef d'orchestre. Lequel des deux choix, selon lui/elle, demande le plus de travail et de discipline?
3. s'il/si elle s'intéresse aux films français et, s'il/si elle en a vu plusieurs, lequel il/elle a aimé.
4. s'il/si elle a entendu parler du grand sculpteur Rodin et s'il/si elle a déjà vu des reproductions/photos de ses œuvres les plus connues (*Le Penseur, Le Baiser, Balzac*).
5. s'il/si elle a chez lui/elle des grands posters qui représentent des tableaux connus, pour décorer les pièces où il/elle vit. Lesquels? Si la réponse est non, lesquels aimerait-il/elle avoir?
6. ce qu'il/elle pense d'un(e) artiste qui préfère abandonner son métier plutôt que travailler pour des personnes riches mais sans goût ni discernement.

II En scène!

Entre 1905 et 1914, il y avait une colonie d'artistes (peintres, sculpteurs, poètes, écrivains) français et étrangers qui vivaient dans un faubourg[1] (situé sur une colline, la Butte) appelé Montmartre (maintenant un quartier dans le nord de Paris). Ils étaient tous pauvres, mais très actifs et dynamiques. Ils vivaient avec leurs modèles, mangeaient dans les petites auberges pas chères (*Le Lapin agile*[2], par exemple) où parfois ils payaient en donnant un tableau! On trouvait là Pablo Picasso (avec la riche Américaine Gertrude Stein), Maurice Utrillo (le fils alcoolique du peintre Suzanne Valadon), Amedéo Modigliani (un peintre italien) et tous les jeunes peintres qui étaient leurs disciples.

Idées pour le scénario
Vous allez recréer une scène au *Lapin agile* avec pour acteurs Picasso (qui parle de l'art primitif africain), Gertrude Stein (qui paie toutes les dépenses de Picasso et lui demande de peindre son portrait), Utrillo (qui demande à tout le monde de lui acheter des verres de vin et de cognac), Modigliani avec son modèle (ils se disputent; elle n'a plus d'argent pour les faire vivre et elle est enceinte de lui). Tous discutent avec le patron de l'auberge et lui demandent de leur faire crédit, lui offrent des tableaux en paiement, etc. Il y a des touristes qui viennent voir tout ce monde bohémien. À vous

---

[1] **le faubourg** *village in the suburbs*
[2] **Le Lapin agile** *The Nimble Rabbit*

d'imaginer un dialogue vivant et pittoresque. Vous jouerez cette scène en classe et vous comprendrez mieux la vie culturelle française juste avant la Grande Guerre de 1914–1918.

III Soyez créateurs!

Travail en groupe. Divisez la classe en groupes de cinq ou six étudiants et dans chaque groupe, les membres vont créer une «nouvelle» école de peinture ou de sculpture (comme la sculpture «soft», par exemple). Vous allez décider quels buts votre école doit avoir, quels sujets, quel style, quelles méthodes vous allez choisir. Et bien sûr, vous donnez un nom à votre école. Chaque groupe présentera son école et la classe pourra décider s'il y a des futurs artistes de talent parmi vous tous.

CHAPITRE 12
Le Monde francophone

Un resplendissant coucher de soleil à Papeete (Tahiti). Au loin, l'île de Moorea.

Vocabulaire spécial

I La langue

Noms

la langue *tongue, language*
le bilinguisme[1] *bilingualism*
les connaissances *f knowledge*
le contenu *content*
la pureté *purity*
l'orthographe *f spelling*
le réseau *sector, network*
le champ *field*
la traduction *translation*
le désavantage ≠ l'avantage *m*
la crise *crisis*
l'enjeu *m stake*
l'organisateur (-trice) *organizer*

Mots récents

l'informatique *f data processing,
  computer science*
l'ordinateur *m computer*
le logiciel *software*
le matériel *hardware (computer)*
les données *f data*
la banque de données *data bank*
l'informaticien(ne) *data-processing expert*

Adjectifs

maternel(le) *maternal*
langue maternelle *mother tongue*
natal *native (country)*
bilingue[1] *bilingual*
rudimentaire ≠ complexe
efficace *efficient*
impressionnant *impressive*
consacré (à) *dedicated/devoted (to)*
orthographique *orthographical (related
  to spelling)*
conciliable *compatible*

Verbes

contenir *to contain, to hold*
incorporer *to incorporate*
relever (de) *to come under the
  jurisdiction (of)*
se dégager (de) *to become clear, to come
  out*
unir *to unite*
compromettre *to impair*
informatiser *to computerize*
avancer ≠ retarder *to be fast ≠ to be slow*

II Les peuples et les nations

Noms

la communauté *community*
le regroupement *regrouping*
la solidarité ≠ l'individualisme *m
  solidarity ≠ individualism*
la mentalité *mentality*
l'indigène *m, f native*
le colon[2] *colonist*
le gouverneur[2] *governor*
la tribu *tribe*

l'espèce *f species*
le visage *face*
la queue *tail, (waiting) line*
la fourrure *fur*
la pluie *rain*
la fusée *rocket*
les souvenirs *m memories*
l'élan *m dash, burst*
la contrariété *annoyance*

---

[1] **bilinguisme** is pronounced /bilɛ̃gɥism/, but **bilingue** is pronounced /bilɛ̃g/.
[2] No feminine form exists for these words.

Adjectifs

communautaire *communal*
francophone *francophone*
  (French-speaking)
belge *Belgian*
fier (-ère) *proud*
païen(ne) ≠ chrétien(ne) *pagan ≠*
  Christian
désordonné *disorderly*
vif (-ive) *bright (color)*
enchanteur (-eresse) *enchanting*
lointain ≠ proche *far, faraway ≠ near*
outre-mer (adv) *overseas*

Verbes

gouverner *to govern*
partager *to share, to partake*
entreprendre *to undertake*
s'engager (à) *to commit oneself (to)*
ne s'engager à rien *to be noncommittal*
s'enthousiasmer (pour) *to get enthusiastic*
  (about)
impressionner *to impress*
exagérer ≠ minimiser *to exaggerate ≠ to*
  minimize
plaisanter *to joke*
s'échapper (de) *to escape (from)*
dépasser *to overtake, to go beyond*
réconcilier *to reconcile*

Trouvez le mot juste !

A. Donnez le mot/l'expression qui convient à chaque définition.

1. un adjectif pour qualifier une couleur brillante
2. posséder quelque chose avec d'autres, avoir quelque chose en commun
3. les choses/événements qui sont gardés dans la mémoire
4. rassembler en un seul groupe
5. une personne native d'un pays exotique ou colonial
6. un adjectif pour décrire la langue de son pays/ses parents
7. se passionner pour quelqu'un ou pour quelque chose
8. le fait de parler deux langues
9. qui manque d'ordre
10. une personne dont l'expertise relève de l'informatique

B. Donnez le contraire de chacun des mots/expressions suivants et faites une phrase avec chaque réponse.

1. païen
2. retarder
3. avantage
4. proche
5. impureté
6. complexe (adj)
7. minimiser
8. individualisme

C. Complétez les phrases suivantes par des mots ou expressions du vocabulaire spécial. Choisissez-les dans la liste suivante.

compromettre	enjeu	étranger	langue	pureté
dépasser	s'enthousiasmer	incorporer	partager	traduction

1. «Il faut maintenir la ___ de la langue», disent les gens qui s'opposent à l'introduction de mots ___ dans le français.

2. Tous ces mots, que les jeunes aiment et pour lesquels ils ___, viennent de la langue anglaise—plus précisément, de l'américain.
3. Les jeunes parlent donc une ___ hybride, appelée le franglais par le professeur Étiemble, qui, selon lui, a commencé à ___ le français.
4. Le gouvernement français, qui ___ l'opinion d'Étiemble, a créé une commission spéciale chargée de donner la ___ en français de tous ces mots anglais.
5. La loi de 1975 interdit à la publicité, aux médias, aux compagnies commerciales, au gouvernement d'___ des mots étrangers à ce qu'ils produisent ou disent.
6. Pourquoi le gouvernement a-t-il passé cette loi ? Parce que l'___ est grand. Le français a régressé au dixième rang mondial. Pour des raisons démographiques, il s'est laissé ___ par l'arabe, l'espagnol et le portugais.

D. Voici dans la colonne A une série de mots anglais/américains qui étaient passés dans la langue française. La colonne B donne la traduction officielle de ces mots. Avec chaque mot/expression de la colonne B, faites une phrase appropriée.

"C'est illégal ! Vous vendez des saucipains ou vous fermez boutique !"

A	B
disk jockey	l'animateur (-trice)
advertising man	le publicitaire
meter maid	la contractuelle
baby sitting	*le gardiennage d'enfants
junk food	*la camelote alimentaire
fast-food outlet	*le restapouce
doggy bag	*l'emporte-restes *m*
hot dog	*le saucipain
milk shake	*la mouslait
bathroom scale	*le pèse-personne
pocket calculator	*la calculette
masking tape	*le ruban-cache
standby (airlines)	l'attente *f*
overbooking (airlines)	*la surréservation
bypass (highway)	la rocade
garage/yard sale	la braderie
checklist	la liste de vérification

E. Maintenant, essayez de découvrir comment dix de ces mots ont été «fabriqués». Ce sont les mots précédés d'un astérisque dans la colonne B de l'exercice D.

MODÈLE   surréservation
              sur   + réservation
              (on, over)   (reservation, booking)
              Therefore: overbooking

Passive voice
Indirect discourse
Exclamation

I Passive voice (la voix passive)

Verbs that have a direct object can be used in either the active voice or the passive voice. In the active voice, the subject does the action expressed by the verb, while the direct object receives the action. But in the passive voice, the direct object becomes the subject, thus the subject receives the action expressed by the verb. This is summarized by the following diagram:

Active voice:	subject + verb + direct object
Passive voice:	subject + verb + preposition + agent

| (active) | Ces Africains | parlent | français. |
| (passive) | Le français | **est parlé** | **par** ces Africains. |

12.1.A Formation of the passive voice

In the passive voice, the verb requires the auxiliary **être** in all tenses. The past participle always agrees in gender and number with the subject.

La Louisiane **a été** ainsi **appelée** en l'honneur de Louis XIV.

Louisiana was so named in honor of Louis XIV.

Les films **seront projetés** à 5 heures.

The films will be shown at 5 o'clock.

The auxiliary shows the tense of the verb. Thus, the auxiliary **être** is in the present for the present tense, in the **imparfait** for the **imparfait**, in the future for the future. For example, the verb **suivre** (active voice) becomes **être suivi** in the passive voice. The following table contrasts the tenses of **suivre** in the two voices:

	Tense of the verb	Tense of être	Example: suivre		
	(passive voice)	(auxiliary)	PASSIVE VOICE		ACTIVE VOICE
indicative	present	present	elle **est**	suivie	elle suit
	imparfait	imparfait	elle **était**	suivie	elle suivait
	passé composé	passé composé	elle **a été**	suivie	elle a suivi
	future	future	elle **sera**	suivie	elle suivra
	plus-que-parfait	plus-que-parfait	elle **avait été**	suivie	elle avait suivi
cond.	present	present	elle **serait**	suivie	elle suivrait
	past	past	elle **aurait été**	suivie	elle aurait suivi
subj.	present	present	qu'elle **soit**	suivie	qu'elle suive
	past	past	qu'elle **ait été**	suivie	qu'elle ait suivi

Therefore, to change an active voice verb to its corresponding passive voice tense, **être** is used in the same tense as the active voice verb and the past participle of the active voice verb is added, making sure that it agrees with the subject.

Active voice: Champlain **a fondé** la ville de Québec.
Passive voice: La ville de Québec **a été fondée par** Champlain.

À votre tour !

Janine connaît bien l'histoire du Canada français. Elle aime montrer ses connaissances à son frère Patrick. Agacé, Patrick répond toujours qu'il est au courant de tout. Jouez le rôle de Patrick.

MODÈLE   JANINE Jacques Cartier a exploré le Canada au 16ᵉ siècle.

PATRICK Mais je sais bien que le Canada a été exploré par Jacques Cartier au 16ᵉ siècle.

L'hôtel Château Frontenac, construit en 1893, domine la ville de Québec.

1. Cartier a appelé ce pays la Nouvelle-France.
2. Des colons venus de Normandie et du Poitou[1] ont construit la ville de Québec.
3. Les Indiens Iroquois attaquaient souvent les colons français.
4. Les missionnaires français ont christianisé les Indiens.
5. Les Anglais désiraient aussi la Nouvelle-France.
6. Alors, les Anglais ont attaqué les colons français.
7. Louis XIV ne comprenait pas la valeur de cette belle colonie.
8. Il est triste qu'il n'ait pas aidé les colons de la Nouvelle-France.

[1] La **Normandie** et le **Poitou** sont deux provinces françaises.

12.1.B Use of the passive voice

1. Only verbs that take a direct object in the active voice can be used in the passive voice. Transitive verbs with indirect objects (those that require a preposition before the noun object such as **plaire à**, **répondre à**, **douter de**), the intransitive verbs of the "house of **être**," and the pronominal verbs (such as the reflexives) cannot be used in the passive voice.

Active voice	*Passive voice*
Tous les Canadiens du Québec **emploient le français**.	**Le français est employé** par tous les Canadiens du Québec.
All the Canadians in Quebec speak French.	*French is used by all the Canadians in Quebec.*
Gilbert **répondra** demain **à la** lettre de son ami zaïrois.	(impossible: no direct object)
Gilbert will answer his Zaire friend's letter tomorrow.	
Ton oncle **ira** dans les pays africains francophones.	(impossible: verb from "house of **être**")
Your uncle will go to the French-speaking African countries.	
Léopold Senghor[2] **s'exprime** dans un français très poétique.	(impossible: reflexive verb)
Léopold Senghor expresses himself in a very poetic French.	

2. In the passive voice, the person or thing that performs the action expressed by the verb is called the agent. The agent is ordinarily introduced by **par**. But some verbs such as **aimer**, **accompagner**, **couvrir**, **détester**, **entourer**, **estimer**, **précéder**, **respecter**, **suivre** (verbs expressing a state or condition) often take **de** instead of **par**. However, using **par** with these verbs is also correct.

L'Inde **a** d'abord **été colonisée par** les Français.	*India was first colonized by the French.*
Au dîner d'honneur, le roi Makoko[3] **sera accompagné de** son conseiller favori.	*At the gala dinner, King Makoko will be accompanied by his favorite counselor.*
Les arbres **étaient couverts d'**une neige brillante.	*The trees were covered with shiny snow.*

Reminder: when **de** and **par** are followed by a pronoun, the disjunctive form must be used.

C'est notre ministre et la réunion sera présidée **par lui**.	*He's our minister and the meeting will be presided over by him.*

---

[2] **Léopold Senghor** est un grand poète et homme d'état du Sénégal (nation africaine qui est une ancienne colonie française).
[3] **Makoko** est le roi de la tribu des Batékés (République du Congo).

À votre tour!

A. Composez des phrases avec les mots donnés. Les verbes doivent être employés à la voix passive. De 1 à 5, utilisez le passé composé; de 6 à 9, le présent. Faites tous les accords nécessaires; ajoutez les articles et la préposition **par** là où il faut.

Les Antilles françaises

1. La Martinique / découvrir / en 1502 / Christophe Colomb
2. La Guadeloupe, / autre / petit / île / au nord, / explorer / à / même / date
3. Ce / deux / île / occuper / Français / en 1635
4. Elles / incorporer / à / France / sous forme de / deux / département / d'outre-mer / en 1946
5. Leur agriculture / développer / par / techniciens / français
6. Les / produits / qui / exporter / sont / sucre, / bananes, / fruits / tropical / et / rhum
7. Mais / richesse / apporter / tourisme
8. Le français / comprendre / indigènes / mais il / parler / plus ou moins bien / eux
9. La langue / qui / employer / couramment / tous / est / créole

B. Mettez les phrases suivantes au passif. Faites attention : il y a des verbes qui ne peuvent pas être mis au passif. Dans ce cas, dites «Il est impossible de mettre le verbe au passif.»

Petite histoire de la Guyane

1. En Amérique du Sud, les Français avaient pris au XVIIe siècle un territoire juste au nord-est du Brésil.
2. Mais ils ne sont pas arrivés à de bons résultats économiques.
3. Ce territoire est devenu la Guyane française.
4. La Guyane ne se prête pas facilement à l'exploitation agricole à cause de son climat malsain.
5. Mais les Français exploitent ses forêts. Ils pratiquent aussi la pêche.
6. Au XIXe siècle et au début du XXe, la Guyane s'est distinguée par l'établissement d'un grand pénitencier dans l'île du Diable *(Devil's Island)*.
7. Les Français y avaient incarcéré Papillon[4]; mais—chose extraordinaire—il s'en est échappé ! Quelle aventure !
8. Maintenant, le gouvernement utilise la Guyane pour y tester la fusée spatiale française appelée Ariane.

12.1.C Avoiding the passive voice

The French are not as fond of the passive voice as the English are. There are specific cases where the passive voice is avoided.

---

[4] **Papillon**, condamné aux travaux forcés en Guyane, a réussi à s'échapper. Bien des années plus tard, il a écrit son autobiographie dont on a fait un film avec Steve McQueen et Dustin Hoffman.

1. A sentence in the passive voice with the agent expressed is often more simply put in the active voice by using the agent as the subject. But if no agent is expressed, then **on** can be used as the subject as long as the unspecified agent would have been a person.

Passive voice	*Active voice*
Un roman célèbre **a été écrit par Papillon** sur son aventure.	**Papillon a écrit** un roman célèbre sur son aventure.
A famous novel was written by Papillon about his adventure.	*Papillon wrote a famous novel about his adventure.*
L'île **n'avait pas encore été découverte**.	**On n'avait pas encore découvert** l'île.
The island had not yet been discovered.	*The island had not yet been discovered.*
L'île **a été dévastée**. (par un cyclone)	*(impossible: agent is a thing)*
The island was devastated.	

2. When there is no agent expressed and when the sentence refers to a generality or habitual occurrence, a pronominal verb is used in French where English prefers a passive voice (see Chapitre 3, Section I). The following list gives the verbs most frequently encountered:

s'acheter	se lire	s'écrire
se vendre	se mettre	se pouvoir
se boire	se porter	se prendre
se manger	se comprendre	se traduire
s'expliquer	se conjuguer	se trouver
se faire	se dire	se voir

Ça **ne se fait/dit pas**.	*That is not done/said.*
Le livre sur Gauguin à Tahiti **se vendra** très vite.	*The book about Gauguin in Tahiti will be sold very quickly.*
Les mangues et les papayes **s'achètent** au marché indigène.	*Mangoes and papayas are bought at the native market.*
Les verbes impersonnels **ne se conjuguent qu'**à la troisième personne du singulier.	*Impersonal verbs are conjugated only in the third person singular.*

À *votre tour!*

A. Dans le récit suivant, mettez à la voix active les verbes qui sont à la voix passive. Faites attention aux temps de ces verbes. Quand l'agent n'est pas exprimé, employez **on** comme sujet ou employez un verbe pronominal. Quand l'agent est exprimé, il devient le sujet du verbe. Faites toutes les transformations nécessaires.

Gauguin à Tahiti

Le peintre Gauguin était attiré par les pays exotiques où la lumière et les couleurs sont violentes. Sa femme et ses enfants ont été abandonnés par lui en 1891 et il est parti pour Tahiti. Cette île du Pacifique avait été prise par la France juste dix ans auparavant. La beauté de l'île et de ses jeunes femmes était vantée. La langue française n'était pas parlée à Tahiti à cette époque-là, alors Gauguin a dû apprendre la langue polynésienne du pays. Cette langue a été si bien apprise par lui qu'il l'a utilisée pour les titres de ses tableaux. Une forme de sculpture primitive très pure était pratiquée par les Tahitiens. Le dieu Teri Aptura était souvent représenté. Des représentations de ce dieu et d'autres divinités païennes sont trouvées dans beaucoup de tableaux de Gauguin. Il a été vite fasciné par la sculpture tahitienne. Des statues ont été faites par lui; des portes, des murs, des petits meubles ont été décorés de bas-reliefs par lui. Ses tableaux n'étaient pas du tout appréciés en France et seulement deux ou trois ont été vendus à des prix ridiculement bas. Gauguin est devenu très pauvre et malade. Il n'était pas aimé par les autorités françaises de Tahiti à cause de sa vie désordonnée. Alors, il est parti pour les îles Marquises au nord-est de Tahiti. C'est là qu'il est mort en 1903, seul et incompris. Maintenant ses tableaux aux couleurs merveilleuses sont achetés pour des sommes fantastiques ! Ces revirements[6] du destin sont souvent vus dans le monde de l'art !

B. Thème: Les îles de la Société. Traduisez en évitant la forme passive autant que possible.

1. Tahiti, one of the Society Islands, is situated (to the) south of the equator.
2. These islands were visited by the Frenchman Bougainville and the Englishman Cook in the 18th century.
3. A protectorate (**protectorat**, *m*) was established by the French to keep the kings and queens—all named Pomaré—on the throne (**trône**, *m*).
4. Later, the islands were annexed and tourism was developed.
5. The little islands of Bora Bora and Moorea are regarded as (**considérer comme**) the most beautiful of all.

II Indirect discourse (le style indirect)

The term *indirect discourse* refers to reported speech, the retelling of what another person has said. This construction is in contrast with *direct discourse*, where a person is directly quoted and quotation marks are used. In French, the indirect discourse pattern is as follows:

---

[6] **le revirement** *turn (of fate)*

MAIN CLAUSE	SUBORDINATE CLAUSE
(introductory statement)	(reported speech)
Subject + verb	+ conjunction + subject + verb + remainder of sentence

Direct discourse: Il dit/a dit: «**Je suis** fier d'être canadien.»
Indirect discourse: Il dit **qu'il est** fier d'être canadien.
  Il a dit **qu'il était** fier d'être canadien.

12.2.A Introductory statement in the present or future

When the introductory statement is in the present, the verb in the subordinate clause keeps the same tense as that of the verb in the direct discourse.

Direct discourse	*Indirect discourse*
Il répond: «Le français **sera** la langue officielle ici.»	**Il répond que** le français **sera** la langue officielle ici.
He answers: "French will be the official language here."	*He answers that French will be the official language here.*
Je dis: «En Suisse, nous **avons parlé** français à Genève et à Lausanne.»	**Je dis qu'**en Suisse, nous **avons parlé** français à Genève et à Lausanne.
I say: "In Switzerland, we spoke French in Geneva and Lausanne."	*I say that in Switzerland we spoke French in Geneva and Lausanne.*

In French, as in English, it is often necessary to change the pronouns (subject and object) and the possessives in the subordinate clause to maintain the proper meaning.

Direct discourse	*Indirect discourse*
Il dit: «**J'aime** les marchés indigènes de **mon** pays, le Sénégal.»	**Il dit qu'il aime** les marchés indigènes de **son** pays, le Sénégal.
He says: "I like the native markets of of my country, Senegal."	*He says that he likes the native markets of his country, Senegal.*
Il me dit: «Tu **dois m'écrire** une longue lettre.»	Il me dit que **je dois lui écrire** une longue lettre.
He says to me: "You must write me a long letter."	*He says to me that I must write him a long letter.*

Note that most of the verbs used in the introductory statement are **dire/déclarer/affirmer/annoncer/répondre/assurer/écrire/prédire que** and **demander/se demander si**. These verbs are called declarative verbs.

À votre tour!

Voici une petite scène qui a lieu dans un cours entre un professeur et deux étudiants. Complétez les phrases en employant le style indirect.

Grey exerc. Pg 288 A, 290 B & C

MODÈLE PROFESSEUR Quel beau pays, la Martinique ! Sylvain, savez-vous que ce n'est pas une colonie ? Sylvain ! Vous n'écoutez pas !

SYLVAIN Si, si, Monsieur le professeur ! Vous dites que...

SYLVAIN Si, si, Monsieur le professeur ! Vous dites que la Martinique est un beau pays. Vous me demandez si je sais que ce n'est pas une colonie. Et vous dites que je n'écoute pas.

PROFESSEUR Savez-vous quelles langues parlent les Martiniquais ?

SYLVAIN Euh, vous me demandez si...

PROFESSEUR Mais oui, Sylvain. Vous en connaissez une pour sûr.

SYLVAIN Monsieur le professeur, vous dites que... Alors, c'est le français.

PROFESSEUR Réponse brillante ! Et maintenant, pouvez-vous nommer l'autre langue ?

SYLVAIN Ah, euh ! Que me demandez-vous, Monsieur le professeur ?

PROFESSEUR Je vous demande si...

SYLVAIN Eh bien, eh bien ! Je ne sais pas.

PROFESSEUR Que dites-vous, jeune homme ?

SYLVAIN Je dis que...

MARCEL Je crois que cette autre langue est le créole.

PROFESSEUR Ah ! Bravo ! Sylvain, qu'est-ce que Marcel vient de répondre ?

SYLVAIN Il vient de répondre que... Mais Marcel devrait expliquer ce que c'est le créole.

PROFESSEUR Quoi ? Que déclarez-vous ?

SYLVAIN Je déclare que Marcel...

12.2.B Introductory statement in the past

When the introductory statement is **in the past**, the verb in the subordinate clause keeps the same tense as that of the verb in the direct discourse only if it is in the **imparfait**, **plus-que-parfait**, or present/past conditional. If it is in any other tense, changes must be made in the tense of the verb in the subordinate clause. The following table summarizes these rules.

Tense in quotation (direct discourse)	Tense in subordinate clause (indirect discourse)
present	**imparfait**
imparfait	**imparfait**
passé composé	**plus-que-parfait**
plus-que-parfait	**plus-que-parfait**
future	present conditional[1]
future perfect	past conditional[1]
present conditional	present conditional
past conditional	past conditional

[1] This particular sequence of tenses has been fully discussed in Chapitre 9, section 9.2.C.1.

Direct discourse	Indirect discourse
Tu **as dit**: (*You said:*)	Tu **as dit que** (*You said that*)
«**J'apprends** l'histoire de l'ancienne Afrique française.»	... **tu apprenais** l'histoire de l'ancienne Afrique française.
"I'm learning the history of former French Africa."	... *you were learning the history of former French Africa.*
«La France **avait** un grand empire de 13 colonies en Afrique.»	... la France **avait** un grand empire de 13 colonies en Afrique.
"France had a great empire of 13 colonies in Africa."	... *France had a great empire of 13 colonies in Africa.*
«La France **a gardé** cet empire jusqu'en 1958.»	... la France **avait gardé** cet empire jusqu'en 1958.
"France kept this empire until 1958."	... *France kept this empire until 1958.*
«Dans un mois, **je serai** en Afrique équatoriale.»	... dans un mois, **tu serais** en Afrique équatoriale.
"In one month, I'll be in Equatorial Africa."	... *in one month, you would be in Equatorial Africa.*

À votre tour !

Norbert a vu à la télévision une interview d'une femme qui a vécu au Congo français pendant son enfance. Maintenant, Norbert raconte en classe le dialogue entre l'interviewer et Mme C. Utilisez le style indirect pour jouer le rôle de Norbert. Variez les verbes déclaratifs selon le sens approprié.

MODÈLE   INTERVIEWER Vous avez vécu à Brazzaville quand vous étiez enfant ?
   MME C. Oui, et je me souviens de beaucoup de choses fascinantes.
   NORBERT Il a demandé si elle avait vécu à Brazzaville quand elle était enfant. Elle a répondu que oui et qu'elle se souvenait de beaucoup de choses fascinantes.

1. INTERVIEWER   Vous avez vraiment rencontré le roi Makoko, le roi de la tribu des Batékés ? *Il a demandé si elle avait vraiment*
   MME C.   Certainement. Cela se passait le 14 juillet et le roi Makoko se rendait à un dîner officiel offert par le gouverneur du Congo. *Elle a répondu*

2. INTERVIEWER   Alors, vous l'avez rencontré au Palais du Gouverneur.
   MME C.   Non, non, c'était sur la route à l'entrée de Brazzaville. Makoko était assis sur sa chaise à porteurs *(sedan chair)*. Le roi ne marchait pas, bien sûr; il était porté.

3. INTERVIEWER   Et maintenant vous allez décrire le roi.
   MME C.   *Elle a dit* C'était un homme d'aspect puissant et fier. On lui avait peint sur le visage des signes rouges et blancs. Il avait des plumes d'autruche sur la tête et il tenait à la main la queue d'un singe *(monkey)* spécial.

4. INTERVIEWER   Vous plaisantez ! Ça ne servirait à rien, une queue de singe.
   MME C.   Je vous assure, c'est un signe de grande autorité. Il s'agit d'un singe d'une espèce rare, très difficile à trouver. Et le roi Makoko portait comme

une petite cape la partie de la fourrure de ce singe avec les longs poils *(hairs)* blancs et noirs.

5. INTERVIEWER   Je trouve ça fantastique ! Et portait-il des vêtements européens ?

   MME C.   Non, non, il portait les plus beaux vêtements de sa tribu, un grand pagne[2] enroulé autour du corps comme une toge romaine. En plus, il avait à la taille *(waist)* une belle peau *(skin)* de léopard. On m'a assurée que le roi Makoko avait tué lui-même ce léopard, avec sa lance. Le roi Makoko est un guerrier très courageux.

6. INTERVIEWER   Notre programme "Voyage en pays lointain" doit se terminer. Nous donnerons la fin de cette interview dans une semaine. Je vous remercie, Madame, d'avoir partagé vos souvenirs avec nos téléspectateurs.

   MME C.   Cela a été un plaisir pour moi.

12.2.C Time expressions

Important expressions of time used in direct discourse incur a change when reported in indirect discourse if the declarative verb is in the past. The changes are as follows:

Style direct	Style indirect
aujourd'hui	**ce jour-là**
ce matin	**ce matin-là**
ce soir	**ce soir-là**
demain	**le lendemain**

---

[2] Le pagne est un grand morceau de tissu assez étroit mais très long, aux couleurs vives et aux dessins variés. Il est porté par beaucoup d'Africains. C'est l'équivalent africain du sarong porté par les Malais.

Style direct	Style indirect
demain matin	**le lendemain matin**
demain après-midi	**le lendemain après-midi**
demain soir	**le lendemain soir**
dans trois jours	**trois jours après/plus tard**
hier	**la veille**
hier matin	**la veille au matin**
hier après-midi	**la veille dans l'après-midi**
hier soir	**la veille au soir**
il y a trois jours	**trois jours avant**

«Il fait très chaud à Dakar **aujourd'hui.**»

Il a dit qu'il faisait très chaud à Dakar **ce jour-là.**

«Nous sommes allés à Libreville[3] **hier soir.**»

Il a dit qu'ils étaient allés à Libreville **la veille au soir.**

«**Dans cinq jours,** je m'achèterai un magnifique boubou[4].»

"It's very hot in Dakar today."

He said that it was very hot in Dakar that day.

"We went to Libreville last night."

He said that they had gone to Libreville the evening before.

"In five days, I'll buy for myself a gorgeous boubou."

un pagne

un boubou

[3] Libreville est la capitale du **Gabon** (ancienne Afrique Équatoriale Française).
[4] Le boubou est une longue et large tunique de coton portée par les hommes et les femmes.

Il a dit que cinq jours après (plus tard), il s'achèterait un magnifique boubou.

He said that five days later he would buy for himself a gorgeous boubou.

À votre tour !

Vous avez entendu à la radio la lecture d'un récit de voyage fait par un reporter qui est allé au Gabon en 1965 rendre visite au docteur Schweitzer. Donnez au style indirect le contenu de ce récit, en commençant chaque phrase avec **Le reporter a dit/annoncé/déclaré/affirmé/assuré/que**... Notez qu'il faut répéter **que** devant chaque verbe s'il y a plusieurs verbes dans la phrase qui dépendent de **il a dit**. Faites attention aux expressions temporelles.

MODÈLE   Il y a deux jours, nous sommes allés en Land Rover jusqu'à Lambaréné et ensuite nous avons continué le voyage en pirogue[5].

Le reporter a dit que, deux jours avant, ils étaient allés en Land Rover jusqu'à Lambaréné et qu'ensuite ils avaient continué le voyage en pirogue.

[5] **la pirogue** *canoe*

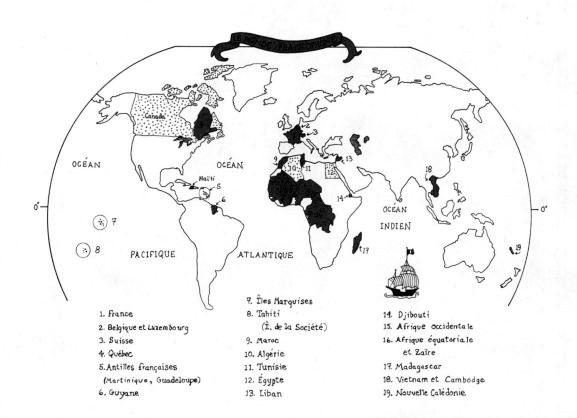

1. France
2. Belgique et Luxembourg
3. Suisse
4. Québec
5. Antilles françaises (Martinique, Guadeloupe)
6. Guyane
7. Îles Marquises
8. Tahiti (Î. de la Société)
9. Maroc
10. Algérie
11. Tunisie
12. Égypte
13. Liban
14. Djibouti
15. Afrique occidentale
16. Afrique équatoriale et Zaïre
17. Madagascar
18. Vietnam et Cambodge
19. Nouvelle Calédonie

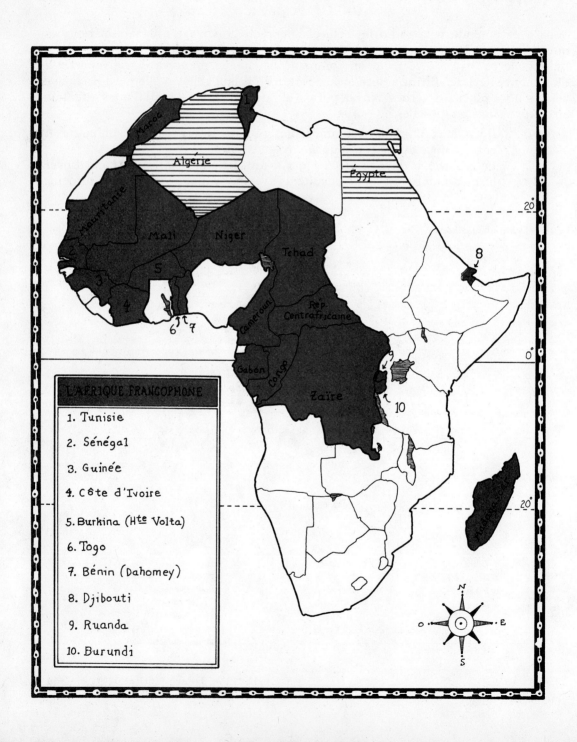

L'AFRIQUE FRANCOPHONE

1. Tunisie

2. Sénégal

3. Guinée

4. Côte d'Ivoire

5. Burkina (Hte Volta)

6. Togo

7. Bénin (Dahomey)

8. Djibouti

9. Ruanda

10. Burundi

C'était une pirogue ancienne, sans moteur; alors, il nous a
fallu une demi-journée pour arriver à Andolinanongo, hier matin.
L'hôpital est situé le long du fleuve Ogoué et j'ai vu beaucoup
de pirogues qui amenaient les malades. L'hôpital comprend
plusieurs bâtiments rudimentaires avec des installations très
simples; cependant j'ai remarqué que la salle d'opération est
plus moderne. Nous avons visité plusieurs salles ouvertes où les
malades et les opérés vivent avec des membres de leurs familles.
Chaque famille fait la cuisine pour son malade. Enfin, hier soir,
nous avons rencontré le docteur Schweitzer et les infirmières qui
travaillent avec lui depuis longtemps. Aujourd'hui, j'ai parlé avec
le docteur après le déjeuner et il m'a expliqué pourquoi il avait
voulu garder dans son hôpital les habitudes de vie des malades.
Demain, nous discuterons de sa philosophie, le respect pour
la vie. Mon photographe, grand amateur de musique, a parlé
longuement avec lui hier après-midi, de ses années consacrées à
la musique. Dans deux jours, nous retournerons à Lambaréné.

III Exclamation

12.3.A Exclamatory sentences (les phrases exclamatives)

Exclamatory constructions have several forms, depending on the type of sentence. An
exclamation point must be used to close the sentence.

1. *Complete sentence* (includes a verb)

   In the case of a complete sentence, **que** or **comme** is used at the beginning of the
   sentence. The English equivalent is *how*.

Statement	Exclamation
Ce poème de Senghor est beau.	**Que** ce poème de Senghor est beau!
This poem by Senghor is beautiful.	*How beautiful this poem by Senghor is! (What a beautiful poem by Senghor this is!)*
Ces Haïtiens aiment danser.	**Comme** ces Haïtiens aiment danser!
These Haitians like to dance.	*How those Haitians like to dance!*
Elle est élégante, cette Congolaise.	**Qu**'elle est élégante, cette Congolaise!
She's elegant, that Congolese woman.	*How elegant she is, that Congolese woman!*

2. *Complete or incomplete sentence referring to quantity* (verb may or may not be
   expressed)

   When the exclamation stresses a quantity, **que de** + noun is used. The English
   equivalent is *how much/many* or *what a lot/bunch of*.

Statement	Exclamation
(Il y a) beaucoup de francophones ici.	**Que de** francophones ici !
(There are) many French-speaking people here.	*How many French-speaking people there are here!*
(Tu fais) beaucoup d'histoires pour rien !	**Que d'**histoires (tu fais) pour rien !
(You're making) a lot of fuss for nothing!	*What a lot of fuss (you're making) for nothing!*

3. *Incomplete sentence* (featuring only a noun or a noun + adjective)

When there is only a noun or a noun + adjective, the exclamative adjective **quel** is used to start the exclamation. **Quel** must agree in gender and number with the noun. The English equivalent is *what* or *what a/an*.

Quelle idée folle !	*What a crazy idea!*
Quels écrivains !	*What writers!*
Quel pays enchanteur, Tahiti !	*What an enchanting country, Tahiti!*

À votre tour !

Marie-Lou, une Québécoise, s'enthousiasme pour la Francophonie. Le Canada fait partie de l'Agence de Coopération culturelle et technique (association de tous les pays francophones). Marie-Lou donne ses réactions à un reportage sur les sommets francophones de Paris et de Québec. Complétez ce que dit Marie-Lou. Imitez les modèles donnés pour le premier paragraphe.

MODÈLES   a. . . . pays ! Que de pays !
                 b. . . . expansion ! Quelle expansion !
                 c. . . . il y a beaucoup de francophones ! Comme il y a beaucoup de francophones !

Voici ce que Marie-Lou lit	*Voici ce qu'elle dit*
Le regroupement des 41 pays (a) et gouvernements ayant en commun l'usage du français, dispersés aux quatre coins de l'horizon (Europe, Afrique, Amérique et Océanie) (b) et représentant quelque trois cents millions d'habitants (c), a commencé à prendre forme en 1970.	(modèle a) (modèle b) (modèle c)
. . . Parce que le Canada a fait beaucoup dans les domaines du bilinguisme, de la traduction, de l'enseignement des langues, des banques de données linguistiques et des communications, il joue un rôle de leadership dans les réseaux dont relèvent ces diverses disciplines. [Au Sommet de Paris], le Premier	. . . le Canada a fait beaucoup ! . . . domaines ! . . . domaines fascinants ! . . . le Canada joue un rôle important !

ministre Mulroney a dit «[. . .] Notre engagement envers la Francophonie répond à un impératif de notre vie nationale. C'est tout l'espace de la communauté qui, par la Francophonie, est offert comme champ d'épanouissement[1] aux francophones du Québec et des autres provinces.»

. . . engagement impératif!

. . . la communauté canadienne a un vaste espace!

. . . francophones au Québec!

12.3.B Interjections (les interjections)

Interjections are exclamatory words that express surprise, joy, hesitation, annoyance, admiration, and so forth. They usually are used alone or at the beginning of a sentence and far more often in conversation than in writing. The tone of voice is very important and gives a clue to the feeling expressed.

Type	French	English
admiration	**bravo!**	*bravo! great!*
	sensas!	*wow! sensational!*
	super!	*great! super!*
agreement (**accord**)	**d'accord! d'ac!** **entendu!**	*agreed!*
	OK!	*OK! Okay!*
annoyance (**contrariété**)	**bof!**	*phooey!*
	flûte!	*shucks!*
	mince! **zut!**	*heck! darn! damn!*
attention getter (**pour l'attention**)	**au secours!**	*help!*
	dis/dites donc!	*say!*
	écoute/écoutez!	*listen!*
	hé! hé là! hep!	*hey!*
	tiens!	*see! look!*
consequence or expectation	**alors!**	*well! then! so!*
	bref!	*in short*
	eh bien!	*well!*
	eh bien?	*eh?*
disbelief (**doute**)	**allons donc!**	*come on!*
	sans blague!	*no kidding!*
hesitation	**euh. . .**	*um. . ./hum . . .*
indifference	**et alors?!**	*so what?!*

---

[1] **l'épanouissement** *m   blossoming, expansion*

Type	French	English
joy	**chic alors !**	*swell! great!*
(joie)	**chouette !**	
	hurrah ! hourra !	*hurray!*
surprise	**ça, alors !**	*I'll be darned!*
	mazette !	*wow!*
	tiens !	*say!*
miscellaneous	**doucement !**	*easy! slow down!*
	minute !	*just a minute!*
	silence !	*hush! quiet!*
	stop !	*stop!*
	vite !	*quick! hurray!*
	voilà !	*there! that's it!*

Dis donc ! Je ne savais pas que toutes les anciennes colonies françaises d'Afrique avaient choisi le français comme langue officielle. **Super !** C'est impressionnant !
Ah, zut ! L'autobus est encore en retard !
—**Minute**, Jojo ! C'est ta montre qui avance, **voilà** !

Say! I didn't know that all the former French colonies in Africa had chosen French as their official language. Wow! That's impressive!
Oh, darn! The bus is late again!

Just a minute, Jojo! Your watch is fast, that's all!

À votre tour !

Par groupes de deux, jouez les petites scènes suivantes. Pour faire plus naturel, ajoutez les interjections appropriées au ton de chaque scène. Notez que dans certains cas, vous avez plusieurs choix.

1. —Ton père va prendre sa retraite en Nouvelle Calédonie ? ___ (surprise) ! Quelle nouvelle ! Et vous, ses enfants, qu'en pensez-vous ?
   —___ (hésitation), on ne sait pas bien ! On est contents pour lui, il pourra pêcher et nager tous les jours ! Mais c'est si loin de la France !
   —___ (conséquence), vous ne le verrez pas souvent ! Mais quel beau voyage pour aller le voir ! ___ (pour l'attention) ! Aimerais-tu t'installer en Australie ? C'est près de la Nouvelle Calédonie.
   —___ (contrariété) ! Je parle trop mal l'anglais.
2. —___ (doute) ! Vous n'allez pas au Sénégal pour interviewer Senghor ! Vous allez prendre des vacances au soleil.
   —___ (pour l'attention) ! Est-ce que je plaisanterais sur un sujet sérieux ?
   ___ (conséquence) ! Voici sa lettre où il accepte de me rencontrer à Dakar.
   —___ (surprise) ! Mais c'est bien vrai ! ___ (conséquence), quand partez-vous ?

IV Expressing measurements and dates

12.4.A Expressing distance (la distance)—basic unit: the meter

Distance is expressed in the metric system throughout the French-speaking world.

le mètre (m)	1 m
le décimètre (dm)	0,1 m[1]
le centimètre (cm)	0,01 m
le millimètre (mm)	0,001 m
le kilomètre (km)	1 000 m[1]

être à. . . mètres/kilomètres **de**. . . : *to be . . . meters/kilometers from*. . .
il y a. . . kilomètres **de**. . . **à**. . . : *there are . . . kilometers from . . . to* . . .

---

[1] In French, a comma is used where English has a period, and a space (sometimes a period, but it is old-fashioned) where English has a comma.

Un marché plein de couleurs et d'exotisme à Dakar (Sénégal).

Versailles **est à** 23 km **de** Paris.
Il y a 23 km **de** Paris **à** Versailles.
La distance de Paris **à** Versailles **est de** 23 km.

12.4.B Length, width, height

1. *Length* (**la longueur**)

avoir... mètres/centimètres **de long**: *to have a length of*... *meters/centimeters*
être long(ue) de... mètres/centimètres: *to be*... *meters/centimeters long*
Sa longueur est de... kilomètres/mètres.: *Its length is*... *kilometers/meters.*

La Loire **est longue de 1 000 km**.
La Loire **a 1 000 km de long**.
Sa longueur est de 1 000 km.

2. *Width* (**la largeur**)

avoir... mètres/décimètres **de large**: *to have a width of*... *meters/decimeters*
Sa largeur est de... mètres: *Its width is*... *meters.*
être large de... centimètres/millimètres/etc.: *to be*... *centimeters/millimeters/etc.*
wide

Cette rue **a 4 m de large**.
Elle **est large de 4 m**.
La largeur de la rue **est de 4 m**.

3. *Height* (**la hauteur**)

avoir... mètres **de haut**: *to have a height of*... *meters*
être haut(e) de... mètres: *to be*... *meters high*
Sa hauteur est de... mètres: *Its height is*... *meters.*

La tour Eiffel **a 300 m de haut**.
Elle **est haute de 300 m**.
Sa hauteur est de 300 m.

12.4.C. Expressing weight and capacity

1. *Weight* (**le poids**)—**basic unit: the gram**

Weight is expressed in the metric system throughout the French-speaking world.

le gramme (g)	1 g
le décigramme (dg)	0,1 g
le centigramme (cg)	0,01 g
le milligramme (mg)	0,001 g
le kilo(gramme) (kg)	1 000 g
la livre	500 g
la demi-livre	250 g

peser. . . grammes/kilogrammes: *to weigh . . . grams/kilograms*

Elle pèse 52 kilos.
Son poids est de 52 kilos.

2. *Capacity* (**la capacité**)—**basic unit: the liter**

In the French-speaking world, capacity is expressed in the metric system.

le litre (1)	1 l
le décilitre (dl)	0,1 l
le centilitre (cl)	0,01 l
le millilitre (ml)	0,001 l
le décalitre (dal)	10 l
l'hectolitre (hl)	100 l

contenir. . . centilitres/litres: *to contain . . . centiliters/liters*

Cette bouteille **contient** 0,75 litre ou 75 centilitres.
Le tonneau (*cask*) **contient** 50 litres de vin.
La capacité du tonneau **est de** 50 litres.

À votre tour!

A. Exprimez de deux manières différentes pour chaque groupe les distances entre les villes suivantes.

Paris-Chartres (93 km), Paris-Lille (223 km), Paris-Rouen (123 km), Tours-Bordeaux (327 km), Lyon-Nice (480 km), Paris-Genève (509 km)

B. Pour chacun des objets suivants, donnez leurs trois dimensions en vous référant aux dessins. Variez la forme de vos réponses selon les exemples donnés dans la section 12.4.B.

1. une table de style Louis XIII (Louis treize)

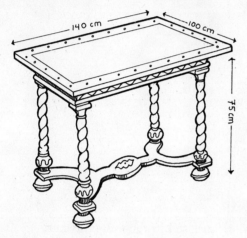

(en cm: 140 × 100 × 75) Donnez les dimensions en centimètres puis en mètres.

2. une commode de style Louis XV (Louis quinze)

(en cm: 115 × 60 × 90) Donnez les dimensions en centimètres puis en mètres.

C. Exprimez de deux manières différentes pour chacun la longueur des grands fleuves de France.

la Loire: 1 000 km   la Garonne: 647 km
le Rhône: 812 km   la Seine: 776 km

D. Exprimez de deux manières différentes pour chacun la hauteur des monuments suivants.

la pyramide de Chéops (138 m)
les tours de Notre-Dame de Paris (69 m)
l'arc de triomphe de l'Étoile (50 m)
les Invalides à Paris (110 m)
le Panthéon à Paris (83 m)

E. Donnez le poids, en kilos et en livres, des personnes et objets suivants.

Mlle Lucie (56 kg)   M. Duparc (85 kg)   un sac de pommes (10 kg)

un dictionnaire (2,5 kg)   un tonneau de vin
de Bourgogne (38 kg)

F. Donnez la capacité, en centilitres et en litres, des objets suivants.

une carafe à liqueur (75 cl)   une cafetière (1,5 l)   un magnum de champagne (21)   un flacon de parfum (50 ml)

G. Quelle est votre taille[2] ?

1. Dites si vous êtes de petite taille, de taille moyenne ou de grande taille. Donnez votre poids en kilos.
2. Pour être précis, donnez aussi votre taille exacte en mètres. Utilisez la table de conversion suivante.

pieds et pouces[3]	5-3	5-4	5-5	5-6	5-7	5-8	5-9	5-10	5-11	6-0	6-1	6-2	6-3
mètres	1,60	1,62	1,65	1,67	1,70	1,72	1,75	1,77	1,80	1,83	1,85	1,88	1,90

3. Et maintenant, si vous êtes marié(e), donnez la taille de votre femme/mari. Si vous n'êtes pas marié(e), dites quelle taille vous aimeriez que votre femme/mari ait. Cette taille est-elle plus grande, plus petite ou la même que la vôtre ?

12.4.D Expressing dates (la date)

1. Asking for the date can be done in any of three ways.

Quelle date est-ce aujourd'hui ?   *What date is it today?*
Quelle date sommes-nous aujourd'hui ?   *What date are we today?*
Quelle est la date aujourd'hui ?   *What's the date today?*

---

[2] **la taille**   *size, height* (of a person)
[3] **le pied**   *foot;* **le pouce**   *inch*

The answer can be phrased as follows.

Aujourd'hui, c'est **le 5 juin 1988**.   *Today is June 5, 1988.*

Aujourd'hui, nous sommes **le 5 juin 1988**.   *(Today we are June 5, 1988.)*
Today is June 5, 1988.

Note the use of the definite article **le** before the date. Note also the proper order for the date itself: day + month + year (no comma after the month).

2. Dating a letter or a document is done as follows:

le 1er janvier 1988   or   **le 1-1-1988**   or   **le 1-I-1988**
le 5 juin 1988   or   **le 5-6-1988**   or   **le 5-VI-1988**

À votre tour !

A. Donnez les dates suivantes.

1. votre date de naissance
2. la date de naissance de votre père
3. la date de naissance de Charles de Gaulle
4. la date de naissance de George Washington
5. la date de la fête nationale française
6. la date de la fête nationale américaine
7. la date de Noël
8. la date de la découverte de l'Amérique par Christophe Colomb.

B. Josiane était en voyage. À son retour, elle a plusieurs lettres à écrire.

1. Aujourd'hui, mercredi 3 mai, elle en écrit deux. Quelle date écrit-elle en haut de la page ?
2. Il y a deux jours, elle avait écrit la première lettre. Quelle date a-t-elle donnée ?
3. Hier, elle a écrit une autre lettre. Quelle date a-t-elle donnée ?
4. Josiane va écrire une autre lettre demain. Quelle date donnera-t-elle ?
5. Fatiguée de toute cette correspondance, Josiane décide d'écrire la dernière lettre dans une semaine. Quelle sera la date qu'elle mettra en haut de la page ?

Vue d'ensemble

I À vous la parole !

A. Parlez de vous-même ! Depuis les années cinquante[1], beaucoup de mots anglais (du vocabulaire de la technologie et de la vie moderne et aussi du vocabulaire des jeunes) sont passés dans la langue française. Le gouvernement français s'inquiète de cela : on a peur que le français perde sa «pureté» et devienne un hybride de l'américain. Le gouvernement, avec l'aide de l'Académie française, donne des traductions officielles de tous les mots anglais et exige qu'elles soient utilisées par tous.

[1] les années cinquante/soixante/quatre-vingts   *the fifties/sixties/eighties*

1. Que pensez-vous de cette invasion de mots américains dans le français ? Est-ce un danger d'avoir trop de mots étrangers ?
2. Que pensez-vous de l'attitude du gouvernement français ? A-t-on raison de s'inquiéter ?
3. Si vous étiez ministre de l'éducation en France, laisseriez-vous les étudiants s'exprimer de la manière qui leur plaît même si ce langage était un mélange de français et d'anglais ? Justifiez votre opinion.
4. On a dit que la «pureté» d'une langue était un mythe. Que pensez-vous de cela ?
5. L'anglais devient de plus en plus une langue internationale. Pensez-vous qu'un jour tout le monde parle anglais en plus d'une langue maternelle ? Croyez-vous que ce soit une bonne chose ? Pourquoi ?
6. On a dit qu'un pays qui ne conservait pas sa langue nationale perdait son identité. Donnez votre réaction à cette idée.
7. Dans tout le Canada, environ 60% de la population parle français et anglais. Voyez-vous des avantages à cette situation ? Des désavantages ? Donnez clairement votre opinion.
8. Le français est l'une des six langues officielles de l'Organisation des Nations Unies. Nommez les cinq autres langues. Dites également ce que ce choix (des six langues) indique pour vous.
9. Le français est la langue première d'environ 140 millions de personnes dans le monde, dont 57 millions sont les Français. Pouvez-vous nommer dix autres pays (sans regarder la carte de la francophonie donnée dans ce chapitre) où le français est parlé couramment ? Si nécessaire, consultez cette carte mais promettez que vous apprendrez les noms de quinze pays francophones ! (Vous établirez une liste de quinze pays et vous la remettrez à votre professeur).
10. Il y a aussi un certain nombre de mots (et expressions) français qui sont passés dans la langue anglaise et qui sont dans le vocabulaire de la vie courante. Nommez-en quinze.

B. **Obtenez des renseignements !** Demandez à la personne près de vous...

1. quel serait son choix s'il/si elle pouvait passer six mois dans un pays francophone, et pourquoi ce choix.
2. s'il/si elle sait comment les Français appellent ce langage hybride qui est un mélange de français et d'anglais.
3. s'il/si elle a eu l'occasion de rencontrer des Québécois et a parlé français avec eux.
4. s'il/si elle a visité la Nouvelle Orléans et le Quartier français et s'il/si elle a aimé l'ambiance. Sinon, aimerait-il/elle y aller, et pourquoi ?
5. ce que l'idée de «francophonie» représente pour lui/elle (simplement le fait de parler français ou beaucoup plus et quoi).
6. ce qu'il/elle changerait (simplifierait ? éliminerait ?) dans la grammaire française pour la rendre plus facile et de cette manière augmenter le nombre de gens qui choisissent le français comme langue seconde.
7. s'il/si elle est d'accord avec l'Académie française pour dire qu'il faut traduire en français tous les mots étrangers qui passent dans la langue. Sinon, demandez-lui de justifier son opinion.

8. ce qu'il/elle pense de la déclaration faite par François Mitterrand, le Président de la République, selon laquelle «la France est engagée dans une guerre avec la langue anglo-saxonne».
9. ce qu'il/elle pense de la décision du Premier ministre Jacques Chirac d'avoir les premiers «Jeux athlétiques francophones internationaux» au Maroc en 1989.
10. s'il/si elle sait pourquoi l'année 1989 est *très* importante pour les Français (pour l'aider, dites-lui de penser à la grande Révolution française).

II En scène !

Vous et vos camarades de classe allez jouer quelques «moments» ou discussions du sommet de la Francophonie. Pour chaque moment, un(e) étudiant(e) présentera le sujet ou l'idée et trois ou quatre autres étudiants lui poseront des questions (auxquelles il faudra répondre) et apporteront des arguments pour ou contre l'idée présentée. Pour l'idée suivante, un nouveau groupe d'étudiants fera la présentation. Voici plusieurs idées importantes à discuter. À vous d'en trouver d'autres.

—comment une même langue partagée par différentes nations sert à les unir
—les avantages du bilinguisme au Canada
—pourquoi la langue est un élément essentiel de la culture d'un pays
—l'avenir du français comme langue de communication face à l'anglais et à l'espagnol
—la requête de l'Égypte pour la création d'une université francophone
—le français comme langue diplomatique

III Soyez créateurs !

Les Nations Unies ont une charte qui établit les principes sur lesquels elles sont organisées et les buts qu'elles se proposent d'atteindre. Votre projet est d'établir une Charte de la Francophonie.

Travail en groupe. Divisez la classe en groupes de cinq ou six étudiants et dans chaque groupe, préparez un projet de charte. Établissez des buts et suggérez des moyens de les réaliser. Pour avoir quelques indications sur ces buts, référez-vous à l'exercice de la section 12.3.A qui vous a donné un extrait d'un reportage officiel canadien sur les récents sommets de la Francophonie. Chaque groupe présentera son projet de charte devant toute la classe qui pourra, une fois tous les projets présentés, incorporer les idées exprimées et préparer une version finale de cette charte.

Appendix A

LITERARY TENSES

Passé simple
Passé antérieur
Imparfait subjunctive
Plus-que-parfait subjunctive

Literary tenses (les temps littéraires)

The literary tenses are the **passé simple** and **passé antérieur** of the indicative mood, and the **imparfait** and **plus-que-parfait** of the subjunctive. The two subjunctive tenses are found only in the most formal type of the written language and even then are extremely rare in modern French. The **passé simple** and **passé antérieur** are also used in oral French, but only in the **il/ils** forms and sometimes in the **je** form.

I Passé simple

The **passé simple** is a past tense of the indicative mood. Its advantage is that it is a simple tense, as opposed to the compound tenses that always require an auxiliary + past participle construction. Therefore, the problem of the agreement of the past participle does not arise for the **passé simple**. Its unpleasant, ungraceful sounds (particularly the **nous** and **vous** forms) contributed to its demise. It is now replaced by the **passé composé**.

A. Forms

1. Regular verbs

	parler	finir	rendre
je	parlai[1]	finis	rendis
tu	parlas	finis	rendis
il, elle	parla	finit	rendit
nous	parlâmes	finîmes	rendîmes
vous	parlâtes	finîtes	rendîtes
ils, elles	parlèrent	finirent	rendirent

2. Irregular verbs

Most irregular verbs derive their **passé simple** from their past participles. Their endings have either the vowel **u** (sound /y/) or the vowel **i** (sound /i/).

Infinitive	Past participle	Passé simple
	with the vowel **u** (sound /y/)	
avoir[2]	eu	j'**eus**
boire	bu	je **bus**

---

[1] Verbs in **-cer** and **-ger** have **-ç-** and **-ge-**, respectively, in all forms except **ils: il força, nous mangeâmes**, but **ils annoncèrent, ils changèrent**.
[2] The forms are **eus, eus, eut, eûmes, eûtes, eurent**.

Infinitive	Past participle	Passé simple
	with the vowel **u** (sound /y/)	
connaître	connu	je connus
courir	couru	je courus
croire	cru	je crus
devoir	dû	je dus
falloir	fallu	il fallut
lire	lu	je lus
plaire	plu	je plus
pleuvoir	plu	il plut
pouvoir	pu	je pus
recevoir	reçu	je reçus
savoir	su	je sus
se taire	tu	je me tus
valoir	valu	je valus
vivre	vécu	je vécus
vouloir	voulu	je voulus
	with the vowel **i** (sound /i/)	
asseoir	assis	j'assis
dire	dit	je dis
dormir[3]	dormi	je dormis
mettre	mis	je mis
prendre	pris	je pris
rire	ri	je ris
suivre	suivi	je suivis

Some verbs do not derive their **passé simple** from the past participle.

Infinitive	Passé simple
	with the vowel **u** (sound /y/)
être	je fus
mourir	je mourus

[3] Verbs in this group are **mentir**, **sentir**, **servir**, **sortir**.

Infinitive	Passé simple
	with the vowel **i** (sound /i/)
conduire[4]	je **conduisis**
craindre[5]	je **craignis**
écrire	j'**écrivis**
faire	je **fis**
naître	je **naquis**
offrir[6]	j'**offris**
voir	je **vis**
	with the nasal vowel **in** (sound /ɛ̃/)
tenir	je **tins**[7]
venir	je **vins**

«**Il resta** toutefois assez de bateaux pour continuer la guerre de course où **s'illustrèrent** Jean Bart et Duquesne.» (Duc de Castries)

There were, however, enough ships left to go on with the racing war where Jean Bart and Duquesne distinguished themselves.

«**Il l'ouvrit** [son bec] pour bien moins: tout **alla** de façon / Qu'**il ne vit plus** aucun poisson.» (La Fontaine, *Le héron*)

He opened it (his beak) for much less: it turned out / That he didn't see any more fish.

II Passé antérieur

The **passé antérieur** (anterior past) is a past tense of the indicative mood. It is a compound tense, requiring the **passé simple** form of an auxiliary (either **avoir** or **être**) + the past participle. In contemporary speech the **je**, **il**, **ils** forms are the only ones used, and not frequently.

j'eus parlé	il eut fini	ils eurent rendu
j'eus dit	il eut reçu	ils eurent tenu
je fus monté	il fut sorti	ils se furent levés

It is used much like the **plus-que-parfait**, to refer to an event or condition that took

[4] All verbs in **-uire**.
[5] All verbs in **-aindre/-eindre/-oindre**.
[6] Verbs in this group are **ouvrir, couvrir, découvrir, souffrir**.
[7] The forms are **tins, tins, tint, tînmes, tîntes, tinrent**.

place in the past prior to another one in the past. When such a situation occurs, the **passé antérieur** is used with the **passé simple** to keep a symmetry (**concordance**) in the tense usage.

Quand **il eut fini** son repas, **il sortit** au jardin.

When he had finished his meal, he went out in the garden.

The previous example would be expressed differently by a French person today:

Quand **il a eu fini** son repas, **il est sorti** au jardin.

The **passé simple sortit** becomes the **passé composé est sorti**; the **passé antérieur eut fini** becomes a tense known as **passé surcomposé, il a eu fini**. Note that in the **passé surcomposé**, the auxiliary is in the **passé composé** (replacing the **passé simple**). Another example, and its rendition in everyday French, will demonstrate how the **passé surcomposé** works.

Après qu'il fut parti, les invités **commentèrent** son livre.

After he had left, the guests commented on his book.

This sentence changes to:

Après qu'**il a été parti**, les invités **ont commenté** son livre.

fut	**parti** →	**a été** **parti**
(**p. simple** + past part.)		(**p. composé** + past part.)
commentèrent	→	**ont commenté**
(**passé simple**)		(**passé composé**)

III Imparfait **subjunctive**

The **imparfait** subjunctive (**le subjonctif imparfait**) is no longer in current use, but because it appears in literary texts through the early 20th century, one must be able to recognize it. It is formed on the **passé simple**.

Passé simple	Imparfait subjunctive
tu parlas	que tu parl**asses**
tu finis	que tu fin**isses**
tu rendis	que tu rend**isses**
tu eus	que tu e**usses**
tu fus	que tu f**usses**
tu dus	que tu d**usses**
tu mis	que tu m**isses**
tu vins	que tu v**insses**

The full conjugations of a few verbs may serve as a sample.

		parler	finir	avoir	être	venir
que	je	parlasse	finisse	eusse	fusse	vinsse
que	tu	parlasses	finisses	eusses	fusses	vinsses
qu'	il	parlât	finît	eût	fût	vînt
que	nous	parlassions	finissions	eussions	fussions	vinssions
que	vous	parlassiez	finissiez	eussiez	fussiez	vinssiez
qu'	ils	parlassent	finissent	eussent	fussent	vinssent

«Je pensais qu'à l'amour son cœur toujours fermé / **Fût** contre tout mon sexe également armé.» (Racine, *Phèdre*)

I thought that his heart, to love always closed, / Would be to all women equally opposed. (*Racine*, Phaedra)

«Quel mensonge déprimant était-elle en train de faire à Swann pour qu'elle **eût** ce regard douloureux. . . ? »(Proust, *Du côté de chez Swann*)[8]

What so depressing a lie was she telling Swann that she would have that pained look in her eyes . . . ? (*Proust*, Swann's Way)

The **imparfait** subjunctive is now replaced by the present subjunctive. Thus, the formal sentence. . .

Nous aurions préféré **qu'il fît** bonne impression au duc.

We would have preferred that he make a good impression on the duke.

becomes in contemporay French:

Nous aurions préféré **qu'il fasse** bonne impression au duc.

A second example shows the same tense substitution, from the formal. . .

Je doutais **qu'il fût** vraiment malade.

I doubted that he was truly sick.

to the current form

Je doutais **qu'il soit** vraiment malade.

IV Plus-que-parfait **subjunctive**

Because it is a compound tense, the **plus-que-parfait** subjunctive (**le subjonctif plus-que-parfait**) is formed with the **imparfait** subjunctive of the auxiliary + past participle.

que j'eusse donné/fini   que tu eusses vendu/dit
qu'il eut fait/lu   que nous fussions allé(e)s/parti(e)s
que vous eussiez mis/vu   qu'elles fussent nées/venues

---

[8] **Marcel Proust** est l'auteur d'un très long roman autobiographique, *À la recherche du temps perdu* (Remembrance of Things Past).

«La vue de la petite madeleine ne
m'avait rien rappelé avant que **je
n'y eusse goûté**. . . »
(Proust, *Du côté de chez Swann)*

*The sight of the little madeleine
cake did not remind me of anything
before I had tasted it. . . .*
(*Proust,* Swann's Way)

The **plus-que-parfait** subjunctive is replaced today by the past subjunctive. In the previous example, **avant que je n'y eusse goûté** would be expressed **avant que je n'y aie goûté**.

A second example shows tense substitution, from the formal. . .

Avant **qu'il ne fût parti**, les gens
l'avaient déjà condamné.

*Before he had left, people had
already condemned him.*

to the current form

Avant **qu'il ne soit parti**, les gens l'avaient déjà condamné.

Appendix B

CONJUGATION TABLES

Auxiliaries **avoir** and **être**
Regular verbs
    aider, agir, vendre
    entrer, se laver, être aidé
    -er verbs with orthographic changes
Irregular verbs

aller	**écrire**	**prendre**
asseoir	**envoyer**	**recevoir**
boire	**faire**	**rire**
conduire	**falloir**	**savoir**
connaître	**lire**	**suivre**
courir	**mettre**	**tenir**
craindre	**mourir**	**valoir**
croire	**naître**	**vivre**
cueillir	**ouvrir**	**voir**
devoir	**plaire**	**vouloir**
dire	**pleuvoir**	
dormir	**pouvoir**	

Verbes actifs

INFINITIF PARTICIPES		INDICATIF		
Présent et passé		**Présent**	**Imparfait**	**Futur**

Verbes auxiliaires avoir, être

avoir	j'	ai	avais	aurai
	tu	as	avais	auras
ayant	il, elle	a	avait	aura
eu	nous	avons	avions	aurons
	vous	avez	aviez	aurez
	ils, elles	ont	avaient	auront
être	je	suis	étais	serai
	tu	es	étais	seras
étant	il, elle	est	était	sera
été	nous	sommes	étions	serons
	vous	êtes	étiez	serez
	ils, elles	sont	étaient	seront

Verbes réguliers : aider, agir, vendre

aider	j'	aide	aidais	aiderai
	tu	aides	aidais	aideras
aidant	il, elle	aide	aidait	aidera
aidé	nous	aidons	aidions	aiderons
	vous	aidez	aidiez	aiderez
	ils, elles	aident	aidaient	aideront
agir	j'	agis	agissais	agirai
	tu	agis	agissais	agiras
agissant	il, elle	agit	agissait	agira
agi	nous	agissons	agissions	agirons
	vous	agissez	agissiez	agirez
	ils, elles	agissent	agissaient	agiront
vendre	je	vends	vendais	vendrai
	tu	vends	vendais	vendras
vendant	il, elle	vend	vendait	vendra
vendu	nous	vendons	vendions	vendrons
	vous	vendez	vendiez	vendrez
	ils, elles	vendent	vendaient	vendront

INDICATIF			IMPÉRATIF	CONDITIONNEL	SUBJONCTIF
Passé simple	Passé composé			Présent	Présent
eus	ai	eu		aurais	aie
eus	as	eu	aie	aurais	aies
eut	a	eu		aurait	ait
eûmes	avons	eu	ayons	aurions	ayons
eûtes	avez	eu	ayez	auriez	ayez
eurent	ont	eu		auraient	aient
fus	ai	été		serais	sois
fus	as	été	sois	serais	sois
fut	a	été		serait	soit
fûmes	avons	été	soyons	serions	soyons
fûtes	avez	été	soyez	seriez	soyez
furent	ont	été		seraient	soient
aidai	ai	aidé		aiderais	aide
aidas	as	aidé	aide	aiderais	aides
aida	a	aidé		aiderait	aide
aidâmes	avons	aidé	aidons	aiderions	aidions
aidâtes	avez	aidé	aidez	aideriez	aidiez
aidèrent	ont	aidé		aideraient	aident
agis	ai	agi		agirais	agisse
agis	as	agi	agis	agirais	agisses
agit	a	agi		agirait	agisse
agîmes	avons	agi	agissons	agirions	agissions
agîtes	avez	agi	agissez	agiriez	agissiez
agirent	ont	agi		agiraient	agissent
vendis	ai	vendu		vendrais	vende
vendis	as	vendu	vends	vendrais	vendes
vendit	a	vendu		vendrait	vende
vendîmes	avons	vendu	vendons	vendrions	vendions
vendîtes	avez	vendu	vendez	vendriez	vendiez
vendirent	ont	vendu		vendraient	vendent

INFINITIF PARTICIPES		INDICATIF		
Présent et passé		Présent	Imparfait	Futur

Verbes avec l'auxiliaire être : entrer

		Présent	Imparfait	Futur
entrer	j'	entre	entrais	entrerai
	tu	entres	entrais	entreras
entrant	il, elle	entre	entrait	entrera
entré	nous	entrons	entrions	entrerons
	vous	entrez	entriez	entrerez
	ils, elles	entrent	entraient	entreront

Verbes pronominaux : se laver

		Présent	Imparfait	Futur
se laver	je	me lave	me lavais	me laverai
	tu	te laves	te lavais	te laveras
se lavant	il, elle	se lave	se lavait	se lavera
lavé	nous	nous lavons	nous lavions	nous laverons
	vous	vous lavez	vous laviez	vous laverez
	ils, elles	se lavent	se lavaient	se laveront

Verbes au passif : être aidé

INFINITIF PARTICIPES		INDICATIF					
Présent et passé		Présent		Imparfait		Futur	
être aidé	je	suis	aidé(e)	étais	aidé(e)	serai	aidé(e)
	tu	es	aidé(e)	étais	aidé(e)	seras	aidé(e)
étant aidé	il, elle	est	aidé(e)	était	aidé(e)	sera	aidé(e)
aidé	nous	sommes	aidé(e)s	étions	aidé(e)s	serons	aidé(e)s
	vous	êtes	aidé(e)(s)	étiez	aidé(e)(s)	serez	aidé(e)(s)
	ils, elles	sont	aidé(e)s	étaient	aidé(e)s	seront	aidé(e)s

		CONDITIONNEL			
		Présent		Passé	
	je	serais	aidé(e)	aurais	été aidé(e)
	tu	serais	aidé(e)	aurais	été aidé(e)
	il, elle	serait	aidé(e)	aurait	été aidé(e)
	nous	serions	aidé(e)s	aurions	été aidé(e)s
	vous	seriez	aidé(e)(s)	auriez	été aidé(e)(s)
	ils, elles	seraient	aidé(e)s	auraient	été aidé(e)s

	INDICATIF			IMPÉRATIF	CONDITIONNEL	SUBJONCTIF
Passé simple		Passé composé			Présent	Présent
entrai	suis	entré(e)			entrerais	entre
entras	es	entré(e)		entre	entrerais	entres
entra	est	entré(e)			entrerait	entre
entrâmes	sommes	entré(e)s		entrons	entrerions	entrions
entrâtes	êtes	entré(e)(s)		entrez	entreriez	entriez
entrèrent	sont	entré(e)s			entreraient	entrent
me lavai	me suis	lavé(e)			me laverais	me lave
te lavas	t'es	lavé(e)		lave-toi	te laverais	te laves
se lava	s'est	lavé(e)			se laverait	se lave
nous lavâmes	nous sommes	lavé(e)s		lavons-nous	nous laverions	nous lavions
vous lavâtes	vous êtes	lavé(e)(s)		lavez-vous	vous laveriez	vous laviez
se lavèrent	se sont	lavé(e)s			se laveraient	se lavent

	INDICATIF				INDICATIF		
Passé simple		Passé composé		Plus-que-parfait		Futur antérieur	
fus	aidé(e)	ai	été aidé(e)	avais	été aidé(e)	aurai	été aidé(e)
fus	aidé(e)	as	été aidé(e)	avais	été aidé(e)	auras	été aidé(e)
fut	aidé(e)	a	été aidé(e)	avait	été aidé(e)	aura	été aidé(e)
fûmes	aidé(e)s	avons	été aidé(e)s	avions	été aidé(e)s	aurons	été aidé(e)s
fûtes	aidé(e)(s)	avez	été aidé(e)(s)	aviez	été aidé(e)(s)	aurez	été aidé(e)(s)
furent	aidé(e)s	ont	été aidé(e)s	avaient	été aidé(e)s	auront	été aidé(e)s

	SUBJONCTIF			IMPÉRATIF	
Présent		Passé			
sois	aidé(e)	aie	été aidé(e)		
sois	aidé(e)	aies	été aidé(e)	sois	aidé(e)
soit	aidé(e)	ait	été aidé(e)		
soyons	aidé(e)s	ayons	été aidé(e)s	soyons	aidé(e)s
soyez	aidé(e)(s)	ayez	été aidé(e)(s)	soyez	aidé(e)(s)
soient	aidé(e)s	aient	été aidé(e)s		

Changements orthographiques des verbes en -er

INFINITIF PARTICIPE	INDICATIF			IMPÉRATIF
Présent	Présent	Imparfait	Passé simple	

1. Verbes en -cer, -ger : placer, changer

placer	place	plaçais	plaçai	
	places	plaçais	plaças	place
plaçant	place	plaçait	plaça	
	plaçons	placions	plaçâmes	plaçons
	placez	placiez	plaçâtes	placez
	placent	plaçaient	placèrent	
changer	change	changeais	changeai	
	changes	changeais	changeas	change
changeant	change	changeait	changea	
	changeons	changions	changeâmes	changeons
	changez	changiez	changeâtes	changez
	changent	changeaient	changèrent	

INFINITIF	INDICATIF		IMPÉRATIF	CONDITIONNEL
	Présent	Futur		Présent

2. Verbes en -yer : employer (le -y- devient -i-)

employer	emploie	emploierai		emploierais
	emploies	emploieras	emploie	emploierais
	emploie	emploiera		emploierait
	employons	emploierons	employons	emploierions
	employez	emploierez	employez	emploieriez
	emploient	emploieront		emploieraient

3. Verbes en -eler, -eter : appeler, jeter (la consonne est doublée)

appeler	apelle	appellerai		appellerais
	apelles	appelleras	appelle	appellerais
	apelle	appellera		appellerait
	apelons	appellerons	appelons	appellerions
	apelez	appellerez	appelez	appelleriez
	apellent	appelleront		appelleraient

Présent

-cer verbs

annoncer	divorcer	menacer	renoncer
avancer	effacer	placer	sucer
commencer	forcer	prononcer	tracer
dénoncer	influencer	remplacer	
déplacer	lancer	renforcer	

-ger verbs

aménager	corriger	encourager	mélanger	partager
arranger	déménager	engager	nager	plonger
bouger	diriger	exiger	négliger	protéger
changer	échanger	juger	neiger	ranger
charger	emménager	manger	obliger	voyager

emploie	**-ayer** verbs	**-oyer** verbs		**-uyer*** verbs
emploies	balayer	aboyer	nettoyer	appuyer
emploi	effrayer	choyer	tutoyer	ennuyer
employions	essayer	déployer	vouvoyer	essuyer
employiez	payer	employer		
emploient	rayer	envoyer		

*Verbs in **-uyer** have the same changes as **employer**. So do verbs in **-ayer**, but these may keep the **-y-** in all cases.

appelle	**-eler** verbs
appelles	
appelle	appeler
appelions	épeler
appeliez	rappeller
appellent	renouveler

INFINITIF	INDICATIF		IMPÉRATIF	CONDITIONNEL
	Présent	Futur		Présent
jeter	jette	jetterai		jetterais
	jettes	jetteras	jette	jetterais
	jette	jettera		jetterait
	jetons	jetterons	jetons	jetterions
	jetez	jetterez	jetez	jetteriez
	jettent	jetteront		jetteraient

4. Verbes en **-eler, -eter : geler, acheter** (le **-e-** est accentué et devient **-è-**)

geler	gèle	gèlerai		gèlerais
	gèles	gèleras	gèle	gèlerais
	gèle	gèlera		gèlerait
	gelons	gèlerons	gelons	gèlerions
	gelez	gèlerez	gelez	gèleriez
	gèlent	gèleront		gèleraient
acheter	achète	achèterai		achèterais
	achètes	achèteras	achète	achèterais
	achète	achètera		achèterait
	achetons	achèterons	achetons	achèterions
	achetez	achèterez	achetez	achèteriez
	achètent	achèteront		achèteraient

5. Verbes en **-er : mener** (le **-e-** devient **-è-**)

mener	mène	mènerai		mènerais
	mènes	mèneras	mène	mènerais
	mène	mènera		mènerait
	menons	mènerons	menons	mènerions
	menez	mènerez	menez	mèneriez
	mènent	mèneront		mèneraient

6. Verbes en **é(.)er : espérer** (le **-é-** reste **-é-** ou devient **-è-**)

espérer	espère	espérerai		espérerais
	espères	espéreras	espère	espérerais
	espère	espérera		espérerait
	espérons	espérerons	espérons	espérerions
	espérez	espérerez	espérez	espéreriez
	espèrent	espéreront		espéreraient

Présent

jette   **-eter** verbs
jettes
jette   cacheter   jeter
jetions   décacheter   projeter
jetiez   épousseter   rejeter
jettent

---

gèle   **-eler** verbs
gèles
gèle   congeler   modeler
gelions   dégeler   peler
geliez   geler   surgeler
gèlent

achète   **-eter** verbs like **acheter**
achètes
achète   acheter
achetions   haleter
achetiez   racheter
achètent

---

mène   **-er** verbs like **mener**
mènes
mène   achever   élever — lever   promener
menions   amener   emmener   mener   semer
meniez   crever   enlever   peser   surmener
mènent

---

espère   **-er** verbs like **espérer**
espères
espère   céder   inquiéter   régler
espérions   célébrer   pénétrer   régner
espériez   compléter   posséder   répéter
espèrent   conférer   précéder   révéler
                                 considérer   préférer   sécher
                                 espérer   refléter   suggérer

Verbes irréguliers

INFINITIF PARTICIPES	VERBES DU GROUPE		INDICATIF		
Présent et passé			Présent	Imparfait	Futur
aller[1]	s'en aller[1]	je	vais	allais	irai
		tu	vas	allais	iras
allant		il, elle	va	allait	ira
allé		nous	allons	allions	irons
		vous	allez	alliez	irez
		ils, elles	vont	allaient	iront
asseoir	s'asseoir[1]	j'	assieds	asseyais	assiérai
		tu	assieds	asseyais	assiéras
asseyant		il, elle	assied	asseyait	assiéra
assis		nous	asseyons	asseyions	assiérons
		vous	asseyez	asseyiez	assiérez
		ils, elles	asseyent	asseyaient	assiéront
boire		je	bois	buvais	boirai
		tu	bois	buvais	boiras
buvant		il, elle	boit	buvait	boira
bu		nous	buvons	buvions	boirons
		vous	buvez	buviez	boirez
		ils, elles	boivent	buvaient	boiront
conduire	construire	je	conduis	conduisais	conduirai
	cuire	tu	conduis	conduisais	conduiras
conduisant	détruire	il, elle	conduit	conduisait	conduira
conduit	instruire	nous	conduisons	conduisions	conduirons
	produire	vous	conduisez	conduisiez	conduirez
	traduire	ils, elles	conduisent	conduisaient	conduiront
connaître	apparaître	je	connais	connaissais	connaîtrai
	disparaître	tu	connais	connaissais	connaîtras
connaissant	reconnaître	il, elle	connaît	connaissait	connaîtra
connu	reparaître	nous	connaissons	connaissions	connaîtrons
		vous	connaissez	connaissiez	connaîtrez
		ils, elles	connaissent	connaissaient	connaîtront
courir	accourir	je	cours	courais	courrai
	encourir	tu	cours	courais	courras
courant		il, elle	court	courait	courra
couru		nous	courons	courions	courrons
		vous	courez	couriez	courrez
		ils, elles	courent	couraient	courront

[1] Conjugated with **être**.

INDICATIF			IMPÉRATIF	CONDITIONNEL	SUBJONCTIF
Passé simple	Passé composé			Présent	Présent
allai	suis	allé(e)		irais	aille
allas	es	allé(e)	va	irais	ailles
alla	est	allé(e)		irait	aille
allâmes	sommes	allé(e)s	allons	irions	allions
allâtes	êtes	allé(e)(s)	allez	iriez	alliez
allèrent	sont	allé(e)s		iraient	aillent
assis	ai	assis		assiérais	asseye
assis	as	assis	assieds	assiérais	asseyes
assit	a	assis		assiérait	asseye
assîmes	avons	assis	asseyons	assiérions	asseyions
assîtes	avez	assis	asseyez	assiériez	asseyiez
assirent	ont	assis		assiéraient	asseyent
bus	ai	bu		boirais	boive
bus	as	bu	bois	boirais	boives
but	a	bu		boirait	boive
bûmes	avons	bu	buvons	boirions	buvions
bûtes	avez	bu	buvez	boiriez	buviez
burent	ont	bu		boiraient	boivent
conduisis	ai	conduit		conduirais	conduise
conduisis	as	conduit	conduis	conduirais	conduises
conduisit	a	conduit		conduirait	conduise
conduisîmes	avons	conduit	conduisons	conduirions	conduisions
conduisîtes	avez	conduit	conduisez	conduiriez	conduisiez
conduisirent	ont	conduit		conduiraient	conduisent
connus	ai	connu		connaîtrais	connaisse
connus	as	connu	connais	connaîtrais	connaisses
connut	a	connu		connaîtrait	connaisse
connûmes	avons	connu	connaissons	connaîtrions	connaissions
connûtes	avez	connu	connaissez	connaîtriez	connaissiez
connurent	ont	connu		connaîtraient	connaissent
courus	ai	couru		courrais	coure
courus	as	couru	cours	courrais	coures
courut	a	couru		courrait	coure
courûmes	avons	couru	courons	courrions	courions
courûtes	avez	couru	courez	courriez	couriez
coururent	ont	couru		courraient	courent

INFINITIF PARTICIPES	VERBES DU GROUPE		INDICATIF		
Présent et passé			Présent	Imparfait	Futur
craindre	atteindre	je	crains	craignais	craindrai
	éteindre	tu	crains	craignais	craindras
craignant	joindre	il, elle	craint	craignait	craindra
craint	peindre	nous	craignons	craignions	craindrons
	plaindre	vous	craignez	craigniez	craindrez
	teindre	ils, elles	craignent	craignaient	craindront
croire		je	crois	croyais	croirai
		tu	crois	croyais	croiras
croyant		il, elle	croit	croyait	croira
cru		nous	croyons	croyions	croirons
		vous	croyez	croyiez	croirez
		ils, elles	croient	croyaient	croiront
cueillir	accueillir	je	cueille	cueillais	cueillerai
	recueillir	tu	cueilles	cueillais	cueilleras
cueillant		il, elle	cueille	cueillait	cueillera
cueilli		nous	cueillons	cueillions	cueillerons
		vous	cueillez	cueilliez	cueillerez
		ils, elles	cueillent	cueillaient	cueilleront
devoir		je	dois	devais	devrai
		tu	dois	devais	devras
devant		il, elle	doit	devait	devra
dû, due		nous	devons	devions	devrons
		vous	devez	deviez	devrez
		ils, elles	doivent	devaient	devront
dire	contredire[2]	je	dis	disais	dirai
	médire[2]	tu	dis	disais	diras
disant		il, elle	dit	disait	dira
dit		nous	disons	disions	dirons
		vous	dites[2]	disiez	direz
		ils, elles	disent	disaient	diront
dormir	mentir	je	dors	dormais	dormirai
	partir[3]	tu	dors	dormais	dormiras
dormant	se repentir[3]	il, elle	dort	dormait	dormira
dormi	ressentir	nous	dormons	dormions	dormirons
	sentir	vous	dormez	dormiez	dormirez
	servir	ils, elles	dorment	dormaient	dormiront
	sortir[3]				

[2] Exception: **vous contredisez/médisez.**
[3] Conjugated with **être.**

INDICATIF			IMPÉRATIF	CONDITIONNEL	SUBJONCTIF
Passé simple	Passé composé			Présent	Présent
craignis	ai	craint		craindrais	craigne
craignis	as	craint	crains	craindrais	craignes
craignit	a	craint		craindrait	craigne
craignîmes	avons	craint	craignons	craindrions	craignions
craignîtes	avez	craint	craignez	craindriez	craigniez
craignirent	ont	craint		craindraient	craignent
crus	ai	cru		croirais	croie
crus	as	cru	crois	croirais	croies
crut	a	cru		croirait	croie
crûmes	avons	cru	croyons	croirions	croyions
crûtes	avez	cru	croyez	croiriez	croyiez
crurent	ont	cru		croiraient	croient
cueillis	ai	cueilli		cueillerais	cueille
cueillis	as	cueilli	cueille	cueillerais	cueilles
cueillit	a	cueilli		cueillerait	cueille
cueillîmes	avons	cueilli	cueillons	cueillerions	cueillions
cueillîtes	avez	cueilli	cueillez	cueilleriez	cueilliez
cueillirent	ont	cueilli		cueilleraient	cueillent
dus	ai	dû		devrais	doive
dus	as	dû	dois	devrais	doives
dut	a	dû		devrait	doive
dûmes	avons	dû	devons	devrions	devions
dûtes	avez	dû	devez	devriez	deviez
durent	ont	dû		devraient	doivent
dis	ai	dit		dirais	dise
dis	as	dit	dis	dirais	dises
dit	a	dit		dirait	dise
dîmes	avons	dit	disons	dirions	disions
dîtes	avez	dit	dites	diriez	disiez
dirent	ont	dit		diraient	disent
dormis	ai	dormi		dormirais	dorme
dormis	as	dormi	dors	dormirais	dormes
dormit	a	dormi		dormirait	dorme
dormîmes	avons	dormi	dormons	dormirions	dormions
dormîtes	avez	dormi	dormez	dormiriez	dormiez
dormirent	ont	dormi		dormiraient	dorment

INFINITIF PARTICIPES	VERBES DU GROUPE			INDICATIF		
Présent et passé				**Présent**	**Imparfait**	**Futur**
écrire	décrire	j'		écris	écrivais	écrirai
	souscrire	tu		écris	écrivais	écriras
écrivant		il, elle		écrit	écrivait	écrira
écrit		nous		écrivons	écrivions	écrirons
		vous		écrivez	écriviez	écrirez
		ils, elles		écrivent	écrivaient	écriront
envoyer	renvoyer	j'		envoie	envoyais	enverrai
		tu		envoies	envoyais	enverras
envoyant		il, elle		envoie	envoyait	enverra
envoyé		nous		envoyons	envoyions	enverrons
		vous		envoyez	envoyiez	enverrez
		ils, elles		envoient	envoyaient	enverront
faire	défaire	je		fais	faisais	ferai
	refaire	tu		fais	faisais	feras
faisant		il, elle		fait	faisait	fera
fait		nous		faisons	faisions	ferons
		vous		faites	faisiez	ferez
		ils, elles		font	faisaient	feront
falloir		il		faut	fallait	faudra
fallu						
lire	élire	je		lis	lisais	lirai
	relire	tu		lis	lisais	liras
lisant		il, elle		lit	lisait	lira
lu		nous		lisons	lisions	lirons
		vous		lisez	lisiez	lirez
		ils, elles		lisent	lisaient	liront
mettre	admettre	je		mets	mettais	mettrai
	permettre	tu		mets	mettais	mettras
mettant	remettre	il, elle		met	mettait	mettra
mis	soumettre	nous		mettons	mettions	mettrons
		vous		mettez	mettiez	mettrez
		ils, elles		mettent	mettaient	mettront
mourir[4]		je		meurs	mourais	mourrai
		tu		meurs	mourais	mourras
mourant		il, elle		meurt	mourait	mourra
mort		nous		mourons	mourions	mourrons
		vous		mourez	mouriez	mourrez
		ils, elles		meurent	mouraient	mourront

[4] Conjugated with **être.**

INDICATIF			IMPÉRATIF	CONDITIONNEL	SUBJONCTIF
Passé simple	**Passé composé**			**Présent**	**Présent**
écrivis	ai	écrit		écrirais	écrive
écrivis	as	écrit	écris	écrirais	écrives
écrivit	a	écrit		écrirait	écrive
écrivîmes	avons	écrit	écrivons	écririons	écrivions
écrivîtes	avez	écrit	écrivez	écririez	écriviez
écrivirent	ont	écrit		écriraient	écrivent
envoyai	ai	envoyé		enverrais	envoie
envoyas	as	envoyé	envoie	enverrais	envoies
envoya	a	envoyé		enverrait	envoie
envoyâmes	avons	envoyé	envoyons	enverrions	envoyions
envoyâtes	avez	envoyé	envoyez	enverriez	envoyiez
envoyèrent	ont	envoyé		enverraient	envoient
fis	ai	fait		ferais	fasse
fis	as	fait	fais	ferais	fasses
fit	a	fait		ferait	fasse
fîmes	avons	fait	faisons	ferions	fassions
fîtes	avez	fait	faites	feriez	fassiez
firent	ont	fait		feraient	fassent
il fallut	il a	fallu		faudrait	il faille
lus	ai	lu		lirais	lise
lus	as	lu	lis	lirais	lises
lut	a	lu		lirait	lise
lûmes	avons	lu	lisons	lirions	lisions
lûtes	avez	lu	lisez	liriez	lisiez
lurent	ont	lu		liraient	lisent
mis	ai	mis		mettrais	mette
mis	as	mis	mets	mettrais	mettes
mit	a	mis		mettrait	mette
mîmes	avons	mis	mettons	mettrions	mettions
mîtes	avez	mis	mettez	mettriez	mettiez
mirent	ont	mis		mettraient	mettent
mourus	suis	mort(e)		mourrais	meure
mourus	es	mort(e)	meurs	mourrais	meures
mourut	est	mort(e)		mourrait	meure
mourûmes	sommes	mort(e)s	mourons	mourrions	mourions
mourûtes	êtes	mort(e)(s)	mourez	mourriez	mouriez
moururent	sont	mort(e)s		mourraient	meurent

INFINITIF PARTICIPES	VERBES DU GROUPE		INDICATIF		
Présent et passé			Présent	Imparfait	Futur
naître[4]	renaître	je	nais	naissais	naîtrai
		tu	nais	naissais	naîtras
naissant		il, elle	naît	naissait	naîtra
né		nous	naissons	naissions	naîtrons
		vous	naissez	naissiez	naîtrez
		ils, elles	naissent	naissaient	naîtront
ouvrir	couvrir	j'	ouvre	ouvrais	ouvrirai
	découvrir	tu	ouvres	ouvrais	ouvriras
ouvrant	offrir	il, elle	ouvre	ouvrait	ouvrira
ouvert	souffrir	nous	ouvrons	ouvrions	ouvrirons
		vous	ouvrez	ouvriez	ouvrirez
		ils, elles	ouvrent	ouvraient	ouvriront
plaire	déplaire	je	plais	plaisais	plairai
	taire	tu	plais	plaisais	plairas
plaisant	se taire[5]	il, elle	plaît	plaisait	plaira
plu		nous	plaisons	plaisions	plairons
		vous	plaisez	plaisiez	plairez
		ils, elles	plaisent	plaisaient	plairont
pleuvoir pleuvant plu		il	pleut	pleuvait	pleuvra
pouvoir		je	peux/puis	pouvais	pourrai
		tu	peux	pouvais	pourras
pouvant		il, elle	peut	pouvait	pourra
pu		nous	pouvons	pouvions	pourrons
		vous	pouvez	pouviez	pourrez
		ils, elles	peuvent	pouvaient	pourront
prendre	apprendre	je	prends	prenais	prendrai
	comprendre	tu	prends	prenais	prendras
prenant	reprendre	il, elle	prend	prenait	prendra
pris	surprendre	nous	prenons	prenions	prendrons
		vous	prenez	preniez	prendrez
		ils, elles	prennent	prenaient	prendront

[4] Conjugated with **être**.
[5] Conjugated with **être**.

INDICATIF			IMPÉRATIF	CONDITIONNEL	SUBJONCTIF
Passé simple	**Passé composé**			**Présent**	**Présent**
naquis	suis	né(e)		naîtrais	naisse
naquis	es	né(e)	nais	naîtrais	naisses
naquit	est	né(e)		naîtrait	naisse
naquîmes	sommes	né(e)s	naissons	naîtrions	naissions
naquîtes	êtes	né(e)(s)	naissez	naîtriez	naissiez
naquirent	sont	né(e)s		naîtraient	naissent
ouvris	ai	ouvert		ouvrirais	ouvre
ouvris	as	ouvert	ouvre	ouvrirais	ouvres
ouvrit	a	ouvert		ouvrirait	ouvre
ouvrîmes	avons	ouvert	ouvrons	ouvririons	ouvrions
ouvrîtes	avez	ouvert	ouvrez	ouvririez	ouvriez
ouvrirent	ont	ouvert		ouvriraient	ouvrent
plus	ai	plu		plairais	plaise
plus	as	plu	plais	plairais	plaises
plut	a	plu		plairait	plaise
plûmes	avons	plu	plaisons	plairions	plaisions
plûtes	avez	plu	plaisez	plairiez	plaisiez
plurent	ont	plu		plairaient	plaisent
il plut	il a	plu		il pleuvrait	il pleuve
pus	ai	pu		pourrais	puisse
pus	as	pu		pourrais	puisses
put	a	pu		pourrait	puisse
pûmes	avons	pu		pourrions	puissions
pûtes	avez	pu		pourriez	puissiez
purent	ont	pu		pourraient	puissent
pris	ai	pris		prendrais	prenne
pris	as	pris	prends	prendrais	prennes
prit	a	pris		prendrait	prenne
prîmes	avons	pris	prenons	prendrions	prenions
prîtes	avez	pris	prenez	prendriez	preniez
prirent	ont	pris		prendraient	prennent

INFINITIF PARTICIPES	VERBES DU GROUPE		INDICATIF		
Présent et passé			Présent	Imparfait	Futur
to receive **recevoir**	apercevoir	je	reçois	recevais	recevrai
	décevoir	tu	reçois	recevais	recevras
recevant	percevoir	il, elle	reçoit	recevait	recevra
reçu		nous	recevons	recevions	recevrons
		vous	recevez	receviez	recevrez
		ils, elles	reçoivent	recevaient	recevront
rire	sourire	je	ris	riais	rirai
		tu	ris	riais	riras
riant		il, elle	rit	riait	rira
ri		nous	rions	riions	rirons
		vous	riez	riiez	rirez
		ils, elles	rient	riaient	riront
savoir		je	sais	savais	saurai
		tu	sais	savais	sauras
sachant		il, elle	sait	savait	saura
su		nous	savons	savions	saurons
		vous	savez	saviez	saurez
		ils, elles	savent	savaient	sauront
suivre	poursuivre	je	suis	suivais	suivrai
		tu	suis	suivais	suivras
suivant		il, elle	suit	suivait	suivra
suivi		nous	suivons	suivions	suivrons
		vous	suivez	suiviez	suivrez
		ils, elles	suivent	suivaient	suivront
tenir	appartenir	je	tiens	tenais	tiendrai
	devenir[6]	tu	tiens	tenais	tiendras
tenant	obtenir	il, elle	tient	tenait	tiendra
tenu	retenir	nous	tenons	tenions	tiendrons
	revenir[6]	vous	tenez	teniez	tiendrez
	venir[6]	ils, elles	tiennent	tenaient	tiendront
valoir		je	vaux	valais	vaudrai
		tu	vaux	valais	vaudras
valant		il, elle	vaut	valait	vaudra
valu		nous	valons	valions	vaudrons
		vous	valez	valiez	vaudrez
		ils, elles	valent	valaient	vaudront

[6] Conjugated with **être.**

INDICATIF			IMPÉRATIF	CONDITIONNEL	SUBJONCTIF
Passé simple	Passé composé			Présent	Présent
reçus	ai	reçu		recevrais	reçoive
reçus	as	reçu	reçois	recevrais	reçoives
reçut	a	reçu		recevrait	reçoive
reçûmes	avons	reçu	recevons	recevrions	recevions
reçûtes	avez	reçu	recevez	recevriez	receviez
reçurent	ont	reçu		recevraient	reçoivent
ris	ai	ri		rirais	rie
ris	as	ri	ris	rirais	ries
rit	a	ri		rirait	rie
rîmes	avons	ri	rions	ririons	riions
rîtes	avez	ri	riez	ririez	riiez
rirent	ont	ri		riraient	rient
sus	ai	su		saurais	sache
sus	as	su	sache	saurais	saches
sut	a	su		saurait	sache
sûmes	avons	su	sachons	saurions	sachions
sûtes	avez	su	sachez	sauriez	sachiez
surent	ont	su		sauraient	sachent
suivis	ai	suivi		suivrais	suive
suivis	as	suivi	suis	suivrais	suives
suivit	a	suivi		suivrait	suive
suivîmes	avons	suivi	suivons	suivrions	suivions
suivîtes	avez	suivi	suivez	suivriez	suiviez
suivirent	ont	suivi		suivraient	suivent
tins	ai	tenu		tiendrais	tienne
tins	as	tenu	tiens	tiendrais	tiennes
tint	a	tenu		tiendrait	tienne
tînmes	avons	tenu	tenons	tiendrions	tenions
tîntes	avez	tenu	tenez	tiendriez	teniez
tinrent	ont	tenu		tiendraient	tiennent
valus	ai	valu		vaudrais	vaille
valus	as	valu	vaux	vaudrais	vailles
valut	a	valu		vaudrait	vaille
valûmes	avons	valu	valons	vaudrions	valions
valûtes	avez	valu	valez	vaudriez	valiez
valurent	ont	valu		vaudraient	vaillent

INFINITIF PARTICIPES	VERBES DU GROUPE		INDICATIF		
Présent et passé			Présent	Imparfait	Futur
vivre	survivre	je	vis	vivais	vivrai
		tu	vis	vivais	vivras
vivant		il, elle	vit	vivait	vivra
vécu		nous	vivons	vivions	vivrons
		vous	vivez	viviez	vivrez
		ils, elles	vivent	vivaient	vivront
voir	prévoir[7]	je	vois	voyais	verrai
	revoir	tu	vois	voyais	verras
voyant		il, elle	voit	voyait	verra
vu		nous	voyons	voyions	verrons
		vous	voyez	voyiez	verrez
		ils, elles	voient	voyaient	verront
vouloir		je	veux	voulais	voudrai
		tu	veux	voulais	voudras
voulant		il, elle	veut	voulait	voudra
voulu		nous	voulons	voulions	voudrons
		vous	voulez	vouliez	voudrez
		ils, elles	veulent	voulaient	voudront

[7] The verb **prévoir** has regular forms for the future and present conditional: **je prévoirai** and **je prévoirais**, respectively.

INDICATIF			IMPÉRATIF	CONDITIONNEL	SUBJONCTIF
Passé simple	Passé composé			Présent	Présent
vécus	ai	vécu		vivrais	vive
vécus	as	vécu	vis	vivrais	vives
vécut	a	vécu		vivrait	vive
vécûmes	avons	vécu	vivons	vivrions	vivions
vécûtes	avez	vécu	vivez	vivriez	viviez
vécurent	ont	vécu		vivraient	vivent
vis	ai	vu		verrais	voie
vis	as	vu	vois	verrais	voies
vit	a	vu		verrait	voie
vîmes	avons	vu	voyons	verrions	voyions
vîtes	avez	vu	voyez	verriez	voyiez
virent	ont	vu		verraient	voient
voulus	ai	voulu		voudrais	veuille
voulus	as	voulu	veuille	voudrais	veuilles
voulut	a	voulu		voudrait	veuille
voulûmes	avons	voulu	veuillons	voudrions	voulions
voulûtes	avez	voulu	veuillez	voudriez	vouliez
voulurent	ont	voulu		voudraient	veuillent

Vocabulaire

ABRÉVIATIONS

adj	adjective	*m*	masculine
adv	adverb	*n*	noun
conj	conjunction	*pp*	past participle
f	feminine	*pl*	plural
fig	figurative	*pr*	preposition
*h	aspirate h	*pron*	pronoun
inf	infinitive		

A

à at, to, for, of
abandonner to abandon
abattre to weaken, to dampen
abattu downcast, despondent
abîmer to ruin, to damage, to spoil
abolir to abolish
aboutir (à) to result (in), to lead (to)
abrégé abridged, abbreviated
abreuver to irrigate, to drench
s'absenter (de) to stay away (from)
abstrait abstract
académicien(ne) *n* academician
accessible (à) open (to); accessible (to)
accompagner to accompany, to escort
accordéon *m* accordion
accorder to give
accueil *m* reception, welcome
accueillir to welcome, to greet
accusateur (-trice) accusing
achat *m* purchase
acheter to buy
acquérir to acquire
acteur *m* actor; **actrice** *f* actress
actualités *fpl* news
actuel(le) present, current
adieu adieu, farewell
adjoint(e) *n* assistant
admettre to admit
admiratif (-ive) admiring
adresser to address; **s'adresser (à)** to
    address, to apply, to ask
adultère *m* adultery; *adj* adulterous

affaire *f* affair; business matter; *fpl* business;
    ranger les affaires to put things away
affamé famished, hungry
affectueux (-euse) affectionate
afin de to, in order to, so as to; **afin que** in
    order that, so that
africain African
agacé annoyed, angry
agence *f* **de voyage** travel agency
agir to act; **il s'agit de** it concerns, it is a
    question of
agneau *m* lamb
agrandir to enlarge
agréable agreeable, pleasant
agressif (-ive) aggressive
agricole agricultural
agriculteur (-trice) *n* farmer
aide *n* aide, helper; *f* aid, help
aider to aid, to help; **aider (à)** to help
aimant loving
aimer (mieux) to like, to prefer
aîné *n* eldest, oldest child; *adj* oldest
ainsi so, thus; like that, in this way
air *m* tune, air; **avoir l'air (de)** to seem, to
    look like
ajouter to add
aliment *m* food
alimentaire food *(adj)*; **pension** *f* **alimentaire**
    alimony
alléger to lighten
aller to go; to work; **allons donc!** come on!;
    s'en aller to leave, to go away
alors then; therefore; **alors!** well! then! so!;
    alors que while

alouette *f* lark
alpiniste *n* mountain climber
amaigrissant slimming
amant *m* (male) lover
amateur *m* **d'art** art lover, art fancier;
 femme amateur d'art (woman) art lover,
 art fancier
âme *f* soul
améliorer to improve
amener (quelqu'un) to bring (someone)
 along
amical (*mpl* **-aux**) friendly
amitié *f* friendship
amour *m* love; **film** *m* **d'amour** romantic
 movie
amoureux (-euse) *n* lover; *adj* loving,
 amorous
amphithéâtre *m* lecture hall
amuser to amuse; **s'amuser bien (mal)** to
 have a good (bad) time; **s'amuser (de)** to
 make fun (of), to play/toy (with)
an *m* year; **avoir...ans** to be ... years old
ancien(ne) old, ancient; (before noun) former
Angleterre *f* England
angoisse *f* anguish
animal *m* **familier** pet
animateur (-trice) *n* MC, emcee; disk jockey;
 facilitator
animé lively
année *f* year
anniversaire *f* anniversary, birthday
annonce *f* announcement; **annonce**
 publicitaire commercial
apercevoir to notice, to see; **s'apercevoir**
 (de) to notice, to realize
apparaître to appear
appartenir (à) to belong to
applaudir to applaud
appliquer to apply
apporter to bring; to bring (something)
 along
apprendre to learn, to teach; **apprendre**
 (à) to learn
apprenti(e) *n* apprentice
apprentissage *m* apprenticeship
approcher to approach, to bring near;
 s'approcher (de) to approach, to go
 up to, to go near
approprié appropriate
appui *m* support
après after; **d'après** according to
après-midi *m* or *f* afternoon
aptitude *f* aptitude, natural disposition
aquarelle *f* watercolor
Arabe *n* Arab; **arabe** *adj* Arab

arbre *m* tree
argent *m* silver; money
armée *f* army, military
arranger to arrange; to suit
arrêter to stop; **s'arrêter (de)** to stop,
 to halt, to cease
arriver to arrive, to happen; **arriver (à)**
 to succeed at, in
ascension *f* ascent
asperge *f* asparagus
assaisonnement *m* (salad) dressing,
 seasoning
asseoir to seat; **faire asseoir** to seat
 (someone); **s'asseoir** to sit down
assez enough, quite; **assez de** enough
assiette *f* plate
assistance *f* **sociale** social welfare
assister (à) to attend
assorti matched
assourdissant deafening
atelier *m* workshop, (artist's) studio
athée atheistic
atteindre to attain, to reach
attendant from **attendre**; **en attendant**
 que until, while
attendre : **attendre un enfant** to expect a
 baby; **faire attendre** to keep (someone)
 waiting; **s'attendre (à)** to expect
attente *f* wait; standby (airlines)
attentif (-ive) attentive
attention : **faire attention (à)** to pay
 attention to
attentionné caring, attentive
attirer to attract
attrait *m* attraction
attrayant attractive
au secours ! help!
aube *f* dawn
auberge *f* inn
aubergiste *n* innkeeper
aucun(e) any; **ne...aucun(e)** no,
 not ... any
auditeur (-trice) *f* listener
augmentation *f* raise
augmenter to increase
aujourd'hui today
auparavant before, beforehand;
 previously
aussi too, also; as; **aussi...que**
 as (much)...as
aussitôt at once, immediately; **aussitôt**
 que as soon as
autant as much, as many; **autant de** as
 much, as many; **autant que**
 as much as

auteur *m* author; **auteur dramatique** playwright

auto : en auto *f* by car

autobus : en autobus *m* by (city) bus

autocar : en autocar *m* by (intercity) bus

autoritaire authoritarian

autorité *f* authority, power

autour de around

autre(s) other

autrefois formerly; in the past

autruche *f* ostrich

avance *f* advance, progress; **à l'avance** in advance; **en avance** ahead of time, early

avancer to be fast; to advance; to put forward

avant before, previously; **avant que...** **(ne)** before; **en avant!** forward!

avantage *m* advantage

avant-hier the day before yesterday

avec with

avenir *m* future

avion : en avion *m* by plane

avis *m* advice, opinion; **être d'avis** to be of the opinion

avocat(e) *n* attorney, lawyer

avoir to have; **avoir (à)** to have to, must; **avoir... ans** to be ... years old; **avoir besoin (de)** to have need of, to need; **avoir bon/du cœur** to be kind/selfless; **avoir chaud** to be warm; **avoir envie (de)** to crave, to desire, to long (for); **avoir faim** to be hungry; **avoir froid** to be cold; **avoir honte (de)** to be ashamed (to/of); **avoir l'air (de)** to seem, to look like; **avoir le cœur gros** to be sad/blue, to have the blues; **avoir le cœur sur la main** to be generous; **avoir le temps (de)** to have time (to); **avoir l'habitude (de)** to be used (to); **avoir l'intention (de)** to intend (to); **avoir l'occasion (de)** to have occasion (to)/the opportunity (to); **avoir mal (à)** to hurt, to have a —ache; **avoir mal à la tête** to have a headache; **avoir mal au cœur** to be sick to one's stomach; **avoir peur (de)** to be afraid (of); **avoir raison (de)** to be right (to); **avoir soif** to be thirsty; **avoir sommeil** to be sleepy; **avoir tort (de)** to be wrong (to); **avoir un cœur d'or** to have a heart of gold; **en avoir assez (de)** to be fed up (with); **en avoir le cœur net** to get the true picture; **en avoir marre (de)** to be fed up (with); **il y a** there is, there are; ago

avortement *m* abortion

avouer to admit, to confess

B

baby-sitter *n* baby sitter

baccalauréat (bachot/bac) *m* lycée diploma

bague *f* ring; **bague de fiançailles** engagement ring

baigner to bathe; **se baigner** to swim, to bathe

baigneur (-euse) *m* bather

bain *m* bath

baiser *m* kiss

baisser to lower, to go down (prices)

bal *m* dance

ballon *m* ball, balloon; **ballon d'essai** feeler, trial balloon

banc *m* bench

bancal (*mpl* **-als**) wobbly

bande *f* circle of friends; tape

banlieue *f* suburb

banque *f* **de données** data bank

barbant boring

barbe *f* beard

baron *m* baron; **baronne** *f* baroness

bas(se) low

bas *adv* low; **parler bas** to speak softly; **voler bas** to fly low

bateau *m* **(à voiles)** (sail) boat; **en bateau** by boat

bâtiments *mpl* buildings

bâtir to build

batterie *f* drums

battre to beat, to hit; **se battre** to fight

batteuse *f* threshing machine

bavarder to chat

beau (bel, belle, beaux, belles) handsome, beautiful

beaucoup much, many; **beaucoup de** much, many

beau-frère *m* brother-in-law

beauté *f* beauty

beaux-parents *mpl* in-laws

bébé *m* baby

bec *m* beak

belge Belgian

Belgique *f* Belgium

belle-fille *f* daughter-in-law

bénéfices *mpl* profits

bénin (bénigne) benign, good

besoin *m* need; **avoir besoin (de)** to need, to have need (of)

bête *f* beast; fool; *adj* stupid

bêtise *f* stupidity

beurre *m* butter

bibliothèque *f* library

biche : ma biche my doe (term of endearment)

bicyclette : à bicyclette by bicycle

bien *m* good, righteousness

bien well, **bien de** many a; **bien que** though, although; **bien** *m* good

bien-être *m* well-being

bienfaiteur (-trice) *n* **de l'humanité** humanitarian

bientôt soon, shortly; **à bientôt** so long, see you soon

bière *f* beer

bijou (-oux) *m* jewel

bilingue bilingual

bilinguisme *m* bilingualism

billet *m* ticket; **billet de banque** bank note, paper money

bistrot or **bistro** *m* pub

blaguer to joke

blâmer to blame

blanc (blanche) white

blé *m* wheat

blesser to wound; **se blesser** to get hurt/injured

bœuf *m* beef

bof! phooey!

boire to drink

bois *m* wood; *pl* woods

boisson *f* drink, beverage; **boisson gazeuse** soda

boîte *f* box; nightclub

bol *m* bowl

bon(ne) good; **avoir bon cœur** to be kind/selfless; **bon marché** reasonably priced, inexpensive, cheap

bonbon *m* candy

bonheur *m* happiness

bonté *f* goodness, kindness

borner to limit; **se borner (à)** to limit oneself (to); *fig* to content oneself (with)

botanique *f* botany

boubou *m* African tunic

boulanger (-ère) *n* baker

boulot *m* work, job

boum *f* party (for teen-agers)

Bourgogne *f* Burgundy

bourguignon(ne) Burgundian (in the manner of Burgundy)

bourreau : un bourreau des cœurs a Don Juan, a heartbreaker

bourse *f* scholarship; purse

bout *m* end, tip; **à bout de** out of, at the end of

bouteille *f* bottle

braderie *f* garage/yard sale

brave courageous, brave; (before noun) kind

bravo! bravo!, great!

bref (brève) brief, short; **bref!** in short!

Brésil *m* Brazil

brièvement briefly, concisely

brillant shiny

briser to break

bronzé suntanned

brosse *f* brush; **brosse à dents** toothbrush

brouille *f* falling out

brouiller to blur, to jumble; **se brouiller** to fall out

bruit *m* noise

bruyant noisy

bureau (pl -eaux) *m* office; desk; **bureau de police** police station

but *m* goal, aim

C

ça that; **ça, alors!** I'll be darned!; **ça y est!** that's it!

cabaret *m* nightclub

cacher to hide

cadeau (pl -eaux) *m* gift

cadet (-ette) *n* younger, youngest child; *adj* younger, youngest

cadre *m* executive; setting, frame

cahier *m* notebook

cajoleur (-euse) cajoling

calculette *f* pocket calculator

camarade *n* comrade; **camarade de chambre** roommate; **camarade (de classe)** classmate

Cambodge *m* Cambodia, Kampuchea

camelote *f* **alimentaire** junk food

campagne *f* country(side); campaign

cancérologue *n* cancer specialist

cantine *f* cafeteria

capacité *f* capacity (measurement); ability

captiver to capture, to fascinate

car for, because

caractère *m* character, temper, temperament

carême *m* Lent

carotte *f* carrot

carrière *f* career

carte *f* card; map; **carte postale** postcard

casser to break

casserole *f* cooking pan

cause : à cause de because of

ce (cet, cette, ces) this, that; he, she, it; *pl* these, those; **ce à quoi** about/of which; **ce...-ci** this; **ce dont** which, what;

ce. . . -là that; **ce que** which; **ce qui** what, which

ceci this

cela that; **cela fait. . . que** it's been (time expression) that

célèbre well-known

célébrité *f* celebrity

célibataire *n* unmarried person

celui (celle, ceux, celles) *pron* this, this one, the one; that, that one; *pl* these, these ones; those, those ones; **celui-ci, celle-ci, ceux-ci, celles-ci** the latter; **celui-là, celle-là, ceux-là, celles-là** the former

cerf-volant (*pl* **cerfs-volants**) *m* kite

cerise *f* cherry

certain certain; sure, definite; **certains** *pron* some

cervelle *f* brain

cesser (de) to cease, to stop

chacun(e) *pron* each one, everyone

chagrin *m* sorrow, woe

chaise *f* chair; **chaise à porteurs** sedan chair

chaleureux (-euse) warm, hearty

chambre *f* room; **camarade** *n* **de chambre** roommate

champ *m* field

champignon *m* mushroom

championnat *m* championship

chance *f* luck

changement *m* change

changer to change, to replace (someone/ something); **changer (contre/pour)** to exchange/trade (for something else); **changer (de)** to change, to put on (something new); **changer d'opinion** to change one's mind

chansonnier (-ère) *n* writer of political and satirical songs

chanter to sing; **chanter faux** to sing off key; **chante juste** to sing on key

chanteur (-euse) *n* singer

chapeau (*pl* **-eaux**) *m* hat

chaque *adj invariable* each, every

charger (de) to load (with); **chargé (de)** loaded (with), in charge of

chasser to hunt

chasseur (-euse) *n* hunter

chat(te) *n* cat; **ma chatte** kitty (term of endearment)

château (*pl* **-eaux**) *m* castle

chaud warm; **avoir chaud** to be warm

chauffant heating; **plaque** *f* **chauffante** burner

chauffer to heat

chaussure *f* shoe; footwear

chef *m* chief; chef; **chef d'orchestre** conductor

chef-d'œuvre (*pl* **chefs-d'œuvre**) masterpiece

cheminot *m* railroad employee

chemise *f* shirt

chêne *m* oak, oak tree

cher (-ère) expensive; (before noun) dear; **coûter cher** to cost a lot

chercher to look for, to search (for); **chercher (à)** to seek, to try

chercheur (-euse) *n* researcher

chéri(e) *n* and *adj* dear, darling

cheval (*pl* **-aux**) *m* horse

chez at/to the house/store/office of

chic alors! neat!, swell!, great!

chien(ne) *n* dog

chimie *f* chemistry

chimiste *n* chemist

chinois Chinese

chirurgien(ne) *n* surgeon

choisir to choose

choix *m* choice

chômer to be out of work

chômeur (-euse) *n* and *adj* unemployed

choquant shocking

choquer to shock

chou (*pl* **-oux**) *m* cabbage

chouette! neat!, swell!, great!

chou-fleur (*pl* **choux-fleurs**) *m* cauliflower

choyer to pamper

chrétien(ne) Christian

chute *f* fall

ciel (*pl* **cieux**) *m* heaven, sky; **gratte-ciel** (*pl* **gratte-ciel**) skyscraper

cinéaste *n* movie maker; movie producer

cinéma *m* film, movies

cinéphile *n* movie fan

circuler to circulate; **faire circuler** to pass around

cité *f* **ouvrière** workers' community

citron *m* lemon

clair light; *adv* clearly; **clair** *m* **de lune** moonlight

clairement clearly

classique classical

clé or **clef** *f* key

cœur *m* heart; **au cœur de (l'hiver)** in the dead of (winter); **avoir. . . cœur** *see* **avoir**; **cœur à cœur** heart to heart, openly; **de bon/tout cœur** wholeheartedly; **joli(e) comme un cœur** pretty as a picture; **le courrier du cœur** lonely heart's column; **prendre à cœur** to take to heart; **savoir par cœur** to know by heart

cohabiter to live together

coiffer to set hair; *fig* to cap
coin *m* corner; spot
colère *f* anger; *pl* tantrums
coléreux (-euse) short-tempered
collège *m* junior high school (grades 6–9)
collègue *m* colleague
colon *m* colonist
colonne *f* column
colorier to color
combattre to fight
combien (de) how much, how many
comique comical
commander to order
comme because, since; as, for; **comme!** how, how much! (exclamatory)
commencer (à, de) to begin
comment how
commerçant(e) *n* shopkeeper, merchant
commerce *m* **international** foreign trade
commun common, usual
communautaire communal
communauté *f* community
commune *f* municipality
compagne *f* (female) companion
compagnie *f* firm, company
compagnon *m* (male) companion
compatir to sympathize
complexe *m* complex; *adj* complex, complicated
comportement *m* behavior
compositeur (-trice) *n* composer
compréhension *f* empathy, understanding
comprendre to comprise, to understand
compromettre to impair
comptable *f* accountant, bookkeeper
compte rendu *m* report
compter to count
comte *m* count; **comtesse** *f* countess
concierge *n* doorkeeper, janitor
conciliable compatible
conciliant conciliatory
conclure to conclude, to finish
concourir to compete (for a job, prize)
concurrence *f* competition
concurrent(e) *n* competitor
condition : **à condition que** provided that
conduire to drive; to lead; **conduire (un orchestre)** to conduct, to lead (an orchestra); **se conduire bien/mal** to behave well/badly
conduite *f* behavior
conférence *f* lecture
confesser to admit
confiance *f* trust; **avoir confiance (en)** to trust
confiant trustful

confiture *f* jam
congé *m* leave, legal holiday, day off
congolais Congolese
conjugal : **la vie conjugale** married life
conjuguer to conjugate
connaissances *fpl* knowledge
connaître to know; to be acquainted with; **s'y connaître** to be knowledgeable, to be an expert; **connu** *pp* known; **bien connu** well-known
consacrer (temps, efforts) to devote (time, energy); **se consacrer (à)** to dedicate oneself (to); **consacré** *pp* **(à)** dedicated, devoted (to)
conseil *m* (piece of advice); **conseils** advice
conseiller (de) to advise, to counsel
consentir (à) to consent (to)
conservateur (-trice) conservative
conservatoire *m* music school
conserver to conserve, to preserve, to maintain
considérer (comme) to regard (as), to consider (as)
consommation *f* drink
contempler to contemplate
contenir to contain, to hold
content happy
contenter to please, to suit; **se contenter (de)** to be satisfied (with)
contenu *m* content
contester to contest
continuer (à, de) to continue
contractuelle *f* meter maid
contraire *m* opposite
contrariété *f* annoyance
contrecœur : **à contrecœur** unwillingly, reluctantly
contrecoup *m* repercussion, aftereffect
contremaître (-esse) *n* foreman (forewoman)
convaincu convinced
convenir (à) to suit, to fit
copain (copine) *n* pal, close friend; *pl* pals, chums
copie *f* homework; test paper
coq *m* rooster; **coq au vin** chicken in wine sauce
coquelicot *m* poppy
corail (*pl* **-aux**) *m* coral
corps *m* body
correspondant(e) *n* pen pal
correspondre to correspond
corriger to correct
corvée *f* **de vaisselle** KP (kitchen police) duty
côte *f* coast; **la Côte d'Azur** the Riviera

côté *m* side; **à côté de** next to; **de l'autre côté de** opposite, on the other side of

couchant setting

coucher *m* **de soleil** sunset

coucher to put to bed; **se coucher** to go to bed

coup *m* blow, strike, hit; **coup de foudre** love at first sight; **coup de tête** rash impulse; **mettre (quelqu'un) dans le coup** to get (someone) involved; **tout à coup** suddenly

coupable guilty

couper to cut

courageux (-euse) courageous

courant *m* current; **être au courant (de)** to be up-to-date, to be informed

courbe curved

coureur (-euse) *n* runner, racer

courir to run

courrier *m* **du cœur** lonely hearts' column

cours *mpl* courses

course *f* errand; race; **faire des courses** to run errands, to go shopping

court(e) short

courtiser to court

couteau (*pl* **-eaux**) *m* knife

coûter to cost; **coûter cher** to cost a lot

coûteux (-euse) costly, expensive

coutume *f* custom

couturier (-ère) *n* dressmaker

couvert *m* place setting (at table)

couvert (de) covered (with)

couvrir (de) to cover (with)

craindre (de) to fear

crainte *f* fear; **de crainte que...(ne)** for fear that

crayon *m* pencil

crèche *f* day nursery

crédit *m* credit; **faire crédit (à)** to give credit (to)

créer to create

crème *f* cream

crémeux (-euse) creamy

crêpe *f* crepe

crier : crier fort to shout loudly

crise *f* crisis

critique *m* critic; *f* criticism, critique

critiquer to criticize

croire to believe, to think; **croire (à, en)** to believe (in)

croisière *f* cruise

croyant believing

cruel(le) cruel

cuiller *f* **à soupe** tablespoon, soup spoon

cuillère or **cuiller** *f* spoon

cuillerée *f* spoonful

cuire to cook

cuisine *f* cooking; **cuisine minceur** lean cuisine

cuisinier (-ère) *n* cook; *f* range (stove)

cuisse *f* **de grenouille** frog leg

cuivre *m* brass

cultiver to cultivate, to grow

cycliste *n* cyclist

D

d'abord at first

d'ac ! d'accord agreed!

dactylo *n* typist

Danemark *m* Denmark

danois Danish

dans in; **dans le passé** in the past

davantage more

de of; **de rien** nothing to it, you're welcome, don't mention it

débarrasser to clear, to rid; **se débarrasser (de)** to get rid (of)

débouché *m* outlet, job opportunity

débrouiller to unravel; **se débrouiller** to manage, to make do

début *m* debut, beginning, start

décédé dead, deceased

décevant disappointing

décevoir to disappoint, to deceive

décider (de) to decide; **se décider (à)** to decide

déconcertant disconcerting

déconcerter to disconcert, to abash

décontracté relaxed

décorer (de) to decorate (with); **décoré** *pp* **(de)** decorated (with)

décors *mpl* movie or stage set

décourager to discourage

décrire to describe

déçu disappointed, deceived

dedans inside

déesse *f* goddess

défaut *m* fault

défavoriser to be unfair to

défectueux (-euse) defective

défendre (de) to forbid, to prohibit

dégager to disengage, to clear; **se dégager (de)** to become clear, to come out

dehors outside; **au dehors** outside (the home), outdoors

déjà already

délirant delirious

demain tomorrow

demande *f* **d'inscription** application

demander (à, de) to ask (for); se demander to wonder
demeurer (chez) to live (at, with), to reside
demi half
demi-frère (pl demi-frères) m half-brother
demi-livre f half pound
dénoncer to denounce
dent f tooth
dépasser to overtake, to go beyond, to exceed
dépêcher to dispatch; se dépêcher (de) to hurry, to hasten
dépenser to spend
dépensier (-ère) extravagant, spendthrift
dépit : en dépit de in spite of
déplacer to displace; se déplacer to move, to move about, to travel
déplaire (à) to displease
déplaisant unpleasant
déployer to unfurl, to deploy
déprimé depressed
depuis for, since; depuis quand since when; depuis combien de temps how long
député m representative, deputy, delegate
déranger to disturb
dernier (-ère) last
derrière behind
dès from. . . on; dès que as soon as
désabusé disillusioned
désagréable disagreeable, unpleasant
désappointer to disappoint
désastre m disaster
désavantage m disadvantage
descendre to descend, to go down; descendre (de) to get off
descente f descent
déshonneur m dishonor, disgrace
désirer to wish
désobéir to disobey
désobéissant disobedient
désolé (de) sorry (for)
désordonné disorderly
désordre m disorder
désormais from now/then on
dessin m drawing; dessin animé cartoon
dessiner to draw
dessous under, underneath, below, beneath
dessus upon, on; above, on top
destination f destination; à destination de going to
destinée f fate
détacher to unbind, to detach; se détacher (de) to break away (from)
détendre to loosen; se détendre to relax
détestable despicable, hateful
détourner to divert; se détourner (de) to turn away (from)

dette f debt
devant in front of
déveine f back luck
devenir to become
deviner to guess; deviner juste to guess right
devoir must, to have to, ought to, to be supposed to; to owe; m duty; mpl homework
dévouer to devote; dévoué pp devoted; se dévouer to devote oneself
diamant m diamond
diapo f slide, transparency
dictée f dictation
dicter to dictate, to lay down; dicter une lettre to dictate a letter
dieu (-ieux) m god; déesse f goddess
difficile difficult
digne (de) worthy (of)
diligence f diligence, industry
diminuer to decrease
dinde f turkey
diplôme m diploma
dire to say, to tell; dire (à, de) to tell; dire vrai to speak truly; dis/dites donc! say!
diriger to conduct; se diriger (vers) to head (for)
discernement m insight, perception
discipliné disciplined, well-behaved
discothèque f disco
discours m speech
discret (-ète) discreet
discriminatoire discriminatory
disculper to exonerate
disparaître to disappear, to vanish
dispute f dispute, quarrel
disputer to dispute, to contend; se disputer to quarrel
disquaire n record dealer
dissertation f essay
distingué distinguished
distraction f entertainment; pl entertainment, recreation
distraire to distract; se distraire to entertain/amuse oneself
divers(es) various
divertissement m amusement
divorcer (d'avec) to divorce
dixième tenth; le dixième (de) one tenth (of)
domaine m domain
dommage m damage; dommage! too bad!; c'est dommage it's too bad, it's a pity; quel dommage what a shame
données fpl data; banque f de données data bank
donner to give

dont whose, of which
dorloter to pamper
dormir to sleep
dos *m* back
douane *f* customs
doucement! easy! slow down!
doué talented, gifted
douleur *f* pain, grief
douloureux (-euse) painful
douter (de) to doubt; **se douter (de)** to have a hunch
douteux (-euse) doubtful
doux (-ce) soft, sweet
douzaine *f* dozen
droit *m* right, law; **droit de vote** voting right
droit straight
drôle funny
dû (à) due (to)
dur hard; **frapper dur** to hit hard; **travailler dur** to work hard
durable lasting
durée *f* duration, term
durer to last
dynamique dynamic

E

eau *f* water
écart *m* gap
échapper (à) to escape; **s'échapper (de)** to escape (from), to get away
écharpe *f* scarf
échec *m* failure
échouer (à un examen) to fail (an exam)
éclaboussure *f* splash
éclairé discerning
éclairer to light, to enlighten
école : la grande école professional school
économies *fpl* savings; **faire des économies** to save money
économique economic
Écosse *f* Scotland
écouter to listen (to); **écoute!/écoutez!** listen!
écran *m* screen; **le petit écran** *m* television
s'écrier to cry out, to shout
écrire (à) to write
écrivain(e) *n* writer
éduquer to educate
efficace efficient
s'efforcer (de) to strive
effrayant frightening
égal (mpl -aux) equal
égalitaire egalitarian
égalité *f* equality
église *f* church

égoïste selfish
eh : eh bien! well!; **eh bien ?** eh?
élan *m* dash, burst
électeur (-trice) *n* voter
élève *n* student
élevé high
élever (un enfant) to raise (a child); **bien élevé** well brought up; **mal élevé** badly brought up
élire to elect
emballer to carry away; *(fig)* to pack (goods)
embarrassant embarrassing
embaucher to hire
embrasser to kiss
émeraude *f* emerald
emmener to take, to take away; **emmener (quelqu'un)** to take (someone) (along/away)
émouvant moving
empêcher (de) to stop, to prevent (from)
empereur *m* emperor; **impératrice** *f* empress
emploi *m* job; **emploi du temps** schedule; **exercer un emploi** to perform a job
employer to employ, to use
emporter (quelque chose) to take (something) (along/away)
emporte-restes (*pl* **emporte-restes**) *m* doggy bag
emprunter to borrow
en in, of, while, upon, by, through
enceinte pregnant
enchanté delighted
enchanteur (-eresse) enchanting
encore then, still; **encore de(s)** more; **et encore** and over; **ne. . . pas encore** not yet
encourager (à) to encourage (to)
encre *f* ink
endroit *m* place
énergique energetic
énervé nervous, fidgety
enfance *f* childhood
enfant *n* child
enfin at last, finally
s'enfuir (de) to flee (from)
engagé committed
engager to hire; **ne s'engager à rien** to be noncommittal; **s'engager (à)** to commit oneself (to)
enjeu *m* stake
enjoué vivacious
enlever to remove, to take off
ennui *m* boredom; trouble
ennuyer to bore; to bother; **s'ennuyer** to be bored

ennuyeux (-euse) boring
enregistrement *m* recording
enregistrer to record
enrouler to wrap around
enseignant(e) *n* teacher
enseignement *m* teaching
enseigner to teach
ensemble together
ensuite then, next, after
entasser to cram, to pack, to heap
entendre to hear; **s'entendre bien/mal
    (avec)** to get along well/ poorly (with);
    s'y entendre to be knowledgeable, to be
    an expert
enthousiasmer to enthuse, to fire;
    s'enthousiasmer (pour) to get enthusiastic
    (about)
enthousiaste enthusiastic
entouré (de) surrounded (by/with)
entourer (de) to surround (with)
entraide *f* mutual aid
s'entraider to help each other/one another
entraînement *m* training
entraîner to drag into; **s'entraîner (à)** to
    train
entraîneur (-euse) *n* trainer
entrée *f* entree (second course); entrance
entreprendre to undertake
entrepreneur (-euse) *n* business owner,
    contractor
entreprise *f* firm, company
entrer (dans) to enter; **faire entrer** to show in
entretien *m* talk
envie *f* craving, longing; **avoir envie (de)** to
    crave, to desire, to long for, to feel like
s'envoler to fly off
envoyer to send
épais (épaisse) thick
épanouissement *m* blossoming, expansion
épée *f* sword
épices *fpl* spices
épinards *mpl* spinach
époque *f* time, era; **à l'époque où** at the time
    when
épouse *f* wife, spouse
épouser to marry
époux *m* husband, spouse
épris (de) in love (with)
éprouver to feel
épuisant exhausting
équilibre *m* equilibrium, balance
équipe *f* team; (factory) shift
érotisme *m* eroticism
escadrille *f* flight (air unit)
escalier *m* stairway

escalope *f* cutlet
escargot *m* snail
esclavage *m* slavery
esclave *n* slave
Espagne *f* Spain
Espagnol(e) *n* Spaniard; **espagnol** Spanish
espèce *f* species
espérer to hope, to wish
espoir *m* hope
esprit *m* spirit
essayer (de) to try
essuie-glace (*pl* **essuie-glaces**) *m* windshield
    wiper
essuie-mains (*pl* **essuie-mains**) *m* hand towel
estimer to esteem, to admire
et : et alors ? ! so what?!
établissement *m* establishment; **d'études
    secondaires** institution of secondary
    studies (grades 8–14); **établissement
    d'études supérieures** institution of higher
    learning (universities and professional
    schools)
étage *m* story, floor
étaler to spread
état *m* state, condition
États-Unis *mpl* United States
été *m* summer
étiquette *f* sticker, tag; etiquette (manners)
étoile *f* star
étonnant surprising, astonishing
étonné surprised
étranger (-ère) foreign; **à l'étranger** abroad;
    n foreigner
être to be; **en être** to stand, to be at a
    point/spot; **être (à)** to belong (to); **être
    au courant (de)** to be up-to-date, to be
    informed; **être censé** to be supposed to;
    être d'accord (avec) to agree (with); **être
    en train de** to be in the process/midst
    of; **être fâché (de)** to be angry (about);
    être forcé (de) to be forced (to), must, to
    have to; **être obligé (de)** to be obliged
    (to), must, to have to; **être prêt (à)** to
    be ready (to); **être satisfait (de)** to be
    pleased (with); **être sur le point (de)** to
    be about to; **être victime (de)** to suffer,
    to undergo; **qu'est-ce que (c'est (que))**
    what is; **y être** to be ready
être *m* being
étudiant(e) *n* university student
euh... um..., hum...
s'évanouir to faint
événement *m* event
évitable avoidable
éviter to avoid

exagérer to exaggerate

examen *m* examination, test; **examen de fin d'année** final exam; **examen partiel** midterm exam

examinateur (-trice) *n* examiner

exaspérant exasperating

excepté except, with the exception of

excès *m* excess; **à l'excès** in excess

s'exclamer to exclaim

exemple *m* example; **par exemple** for example; **par exemple!** by gosh!

exercer to perform, to carry out; **exercer un emploi** to perform a job

exigeant demanding

exiger to demand

expliquer to explain

exposer to exhibit (art); **exposé** *pp* exhibited

exposition *f* exhibit

exprès *adv* purposely; **faire exprès (de)** to do (something) intentionally

exprimer to express; **s'exprimer** to express oneself

exquis exquisite, delicious

extérieur outer, exterior

F

fabrique *f* factory

fabriquer to produce

face *f* face, side; **en face de** opposite; **faire face (à)** to face, to confront

fâché angry, sorry; **être fâché (de) (que)** to be mad/angry (about/that)

fâcher to anger, to annoy; **se fâcher (contre)** to get mad (at)

facile easy

façon *f* way, manner

facultatif (-ive) elective, optional

faible feeble, weak

faiblesse *f* weakness

faïence *f* earthenware

faillite *f* bankruptcy; **faire faillite** to go bankrupt

faim *f* hunger; **avoir faim** to be hungry

faire to do, to make; **faire asseoir** to seat (someone); **faire attendre** to keep (someone) waiting; **faire attention (à)** to pay attention (to); **faire circuler** to pass around; **faire connaissance** to get acquainted; **faire de la nage, du golf** to engage in swimming, golf; **faire de la bicyclette** to ride a bicycle; **faire de son mieux** to do one's best; **faire des études** to study; **faire des sports** to engage in sports; **faire entrer** to show in;

faire les courses to go shopping; **faire payer** to charge; **faire savoir** to inform; **faire sortir** to show out; **faire suite** to follow; **faire taire** to silence; **faire usage (de)** to make use (of); **faire venir** to send for; **faire visiter** to show around; **faire voir** to show around; **faire vivre** to support (someone); **faire vrai** to appear authentic; **s'en faire** to worry, to fret; **se faire du mal** to get hurt; **se faire une raison** to get used to (an idea); **se faire (attraper, prendre, arrêter, renvoyer)** to get (caught, caught, arrested, fired); **s'y faire** to get used to it

falloir to be necessary

familier (-ère) familiar; **animal familier** pet

fardeau *m* load, weight

fascinant fascinating

fatigant tiring

fatigué tired

fatiguer to tire, to strain; **se fatiguer (de)** to tire (of)

faubourg *m* suburban village/town

fauché broke

faut from **falloir**; **il faut** it's necessary

faute *f* mistake

fautif (-ive) at fault

faux (-sse) false; insincere, deceitful; **chanter faux** to sing off key

faveur *f* favor; **en faveur (de)** in favor (of)

favori (favorite) favorite

favoriser to favor

féliciter to congratulate

femme *f* woman; wife

fer *m* iron; **fer forgé** wrought iron

ferme *f* farm

fermer to close; **fermer à clé** to lock

fermier (-ère) *n* farmer

fête *f* holiday, feast, party; **fête galante** costumed garden party

feu *m* fire; **feu d'artifice** fireworks

feuilleton *m* soap opera, serialized television show

fiançailles *fpl* engagement

fiancer to betroth; **se fiancer (avec)** to become engaged (to)

fidèle faithful

fidélité *f* faithfulness

fier (-ère) proud

se **fier (à)** to trust

fierté *f* pride

figuratif (-ive) figurative

filer to spin; **filer le parfait amour** to live the perfect love

filet *m* net

fille *f* girl; daughter; **jeune fille** young woman

film *m* (**d'amour, d'aventure, policier**) (romantic, adventure, detective) movie

fils *m* son

fin fine, discriminating

fin *f* end, ending

finalement at last, finally

financier (-ère) financial

finir (de) to finish (doing something)

firme *f* firm, company

fixer to set

flan *m* egg custard

flâner to stroll

flatteur (-euse) flattering

fleuriste *n* florist

flirter to flirt

flûte ! shucks!

foire *f* fair

fois *f* time; **à la fois** at the same time; **chaque fois** every time; **il était une fois** once upon a time; **une fois** once

folie *f* madness, craziness

folklorique folkloric

folle *f* madwoman

foncé dark

fonctionnaire *n* government worker

fonctionner to work, to function

fond *m* background scenery

fonder to found, to base

fondre to melt

forme *f* form, shape; **être en bonne forme** to be in good shape

formulaire *m* form, questionnaire

fort strong; hard; loud; **crier fort** to shout loudly; **frapper fort** to hit hard

fortifiant invigorating

fortuné fortunate

fossé *m* ditch; **fossé entre les générations** generation gap

fou (fol, folle) crazy

fou *m* madman; **folle** *f* madwoman

fouet *m* egg beater, whip

fouillis *m* mess

four *m* oven

fourrure *f* fur

foyer *m* home; **femme** *f* **au foyer** homemaker, housewife

frais (-aîche) fresh

frais *mpl* expenses; **frais d'envoi** mailing cost

fraise *f* strawberry

franc (-che) frank

francophone francophone (French-speaking)

frapper to hit, to strike; **frapper dur/fort** to hit hard

fredonner to hum

frein *m* brake; **mettre un frein (à)** to put a brake (on)

fréquenter to hang around with, to spend time with

frère *m* brother

frivole frivolous

froid cold; **avoir froid** to be cold

frustré frustrated

fumer to smoke

furieux (-euse) furious

fusée *f* rocket

fusil *m* gun

futur *m* future

G

gâcher to ruin

gaffe *f* blunder

gagner to win, to earn; **gagner du temps** to play for time; **gagner sa vie** to earn one's living

gai gay

galant gallant, attentive to women

gant *m* glove

garantir to guarantee

garçon *m* boy; waiter

garder to keep

gardiennage *m* **d'enfants** baby sitting

gare *f* (train) station

garni garnished, stocked; covered with food

gâteau (*pl* **-eaux**) *m* cake; **gâteaux secs** cookies

gâter to spoil

gaz *m* gas

geler to freeze, to gel

gendre *m* son-in-law

généreux (-euse) generous

générosité *f* generosity

génie *m* genius

genou (*pl* **-oux**) *m* knee

genre *m* type, kind

gens *mpl* people

gentil (-ille) nice, kind

gentillesse *f* kindness

gentiment nicely, kindly; sweetly

gérant(e) *n* manager

gestion *f* management

glace *f* ice; ice cream

glouton(ne) *n* glutton

gosse *n* kid; guy

gourmand(e) *n* heavy eater

goût *m* taste
goûter *m* tea (meal), snack
goûter to taste
gouverner to govern
gouverneur *m* governor
graisse *f* fat, grease
gramme *m* gram
grand tall; (before noun) great; **voir grand** to
    have big plans
grandir to grow (up)
grand-mère *f* grandmother
gras (grasse) fat, fatty
gratte-ciel (*pl* gratte-ciel) *m* skyscraper
grec (grecque) Greek
grenouille *f* frog
grève *f* strike
gréviste *n* striker
grincheux (-euse) grouchy
gros(se) fat, large; **avoir le cœur gros** to be
    sad/blue, to have the blues
grossesse *f* pregnancy
grossier (-ère) gross, vulgar
grossir to gain weight
grossissant fattening
groupe *m* group; **de pression** pressure group,
    lobby
guère *adv:* **ne. . . guère** hardly, scarcely
guerre *f* war
guerrier (-ère) *n* warrior

H

habile able, skillful
habiller to dress; **s'habiller** to dress, to get
    dressed
habiter to live
habitude *f* habit, custom; **d'habitude** usually;
    avoir l'habitude (de) to be used to
habituellement habitually
habituer to accustom; **s'habituer (à)** to get
    used to
*haine *f* hatred
halluciner to hallucinate
*harassant harrassing
*hardi bold
*haricot *m* (vert) (green) bean
*haut high; **être haut de** to be . . . high
*haut *adv* high, loudly; **parler haut** to speak
    loudly; **voler haut** to fly high
*haut *m* top (page); height; **avoir. . . de**
    haut to have a height of
*hauteur *f* height
*hé!, hé là! hey!
*hep! hey!
herbe *f* grass; **herbe aromatique** herb

hériter to inherit
héroïne *f* (female) hero
*héros *m* (male) hero
hésiter (à) to hesitate (to)
heure *f* hour, time; **à l'heure** on time;
    à/de l'heure per/an hour; **de bonne**
    heure early
heureusement happily, luckily
heureux (-euse) happy, glad
hier yesterday; **avant-hier** the day before
    yesterday; **hier matin** yesterday
    morning; **hier soir** last night
histoire *f* story; history
historique historic(al)
hiver *m* winter
*Hollandais *m* Dutchman
homme *m* man
honnête honest
*honte *f* shame; **avoir honte (de)** to be
    ashamed (to/of)
*honteux (-euse) shameful; **honteux (de)**
    ashamed (of)
horreur *f* horror
hors-d'œuvre *m invariable* hors d'oeuvre,
    starter
hôte *m* host, guest
hôtesse *f* hostess
*hourra! hurray!
huile *f* oil
humanité *f* humanity; **bienfaiteur (-trice)** *n*
    de l'humanité humanitarian
humeur *f* mood
humour *m* humor
*hurrah! hurray!
hymne *m* hymn
hypocrite hypocritical

I

ici here
idée *f* idea
il *pron* he, it; **il y a** there is, there are; ago; **il**
    y a. . . que for (time expression)
île *f* island; **îles Baléares** Balearic Islands
illuminer to illuminate, to enlighten
immigré immigrant
impératrice *f* empress
impoli impolite
impolitesse *f* impoliteness
importer to matter; **n'importe quand** any
    time at all; **n'importe quel(le)(s)** any, just
    any; **n'importe qui** anyone, just anyone
imposant imposing
imposer to impose; **s'imposer** to assert
    oneself

impressionnant impressive
impressionner to impress
inaccessible (à) inaccessible (to)
inachevé unfinished
inattentif (-ive) careless, inattentive
incendie *m* fire
inclination *f* attraction
inclure to include
inconnu unknown
incorporer to incorporate
inculper to incriminate
Inde *f* India
indifférent indifferent; **être indifférent (à)** to take no interest (in)
indigène *n* native
indiscipliné undisciplined, unruly
individualisme *m* individualism
indulgent lenient
inégal (*mpl* **-aux**) unequal
inégalité *f* inequality
inestimable priceless
infirmier (-ère) *n* nurse
influer (sur) to influence
informaticien(ne) *n* data-processing expert
informatique *f* data processing, computer science
informatiser to computerize
infusion *f* herbal tea
ingénieur *m* engineer
ingrat ungrateful
injuste unjust
inquiet (-ète) uneasy, worried
inquiéter to worry, to trouble; **s'inquiéter (de)** to worry (about)
inquiétude *f* uneasiness, anxiety, restlessness
inscription *f* registration
inscrire to inscribe; **s'inscrire (à)** to join, to enroll (in)
insensible (à) insensitive (to)
insinuer to insinuate
insouciant carefree
inspirer to inspire; **s'inspirer (de)** to be inspired (by)
instructif (-ive) instructive, informative
instruire to educate
insupportable unbearable
intenable untenable
intention *f* intention; **avoir l'intention (de)** to intend to
interdire (à, de) to forbid
intéresser to interest, to concern; **s'intéresser (à)** to be interested (in)
intérieur inner, interior
intérimaire *m* temporary/substitute worker; *adj* substitute

interroger to interrogate
interrompre to interrupt
intervenir to intervene
inutile (à) useless (to/for)
inverser (les rôles) to reverse (roles)
investir des capitaux *m* to invest capital
invité(e) *n* guest
inviter (à) to invite (to)
Irlande *f* Ireland
irritant irritating
irriter to irritate
isoler to isolate; **s'isoler** to isolate oneself

J

jalousie *f* jealousy
jaloux (-ouse) jealous
jamais never, ever; at no time; **ne... jamais** never, not ever
japonais Japanese
jardin *m* garden
jeter to throw
jeu (*pl* **-eux**) *m* game
jeune young
jeunesse *f* youth
joie *f* joy
joindre to join, to unite; **se joindre (à)** to join
joli pretty, nice; **joli(e) comme un cœur** pretty as a picture
joue *f* cheek
jouer to play; **jouer à (un sport, un jeu)** to play (a sport, a game); **jouer (au tennis, aux cartes, au bridge)** to play (tennis, cards, bridge); **jouer de (+ instrument de musique)** to play (a musical instrument); **jouer (du violon, de la clarinette)** to play (the violin, the clarinet)
jour *m* day; **jour de fête** holiday
journal (*pl* **-aux**) *m* newspaper
juger to judge
Juif (Juive) *n* Jew
jumeau, jumelle twin
jusque even; until, up to; as far as; **jusqu'à** until; **jusqu'à ce que** until
juste correct, right; **chanter juste** to sing on key; **deviner juste** to guess right; **voir juste** to see right
justement exactly, precisely

K

kilo(gramme) *m* kilo(gram)

L

là there; **là-bas** down there, over there
La Haye f The Hague
La Nouvelle-Orléans f New Orleans
laboratoire m laboratory
laid ugly
laisser to leave (behind); to let, to leave
laisser-aller m casualness
laitier (-ère) milk, dairy (adj)
laitue f lettuce
lancer to start, to launch, to throw
langue f tongue, language; **langue maternelle** mother tongue
lapin m rabbit; **mon (petit) lapin** bunny (term of endearment)
large large, wide; **être large de...** to be ...wide
large m width; **avoir...de large** to have a width of
largeur f width
las (lasse) tired, weary
laver to wash; **se laver** to wash oneself
Le Caire Cairo
lecture f reading
léger (-ère) light
légume m vegetable
lendemain m day after, next day
lent slow
leur their; **le/la leur** theirs; **les leurs** theirs
levant rising
lever to lift, to raise; **se lever** to get up
liaison f love affair
libéré liberated
librairie f bookstore
libre free; freestyle (swimming)
libre-échange m free trade
lié tied, involved
lier to tie; **se lier (avec)** to become friendly (with)
lieu m place; **au lieu de** instead of; **avoir lieu** to take place
ligne f line; figure (physique)
limiter : se limiter (à) to limit oneself (to)
limonade f lemonade
lire to read
lisse smooth
liste f **de vérification** checklist
lit m bed
litre m liter
littéraire literary
littérature f literature
livre m book; f pound
locataire n renter, tenant (housing)

location f rental
logement m lodging
logiciel m software
logique f logic
loi f law
loin far; **loin de** far from
lointain far, faraway
loisirs mpl leisure time
Londres m London
long(ue) long; **être long(ue) de** to be ... long
long m length; **avoir...de long** to have a length of; **le long de** pr along
longtemps long, a long time
longueur f length
lorsque when
louer to rent
loup (louve) n wolf
lourd heavy
loyer m rent
lumière f light
lune f moon; **clair** m **de lune** moonlight; **lune de miel** honeymoon
lunettes fpl eyeglasses; **lunettes de soleil** sunglasses
lutter to fight
luxueux (-euse) luxurious
lycée m high school/college (grades 12–14)
lycéen(ne) high school student
lyrique lyric, lyrical

M

machine f machine; **machine à laver** washing machine
madame (pl mesdames) f Mrs., ma'am, madam, lady
mademoiselle (pl mesdemoiselles) f Miss, young lady
magasin m store
magistrature f magistracy
magnétique magnetic
magnifique magnificent
maigrir to lose weight
maillot (de bain) m bathing suit
main f hand; **avoir le cœur sur la main** to be generous
maintenant now
maire m mayor
mairie f city hall
maison f **d'édition** publishing house
maître m master; **maître d'hôtel** m maître d'
maîtresse f (female) lover, mistress; school teacher (primary school)

maîtrise *f* master's degree
majestueux (-euse) majestic
mal *adv* badly, poorly; **de mal en pis** from bad to worse
mal *m* pain; bad, evil; **avoir mal (à)** to hurt, to have a —ache; **avoir mal à la tête** to have a headache
malade sick
malchance *f* misfortune, back luck
malgré despite, in spite of
malheur *m* misfortune, unhappiness
malheureusement unhappily, unluckily
malheureux (-euse) unhappy
malhonnête dishonest
malin (maligne) malignant, bad; shrewd
malsain unhealthy
manche *m* handle; *f* sleeve; **La Manche** the English Channel
manger to eat
mangue *m* mango
manière *f* way
manifestation *f* demonstration
mannequin *m* fashion model
manque *m* lack; **manque de pot** tough luck
manquer to miss, to lack; **il manque (à)** to lack (something), to be short, to be missing (someone/something); **manquer (à)** to be missed, to be missing; (**tu me manques** I'm missing you); **manquer (de)** to lack (something); to nearly (do something), to come close to (doing something)
manteau (pl -eaux) *m* coat
marche *f* walking
marcher to walk; to work, to function
Mardi Gras *m* Shrove Tuesday
marge *f* margin
mari *m* husband
mariage *m* marriage
marié *m* groom
mariée *f* bride
marier to marry; to join in wedlock; **se marier (avec)** to marry (to get married to)
marine *f* seascape; navy
marque *f* label (of a record company), mark
marron *m* chestnut
matériel *m* material, equipment, (computer) hardware; **matériel scolaire** school supplies
maternel(le) maternal
matière *f* subject matter; **matières premières** raw materials
matin *m* morning
maturité *f* maturity, middle age

maussade surly, glum
mauvais bad, ill, nasty
mazette! wow!
mécène *m* patron (of the arts)
méchanceté *f* meanness
méchant bad, mean
mécontent (de) discontented (about), unhappy (with)
médecin *m* physician; **la femme médecin** (woman) physician
médias *mpl* media
médiocrité *f* mediocrity
méfiance *f* mistrust
méfiant mistrustful
se **méfier (de)** to distrust, to be wary (of)
meilleur : le/la/les meilleur(e)(s) the best; **rendre meilleur** to improve
mélanger to mix
mêlé (à/avec) mixed (with)
mélodie *f* melody
mélodieux (-euse) melodious
mélomane *n* music lover
même very, even; (before noun) same; **-même(s)** -self (-selves)
ménage *m* household, housework
mener to take, to lead; **mener (une vie)** to lead (a life)
mensonge *m* lie
mentalité *f* mentality
menteur (-euse) lying
menthe *f* mint
mentir to lie
méprisable despicable
méprisant scornful
mépriser to despise
mer *f* sea
mère *f* mother
mériter to deserve
merveille *f* marvel
merveilleux (-euse) marvelous
métier *m* craft, trade
mètre *m* meter
métro *m* subway
metteur *m* **en scène** movie director
mettre to put; **mettre la table** to set the table; **mettre le couvert** to set a place; **mettre (quelqu'un) dans le coup** to get (someone) involved; **se mettre (à)** to set out to; to begin, to start; **se mettre au travail** to begin work; **se mettre en grève** to initiate a strike; **se mettre d'accord (sur)** to agree (on/upon)
meubles *mpl* furniture
meurtre *m* murder
mexicain Mexican

Mexique *m* Mexico
microsillon *m* LP record
midi *m* noon; **à midi** at noon
mien : le/la mien(ne) mine
mieux better; **le mieux** the best
milieu *m* middle; environment; **au millieu de** in the middle of
militant(e) *n* militant
militantisme *m* militancy
mille-feuilles *m* napoleon
mince slim; **mince !** heck!, darn!, damn!
minimiser to minimize
ministre *m* minister
minute *f* minute; **minute !** just a minute!; **à la minute** per/a minute
mise *f* setting; **mise au point** tune-up, tuning; **mise en scène** staging, production
misère *f* destitution, misery
misogyne *n* woman hater
missionnaire *n* missionary
mode *m* method, mood; *f* fashion
modèle *m* model; (woman/man) model (of a painter)
modeler to model, to mould
moindre smaller, lesser; **le/la/les moindre(s)** the smallest
moins less, fewer; minus; **à moins de** unless; **à moins que. . . (ne)** unless; **moins de** less; **le/la/les moins** the least; **moins. . . que** less/fewer . . . than
mois *m* month
moitié *f* half; **la moitié (de)** half (of)
moment *m* moment; **à ce moment-là** at that time; **en ce moment** at this time; **en ce moment même** at this very time, right now
mondial *adj* world, related to the world
monétaire monetary
monotone monotonous
monsieur (*pl* **messieurs**) *m* Mr., sir, man
monter to go up; to climb up; **monter (dans)** to get on
montrer to show, to demonstrate; **montrer (à)** to show
moquer to mock; **se moquer (de)** to make fun (of)
morale *f* ethics, morals
morceau *m* piece; **morceau de musique** piece of music, composition
mort dead, deceased
mot *m* word
mou (molle) soft
mourir to die
mouslait *f* milk shake

moyen(ne) average, mid-range, middle
moyens *mpl* means
muet(te) mute
mûr mature
musée *m* museum
musicien(ne) *n* musician
musique *f* music
mythe *m* myth

N

nage *f* swimming
nager to swim
nageur (-euse) *n* swimmer
naissance *f* birth
naître to be born
nana *f slang* girl, girlfriend, chick, babe
nappe *f* tablecloth
natal (*mpl* **-als**) native (country)
natation *f* swimming
nature *f* **morte** still life
naturel(le) natural
navet *m* bad painting/movie/novel, flop, dud
ne : ne. . . aucun(e) no, not . . . any; **ne. . . guère** hardly, scarcely; **ne. . . jamais** never, not ever; **ne. . . ni. . . ni** neither . . . nor; **ne. . . nul(le)** not . . . a (single) one; **ne. . . pas** not; **ne. . . pas encore** not yet; **ne. . . personne** not . . . anybody, no one, nobody; **ne. . . plus** no . . . more/longer; **ne. . . point** not; **ne. . . que** only; **ne. . . rien** not . . . anything, nothing
né born
nécessaire (à) necessary (to/for)
négligence *f* neglect
négligent inattentive
négliger to neglect
neige *f* snow
net clear, clean; **en avoir le cœur net** to get the true picture
nettoyer to clean
neuf (-ve) new; **quoi de neuf ?** what's new?
neutre neutral
neveu (*pl* **-eux**) *m* nephew
nez *m* nose
ni. . . ni neither . . . nor
nièce *f* niece
nier to deny
niveau (*pl* **-eaux**) *m* level
noces *fpl* wedding
noir black
noix *f* nut
nom *m* noun

nombre *m* number
nombreux (-euse) numerous, large
nommer to name
non plus either, neither
nostalgique nostalgic
note *f* grade, note
notre our; **le/la nôtre** ours; **les nôtres** ours
nourrir to nourish, to feed
nourrissant nourishing
nourriture *f* food
nouveau (nouvel, nouvelle, nouveaux, nouvelles) new; **nouvelle** *f* short story; *fpl* news; **Nouveau Mexique** *m* New Mexico
nouveauté *f* newness, novelty
nu *m* nude
nuit *f* night; **cette nuit** tonight
nul (nulle) worthless, of no value; **ne...nul(le)** no, not ... any
numéro *n* number

O

obéir (à) to obey
obéissant obedient
obligation *f* duty
obligatoire required
obtenir to obtain, to get
occasion *f* occasion, opportunity; **avoir l'occasion (de)** to have occasion (to)/the opportunity (to)
occidental western, west
occuper to occupy; **s'occuper (de)** to care for, to take care (of)
odieux (-euse) hateful
œil (*pl* **yeux**) *m* eye
œuvre *f* work, opus, production
offrir to offer; **offrir (à quelqu'un) le dîner/spectacle** to treat (someone) to dinner/a show
oignon *m* onion
oiseau (*pl* **-eaux**) *m* bird
oiseau-mouche (*pl* **oiseaux-mouches**) *m* hummingbird
ombre *f* shadow
on they, we, you; one, someone, somebody, people, the group
or *m* gold
orchestre *m* orchestra
ordinairement ordinarily
ordinateur *m* computer
ordonner (à, de) to order
organisateur (-trice) *n* organizer; tour or activities director
orgue *f* organ

originaire native
orner (de) to adorn, to decorate (with)
orthographe *f* spelling
orthographique orthographical (related to spelling)
où que no matter where, wherever
oublier (de) to forget
outil *m* tool
outre-mer *adv* overseas
ouverture *f* overture
ouvrage *m* work
ouvre-boîtes (*pl* **ouvres-boîtes**) can opener
ouvrier (-ère) *n* worker
ouvrir to open

P

page *m* page (person); *f* page (of a book)
pagne *m* African sarong
païen(ne) pagan
pain *m* bread; **pain complet** whole-grain bread; **pain de campagne** country bread; **petit pain** *m* roll
paisible peaceful
paix *f* peace
pâlir to turn pale
panier *m* basket
pantalon *m* trousers, slacks
papa *m* daddy, dad; **le papa gâteau** over-indulgent father
Pâques *fpl* Easter
par by; **par exemple** for example; **par exemple !** by gosh!; **par rapport à** in relation to
paraître to seem
parapluie *m* umbrella
paratonnerre *m* lightning rod
parce que because
pardonner (à) to forgive
pareil(le) alike, similar
parent *n* relative; **les parents** parents
paresse *f* laziness
paresseux (-euse) lazy
parfois sometimes; at times
parler to speak, to talk; **parler (de)** to speak (of/about)
parmi among
parole *f* word; **à vous la parole** your turn to speak; *pl* lyrics (of a song)
partager to share, to partake
parti *m* (political) party
participer (à) to compete (in), to take part (in)
partie *f* part; party (person, in law); **la plus grande partie de** most of
partir to leave
partout everywhere, all over

pas *m* step; **ne...pas** not; **ne...pas encore** not yet; not; **pas de quoi** nothing to it, you're welcome, don't mention it; **pas du tout** not at all

passager (-ère) transitory

passé past, last

passer to pass; **passer (film)** to show (movie); **passer son temps** to spend one's time; **passer un examen** to take an exam; **se passer** to happen

passionné enthusiastic, passionate

pâte *f* dough, paste

pâtisserie *f* pastry shop

patron(ne) *n* boss

patronat *m* managerial class

pause *f* break

pause-café *f* coffee break

pauvre poor, penniless; (before noun) unfortunate

pauvreté *f* poverty

payer to pay for; **faire payer** to charge; **payer de sa personne** to incur risks

pays *m* country, nation

paysage *m* landscape, scenery

paysan(ne) *n* peasant, country person

P.d.g. (président(e)-directeur (-trice) général(e)) *n* president (of a company), general director

peau (pl -eaux) *f* skin, fur

pêcher to fish

pêcheur (-euse) *n* fisherman (-woman)

pédiatre *n* pediatrician

peindre to paint

peine *f* labor, trouble; **à peine** hardly, scarcely; **peine de cœur** heartache

peintre *m* painter

peinture *f* painting (art); **peinture à l'huile** oil paint(ing)

peler to peel

peloton *m* pack (race)

penchant *m* attraction

pendant during; **pendant que** while

pénible hard, arduous

pénitencier *m* penitentiary

pensée *f* thought, thinking

penser to think; **penser (à)** to think (of/about)

pension *f* pension; **pension alimentaire** alimony

perdre to lose; **perdre son temps** to waste one's time

père *m* father; **Père Noël** *m* Father Christmas, Santa Claus

périmé expired

permettre (à, de) to permit, to allow

perruche *f* parakeet

perruque *f* wig

personnalité *f* personality, character

personne *f* person; **ne...personne** not...anybody, no one, nobody

personnel *m* **de service** service workers

perte *f* loss

pèse-personne (pl pèse-personnes) *m* bathroom scale

peser to weigh

petit : small, little; **petit pain** *m* roll; **petit pois** *m* pea

peu *adv* little; **peu de** little, few; **un peu de** a little

peuple *m* people, nation

peur *f* fear; **avoir peur (de)** to be afraid (to/of); **de peur de** for fear that; **de peur que...(ne)** for fear that

peut-être maybe, perhaps

phallocrate *m* male chauvinist

pharmacien(ne) *n* pharmacist

philosophie *f* philosophy

physique *m* physique; *f* physics

pic *m* peak

pièce *f* room; **pièce de monnaie** coin; **pièce de théâtre** play

pied *m* foot; **à pied** on foot

pilule *f* (contraceptive) pill

pinceau *m* (paint) brush

pincée *f* pinch

pique-nique (pl pique-niques) *m* picnic

pire *adj* worse; **le/la/les pire(s)** the worst

pirogue *f* canoe

pis *adv* worse; **de mal en pis** from bad to worse; **le pis** the worst; **tant pis** too bad

piscine *f* swimming pool

pittoresque picturesque

placard *m* closet, cupboard

place *f* place, square; **à la place de** instead of

placide calm

plage *f* beach

plaindre to pity; **se plaindre (de)** to complain (of, about)

plaire to please; **plaire à (quelqu'un)** to please (someone); **se plaire** to feel happy/satisfied, to like it; **se plaire (à + inf)** to like/enjoy (doing something)

plaisant pleasant

plaisanter to joke

plaisir *m* pleasure; **faire plaisir (à)** to please

plan *m* plan; **l'arrière plan** background; **le premier plan** foreground

planche *f* plank

plaque *f* **chauffante** burner

plat *m* dish, large plate; dish (of food); **plat principal** main course

plein full; **plein (de)** full of
pleurer to cry, to weep
plier to fold
pluie f rain
plume f feather
plupart : la plupart de(s) most of, the majority of
pluridisciplinaire multidisciplinary
plus more; anymore; **la plus grande partie de** most of; **le/la/les plus...** the most...; **ne...plus** no...longer/more; **non plus** either, neither; **plus de** more; **plus...que** more...than
plusieurs *invariable* several, some
plûtot *adv* rather; **plûtot que** rather than
pneu m tire
poche f pocket
poêle f frying pan
poésie f poetry
poète (poétesse) n poet
poids m weight
poil m hair
point m period, dot, stitch; **ne...point** not
poire f pear
pois m spot, dot; pea; **petits pois** *mpl* peas
poisson m fish
poli polite
policier (ère) police; **film** m **policier** detective movie
politesse f politeness
politique f politics; *adj* political
politisé politicized
pomme f apple
pommier m apple tree
pompeux (-euse) pompous
populaire popular
port m port; **port de mer** seaport
porte-clefs (*pl* **porte-clefs**) m key holder, key ring
portée f extent
porte-parole (*pl* **porte-parole**) m spokesperson
porter to carry; to wear; **se porter** to behave; to be (health)
poser to lay, to put; **poser une question** to ask a question
posséder to possess, to own
poste m post, position, job; f post office; **poste de cadre** executive position
poster to post, to mail
potins *mpl* gossip
pouce m inch, thumb
poule f hen
poulet(te) n chicken; **mon poulet** sweetie (term of endearment)

poupée f doll
pour for; to, in order to, so as to; **pour que** so that
pourquoi why
pourtant *adv* however; **et pourtant** and yet
pourvoir to provide
pourvu que provided that
pousser à l'expansion to stimulate expansion
pouvoir can, to be able; **il se peut que** it can be, it's possible
pouvoir m power
prairie f meadow
pratique f practice
pratiquer to practice
précédent preceding
préconçu preconceived
prédire to predict
préjugé m bias; **avoir des préjugés** to be biased
premier (-ère) first; **premier ministre** m prime minister
prendre to take; **prendre à cœur** to take to heart; **prendre soin (de)** to take care (of); **prendre son temps** to take one's time; **prendre un bain de soleil** to sunbathe; **prendre un pot** to have a drink; **s'y prendre** to go about it
préparer to prepare; **se préparer (à)** to prepare (for)
près near/close (to); **près de** next to, near
présenter to introduce
presse f press
prêt ready
prétendre to claim, to pretend; to declare, to maintain
prêter to loan
prêtre m priest
prévenir to warn
prévoir to foresee
prier to pray; to ask, to beg
prière f prayer
privé private
prix m prize, price
procès m trial
prochain next
proche near
produire to produce
profit m profit; *pl* profits
profond deep
projeter (de) to plan; **projeter (un film)** to project (a movie)
promenade f walk, outing, stroll; **faire une promenade** to take a ride/walk
promesse f promise

prometteur (-euse) promising
promettre (à, de) to promise
propre clean; (before noun) own
propriétaire *n* owner
protectorat *m* protectorate
protéger to protect
protestation *f* protest
provenance *f* origin; **en provenance de** coming from
provocant provocative
prune *f* plum
psychologue *n* psychologist
public (-ique) public
publicitaire *n* advertising person
publicité *f* advertising
publier to publish
puéril childish
puis then, afterwards, next
puisque because, since
puissant powerful, strong
punir to punish
punition *f* punishment
pureté *f* purity

Q

qualifié qualified; **non qualifié** unqualified
qualité *f* quality
quand when; **n'importe quand** any time at all
quant à as for
quart *m* quarter; **le quart (de)** one-fourth (of)
quartier *m* district, neighborhood
que *conj* that; *pron* whom, which, that; **ne... que** only; **que... ou non** whether ... or not
quel(le)(s) what, which
quelque(s) a few, some; **quelque chose** something; **quelqu'un** someone: **quelques-un(e)s** a few, some
quelquefois sometimes
querelle *f* dispute, quarrel
quereller : se quereller to quarrel
question : poser une question to ask a question
queue *f* tail, (waiting) line
qui who, which, that; **qui que** no matter who, whoever
quintuplé(e)s *npl* quintuplets
quitter (quelqu'un) to leave (someone)
quoi *pron* what, which; **pas de quoi** nothing to it, you're welcome, don't mention it; **quoi que** no matter what, whatever
quoique though, although

R

raccommoder to mend, to repair; **se raccommoder (avec)** to make up (with)
raccrocher to hang up (phone)
raconter to tell
raffinerie *f* **de pétrole** oil refinery
ragoût *m* stew
raison *f* reason; **avoir raison (de)** to be right (to); **se faire une raison** to get used to (an idea)
raisonnable reasonable
raisonnement *m* reasoning
randonnée *f* excursion
ranger to store, to arrange; **ranger les affaires** to put things away; **se ranger (avec)** to side (with)
rappeler to call again, to remind; **se rappeler** to remember
rapport *m* report; relation; **par rapport à** in relation to
rapporter to bring in
raquette *f* racquet
rater to botch; **rater (un examen)** to flunk
ravi delighted; **ravi (de)** thrilled (with)
rayé striped
réagir to react
réalisateur (-trice) *n* movie producer
se rebeller (contre) to rebel (against)
récent recent
recette *f* recipe
recevoir to receive
recherche *f* research
réciproque reciprocal
récit *m* story
recommander to recommend
récompense *f* reward
récompenser to reward
réconcilier to reconcile
réconforter to comfort
reconnaissant grateful
rédacteur (-trice) *n* story writer, editor
rédaction *f* composition, essay
rédiger to write in final form
redoubler to repeat (a year in school)
réduire to reduce
réfléchir to reflect, to think
refrain *m* refrain, chorus
refroidir to cool
se réfugier to take refuge
refuser (à, de) to refuse (to)
regarder to look (at)
régime *m* diet
règle *f* rule, regulation

regrettable regretable
regretter (de) to regret
regroupement *m* regrouping
reine *f* queen
rejeter to reject
réjouir to gladden, to divert; **se réjouir (de, que)** to rejoice (over, that)
relation *f* relation, relationship; **les relations** *fpl* relationship
relever (de) to come under the jurisdiction (of)
relier to link, to connect
remarier to remarry (perform the ceremony); **se remarier** to remarry
remboursement *m* repayment
remettre to deliver
remonter (à) to go back, to date back (to)
remplacer to replace
rempli (de) full/filled (with/by)
remplir to fill out; **remplir (de)** to fill (with)
rencontre *f* meeting, encounter
rencontrer to meet; **se rencontrer** to meet
rendre to make; **rendre meilleur** to improve; **rendre un service (à)** to do a favor (for); **rendre visite (à)** to visit; **se rendre (à)** to go (to), to make one's way (to); **se rendre compte (de)** to realize
renoncer (à) to give up, to quit, to renounce
renseigner to inform; **se renseigner** to get information
renseignement *m* information, piece of information
renversement *m* reversal
renvoi *m* firing, dismissal
renvoyer to fire
réparer to repair
répartie *f* retort
repas *m* meal
se **repentir** to repent (about)
réplique *f* reply
répondre (à) to reply, to answer, to respond
reportage *m* reporting, series of articles
repos *m* rest; **au repos** resting
reposant restful
reposer to replace; to rest; **se reposer** to rest
reprendre to take back; **reprendre le travail** to resume work
reproche *m* reproach
reprocher (à, de) to reproach
république *f* republic
réputé well-known
requin *m* shark
réseau (*pl* **-eaux)** *m* network; sector
résidence *f* dormitory

résigner to resign, to relinquish; **se résigner (à)** to resign oneself (to), to submit (to)
respectueux (-euse) respectful
ressembler (à) to resemble
ressentir to feel
restapouce *m* fast-food outlet
restaurant *m* **universitaire** university cafeteria
rester to stay; **il reste** it remains; (it has) something left
résultat *m* result
retard *m* delay; **en retard** late
retarder to be slow
retomber sur ses pieds to recover, to get back on one's feet
retraité(e) *n* retired person
retrouver to rediscover, to find again; **se retrouver** to meet
réussir to succeed; **réussir (à)** to succeed (at/in); **réussir à un examen** to pass an exam
réveil *m* awakening
révéler to reveal, to disclose; **se révéler** to prove
revendication *f* (social/political) demand
rêver (à) to dream (of)
rêveur (-euse) dreaming, dreamy
revirement *m* turn, twist
richesse *f* wealth
rien : de rien nothing to it, you're welcome, don't mention it; **ne. . . rien** not . . . anything, nothing
rivière *f* river
robe *f* dress
rocade *f* bypass (highway)
rocher *m* rock
roi *m* king
roman *m* novel; **roman psychologique** introspective novel
rompre to break up
rond round; **en rond** curled up
rose *m* rose, pink (color); *f* rose (flower)
rôti *m* roast
rôtir to roast
route *f* route, road; **mettre en route** to start, to launch
roux (rousse) reddish-brown; *n* red-headed person
ruban-cache *m* masking tape
rudement very, sorely, awfully
rudimentaire simple
rue *f* street
rupture *f* break, breakup
russe Russian
rythme *m* rhythm

S

sac *m* purse, bag
sacre *m* coronation
sage wise, smart; *n* wise person
sagesse *f* wisdom
sain healthy
salaire *m* salary
sale dirty; (before noun) nasty; **sale boulot** nasty job
salé salty
salir to dirty, to soil
salut *m* salvation
sang *m* blood
sans without; **sans blague!** no kidding!;
    sans doute without a doubt, undoubtedly;
    sans le sou penniless; **sans que** without
santé *f* health
satisfaisant satisfactory
satisfait satisfied; **être satisfait (de)** to be satisfied (about, with)
saucipain *m* hot dog
sauf except, save
saumon *m* salmon
sauter to jump
sauvage wild, untamed
sauver to save
savane *f* savannah
savoir to know, to know how; **faire savoir** to inform; **savoir par cœur** to know by heart
savoir-faire *m* know-how
savoureux (-euse) tasty
scène *f* scene, stage; **en scène** on stage;
    scène d'intérieur indoor scene; **scène de ménage** row, fight
sculpteur *m* sculptor; **la femme sculpteur** (woman) sculptor
se spécialiser (en) to major (in)
sec (sèche) dry
sécher un cours to cut a class
seconde *f* second; **à la seconde** per/a second
secours *m* help, assistance; **au secours!** help!
secrétaire général(e) *n* executive secretary
secteur *m* sector
sécurité *f* **sociale** social welfare
séducteur (-trice) seductive
séduisant charming, enticing
séjour *m* stay
selon according to
semaine *f* week; **semaine passée/dernière** last week
sembler to seem; **il semble** it seems
sénateur *m* senator

Sénégalais(e) *n* Senegalese
sens *m* meaning, sense
sensas! wow!, sensational!
sensibilité *f* sensitivity
sensible sensitive
sensuel(le) sensual
sentiment *m* feeling
sentir to smell; to feel
serein serene
sérieux (-euse) serious; **prendre au sérieux** to take seriously
serrer (dans ses bras) to hold (in one's arms)
serveur *m* waiter
serveuse *f* waitress
service *m* service; **rendre un service (à)** to do a favor (for); **service militaire** military service
serviette *f* napkin
servir to serve: **servir (de)** to serve; **se servir** to help oneself, to serve oneself; **se servir (de)** to use, to make use of
seul only, alone
seulement only
si if, what if
siamois Siamese
siècle *m* century
siège *m* place, center, seat
siéger to seat
sien : le/la sien(ne) his, hers, its
siffler to whistle
silence! quiet! hush!
sillon *m* furrow
similaire similar
simple simple, modest; (before noun) mere
sincère sincere
sincérité *f* sincerity
singe *n* monkey
sinon if not
situer to locate
ski *m* **de fond** cross-country skiing
soi oneself
soif *f* thirst; **avoir soif** to be thirsty
soigner to care for, to tend
soin *m* care; *pl* care, attention
soir *m* evening; **ce soir** tonight, this evening;
    hier soir last night
soirée *f* evening; social gathering (in the evening)
soldat(e) *n* soldier
solde *f* sale
soleil *m* sun
solidarité *f* solidarity
somme *m* nap; *f* sum, amount
sommeil *m* sleep; **avoir sommeil** to be sleepy

sommet *m* summit, conference
son *m* sound
sonate *f* sonata
sondage *m* (opinion) poll
songer (à) to dream (of), to think (of/about)
sonner (à la porte) to ring (the doorbell)
sort *m* fate
sortie *f* outing, going out
sortir to go out; **faire sortir** to show out; **sortir (avec)** to go out (with); **sortir (seul(e), en groupe)** to go out (alone, in a group)
sot (sotte) stupid, silly
sou *m* cent, penny; **sans le sou** penniless
souci *m* care, worry; **se faire des soucis** to worry
soucier to trouble; **se soucier (de)** to care (about/for), to concern oneself (about), to be concerned (about)
soucieux (-euse) worried
soudain suddenly
soudainement suddenly
souffle *m* breath
souffrance *f* suffering
souffrir to suffer
souhaitable desirable
souhaiter to wish
soupçon *m* suspicion
soupçonner to suspect
soupçonneux (-euse) suspicious
source *f* spring
sourd deaf
sourire *m* smile
sous under
soutenir to support
soutien *m* support
se **souvenir (de)** to remember
souvenirs *mpl* memories
souvent often
speaker (speakerine) *n* radio/TV announcer/commentator
spécialiser to specialize; **se spécialiser (dans, en)** to major (in)
spécialité *f* academic major
spectacle *m* entertainment, show
spectaculaire spectacular
spectateur (-trice) *n* spectator
sponsoriser to sponsor
sportif (-ive) *n* sportsman (-woman)
stade *m* stadium
star *f* (movie) star
sténodactylo *n* stenotypist
stimulant stimulating, thrilling
stylo *m* pen
subalterne subordinate

subir to suffer, to undergo
succéder (à) to succeed (someone)
succès *m* success
succursale *f* branch of a business
sucre *m* sugar
sucré sweet
sud *m* south
sud-américain(e) *n* South American
Suède *f* Sweden
suédois Swedish
suggérer (à, de) to suggest
suicider : se suicider to commit suicide
Suisse (Suissesse) *n* Swiss
Suisse *f* Switzerland
suite : faire suite to follow
suivant according to, following
suivre to follow; **suivre un cours** to take a course
sujet *m* subject; **au sujet de** on the subject of, on, about
super ! great!, super!
superficiel(le) superficial
supermarché *m* supermarket
supprimer to abolish
sur on, upon
sûr sure
surmené overworked
surprenant surprising
surpris surprised; **être surpris (de)** to be surprised (to)
surréservation *f* overbooking (airlines)
surveiller to supervise, to watch
survêtement *m* jogging suit
sympathique likable, pleasant
syndicat *m* union
syndiqué unionized

T

tableau (-eaux) *m* painting (object); blackboard
tache *f* spot, stain
taille *f* waist; size
taire to keep (something) quiet; **faire taire** to silence; **se taire** to be/keep quiet
tandis que while
tant as much, as many; **tant de** so much, so many; **tant pis** too bad; **tant que** as long as
tante *f* aunt
tard late
tarder (à) to delay, to be long
tarte *f* pie
tasse *f* cup

taudis *m* slum

tel(le) such, such a; like, as

téléphoner (à, de) to phone

téléviseur *m* TV set

téméraire daring, rash

tempérament *m* temperament, nature

temporaire temporary

temps *m* time; **à temps** in time; **au temps où** at the time when; **avoir le temps (de)** to have time (to); **de mon temps** in my time; **de temps en temps** from time to time; **de tout temps** always; **en ce temps-là** at that time; **en même temps** at the same time; **gagner du temps** to play for time; **il est temps que** it's time to; **passer son temps** to spend one's time; **perdre son temps** to waste one's time; **prendre son temps** to take one's time; **temps libre** free time; **tout le temps** all the time

tenace tenacious

tendancieux (-euse) biased (referring to things/ideas)

tendre tender

tendre to stretch; to hold out

tendresse *f* tenderness

tenir to hold; **tenir une réunion** to hold a meeting; **Tiens!** Say!

tenter to tempt

terminer to finish, to end

terrain *m* land, ground; **terrain de camping** campground

tête *f* head; **coup** *m* **de tête** rash impulse

thé *m* tea

tien : le/la tien(ne) yours

tiers *m* third; **le tiers (de)** one third (of)

timbre-poste (*pl* **timbres-poste**) *m* postage stamp

tirer to pull, to shoot

tiroir *m* drawer

tisane *f* herbal tea

titre *m* title

toile *f* canvas

toit *m* roof

tolérer to tolerate

tomber amoureux (de) to fall in love (with)

tonneau *m* cask

tort *m* harm, damage; **avoir tort (de)** to be wrong (to)

tôt early

toujours always; still

tour *m* turn; trick; **à votre tour** your turn; *f* tower

tournée *f* tour

tourner to turn; **tourner au vinaigre** to go sour; **tourner (un film)** to make (a movie)

tournesol *m* sunflower

tout (toute, tous, toutes) *adj* every, each; all, every; **tout** *indef adj* every; **tout** *indef pron* everything, all; **tous, toutes** *pron* all, all of (them/us); **à toute vitesse** at full speed; **à toute heure** at any time, all the time; **donner toute satisfaction** to give full satisfaction; **en tout cas** in any case; **pas du tout** not at all; **tous/toutes les** all, every; **tous/toutes les deux** both (of them/you/us); **tous les jours** every day; **tout à coup** suddenly, all of a sudden; **tout à l'heure** shortly, later; **tout à fait** entirely; **tout compte fait** all things considered; **tout de suite** right away; **tout le, toute la** the whole, the entire, all; **tout le monde** everybody, everyone

tout *adv* very, most, completely, entirely

tout *m* the totality, the whole

traduction *f* translation

traduire to translate

trahir to betray

train *m* train; **par le train** by train

trait *m* (straight) line

traiter to treat

traître (-esse) *n* traitor

tranche *f* slice, piece

travail (*pl* **-aux**) *m* work, job; **travaux ménagers** housekeeping chores, housework; **travaux pratiques** exercises, lab work

travailler to work; **travailler à la chaîne** to work on the assembly line; **travailler à plein temps** to work full-time; **travailler à temps partiel** to work part-time; **travailler dur** to work hard

travailleur (-euse) *n* worker; *adj* hardworking

travers : à travers through

trésor *m* treasure

tribu *f* tribe

tricher to cheat

triste sad

tristesse *f* sadness

troisième third; **troisième âge** *n* senior citizen

tromper to deceive, to cheat on; to fool, to trick; **se tromper** to make a mistake

tromperie *f* deception, cheating

trompeur (-euse) deceitful, deceptive

trône *m* throne

trop too; over; too much, too many; **trop de** too much, too many

trou *m* hole

trouver to find; **il se trouve** it's found, it so happens

tube (argot) *m* hit song (slang)
tuer to kill
tutoyer to address as **tu**
tuyau (*pl* **-aux**) *m* pipe
type *m* guy

U

unir to unite
unité *f* **de valeur** credit
université *f* university
usage *m* use, usage; **faire usage (de)** to make use (of)
usé worn out
usine *f* factory
utile (à) useful (to/for)
utiliser to utilize, to use

V

vacances *f* vacation: **les grandes vacances** summer vacation
vacancier (-ère) *n* vacationer
vache *f* cow
vagabonder to wander, to roam
vague *f* wave
vaisselle *f* dishes: **faire la vaisselle** to do the dishes
valise *f* suitcase
valoir to be worth; **il vaut mieux (que)** it's better (to)
valse *f* waltz
vanter to praise; **se vanter (de)** to boast (of, about)
vapeur *f* steam
vase *m* vase; *f* mud, slime
veau *m* veal
vécu *pp of* **vivre** lived; realistic, true
vedette *f* (movie) star
veille *f* day/night before
vendeur (-euse) *n* salesperson
vendre to sell
venger to avenge; **se venger (de)** to avenge oneself (for), to take vengeance (on)
venir to come; **faire venir** to send for; **venir de** + *inf* to have just, just
vent *m* wind
vente *f* sale
vérité *f* truth; **en vérité** really, actually
verre *m* glass
vers *pr* toward
vers *m* verse, line of poetry
verser to pour
vert green
vertueux (-euse) virtuous
vêtement *m* garment; **vêtements** clothing

veuf *m* widower
veuve *f* widow
viande *f* meat
vide empty
vie *f* life; **gagner sa vie** to earn one's living
vieillesse *f* old age
vieux (vieil, vieille) old; **mon vieux** old pal, pal, old sport
vif (-ive) bright (color)
vilain ugly; mean, nasty
village-vacances *m* resort
vin *m* wine
vinaigre *m* vinegar
visage *m* face
vis-à-vis regarding, vis-a-vis
visite *f* visit; **rendre visite (à)** to visit (someone)
visiter to visit (something, a place); **faire visiter** to show around
vite fast; **vite!** quick! hurry up!
vitesse *f* speed
vitrail (*pl* **-aux**) *m* stained-glass window
vivant lively, alive; **bon vivant** *m* connoisseur of food and good living; easygoing person
vivre to live; **faire vivre** to support (someone)
vœu (*pl* **vœux**) *m* wish
voilà : voilà! there! that's it!; **voilà...que** it's been...that
voile *f* sailing
voir to see; **faire voir** to show around; **voir clair** to see clearly; **voir grand** to have big plans; **voir juste** to see right
voisin(e) *n* neighbor
voiture *f* car; **en voiture** by car
voix *f* voice
vol *m* flight
voler to steal; to fly
volonté *f* will
votre, vos your
vôtre : le/la vôtre yours; **les vôtres** yours
vouloir to want; **en vouloir (à)** to bear a grudge (against), to hold against
voyage *m* trip, journey; **agence** *f* **de voyage** travel agency; **voyage de noces** honeymoon trip
voyageur (-euse) *n* traveler
vrai real, true; **dire vrai** to speak truly; **faire vrai** to appear authentic
vraiment really, truly
vue *f* sight, view

W, X, Y, Z

zut! shucks!, heck!, darn!, damn!

Index